L'heure du crime

David Baldacci

L'heure du crime

*Traduit de l'américain
par Éric Moreau*

ÉDITIONS FRANCE LOISIRS

Titre original : *HOUR GAME*
publié par Warner Books Inc.,
New York.

Édition du Club France Loisirs,
avec l'autorisation de Belfond

Éditions France Loisirs,
123, boulevard de Grenelle, Paris.
www.franceloisirs.com

Je dédie ce roman à
Harry L. Carrico,
Jane Giles,
et à la mémoire de Mary Rose Tatum.
Trois des personnes les plus exquises que j'aie
jamais connues.

1

Pantelant et en sueur, l'homme au ciré avançait à petits pas mesurés, le dos un peu courbé.
Sa charge, loin d'être considérable, n'était pas
bien équilibrée, et les irrégularités du terrain ne
l'aidaient pas. Trimbaler un cadavre dans les bois
en pleine nuit n'est jamais chose aisée. Il fit
passer le corps sur son épaule gauche et reprit sa
laborieuse progression. Ses semelles ne laissaient aucune empreinte caractéristique. De toute
façon, ça n'aurait pas été bien grave, la pluie effa-
çait en quelques secondes toute trace de pas. Il
avait regardé les prévisions météo, et cette pluie
était la raison de sa présence ici. Il n'aurait pu
rêver meilleur allié.

Outre le cadavre jeté sur son dos, l'homme
se remarquait par sa cagoule noire, ornée sur
le devant d'un symbole ésotérique – un cercle
frappé en son centre d'une croix – qui couvrait
toute l'étoffe. Sans doute immédiatement recon-
naissable pour les plus de cinquante ans, cet
emblème avait inspiré une terreur qui s'était
beaucoup atténuée avec le temps. Mais peu lui
importait qu'aucun être en vie ne le voie affublé
de cet artifice, sa symbolique de mort suffisait à
l'emplir d'une satisfaction morbide.

En moins de dix minutes, il atteignit l'endroit qu'il avait sélectionné avec soin lors d'une première visite et y déposa sa victime en lui témoignant un respect qui ne laissait rien deviner de la violence avec laquelle il l'avait tuée. Il respira à fond, puis retint son souffle tandis qu'il détachait le fil de téléphone qui enserrait son fardeau et déroulait la bâche en plastique. La femme était jeune et, deux jours auparavant, encore jolie. À présent, elle offrait un piètre spectacle. Ses cheveux d'un blond assez doux encadraient une peau désormais verdâtre, dévoilant ses joues enflées et ses yeux clos. S'ils avaient été ouverts, ils auraient révélé l'expression terrorisée de celle qui comprend qu'elle va mourir – une scène qui, en Amérique, se déroule environ trente mille fois par an.

L'homme dégagea le corps du plastique et l'allongea sur le dos. Ensuite, il réprima la puissante envie de vomir que provoquait la puanteur, et aspira une grande goulée d'air. D'une main gantée, s'éclairant de sa lampe torche, il chercha la petite branche fourchue qu'il avait placée au préalable dans les ronces voisines. Il s'en servit pour soutenir l'avant-bras de la femme, qu'il positionna de façon à ce qu'il soit pointé vers le ciel. Même si elle s'atténuait vite, la rigidité cadavérique lui compliqua la tâche. Sa grande force lui permit cependant de soulever le membre raidi pour lui donner l'inclinaison voulue. Il sortit la montre de sa poche et s'assura qu'elle indiquait la bonne heure avant de la passer au poignet du cadavre.

Il n'était pas pieux, mais il s'agenouilla au-dessus de la jeune femme et se plaqua une main sur la bouche et le nez pour murmurer une brève prière. Il estimait qu'elle le méritait bien.

— Tu n'y étais pour rien, mais je n'avais personne d'autre. Tu n'es pas morte en vain. Et je suis persuadé que tu es mieux là où tu es maintenant.

Croyait-il vraiment à ce qu'il venait de dire ? Pas sûr. Enfin, ça n'avait peut-être pas d'importance.

Il contempla le visage de la jeune femme et étudia ses traits avec la méticulosité d'un savant qui se livre à une expérience des plus fascinantes. C'était la première fois qu'il tuait. Il avait fait en sorte que ce soit rapide et, il l'espérait, indolore. Dans cette nuit maussade et brumeuse, la femme paraissait enveloppée d'un halo jaunâtre, comme si elle n'était déjà plus qu'un esprit.

Il s'éloigna de quelques pas pour inspecter les environs, traquant le moindre élément matériel susceptible de le trahir. Il ne découvrit qu'un morceau de tissu provenant de sa cagoule et qui s'était accroché dans les branchages d'un buisson non loin du corps. « Tu ne peux pas te permettre une telle étourderie. » Il fourra le tissu dans sa poche, puis passa encore plusieurs minutes à chercher d'autres détails de ce genre, même de dimension quasi microscopique.

Un seul de ces « petits riens » suffisait à vous mettre dedans. Une simple goutte de sang, de sperme ou de salive, une empreinte digitale ou un cheveu encore pourvu de sa racine chargée d'ADN, et la police venait vous lire vos droits pendant que les procureurs, comme des requins affamés, commençaient à vous tourner autour. Pourtant, être conscient de cette réalité n'offrait que peu de garanties : n'importe quel criminel, aussi prudent soit-il, laisse des indices. Il avait donc soigneusement évité tout contact direct avec sa victime, comme s'il s'agissait d'un agent pathogène susceptible de lui transmettre un virus mortel.

Il roula la bâche et rangea le cordon de téléphone dans sa poche, vérifia la montre une dernière fois, puis repartit sans hâte vers sa voiture.

Derrière lui, le cadavre montrait du doigt les cieux pluvieux. La montre luisait légèrement dans l'obscurité, et, tel un fanal blafard, signalait l'endroit où la femme allait reposer quelque temps. Mais on ne tarderait pas à la découvrir : les dépouilles qu'on n'enterrait pas restaient rarement cachées, même dans des lieux aussi isolés que celui-ci.

Une fois au volant de son véhicule, l'homme caressa le symbole cousu sur sa cagoule et en profita pour se signer. La même croix figurait sur le cadran de la montre. « Voilà qui va les émoustiller. » À la fois exalté et angoissé, il prit une profonde inspiration. Des années durant, il avait cru que ce jour ne viendrait jamais. Le courage alors lui faisait défaut. Maintenant qu'il venait de franchir le cap, il se sentait libéré et investi d'une grande force. Il priait pour qu'elle lui permette d'accomplir le reste de sa tâche.

Il enfonça l'accélérateur, et ses pneus mordirent brutalement le bitume glissant tandis que les ténèbres engloutissaient la lumière des phares de sa Volkswagen bleue. Il voulait arriver à destination le plus vite possible.

Il avait une lettre à écrire.

2

Michelle Maxwell allongea sa foulée. Elle venait de terminer la partie plate de son jogging à travers les hauteurs qui entouraient Wrightsburg, à l'ouest de Charlottesville, en Virginie ; à présent, le terrain allait devenir bien plus escarpé. Après avoir été championne olympique d'aviron, Michelle avait servi pendant neuf années très intenses dans le Secret Service[1]. C'est dire si cette femme d'un mètre soixante-quinze tenait une forme physique remarquable. Néanmoins, l'énorme anticyclone qui s'était installé sur tout le nord de l'Atlantique conférait à cette journée printanière une humidité inhabituelle, et son corps commençait à peiner maintenant qu'elle attaquait une côte. Au quart de sa course, elle avait attaché ses cheveux noirs mi-longs en

_____

1. Organe policier qui assure la protection rapprochée du président des États-Unis et des hauts dignitaires de l'État, et est également chargé de la répression des fraudes financières *(N.d.T.)*.

13

queue-de-cheval, mais des mèches rebelles conti-
nuaient de tomber sur son visage.

À son départ du Secret Service, elle avait
ouvert une agence de détectives privés à Wrightsburg, avec Sean King. Cet ancien collègue avait
quitté le Service en disgrâce, mais refait sa vie
dans cette petite bourgade. Ils ne s'étaient pas
connus quand ils travaillaient tous les deux
pour l'Oncle Sam ; ils ne s'étaient rencontrés
que l'année précédente, alors que seule Michelle
appartenait encore au Service. Ils avaient dû faire
équipe pour enquêter sur une série de meurtres
survenus dans la région et dont King avait du
mal à se dépêtrer. Après avoir bouclé le dossier
avec succès et acquis par la même occasion une
certaine notoriété, Michelle avait proposé à King
de s'associer avec elle, ce qu'il avait accepté, non
sans réticence. Grâce à leur nouvelle réputation
et à leurs talents d'enquêteurs, leur affaire avait
vite prospéré. Ces dernières semaines, toutefois,
ils traversaient une période plus calme qui ne
déplaisait pas à Michelle. Elle adorait le grand air
et prenait autant plaisir à camper et à courir le
marathon qu'à coffrer des faux-monnayeurs ou à
coincer un espion industriel.

À part la brise qui faisait bruisser les arbres et
soulevait des minitornades de feuilles mortes,
les bois étaient silencieux. Aussi un craquement
de branches éveilla-t-il soudain son attention.
On l'avait prévenue que des ours vivaient dans
les environs. Cependant, si elle avait croisé un
animal sauvage, ç'aurait plus probablement été
un cerf, un écureuil ou un renard. Sans être

inquiète, Michelle se sentit réconfortée par le poids de l'étui à pistolet attaché à la ceinture de sa banane. Depuis ses débuts au Secret Service, elle n'avait jamais quitté son arme, pas même aux toilettes. Impossible de prévoir quand un Sig neuf millimètres et son chargeur de quatorze cartouches pouvaient vous sauver la mise.

Peu après, ce furent des bruits de course qui l'alertèrent. Durant sa carrière, Michelle en avait entendu des tas, et de genres différents. La plupart avaient été anodins, mais certains pouvaient découler de faits plus graves comme le vol et l'agression, ou traduire de la panique. Pour l'heure, elle ne parvenait pas à déterminer si le coureur était bon, mauvais, ou en médiocre condition physique. Elle ralentit un peu et mit sa main en visière pour se protéger du soleil. Pendant quelques secondes régna un silence absolu ; puis les bruits reprirent, beaucoup plus près. Bon, à l'évidence, ce n'était pas la foulée mesurée d'un jogger : ces enjambées précipitées et irrégulières trahissaient la peur, l'affolement même. Elles lui semblaient arriver par sa gauche, à présent, mais comment en être sûre ? Les sons avaient tendance à se répercuter, par ici.

— Hé ho ! cria Michelle tout en dégainant son pistolet.

Elle n'attendait aucune réponse et n'en obtint pas. Elle engagea une cartouche dans la culasse, mais laissa la sécurité enclenchée. Petite, on lui avait appris qu'il ne fallait pas courir avec des ciseaux à la main, et ce conseil valait pour une arme chargée. La cavalcade continuait ; à n'en pas douter, il s'agissait d'un être humain. Michella jeta un coup d'œil derrière elle – et si c'était un piège ? Il suffisait d'être deux : le premier attirait votre attention pendant que le second vous bondissait dessus. Eh bien, dans ce cas, ils se mordraient les doigts d'être tombés sur elle.

Lorsqu'elle localisa enfin la source des craquements, elle s'immobilisa : ils provenaient de sa droite, juste de l'autre côté de la butte. La respiration était saccadée, le mouvement des jambes et le bruissement des broussailles paraissaient anarchiques. Bientôt, le coureur franchirait le faîte rocailleux.

Michelle ôta le cran de sûreté et se posta derrière un large chêne. Avec un peu de chance, un autre jogger, qui ne s'apercevrait même pas de sa présence, apparaîtrait. De la terre et des cailloux furent projetés par-dessus le tertre, et la jeune femme se prépara à coller si nécessaire une balle entre les deux yeux de l'inconnu.

Un jeune garçon jaillit par-dessus le promontoire, resta une fraction de seconde suspendu en l'air, puis dégringola la pente en criant. Il n'était pas encore arrivé en bas qu'un autre, un peu plus âgé, apparut à son tour. Mais il s'arrêta à temps et, au terme d'une simple glissade sur les fesses, vint s'étaler à côté de son camarade.

Si la terreur n'avait déformé leurs traits, Michelle aurait pu croire qu'ils ne faisaient que chahuter. Les joues zébrées de larmes et de saleté, le plus jeune sanglotait. L'autre l'aida à se relever en le tirant par le col, et ils repartirent comme des dératés, les poumons en feu et la figure rendue écarlate par l'afflux de sang.

Michelle rengaina son arme, sortit de sa cachette et leva la main.

— Arrêtez-vous, les enfants !

Les deux petits hurlèrent et, chacun d'un côté, la dépassèrent en trombe. Elle fit volte-face et tenta d'en agripper un, mais le manqua. Elle leur cria :

— Qu'est-ce qui se passe ? Je veux juste vous aider !

Pendant une fraction de seconde, elle envisagea de se lancer à leur poursuite. Mais, en dépit de son passé de championne, elle n'était pas sûre de pouvoir rattraper deux jeunes garçons dont les jambes semblaient propulsées par une trouille de tous les diables. Elle se tourna de nouveau vers le monticule. Qu'est-ce qui avait bien pu leur ficher une pareille frousse ? Elle reformula vite sa pensée : la question était plutôt de savoir *qui*.

Michelle leur lança un dernier coup d'œil puis se dirigea vers l'endroit d'où ils venaient. « Tout ça commence vraiment à devenir un peu limite. » Elle envisagea d'utiliser son portable pour demander de l'aide, mais décida d'attendre d'en savoir un peu plus. Elle n'avait pas envie d'appeler la police pour constater par la suite que l'origine de tout ce grabuge n'était qu'un ours. Une fois en haut, elle trouva son chemin sans peine. Elle se faufila au milieu de la piste étroite que les garçons avaient taillée dans les fourrés lors de leur course folle. Au bout d'une trentaine de mètres, elle déboucha sur une clairière. La direction à prendre devint alors moins évidente, mais un petit morceau de tissu accroché à la plus basse branche d'un cornouiller lui indiqua une nouvelle trouée. Quinze mètres plus loin, elle arriva dans une autre clairière, plus vaste, où elle vit un feu de camp éteint.

Elle se demanda si les deux gosses avaient campé là et avaient effectivement été effrayés par un animal. Pourtant, ils ne portaient pas de matériel de camping, et elle n'en découvrit aucun sur place. De plus, le feu n'avait pas l'air récent. « Non, il se passe autre chose. »

Le vent changea brusquement de direction, et l'odeur vint happer ses narines. Michelle eut un haut-le-cœur, tandis qu'une expression de panique aussi forte que celle des garçons se peignit sur son visage. Cette odeur bien caractéristique, elle la connaissait...

C'était celle de la chair en putréfaction. « Celle de la chair humaine ! »

Michelle remonta son débardeur sur le bas de son visage, préférant sa sueur à la pestilence d'un corps en décomposition. Elle fit le tour de la clairière. À cent vingt degrés sur sa boussole imaginaire, elle le trouva – ou plutôt *la* trouva. Dans les broussailles qui bordaient les lieux, la main dépassait comme si la morte disait bonjour ou, en l'occurrence, au revoir. Malgré la distance, Michelle remarqua que la peau verdâtre se décollait de l'os. D'un pas hâtif, elle s'avança vers la dépouille, tourna le dos au vent et prit une grande bouffée d'air frais.

Toujours aux aguets, elle parcourut le corps du regard. Si la puanteur, la décoloration de la peau et l'état des tissus indiquaient que la mort remontait à un petit bout de temps, le tueur pouvait avoir déposé récemment le corps ici et se tenir encore dans les parages. Elle n'avait aucune envie de connaître le même sort que sa victime.

Un objet au poignet de cette dernière reflétait les rayons du soleil. Michelle s'approcha et vit qu'il s'agissait d'une montre. Elle consulta la sienne : quatorze heures trente. Le nez dans le creux de son bras, elle s'accroupit et composa le 911, puis décrivit avec calme sa découverte au répartiteur et lui expliqua où elle se trouvait. Ensuite, elle appela Sean King.

— Tu l'as identifiée ? lui demanda-t-il.

— Même sa mère ne la reconnaîtrait pas, Sean.

— J'arrive. Surtout, reste sur tes gardes. Le meurtrier peut revenir à tout moment admirer son œuvre. Au fait, Michelle...

— Oui ?

— ... tu ne pourrais pas des fois te contenter de courir en salle ?

Elle coupa la communication, se posta aussi loin que possible du cadavre sans le perdre de vue, et ouvrit l'œil. Cette belle journée et sa course euphorisante dans les splendides hauteurs venaient de prendre une tournure bien macabre.

Rien de tel qu'un meurtre pour vous casser le moral !

3

Une grande activité régnait dans la petite clairière. Un large périmètre avait été bouclé à l'aide d'un ruban jaune accroché d'arbre en arbre. Deux techniciens de la police scientifique cherchaient des indices dans les environs immédiats, en analysant des éléments d'apparence trop infime pour retenir l'attention. D'autres examinaient le cadavre pendant que d'autres encore parcouraient les sous-bois alentour à l'affût du moindre signe qui trahirait le passage de l'assassin. Un agent en uniforme avait photographié puis filmé les lieux...

Tous ces policiers avaient beau porter des masques respiratoires, ils se précipitaient tour à tour dans les bois pour vomir. Et, malgré le professionnalisme dont ils faisaient preuve, le score était sans appel : 1 pour le méchant, 0 pour les bons. Ils ne trouvaient strictement rien.

Un peu à l'écart, Michelle et Sean King les observaient. Âgé d'une quarantaine d'années, Sean avait les cheveux bruns coupés court et les tempes grisonnantes. Svelte et de belle carrure, il dépassait Michelle d'une petite dizaine de centimètres. Il portait les séquelles d'une blessure à l'épaule, où une balle s'était logée quelques années auparavant alors qu'il enquêtait sur une affaire de contrefaçon. Après son départ du Secret Service, il s'était engagé comme adjoint volontaire au sein de la police de Wrightsburg, puis avait démissionné et choisi de tirer un trait sur tout ce qui était armes à feu et maintien de l'ordre.

Au cours de sa vie, Sean King avait eu son lot de malheurs : une fin de carrière déshonorante au Secret Service – un candidat à l'élection présidentielle dont il devait assurer la protection avait été abattu sous ses yeux –, un divorce catastrophique et, plus récemment, un complot visant à lui faire porter le chapeau pour une série de meurtres – lequel complot avait ravivé les souvenirs douloureux de ses derniers jours en tant qu'agent fédéral. Ces événements l'avaient rendu prudent à l'excès, méfiant même, du moins jusqu'à ce que Michelle fasse irruption dans son existence. Si leur relation n'avait pas commencé sous les meilleurs auspices, à présent la jeune femme était la seule personne en qui il avait une confiance aveugle.

Michelle avait toujours vécu à cent à l'heure : son cursus universitaire bouclé en trois petites années et sa médaille olympique d'aviron en poche, elle avait décroché un poste d'agent de police dans son Tennessee natal avant d'intégrer le Service. Tout comme King, elle n'avait pas quitté l'agence la tête haute. Pour n'avoir pas su déjouer les plans d'ingénieux ravisseurs, elle aussi avait perdu celui qu'elle devait protéger. Ce drame avait failli la détruire, elle qui n'avait encore jamais connu l'échec.

Sa rencontre avec King datait de là. Si elle l'avait tout d'abord trouvé fort antipathique, maintenant elle l'appréciait. Il s'agissait du détective le plus doué avec qui elle avait jamais fait équipe et de son ami le plus proche.

Tous deux n'auraient pu être plus différents. Alors que Michelle, accro aux montées d'adrénaline, cherchait sans cesse à repousser les limites de son corps grâce à une intense activité sportive, King préférait passer son temps libre à dénicher les bouteilles qui viendraient compléter sa cave, à collectionner les œuvres d'art de petits artistes du cru, à lire de bons livres, ainsi qu'à prendre son bateau pour aller pêcher sur le lac situé derrière chez lui. De nature réfléchie, il aimait étudier une question à fond avant de passer à l'action. Michelle, plus impulsive, avait tendance à foncer sans trop se soucier des conséquences. Cette association d'un volcan en éruption et d'un glacier paisible fonctionnait à merveille.

— Ont-ils retrouvé les garçons ? demanda Michelle à son associé.

Il hocha la tête.

— Ils sont pas mal sous le choc, si j'ai bien compris.

— Sous le choc ? À mon avis, ils vont avoir besoin d'un psy au moins jusqu'à la fin de leurs études, oui...

Michelle avait déjà fait un rapport détaillé à Todd Williams, le chef de la police locale, dont les cheveux avaient considérablement blanchi depuis la première enquête qu'elle avait menée avec King à Wrightsburg. À cet instant, en tout cas, le commandant affichait un air résigné, comme si cette petite bourgade allait désormais devoir elle aussi compter avec la violence et les meurtres.

Une jolie rousse approchant la quarantaine arriva sur les lieux, munie d'une sacoche noire et d'un kit à prélèvements cutanéo-muqueux. Elle s'agenouilla près du corps et se mit à l'examiner.

— C'est le médecin légiste du secteur, expliqua King à Michelle. Sylvia Diaz.

— Sylvia Diaz ? À la voir, j'aurais plutôt dit Maureen O'Hara.

— Elle est la veuve de George Diaz, un chirurgien du coin très réputé qui a été tué par un chauffard il y a quelques années. Autrefois, Sylvia enseignait la médecine légale à l'UVA, l'université de Virginie. Maintenant, elle est généraliste dans le privé.

— Et elle donne un coup de main à la police en parallèle... Elle ne chôme pas ! Elle a des enfants ?

— Non. Il faut croire qu'elle ne vit que pour son travail.

À cet instant, le vent changea de direction et leur jeta la puanteur du cadavre à la figure.

— Quelle vie, quand même ! constata Michelle en portant la main à son nez. Regarde-moi ça, elle ne porte pas de masque, alors que même d'ici je meurs d'envie de m'enfuir en courant...

Vingt minutes plus tard, Sylvia Diaz se releva pour aller s'entretenir avec les policiers, puis ôta ses gants en latex et prit des clichés de la dépouille et des environs. Cette tâche terminée et son appareil photo rangé, elle s'apprêtait à

23

repartir quand elle aperçut King. Elle lui adressa un sourire chaleureux et se dirigea vers eux, tandis que Michelle murmurait :

— Tu aurais pu me dire que vous sortiez ensemble...

King eut l'air surpris.

— On s'est fréquentés un peu il y a quelque temps, c'est vrai. Comment tu le sais ?

— Quand on vient de passer un moment penchée au-dessus d'un cadavre, on ne sourit comme ça qu'à quelqu'un de très proche.

— Merci pour cette fine analyse... Sois gentille, s'il te plaît. Sylvia est quelqu'un de formidable.

— Je n'en doute pas, mais je t'en prie, Sean, épargne-moi les détails.

— Ne t'inquiète pas : moi vivant, tu n'apprendras rien.

— Ah ! je vois... le parfait gentleman de Virginie.

— Non, je n'ai pas envie qu'on me charrie, c'est tout.

4

Sylvia Diaz donna à King une accolade qui, aux yeux de Michelle, dura un peu trop longtemps pour une simple relation « amicale », puis King fit les présentations.

La légiste lança à la jeune femme un regard que cette dernière jugea peu affable, puis constata :

24

— Ça fait un bout de temps qu'on ne s'est pas vus, Sean.

— On a eu pas mal de boulot, récemment...

— Alors, les interrompit Michelle, vous avez réussi à déterminer la cause du décès ?

Sylvia la considéra d'un air surpris.

— C'est une information que je ne peux vous communiquer.

— Comme j'étais une des premières sur les lieux, expliqua Michelle d'un ton candide, je me posais la question, c'est tout.

— Tu vas l'autopsier à Wrightsburg ? demanda King.

— Oui, même si par le passé on envoyait les morts suspectes à Roanoke.

— Pourquoi n'est-ce plus le cas ? s'enquit Michelle.

— Avant, seuls quatre établissements étaient habilités à pratiquer les autopsies en Virginie : Fairfax, Richmond, Tidewater et Roanoke. Grâce à la générosité de John Poindexter, un homme très fortuné qui a présidé l'assemblée générale de l'État, nous possédons aujourd'hui une antenne certifiée à Wrightsburg même.

— Drôle d'idée pour une donation, commenta Michelle.

— Il y a quelques années, la fille de Poindexter a été assassinée ici, répondit Sylvia. Wrightsburg se trouve en plein sur la ligne séparant le secteur qui dépend du légiste de Richmond et le district ouest, qui est placé sous la juridiction de Roanoke. Cette situation particulière a donné lieu à des chamailleries pour savoir où allait être autopsié le corps. C'est Roanoke qui l'a emporté, mais, pendant le transport de la dépouille, le véhicule a eu un accident. Des indices primordiaux ont été perdus ou altérés, et on n'a jamais pu arrêter le meurtrier de la jeune Poindexter. Comme vous vous en doutez, son père l'a mal vécu. À sa mort, il a donc légué à la ville l'argent nécessaire à la construction d'un établissement de pointe.

Sylvia jeta un coup d'œil au cadavre :

— Enfin, on a beau posséder le matériel le plus moderne, déterminer ce qui a tué notre victime risque d'être coton.

— À quand remonte le décès, à ton avis ? demanda King.

— Difficile à dire : les résultats d'une autopsie dépendent beaucoup de l'individu, des facteurs environnementaux et du degré de décomposition. Quand quelqu'un est mort depuis aussi longtemps, elle donne une fourchette approximative, rien de plus.

— Il lui manque des doigts, à ce que je vois, fit remarquer King.

— À l'évidence, c'est le fait d'animaux, déclara Sylvia d'un air songeur. Mais le plus étrange, c'est que le corps aurait dû subir davantage d'agressions extérieures... En tout cas, on est en train d'essayer de l'identifier.

— Et la position de sa main, qu'est-ce que tu en penses ?

— Ça, c'est du ressort des enquêteurs, pas du mien. Moi, je me contente de leur expliquer la cause de la mort et de récolter des indices susceptibles de se révéler utiles. Il m'est arrivé de jouer les Sherlock Holmes à mes débuts, mais on m'a vite remise à ma place.

— Je ne vois pas pourquoi on vous reprocherait de mettre vos compétences au service de l'enquête, s'étonna Michelle.

— Vous seriez surprise...

Sylvia se tut un instant, puis lâcha :

— On a placé le bras sur le morceau de bois de façon délibérée, c'est certain. À part ça, je suis à court d'idées.

Elle se tourna vers King.

— Ça m'a fait plaisir de te revoir, malgré les circonstances.

Puis elle serra la main de Michelle et s'éloigna.

— Je croyais que vous ne sortiez plus ensemble, lança Michelle, tandis que Sylvia Diaz s'éloignait.

— C'est le cas. Tout est fini depuis un peu plus d'un an.

— Je ne suis pas sûre qu'elle ait imprimé.

— Merci beaucoup pour tes divinations. La prochaine fois, tu me liras les lignes de la main. Bon, on y va ? À moins que tu ne veuilles terminer ton footing ?

— C'est gentil, mais j'ai eu mon compte d'émotions pour la journée.

Alors qu'ils passaient à côté du cadavre, King s'arrêta, l'air soudain concentré, et observa la main toujours pointée vers le ciel.

— Qu'est-ce qu'il y a ? demanda Michelle, intriguée.

— La montre.

Elle y jeta un coup d'œil, remarquant juste que les aiguilles semblaient arrêtées.

— Eh bien quoi ?

— C'est une Zodiac.

— Une Zodiac ?

— J'ai comme l'impression que le tueur ne va pas en rester là.

5

Depuis plusieurs générations, les adolescents de Wrightsburg affectionnaient particulièrement ce terrain isolé, sis sur un promontoire qui surplombait l'un des principaux bras de l'immense lac Cardinal. Ils s'y adonnaient à diverses activités que leurs parents auraient réprouvées. Cette nuit-là, le temps étant pluvieux et venteux, une seule voiture y était garée, mais ses occupants s'en donnaient à cœur joie.

Déjà nue, la fille avait mis sa robe et ses dessous sur la banquette arrière, pliés avec soin à côté de ses chaussures. Pendant qu'elle ôtait au jeune homme son pantalon – une tâche que l'espace confiné rendait difficile –, celui-ci s'efforçait de passer sa chemise par-dessus sa tête. Il réussit enfin à enlever le haut à peu près au moment où le bas lui était arraché par la demoiselle, dont la patience, du moins dans ces circonstances, n'était pas la qualité première.

Après avoir enfilé un préservatif, le garçon se glissa au milieu du siège avant, et sa petite amie le chevaucha. Les vitres s'embuèrent tandis qu'il respirait de plus en plus vite, les yeux fermés. C'était sa première fois ; sa partenaire, elle, paraissait beaucoup plus expérimentée. Torturé par ses hormones, il rêvait de ce moment depuis au moins deux ans. Lorsqu'elle se mit à gémir, il sourit.

Puis il ouvrit les yeux, et son visage se figea.

La silhouette à la cagoule noire les fixait du regard à travers le pare-brise et, malgré l'épaisse condensation, il vit se dresser le canon du fusil à pompe. Par réflexe, il voulut se dégager afin de démarrer et de les sortir de là. Il n'en eut pas le temps. La vitre explosa. L'impact de la balle dans le dos de la fille la propulsa contre lui ; ce corps fit bouclier, mais en le percutant sa tête lui cassa le nez et faillit l'assommer. Couvert de sang même s'il ne souffrait d'aucune blessure grave, l'adolescent serra le cadavre contre lui comme un enfant étreint son doudou, croyant qu'il peut repousser le croque-mitaine. Il voulut hurler, mais n'y parvint pas. Finalement, il lâcha la fille et se glissa derrière le volant. Ses mouvements étaient maladroits, son esprit embrumé. Avait-il été touché ? Il n'en savait rien – il était en état de choc, et les baisses et hausses rapides de sa tension provoquaient en lui une immense panique.

Au moment où il mit le contact, la portière s'ouvrit, la cagoule noire réapparut, et avec elle le canon du fusil, dressé face à lui comme le serpent le plus venimeux du monde. Le jeune homme se mit à supplier et à pleurer tandis que le sang s'écoulait de son nez brisé. Il recula jusqu'à se cogner contre le cadavre de la jeune fille.

— Je vous en supplie ! gémit-il. Non, pitié, non !

Les neuf plombs de la cartouche l'atteignirent en pleine figure avec la force d'un marteau gigantesque, et il s'écroula. De face, le corps de la fille était intact, mais derrière, il ne restait plus rien. En la regardant allongée ainsi sur le dos, on ne pouvait savoir ce qui l'avait tuée. Pour son petit ami, en revanche, c'était bien plus évident : il n'avait plus de visage.

L'assassin fit le tour de la voiture, posa son fusil contre l'aile du côté passager et ouvrit la portière. Il passa une montre au poignet du jeune homme, tenta de lui caler le bras contre le tableau de bord, avant de le coincer entre celui-ci et la portière. Il manipula ensuite la montre de la fille, puis retira l'améthyste de pacotille qu'elle avait au doigt et la fourra dans sa poche avec la médaille de saint Christophe que le garçon portait en pendentif.

Se penchant au-dessus de son corps, il dit :

— Je regrette. Tu n'y es pour rien, mais tu fais partie du péché originel. Tu n'es pas mort en vain : tu as réparé un tort qui aurait dû l'être depuis longtemps. Puisse cela te réconforter.

Il ne prit pas la peine de réciter une prière pour la fille. Après avoir sorti un objet de son manteau, il le posa sur le plancher du véhicule, ferma la portière et s'en alla d'un pas lourd. Sous la pluie qui s'engouffrait par le pare-brise en morceaux, les deux jeunes gens paraissaient enlacés.

À leurs pieds se trouvait un collier de chien.

6

Le commandant Williams s'arrêta à l'agence King & Maxwell, installée dans un bâtiment en brique de un étage. Ces locaux, situés au cœur du centre-ville petit mais huppé de Wrightsburg, avaient servi de cabinet à King avant qu'il décroche sa plaque d'avocat. Sa casquette sur les genoux, les yeux bouffis et les traits tirés, Williams mit les deux associés au courant de l'effroyable double homicide.

— Si j'ai quitté la police de Norfolk, c'était pour échapper à ce genre d'horreurs. Mon ex-femme a voulu que je demande ma mutation ici parce que, soi-disant, le coin était tranquille... On peut dire qu'elle s'est fourré le doigt dans l'œil jusqu'au coude ! Pas étonnant qu'on ait divorcé.

King lui tendit une tasse de café et s'assit en face de lui. Michelle resta perchée sur l'accotoir du canapé en cuir.

— Quand les journaux vont s'en mêler, on va le sentir passer ! poursuivit Williams. Et puis cette pauvre Sylvia... Elle qui venait de terminer une autopsie, voilà qu'elle se retrouve avec deux autres cadavres sur les bras.

— Qui sont les victimes ? demanda King.

— Des lycéens d'ici : Steve Canney et Janice Pembroke. La fille a reçu un coup de fusil dans le dos ; le garçon en a pris un en pleine figure. De la chevrotine. Quand j'ai ouvert la portière, j'ai rendu tout mon petit déjeuner. Croyez-moi, je vais en faire des cauchemars pendant un bon bout de temps.

— Des témoins ?

— À notre connaissance, non. Il pleuvait, cette nuit-là. Leurs traces de pneus sont les seules qu'on ait retrouvées.

Michelle leva brusquement les yeux et lança :

— Mais le tueur a bien dû marcher jusqu'au véhicule, non ? Il n'a laissé aucune empreinte de pas ?

— Presque tout a été effacé. Il y avait cinq centimètres de flotte au fond de la voiture... Steve Canney était un peu la coqueluche du lycée, une star du football.

— Et la fille ?

Williams eut un instant d'hésitation.

— Janice Pembroke avait une certaine réputation auprès des garçons.

— Du genre plutôt... accessible ? hasarda King.

— C'est ça.

— Manquait-il quelque chose ? Pourrait-il s'agir d'un vol qui aurait mal tourné ?

— C'est peu probable, quoique deux objets aient disparu : la bague en toc de Pembroke et la médaille de saint Christophe que portait

32

Canney. Nous ignorons si c'est le tueur qui les a prises.

— Sylvia a terminé les autopsies, non ? Vous y avez assisté, j'imagine...

Williams parut gêné.

— J'ai eu un petit problème pendant l'examen post mortem de Jane Doe[1], et je n'ai pas pu me libérer pour les deux autres... J'attends ses comptes rendus, s'empressa-t-il d'ajouter. Et comme personne chez nous n'est habilité à mener une enquête criminelle, j'ai eu l'idée de vous mettre à contribution.

— Vous avez des indices ? s'enquit Michelle.

— Pour le premier meurtre, aucun. Nous n'avons d'ailleurs toujours pas identifié la victime, même si nous avons relevé ses empreintes et sommes en train de les scruter dans l'ordinateur. Nous avons quand même pu réaliser une reconstitution informatique de son visage, que nous faisons circuler un peu partout.

— A-t-on des raisons de croire qu'il existe un lien entre ces deux affaires ? interrogea encore Michelle.

— Non. En ce qui concerne Pembroke et Canney, à tous les coups, c'est une histoire de coucherie. Les gosses de maintenant, ils sont prêts à tuer pour un rien sans que ça leur fasse ni chaud ni froid. Ça vient de toutes les conneries qu'ils regardent à la télé.

---

1. John Doe, Jane Doe : lors d'une enquête, nom donné aux victimes et aux suspects non identifiés *(N.d.T.)*.

33

King et Michelle échangèrent un regard. Williams reprit :

— Pour l'inconnue, soit le meurtrier l'a attirée dans les bois, soit il l'a forcée à venir avec lui. À moins qu'il l'ait tuée ailleurs et transportée par la suite.

— Alors le type est costaud, commenta Michelle. Quant aux adolescents, l'assassin a pu les suivre ou les attendre sur le promontoire.

— Le lieu est réputé pour les rencards, si ce mot est encore d'actualité, dit Williams. Ils étaient nus tous les deux. À mon avis, c'est l'œuvre d'un gars que Pembroke a largué ou d'un autre qui était jaloux de Canney. Mais découvrir le meurtrier de notre inconnue, ce sera une autre paire de manches. C'est là que vous allez pouvoir m'aider.

King resta songeur un instant puis demanda :

— La montre que portait la victime du premier meurtre, vous y êtes-vous vraiment intéressé, Todd ?

— Elle m'a paru un peu grosse pour une femme.

— D'après Sylvia, le tueur a délibérément calé son bras sur une branche pour qu'il soit pointé vers le ciel.

— Elle ne peut pas en être certaine à cent pour cent.

— J'ai vu que la montre indiquait une heure pile.

— D'accord, mais elle était peut-être arrêtée, ou alors on en avait ôté le remontoir.

— Avez-vous fait attention à la marque ?

Williams le regarda d'un air curieux.

— La marque de la montre ?

— C'est une Zodiac, avec un cercle frappé d'une croix...

Williams manqua renverser son café.

— Comme « le Zodiaque » !

King acquiesça d'un signe de tête.

— ... et c'est aussi un modèle pour homme. Je pense que le tueur l'a passée au poignet de cette femme.

— Vous voulez dire que...

— « Le Tueur du zodiaque » a perpétré sa série de meurtres entre 1968 et 1969 dans la Bay Area, à San Francisco et à Vallejo. Ce Zodiaque-là aurait un peu trop de bouteille, à mon avis. En revanche, deux tueurs en série ont déjà reproduit ses crimes : l'un à New York et l'autre à Kobe, au Japon. Le tueur d'origine portait une cagoule de bourreau noire décorée d'une croix blanche, le symbole qui figure sur les montres Zodiac. Lui aussi en a laissé une au poignet de sa dernière victime – un chauffeur de taxi, si mes souvenirs sont bons –, mais ce n'était pas une Zodiac. En tout cas, celui qu'on soupçonnait être le tueur de San Francisco en possédait une. D'après les enquêteurs de l'époque, ça lui a donné l'idée d'adopter ce symbole, lequel lui a ensuite valu son surnom... L'affaire n'a jamais été résolue.

Williams se pencha en avant.

— Tout ça, ce ne sont que des suppositions, et vous allez un peu vite en besogne.

— Sean, tu penses vraiment qu'il s'agit d'un imitateur, un *copycat* ? demanda Michelle.

King haussa les épaules.

— Si deux types ont déjà copié l'original, il n'y a pas de raison pour qu'un troisième ne s'y mette pas. Quand il s'adressait aux journaux, le Zodiaque employait un code, qu'on a réussi à déchiffrer. Ses lettres ont permis de découvrir qu'il s'inspirait d'une nouvelle intitulée *Un jeu des plus dangereux*. C'est une histoire où l'on prend des hommes pour gibier. L'un des cadavres de la voiture portait-il une montre ?

Williams fronça les sourcils.

— Minute, Sean. Je vous ai déjà dit que ces deux affaires n'ont rien en commun. Fusil à pompe dans la seconde, alors que... bon, je ne sais toujours pas ce qui a tué Jane Doe, mais à l'évidence c'était pas de la chevrotine.

— Répondez-moi, c'est vraiment important.

— Ouais, les gamins en portaient tous les deux. Et après ? C'est interdit par la loi ?

— Vous avez vu si c'étaient des Zodiac ?

— Non. Cela dit, j'avais pas remarqué que celle de Jane Doe en était une.

Williams réfléchit un instant, puis ajouta :

— Maintenant que j'y pense, le bras de Canney reposait contre le tableau de bord.

— Pointé vers le ciel, non ?

— Possible, répondit Williams avec prudence. D'un autre côté, il s'est pris un coup de fusil en pleine poire, alors vous imaginez bien que ça a pu le projeter en arrière.

— Les montres, elles fonctionnaient ?

— Non.

— Qu'indiquait celle de Pembroke ?

— Deux heures.

— Exactement ?

— Je crois, oui.

— Et celle de Canney ?

Williams sortit son carnet et le feuilleta.

— Trois heures, lâcha-t-il avec nervosité.

— Sa montre a-t-elle été touchée par les plombs ?

— Je n'en sais trop rien. Sylvia devrait pouvoir nous éclairer sur ce point.

— Et l'autre montre ?

— Il semblerait qu'un éclat de pare-brise l'ait heurtée.

— Pourtant, intervint Michelle, si la montre de la fille, qui indique deux heures, a pu s'arrêter au moment de sa mort, pourquoi celle du garçon s'est-elle bloquée sur trois heures sans avoir reçu aucun choc ?

— Enfin bon, répondit Williams, toujours sur la défensive, à part cette histoire de montre, qui n'a rien de convaincant, je ne vois aucun lien entre ces affaires.

Entêtée, Michelle résuma :

— Jane Doe, c'était le numéro un ; Janice Pembroke, le deux ; et Steve Canney, le trois. Ça n'a rien d'une coïncidence.

— Todd, il faut à tout prix que vous vous renseigniez sur la marque des montres, lança King d'un ton pressant.

Williams s'empara de son portable et passa quelques coups de téléphone. Lorsqu'il eut terminé, il paraissait déconcerté.

— La montre qu'on a retrouvée sur Pembroke était bien la sienne, une Casio. Sa mère me l'a confirmé. En revanche, d'après le père de Canney, son fils n'en portait pas. Et j'ai vérifié auprès d'un de mes adjoints : celle qu'on a trouvée sur lui est une Timex.

King se rembrunit.

— Pas de Zodiac, donc... Mais il demeure possible que celle de Canney lui ait été laissée par l'assassin, comme ç'a sans doute été le cas pour le premier meurtre. Si je me souviens bien, « le Tueur du zodiaque » a lui aussi tué un couple d'amoureux dans une voiture et perpétré la plupart de ses crimes près d'une étendue d'eau ou d'un endroit portant un nom en rapport avec la flotte.

— Le promontoire où ils ont été tués donne sur le lac Cardinal, indiqua Williams à contre-cœur.

— Jane Doe ne s'en trouvait pas loin non plus, observa Michelle. Dès qu'on passe le sommet de la colline où on l'a découverte, on tombe sur une crique.

— À votre place, Todd, je me mettrais tout de suite à creuser la piste de la Zodiac, conseilla King. Cette montre est forcément sortie de quelque part.

L'air contrarié, Williams regardait ses mains.

— Qu'y a-t-il ? lui demanda Michelle.

— Nous avons ramassé un collier de chien sur le plancher du véhicule. Sur le coup, nous avons pensé qu'il appartenait à Canney, mais son père m'a assuré qu'ils n'ont pas d'animal.

— Peut-être appartient-il au chien des Pembroke ? fit King.

Williams secoua la tête.

Alors qu'ils se creusaient les méninges, le téléphone posé sur le bureau sonna. King alla répondre puis revint, l'air enjoué.

— C'était Harry Carrick, un juge à la retraite de la cour suprême. Il exerce maintenant comme avocat. Un de ses clients est accusé d'un délit assez grave, et il veut que nous l'aidions. Il ne m'a pas donné de détails.

Williams se leva et s'éclaircit la voix.

— Ah... ce doit être Junior Deaver.

— Junior Deaver ? répéta King.

— Ouais. Il effectuait des travaux chez les Battle – c'est en dehors de mon secteur. Junior est en garde à vue à la prison du comté.

— Pourquoi ?

— Il faudra demander à Harry.

Williams se dirigea vers la porte :

— Je vais m'adresser à la police de l'État. Ils ont une vraie brigade criminelle, là-bas.

— Vous devriez contacter le FBI, aussi. Si nous avons affaire à un tueur en série, vous pourrez obtenir un profil du tueur grâce au Vicap, lui rappela Michelle, faisant référence au programme créé pour répertorier les criminels violents.

— Si j'avais su qu'un jour je remplirais un formulaire Vicap à Wrightsburg...

— Ils ont beaucoup simplifié la procédure, insista-t-elle d'un ton qui se voulait encourageant.

Williams parti, Michelle se tourna vers King.

— Le pauvre...

— Nous allons faire de notre mieux pour l'aider.

Elle se cala dans le canapé.

— Alors, qui sont Junior Deaver et les Battle ?

— Junior, c'est un gars pas bien méchant qui vit ici depuis toujours. Disons qu'il lui est arrivé de commettre quelques petites erreurs. Les Battle, c'est une autre histoire. C'est de loin la famille la plus fortunée de la région. Une bonne vieille famille du Sud comme on se l'imagine.

— Qu'est-ce que tu entends par là ?

— Eh bien, des gens charmants, extravagants... enfin, un peu excentriques.

— Timbrés, c'est ça ?

— Euh...

— Toutes les familles le sont, le coupa Michelle. Simplement, certaines le laissent davantage paraître que les autres.

— À mon avis, tu vas te rendre compte que dans ce domaine les Battle remportent la palme.

7

Harry Lee Carrick habitait un grand domaine, à l'extrémité est de Wrightsburg. Sur le trajet, King renseigna Michelle à son sujet.

— Il a commencé comme avocat il y a des années, et puis il a été juge dans les tribunaux de la région, avant de siéger pendant deux décennies à la cour suprême de l'État. C'est d'ailleurs devant lui que j'ai prêté serment pour intégrer le Barreau. Sa famille vit en Virginie depuis trois cents ans – les fameux Lee, quoi. Harry a soixante-dix ans bien tassés, mais l'esprit plus affûté que jamais. Après son départ de la magistrature, il est revenu s'installer dans la propriété familiale.

— Et Junior, lui, c'est un petit voyou ?

— Disons qu'il s'est parfois fourvoyé dans des activités illégales. Enfin, il semblait se tenir à carreau depuis un bout de temps.

— Il est retombé, apparemment.

Ils passèrent un portail en fer forgé orné de l'initiale C.

— C'est joli, ici, remarqua Michelle.

— Harry a très bien réussi, et, tu t'en doutes, ce n'est pas l'argent qui manquait dans sa famille.

— Il est marié ?

— Sa femme est morte jeune. Il ne s'est jamais remarié et n'a pas d'enfants. En fait, je crois bien qu'il est le dernier de la lignée.

Ils entr'aperçurent une vaste demeure en brique à colonnades blanches nichée au milieu de vieux arbres. King n'en prit pas la direction, mais s'engagea sur un chemin de gravier étroit et se gara devant une petite construction de bardeaux peints en blanc.

— Qu'est-ce que c'est ? s'enquit Michelle.

— Le somptueux cabinet de Me Harry Lee Carrick.

Ils frappèrent à la porte, et une voix affable leur commanda d'entrer.

Assis derrière son bureau, Harry Carrick se leva et leur tendit la main. Assez mince, il mesurait un peu plus d'un mètre soixante-dix, avait des cheveux fins ainsi que d'épais sourcils argentés, et le teint rose. Il portait un pantalon gris, un blazer bleu, une chemise immaculée à col boutonné et une cravate à rayures rouges et blanches. Michelle trouva que ses yeux, davantage pervenche que vraiment bleus, dégageaient une expression espiègle assez plaisante. Sa poigne était énergique, et son chantant accent du Sud vous réchauffait autant que trois doigts de votre alcool favori et un bon fauteuil où les déguster. Il possédait l'énergie et les manières d'un homme de vingt ans son cadet. En résumé, c'était le portrait craché du juge tel qu'on le représente à Hollywood.

— Je me demandais quand Sean allait enfin se décider à nous présenter, dit-il à Michelle. Je me suis donc senti obligé de prendre les devants.

Il les invita à s'asseoir dans des fauteuils installés dans un coin de la pièce. De robustes étagères recouvraient la plus grande partie des murs. La pièce ne renfermait que des meubles anciens ; de la fumée de cigare y flottait comme des cumulus miniatures. Michelle repéra une vieille machine à écrire Remington sur une petite console, même si un PC et une imprimante laser trônaient sur le magnifique bureau sculpté.

— J'ai cédé aux assauts du monde moderne, expliqua Harry, à qui le regard de la jeune femme n'avait pas échappé. J'ai résisté aux ordinateurs le plus longtemps possible, puis je me suis abandonné tout entier à leur étreinte. Je réserve la Remington à ma correspondance avec certains amis d'un âge avancé, qui jugeraient tout à fait scandaleux de recevoir une missive sur autre chose qu'un papier à lettres de luxe portant mon monogramme et sublimé par les touches mécaniques ou mon écriture – laquelle devient, hélas, de moins en moins lisible. Vieillir nous rebute tant qu'on ne réfléchit pas à ce qu'on nous propose à la place. L'idéal serait de toujours garder jeunesse et beauté, comme vous, Michelle.

Cette dernière sourit. « Un vrai gentleman, et charmeur avec tout ça… »

Harry insista pour leur offrir du thé, dans un élégant service en porcelaine ancien, puis s'assit à son tour.

— Junior Deaver…, commença King pour lancer la conversation.

— … et les Battle, termina Harry.

— Ça m'a tout l'air d'un couple mal assorti, fit remarquer Michelle.

— Très mal, en effet, confirma Carrick. Bobby Battle était un homme brillant et un dur à cuire. Il a fait fortune à la sueur de son front. Sa femme, Remmy, est une dame vraiment exquise, mais elle aussi a un caractère bien trempé. Pour vivre avec Bobby, c'est préférable.

Michelle lui lança un regard intrigué.

43

— Vous avez parlé de lui au passé. Bobby Battle est-il décédé ?

— Non, mais il a eu une attaque très grave récemment. Peu avant l'incident dont on accuse Junior, en fait. Pour l'instant, j'ignore s'il a des chances de s'en remettre.

— La famille se limite à eux deux ? demanda Michelle.

— Non, ils ont un fils, Edward Lee Battle, que tout le monde appelle Eddie, et qui a une quarantaine d'années. Le patronyme complet de Bobby, c'est Robert E. Lee Battle. Nous n'avons aucun lien de parenté – Lee est un nom d'ajout, comme souvent dans la région, vous devinerez pourquoi. Ils ont eu un autre fils, Bobby Junior, le jumeau d'Eddie. Un cancer l'a emporté à l'adolescence.

— Il y a aussi Dorothea, la femme d'Eddie, précisa King. Et puis Savannah, sa sœur cadette. Elle vient de terminer ses études, il me semble.

— Eddie a la quarantaine alors que Savannah sort de l'université, c'est bien ça ? s'enquit Michelle.

— La naissance de Savannah a été une surprise, raconta Harry. Remmy avait elle-même plus de quarante ans au moment de cet heureux événement. Le plus drôle, c'est qu'à l'époque Remmy et Bobby étaient séparés depuis quelque temps et semblaient vouloir divorcer.

— Qu'est-ce qui n'allait pas ? demanda King.

— Remmy a surpris son mari avec une autre femme, une prostituée. Ce n'était pas la première fois – Bobby avait un fâcheux penchant pour ce genre de filles –, mais jusqu'alors ça n'avait pas transpiré. J'ai bien cru que cette fois-là ce serait la goutte qui ferait déborder le vase. Pourtant, ils se sont rabibochés.

— Un bébé a ce don-là, commenta King.

— Ils vivent tous ensemble ?

— Bobby, Remmy et Savannah habitent dans la demeure principale. Eddie et Dorothea logent à côté, dans l'ancienne remise à attelages, qui a été réaménagée en habitation. D'après la rumeur, Savannah serait sur le point de quitter le cocon familial.

— Pour toucher son fonds en fidéicommis, il lui fallait obtenir son diplôme, je suppose, observa King.

— Ça devait lui tarder.

— Je crois comprendre qu'elle ne s'entend pas avec ses parents, intervint Michelle.

— Comment vous expliquer ? Bobby a été un père souvent absent, et Savannah et sa mère ont toutes les deux une personnalité très forte et un caractère très indépendant, donc elles ont du mal à s'entendre.

— Que font Eddie et Dorothea dans la vie ?

Ce fut Harry qui répondit :

— Eddie est artiste et féru de reconstitutions de batailles de la guerre de Sécession. Dorothea dirige son agence immobilière, qui marche fort.

Harry lui adressa un sourire malicieux.

— Parmi les relations des Battle, on change de partenaire comme de chemise, et on cherche donc sans cesse de nouvelles maisons, souvent encore plus luxueuses. Même si ça enrichit son carnet d'adresses, se rappeler qui est avec qui au jour le jour doit donner des migraines à Dorothea.

— On se croirait dans *Peyton Place*[1], commenta Michelle.

— *Peyton Place*, c'est dépassé depuis des années, rétorqua Harry.

— Et Junior dans tout ça ? demanda King.

Harry posa sa tasse et prit un dossier sur son bureau.

— Junior effectuait des travaux chez les Battle. Surtout dans la chambre de Remmy. Il est doué : je l'ai moi-même employé ici, comme beaucoup de monde dans le coin.

— De quoi l'accuse-t-on ?

— De cambriolage. Il y avait dans la penderie un compartiment secret où Remmy cachait des bijoux, de l'argent et d'autres biens de valeur. Bobby possédait lui aussi une cache de ce genre, qui a également été forcée. À l'intérieur, il y en avait pour deux cent mille dollars, je crois – y compris la bague de mariage de Remmy, hélas...

Tout en parcourant le dossier, il ajouta :

— ... car rien n'est plus à craindre qu'une femme dépossédée de son alliance.

— Ils soupçonnent Junior juste parce qu'il travaillait chez eux ? lui demanda Michelle.

---

1. Feuilleton télévisé célèbre dans les années 1960 *(N.d.T.)*.

— C'est-à-dire qu'un certain nombre d'indices semblent l'incriminer.

— Comme ? voulut savoir King.

Carrick énuméra sur ses doigts.

— Le cambrioleur a pénétré dans la maison par une fenêtre du deuxième étage, à l'aide d'un outil dont on a retrouvé une marque dans le bois et un morceau de métal, et qu'on a identifié comme un pied-de-biche appartenant à Junior. Il possède aussi une échelle assez haute pour atteindre cette fenêtre. En outre, les policiers ont découvert du verre dans les ourlets d'un de ses pantalons. S'ils ne peuvent affirmer qu'il provient de la vitre des Battle, il est similaire au verre de celle-ci : tous deux sont teintés.

— Vous dites que le cambrioleur est entré par effraction. Pourquoi y a-t-il des éclats de verre, alors ?

— Un bout de la fenêtre s'est cassé quand il l'a forcée. À mon avis, l'hypothèse de la police est que des tessons sont tombés dans le pantalon de Junior quand il s'est glissé à l'intérieur... Ensuite, on a relevé sur le parquet de la chambre de Remmy des empreintes de pas identiques au dessin d'une de ses paires de bottes. On a aussi trouvé des traces de matériaux de construction par terre dans la penderie de Remmy : de la poussière de Placoplâtre, du ciment, de la sciure – le genre de saletés que Junior pourrait transporter sur ses chaussures, étant donné son travail. Et puis, parmi tout ça, il y avait de la terre, la même que celle du terrain où vit Junior. Enfin, on en a recueilli dans la chambre et le dressing de Bobby.

— Ils faisaient chambre à part, alors ? constata Michelle.

Harry haussa un sourcil.

— Ça, c'est un détail que Remmy aurait préféré ne pas voir s'ébruiter, j'en suis sûr.

— Ces indices sont compromettants, soit, mais ils n'ont rien d'irréfutable, constata King.

— En fait, il existe un dernier élément à charge. Ou plutôt deux : une trace de gant et une empreinte digitale qui correspond à celle de Junior.

— Une trace de gant ? répéta Michelle, surprise.

— En cuir, précisa Harry. Pourtant les motifs de la peau sont aussi caractéristiques qu'une empreinte – d'après les enquêteurs, du moins.

— Mais s'il portait des gants comment a-t-il pu laisser une empreinte digitale ? demanda King.

— Un des gants était sans doute troué. Junior en possède un qui l'est.

King fixa Harry du regard.

— Quelle est la version de Junior ?

— Il clame haut et fort son innocence. Il a travaillé seul jusqu'au petit matin à la maison qu'il construit pour sa famille et lui dans le comté d'Albermarle. Mais il n'a croisé personne et personne ne l'a vu, alors c'est raté pour l'alibi.

— Quand les Battle se sont-ils aperçus qu'on les avait cambriolés ?

— Remmy s'en est rendu compte aux alentours de cinq heures du matin, à son retour de l'hôpital. Elle se trouvait dans sa chambre vers vingt heures la veille, et la maison a été occupée jusqu'à vingt-trois heures environ. Le vol a dû avoir lieu entre, disons, minuit et quatre heures.

— Juste aux heures où Junior prétend avoir travaillé.

— Malgré tous ces éléments, intervint Michelle, vous le croyez innocent, n'est-ce pas ?

Harry planta son regard dans le sien.

— J'ai déjà défendu des coupables – c'est le métier qui veut ça. En tant que juge, j'ai vu des coupables repartir libres et des innocents parfois incarcérés ; et en général, j'ai été incapable d'intervenir. À présent, en ce qui concerne Junior, je suis convaincu qu'il n'a pas commis ce crime pour une simple et bonne raison : le pauvre bougre ne saurait pas davantage quoi faire d'un butin de deux cent mille dollars que je ne saurais remporter une médaille olympique d'aviron.

Michelle fut surprise.

— Oui, ma chère, dit Carrick sur un ton d'excuse, je me suis renseigné à votre sujet. J'espère que cela ne vous dérange pas.

Il lui tapota la main et reprit :

— Junior a prouvé par le passé son incompétence en tant que voleur. Il y a quelques années, il a volé des batteries de moteur dans un garage du coin ; mais le problème, c'est qu'il n'a pas pris la peine de les retirer de la plate-forme de sa camionnette quand il a emmené celle-ci à réparer dans ce même garage. Cette bourde lui a valu six mois de prison.

49

— Il a pu s'améliorer avec le temps, déclara King.

— Son entreprise de bâtiment marche mieux que jamais, et sa femme gagne pas mal d'argent. Ils sont en train de se construire une maison. Pourquoi tenterait-il de cambrioler les Battle ?

— Ils ont peut-être eu besoin d'un apport supplémentaire à cause de ce nouveau foyer. En tout cas, s'il est innocent, quelqu'un se donne beaucoup de mal pour lui faire porter le chapeau. Pourquoi ?

Harry s'attendait à une telle question.

— Il travaillait chez eux, alors il offre un coupable idéal. Celui qui veut le faire accuser a pu lui voler outils, chaussures, pantalon et gants dans la caravane où il vit en ce moment avec sa famille. L'endroit est isolé, et la caravane est souvent inoccupée. Enfin, je reconnais que cette histoire d'empreinte digitale est assez déconcertante : il faudrait un expert pour en créer une de toutes pièces.

— Sa famille, c'est quoi au juste ?

— Ses trois enfants, dont la plus âgée a une douzaine d'années. Sa femme, Lulu Oxley.

— Lulu Oxley ? répéta Michelle.

— C'est la gérante d'un club pour hommes, l'Aphrodisiac. En fait, elle a des parts dans l'affaire, maintenant, à ce qu'elle m'a dit.

— C'est une blague ? L'Aphrodisiac ? s'exclama Michelle d'un air surpris.

— Le lieu est, paraît-il, assez sympathique – pas un énième bar sordide avec des danseuses nues...

Mais, je n'y ai jamais mis les pieds, bien sûr, s'empressa de préciser Harry.

— C'est vrai, affirma King.

Michelle lui lança un regard.

— Pitié, ne me dis pas que toi tu y es allé !

L'air mal à l'aise, il hésita.

— Juste une fois. Pour enterrer la vie de garçon d'un copain.

— Mouais, fit Michelle.

King se pencha vers Carrick :

— OK, ce n'est pas forcément Junior qui a tout planifié, quelqu'un d'autre a pu s'en charger. Mais il a sans doute enrôlé Junior, du fait qu'il avait accès à la propriété des Battle. Parce que les éléments à charge contre lui sont accablants, Harry.

— Il y a, certes, des preuves contre Junior…, admit celui-ci sans se démonter. Mais un peu trop à mon goût, pour être honnête !

— Bon, qu'attends-tu de nous ? lança King, l'air dubitatif.

— Que vous parliez à Junior. Demandez-lui sa version des faits. Et allez voir les Battle.

— D'accord, mais si on vérifie tout et que rien ne cloche ?

— Dans ce cas, je m'entretiendrai avec Junior. S'il nie toujours, je n'aurai d'autre choix que d'avancer. Cependant, si le tribunal propose un compromis intéressant, il faudra que je lui en réfère. La prison, Junior connaît, et il n'a pas envie d'y retourner.

Là-dessus, Harry tendit à King le dossier de l'affaire, lui serra la main, puis se tourna vers Michelle pour prendre la sienne.

— Je dois le reconnaître, rencontrer enfin cette délicieuse jeune femme vaut bien les honoraires que vous me facturerez, quels qu'ils soient.

— Arrêtez, je vais rougir.

— Je prendrai cela comme un beau compliment.

Sur le chemin de la voiture, Michelle dit :

— Il me plaît bien, ce Harry.

— Tant mieux, parce qu'avoir fait sa connaissance risque d'être le seul point positif de toute cette histoire.

Son portable sonna. La communication fut brève.

— C'était Todd. Allons-y.

— Où ça ?

— Dans un endroit très sympa : la morgue.

8

La Volkswagen bleu ciel année 1969 roulait tranquillement sur une des routes secondaires qui menaient à Wrightsburg. Son conducteur portait un jean, une chemise blanche et des mocassins. En plus de sa casquette de base-ball bien vissée sur sa tête, il avait mis des lunettes noires. Une précaution sans doute exagérée, il le savait. La plupart des gens étaient trop préoccupés d'eux-mêmes pour être capables de décrire quelqu'un qu'ils auraient croisé dix secondes plus tôt.

Une Lexus décapotable arrivait sur la voie d'en face. Lorsque Sean King et Michelle Maxwell le croisèrent, il n'eut même pas un regard pour eux. Sa Coccinelle avait plus de trois cent mille kilomètres au compteur. À sa sortie de la chaîne d'assemblage, elle était jaune canari ; mais depuis qu'on l'avait volée pour la première fois, des années plus tôt, elle avait changé de couleur à maintes reprises et porté au moins dix jeux de plaques d'immatriculation différents. Qui plus est, une main experte avait modifié son code d'identification. Tel un pistolet dont le numéro de série a été limé, il était désormais littéralement impossible de remonter sa trace. Et ça, ça l'enchantait.

Theodore, dit « Ted », Bundy avait lui aussi affectionné les Coccinelle pour accomplir ses périples meurtriers d'un bout à l'autre du pays. Avant son exécution, il avait souvent évoqué la quantité de « cargaison » – autrefois vivante et de sexe féminin – qu'il pouvait y transporter en abaissant la banquette arrière. Bundy avait également vanté la faible consommation de ce modèle : un seul plein lui suffisait pour frapper et s'enfuir loin.

L'homme s'engagea sur le parking du centre commercial fastueux que fréquentaient bon nombre d'habitants de la ville. On disait que Bundy et d'autres tueurs en série de sa trempe passaient le plus clair de leur temps à préparer leur meurtre suivant. Ça devait leur sembler facile. Bundy, par exemple, possédait un QI de plus de 120. Soit, mais lui-même en avait un qui dépassait les 160. Adhérent de Mensa[1], il terminait sans peine les mots croisés du *New York Times* tous les dimanches et aurait pu gagner une petite fortune au « Jeopardy » en donnant la réponse avant même que le présentateur n'ait terminé l'énoncé.

Inutile pourtant d'être un génie pour repérer des victimes potentielles : les rues en regorgeaient. De nos jours, c'était d'ailleurs bien plus facile qu'à l'époque de Bundy. Le commun des mortels n'en avait peut-être pas conscience, mais à ses yeux, c'était clair comme de l'eau de roche.

L'homme observa le couple âgé qui sortait du supermarché d'un pas chancelant puis se glissait dans un break Mercedes. Il releva la plaque d'immatriculation, qu'il chercherait plus tard sur Internet afin d'obtenir leur adresse. Comme ils se chargeaient eux-mêmes de leurs courses, ils n'avaient sans doute pas d'aide-ménagère ou d'enfants habitant les environs. Leur modèle de voiture était assez récent, ils ne vivaient donc pas que de l'allocation vieillesse. Et puis, le vieux portait une casquette frappée du logo du country-club du coin : une autre mine de renseignements dans laquelle il pourrait puiser.

Se calant dans son siège, il attendit patiemment. D'autres proies éventuelles allaient venir dans ce centre commercial animé. Il pouvait y remplir son réfrigérateur de tout ce qu'il voulait sans jamais mettre la main à son porte-monnaie.

---

1. Club international réservé aux surdoués *(N.d.T.)*.

Quelques minutes plus tard, une femme séduisante d'une trentaine d'années, qui sortait de la pharmacie munie d'un gros sac, éveilla son instinct de prédateur. Elle alla au distributeur automatique voisin, retira du liquide, et commit ce qu'on aurait dû désigner comme le péché mortel du siècle nouveau : jeter son reçu à la poubelle. Enfin, elle monta dans une Chrysler Sebring décapotable rutilante. Sur sa plaque d'immatriculation personnalisée, il lut : DEH JD.

Il sut aussitôt qu'il s'agissait de ses initiales et qu'elle était avocate – JD signifiant *Juris doctor*. D'après sa tenue, elle accordait un grand soin à son apparence. En outre, elle était célibataire – elle ne portait pas d'alliance. Bien bronzée, elle revenait sans doute de vacances si elle était active, ou alors elle avait fait des bains d'UV pendant l'hiver. Dotée d'un corps parfait et de mollets particulièrement bien dessinés, elle devait fréquenter une salle de sport de façon régulière, et peut-être même courir dans les bois des environs, déduisit-il ensuite. Puis son regard se fixa un instant sur la chaînette en or à sa cheville gauche. Voilà qui l'intriguait.

Le pare-chocs de la Chrysler étant décoré d'une vignette de l'Association du barreau américain qui datait de l'année en cours, tout semblait indiquer que sa propriétaire exerçait toujours. À côté de l'insigne de l'ABA se trouvait une autorisation de stationnement pour un coûteux lotissement sécurisé sis à quelques kilomètres de là... L'homme hocha la tête d'un air approbateur : ces autocollants étaient fort instructifs.

Il se gara, descendit de voiture, fit mine d'aller mettre quelque chose à la poubelle et en profita pour s'emparer du ticket de retrait. Cette femme aurait mieux fait de réfléchir à deux fois avant de s'en débarrasser. Autant jeter son avis d'imposition. Elle venait de se mettre à nu, de se rendre vulnérable à toutes les recherches auxquelles il voudrait procéder.

De retour dans son véhicule, il regarda le nom qui figurait sur le relevé : D. Hinson. Tout à l'heure, il chercherait son adresse dans l'annuaire, et comme elle apparaîtrait aussi dans les Pages jaunes, il saurait pour quel cabinet elle travaillait... Il venait donc de repérer deux cibles potentielles. Les banques avaient commencé à retirer les numéros de compte des reçus, car leurs imbéciles de clients, en s'en débarrassant, facilitaient la tâche à des gens comme lui. Cependant, ce n'était pas l'argent de cette femme qui l'intéressait, mais quelque chose de bien plus personnel.

Il reprit sa patrouille sous le soleil qui commençait à chauffer. La journée s'annonçait splendide. Alors qu'il s'enfonçait un peu plus dans son siège, son œil fut attiré à sa droite par une femme en train de charger le coffre de son monospace. Une *soccer mom*[1], remarqua-t-il, son T-shirt l'indiquait. Un enfant en bas âge grimpa sur la banquette arrière. Et, sur le pare-chocs, un autocollant vert annonçait qu'un fils

---

1. « Maman foot » : mère qui s'investit beaucoup dans les activités sportives de ses enfants, en particulier le football *(N.d.T.)*.

de cette famille figurait parmi les meilleurs élèves du collège de Wrightsburg.

« Bon à savoir, se dit-il, un collégien et un tout-petit. » Il se gara à côté du monospace et attendit. La femme partit ranger son chariot en laissant le bébé sans surveillance.

Alors, il descendit de son véhicule, se pencha par la vitre ouverte de la portière conducteur voisine et adressa un sourire au bambin, qui le lui rendit en gloussant. L'habitacle était sale et en désordre. Sans doute comme leur maison. S'ils possédaient un système d'alarme, ils ne devaient jamais l'enclencher. La femme avait probablement oublié de fermer ses fenêtres et de verrouiller ses portes, aussi. Il trouvait miraculeux que le taux de criminalité de ce pays ne soit pas plus élevé, avec de tels idiots insouciants.

Un manuel d'algèbre était posé sur la banquette arrière et, à côté, un livre d'images ; il y avait donc au moins un troisième enfant. Sur le plancher, une paire de tennis tachées d'herbe, un modèle pour garçon de cinq ou six ans, corrobora cette déduction.

Il jeta un coup d'œil sur le siège passager. Et voilà : un exemplaire de *People*. Levant les yeux au-dehors, il constata que la femme venait d'encastrer son Caddie dans la file et s'était arrêtée pour discuter avec quelqu'un qui sortait du centre commercial. Il tira le magazine vers lui : nom et adresse figuraient sur l'étiquette postale. Il possédait déjà son numéro de téléphone, car elle avait eu l'obligeance de l'inscrire sur l'affichette À VENDRE accrochée à la vitre du véhicule...

Décidément, c'était son jour : un trousseau de clés était sur le contact. À l'aide de mastic, il prit en vitesse les empreintes de celles qui, d'après lui, ouvraient la maison. L'entrée par effraction se révélait bien plus aisée quand justement l'effraction... n'était pas nécessaire !

Dernier coup de chance : la femme avait laissé son portable sur le socle du kit mains libres. Il vérifia où elle en était : toujours en train de jacasser. S'il en avait eu envie, il aurait pu tuer le gosse, voler les courses, et mettre le feu à la voiture sans qu'elle s'en aperçoive. Il parcourut les environs du regard. Tout le monde était trop occupé pour lui prêter attention.

S'emparant du téléphone, il fit apparaître l'écran d'accueil et obtint son numéro. Puis il alla dans le répertoire avant de sortir un appareil numérique de la taille de son majeur et de photographier toutes les pages de contacts. Ensuite, il remit le téléphone en place, adressa un signe de la main au bébé et remonta en voiture.

Il parcourut sa liste et fit le point : il connaissait à présent l'identité de cette femme et son adresse, savait qu'elle était mariée et mère de trois enfants. L'étiquette du magazine était libellée au nom de Jean et Harold Robinson. Il possédait aussi ses numéros de fixe et de portable, les noms et coordonnées d'un paquet de ses connaissances et, pour finir, un moulage de ses clés de maison.

« Sa charmante petite famille et elle m'appartiennent, maintenant. »

La femme revint à son véhicule, s'installa au volant et s'en alla. Il la suivit du regard tandis qu'elle sortait du parking à vive allure sans se douter qu'elle lui était devenue intime en un rien de temps. Il salua l'ignorante maman : « Si tu es très malchanceuse, nous nous reverrons. »

Il consulta sa montre : trois possibilités offertes en moins de vingt minutes. Il prit une bouffée d'air frais de cette bonne ville de Wrightsburg, qui venait de subir trois meurtres violents à intervalles très rapprochés.

Les pauvres, ils n'avaient encore rien vu.

9

L'institut médico-légal se trouvait dans une rue tranquille bordée d'arbres, à deux ou trois kilomètres du centre. C'était un bâtiment de plain-pied en brique et en verre, agrémenté de décorations végétales de premier prix qui avaient proliféré avec la récente période d'humidité. Les locaux auraient pu accueillir une toute autre activité. En passant devant, on ne pouvait se douter que c'était l'endroit où l'on découpait les morts pour déterminer ce qui ou qui les avait tués. Juste à côté, dans un petit espace, un panneau indiquait que le Dr Sylvia Diaz y possédait aussi son cabinet.

King et Michelle se garèrent et descendirent de la Lexus. Peu après, une voiture de patrouille vint se ranger à côté d'eux, et le commandant Todd Williams en extirpa son corps massif avec difficulté. L'air fort contrarié, il remit sa chemise dans son pantalon et réajusta son holster.

— Allons-y, qu'on soit débarrassés, grommela-t-il avant de se précipiter vers la morgue.

— Qu'est-ce qu'il a ? chuchota Michelle.

— La perspective d'examiner un cadavre ne doit pas l'enchanter des masses.

À l'accueil, ils demandèrent Sylvia Diaz. La réceptionniste passa un coup de téléphone, et un homme à lunettes au physique élancé arriva. Approchant la trentaine, il arborait un bouc et portait une tenue stérile. Il se présenta : Kyle Montgomery, l'assistant de Sylvia.

— Elle aura bientôt terminé, annonça-t-il d'une voix monocorde, même si ses yeux s'écarquillèrent devant la plastique sculpturale de Michelle. Elle va vous recevoir à son cabinet.

— Depuis combien de temps travaillez-vous ici ? demanda King.

Kyle lui lança un regard soupçonneux.

— En quoi ça vous regarde ?

— C'est juste pour savoir.

— Je n'ai pas l'habitude de raconter ma vie.

— Je parie que vous êtes diplômé de l'UVA, pas vrai ? intervint Michelle. Quelle fac formidable ! ajouta-t-elle avec un sourire en s'approchant de lui.

Amusé, King la regarda employer ses « artifices féminins » pour faire parler Kyle. Michelle s'en servait rarement, mais il connaissait leur terrible efficacité. L'assistant de Sylvia n'avait sans doute rien d'important à divulguer. Cependant, mieux valait en apprendre le plus possible sur toutes les personnes impliquées dans l'enquête.

Michelle obtint sur-le-champ toute l'attention de Kyle.

— Je suis sorti très bien classé de ma promo, annonça-t-il pompeusement. Comme je ne voulais pas quitter la région, j'ai été interne quelques années au CHU en attendant de passer assistant ; mais j'ai été recalé à cause d'un TP d'oncologie, et les factures ont commencé à s'accumuler. C'est alors qu'on m'a proposé ce boulot. Et hop ! me voilà employé à la morgue. Alléluia ! conclut-il, sarcastique.

— C'est un travail qui exige un sacré caractère, dit Michelle.

— Tu m'étonnes, répondit Kyle avec suffisance. Enfin, je suis aussi l'assistant du Dr Diaz à son cabinet, juste à côté. Elle y reçoit quelques patients, en ce moment. Elle m'a embauché pour les deux postes. Ça demande pas mal d'allées et venues et il faut un peu jongler, mais au moins les locaux sont contigus. Et puis, on ne reçoit pas beaucoup de cadavres qui nécessitent une autopsie. Enfin, on dirait bien que les choses sont en train de changer, pas vrai ? Ça bouge, tout d'un coup... Wrightsburg s'est enfin réveillée. C'est de la bombe !

Kyle sourit, l'air content de sa remarque.

Tout en le suivant, Michelle, Williams et King échangèrent des regards navrés.

Le bureau de Sylvia correspondait en tout point à l'idée que Michelle s'en était faite. Impeccable, bien rangé, décoré avec goût – autant que faire se peut dans une morgue –, avec çà et là quelques touches féminines chaleureuses pour atténuer l'atmosphère froide et aseptisée du bâtiment. Sur un portemanteau près de la porte étaient accrochés une veste de femme, un énorme sac à main et un chapeau. Par terre, il y avait une paire de chaussures habillées.

— Elle est très ordonnée, commenta Michelle.

Elle regarda Kyle, qui lui sourit.

— Son cabinet, c'est pareil. La toubib n'aime pas qu'on amène des trucs dans la salle d'autopsie, même si c'est loin d'être l'endroit le plus stérile – il est plutôt sale, en fait. Nous avons un vestiaire pour enfiler nos blouses et nos masques de protection, mais j'ai parfois l'impression qu'elle préfère se changer ailleurs pour éviter de contaminer les indices. Il faudrait qu'elle se décoince un peu.

— C'est plutôt rassurant de savoir qu'il existe encore des gens scrupuleux, rétorqua King.

Comme Kyle attendait sa patronne devant la porte, Michelle jeta un coup d'œil au reste de la pièce. Sur l'étagère derrière le bureau, elle vit plusieurs clichés d'un homme qui y apparaissait soit seul, soit en compagnie de Sylvia. Elle en saisit un et le montra à King d'un air interrogateur.

— C'est George Diaz, son mari.

— Elle garde encore ses photos au travail ?

— Il faut croire qu'elle était très amoureuse.

62

— C'est pour ça que vous ne vous fréquentez plus ? Ça créait des tensions ?

— Tu es mon associée, pas ma psy, répliqua-t-il.

Michelle remit le cadre à sa place, puis Sylvia arriva.

— Merci, Kyle, dit-elle d'un ton brusque.

— De rien, répondit-il avant de filer d'une démarche hautaine.

— Ton assistant, il prend les gens pour des cons ou ça vient de nous ? lança King.

Sylvia suspendit sa blouse blanche à un crochet sur la porte. Michelle l'examina : un peu plus petite que la moyenne, en pantalon noir et chemisier en lin blanc. Aucun bijou, sans doute à cause de son travail – une boucle d'oreille ou une bague dans l'estomac d'un cadavre ne ferait pas bon effet. La peau lisse, des taches de rousseur sur les pommettes, des cheveux roux remontés en chignon laissant apparaître des oreilles parfaites, et un cou long et fin… Le front plissé et l'air distrait, Sylvia s'assit à son bureau et répondit :

— Kyle vient d'avoir trente ans et il ne se plaît pas beaucoup ici.

— Difficile de draguer les filles au bar en leur demandant si elles veulent venir voir de superbes cadavres…, commenta Michelle.

— Kyle rêve de devenir une rock-star, je crois, expliqua Sylvia.

— Comme vingt millions d'autres gus, rétorqua King. Il faudra que ça lui passe. Moi, je me suis fait une raison à dix-sept ans.

Sylvia survola des documents posés devant elle, les signa, referma le dossier, s'étira et bâilla.

— Excusez-moi. Je n'avais pas effectué trois autopsies à intervalles aussi rapprochés depuis un bon bout de temps. C'est à ça que j'étais occupée, et de surcroît la ville traverse une vague de grippe printanière...

Elle secoua la tête d'un air las.

— C'est un peu déroutant. À un moment donné j'examine la gorge d'une patiente de cinquante ans, et l'instant d'après je découpe un mort pour savoir comment on l'a assassiné. D'habitude, il peut se passer des mois sans que je mette les pieds à la morgue.

— Il faut une sacrée trempe pour faire ce que tu fais, Sylvia, remarqua King.

— Je n'allais pas à la pêche aux compliments, mais merci quand même.

Elle se tourna vers Williams, qui pâlissait à vue d'œil, pour ajouter d'un ton peu amène :

— Vous vous êtes remis de la première autopsie, à ce que je vois.

— Ma tête oui, mais pour ce qui est de mon ventre, je n'en suis pas sûr.

— Je comptais sur vous pour assister à celles de Canney et Pembroke. La présence du responsable de l'enquête est en général fort utile, reprit-elle d'un ton qui en disait long sur ce qu'elle pensait de lui.

Williams prit un air contrit.

— J'en avais l'intention, mais on m'a appelé ailleurs.

— Évidemment !

Affichant une expression soudain plus dure, Sylvia considéra King et Michelle.

— Et vous deux, vous avez l'estomac bien accroché ?

— Ça ira, affirma King après avoir échangé un regard avec son associée.

— Pas d'objection à ce qu'ils voient les corps, Todd ? interrogea Sylvia.

Bien entendu, je veux que vous ou l'un de vos hommes soyez présent. Un jury trouverait étrange qu'aucun policier n'ait examiné les dépouilles, au moins *après* l'autopsie.

Visiblement énervé, Williams sembla se livrer à un débat intérieur. Enfin, il haussa les épaules.

— Et puis merde, allons-y.

10

La salle d'autopsie ressemblait au cabinet de Sylvia, sans cette chaleureuse touche féminine. Tout était en acier inoxydable et bien ordonné. Deux postes de travail avec bureau intégré occupaient un côté de la pièce. De l'autre se trouvaient deux tables d'examen équipées de conduits de drainage, des éviers avec tuyau, un petit plan de dissection, une balance à organes et des plateaux d'instruments chirurgicaux. Avant d'entrer, tous les quatre étaient passés par le vestiaire pour enfiler blouses, gants et masques. Ils ressemblaient aux figurants d'une série B où la population serait confrontée à une menace bio-terroriste.

Profitant que Sylvia s'était éloignée pour parler à Kyle, Michelle chuchota à l'oreille de King :

— Ça ne m'étonne pas que vous soyez sortis ensemble. Vous avez tous les deux le gène mutant des supermaniaques. Rassure-toi, il paraît qu'ils cherchent un remède.

— Ne t'emballe pas, rétorqua-t-il. Je ne passerai jamais du côté obscur.

— Nous allons commencer par Jane Doe, annonça Sylvia en revenant vers eux.

Une grande porte s'ouvrit, et quand Kyle en sortit poussant une table à roulettes où reposait la femme couverte d'un drap, un courant d'air glacial s'échappa de la chambre froide.

Michelle fut prise de frissons incontrôlables.

— Ça va ? lui demanda King.

— Bien sûr, répliqua-t-elle en claquant des dents. Et toi ?

— Avant de commencer le droit, j'ai fait une prépa de médecine. Et puis j'ai travaillé à la morgue de Richmond, un été. Les cadavres, j'en ai déjà vu plein.

— Tu as fait une prépa de médecine ?

— Je croyais que ça m'aiderait à draguer. Garde tes sarcasmes, hein, j'étais un jeune imbécile.

Kyle quitta la pièce. Avant d'ôter le drap, Sylvia regarda Williams, d'un air plus doux que précédemment.

— Commandant, suivez mes conseils de la dernière fois et tout se passera bien. Vous avez vu le plus pénible. Fini les surprises, c'est promis.

Il hocha la tête, remonta son pantalon ; il donnait l'impression de retenir son souffle et de prier pour qu'une catastrophe naturelle le sauve de cette mauvaise passe.

Sylvia découvrit le corps.

L'incision en Y qui s'étendait de la poitrine au pubis ressemblait à une fermeture Éclair. On avait retiré, pesé et disséqué les organes avant de les enfermer sans grande précaution dans un sac et de les remettre dans les cavités thoracique et abdominale. D'où ils se trouvaient, on ne voyait pas bien la trépanation, mais le visage de la femme s'affaissait, comme celui d'une poupée dont les coutures auraient craqué.

— L'incision intermastoïdienne, c'est toujours impressionnant, commenta King d'un ton sec.

— Tu m'épates, dit Sylvia en levant les yeux vers lui.

S'il ne s'était senti aussi faible, Williams aurait bien étranglé King.

Dans la petite salle, l'odeur du cadavre se fit vite oppressante. Malgré son masque, Michelle voulut porter la main devant son nez. Sylvia l'arrêta tout de suite.

— C'est très sale, ici, Michelle. Ça grouille de germes, alors ne vous touchez pas le visage. Quand on essaie d'échapper à l'odeur de cette façon, c'est encore pire. Mais avec une telle puanteur, dans deux minutes vous ne sentirez plus rien. Continuez de respirer.

Elle considéra Williams qui, tout à son honneur, prenait de bruyantes inspirations rapprochées, en se tenant l'estomac comme pour y retenir son contenu.

— Sur les lieux du crime, vos adjoints ont passé leur temps à s'éloigner et à revenir. Ça n'aura servi qu'à raviver leur odorat.

— Je sais, répondit Williams avec effort. Ils ont dégueulé partout sur leurs uniformes. Notre budget blanchisserie du mois y est passé.

Le commandant avait pris un teint verdâtre, mais il tenait bon.

Michelle s'aperçut qu'elle même respirait par à-coups. Comme les prédictions de Sylvia se vérifiaient, elle reporta son regard sur le corps.

— Je ne vois pas de blessure apparente. L'a-t-on étranglée ? demanda-t-elle.

— Non, c'est ce que j'ai contrôlé en premier. Aucune marque de strangulation n'apparaissant à la lumière classique, j'ai examiné le cou au laser. Je m'attendais à ce qu'il y ait des traces sur la couche inférieure de l'épiderme, mais je n'en ai pas trouvé. L'os hyoïde, les cartilages thyroïde et cricoïde n'étaient pas brisés, comme ça arrive parfois.

Elle baissa les yeux sur Jane Doe.

— Nous l'avons aussi examinée de façon à déterminer s'il y avait eu agression sexuelle. Résultats négatifs : son assassin ne l'a pas violée et ne lui a infligé aucune violence sexuelle. En fait, à cause de l'ordre de la procédure, je n'ai découvert la cause du décès que peu avant la fin de l'autopsie. Jusque-là, c'était le mystère absolu... Vous étiez déjà parti, Todd.

Williams la regarda d'un air abattu.

— Bon sang, docteur, j'essaie de tenir le coup, là, d'accord ? Alors, ne me rendez pas la tâche plus difficile.

— Ne nous laisse pas mariner, Sylvia, intervint King. De quoi est-elle morte ? Et donne-nous la version simplifiée, veux-tu ?

À l'aide d'une longue tige métallique, Sylvia ouvrit la bouche de Jane Doe.

— On lui a tiré un coup de vingt-deux Long Rifle dans le palais. L'angle était d'environ soixante-quinze degrés. Le projectile a terminé sa course dans le mésencéphale, et la plaie a été cautérisée par les gaz brûlants émis au moment du coup de feu. J'avais remarqué sur ses dents un étrange résidu, qui ne provient pas de la déflagration, sinon, ça m'aurait tout de suite mise sur la piste. Le tueur a dû passer toute la cavité buccale au liquide nettoyant pour éliminer les indices. Nous débutons toujours par un examen du corps aux rayons X. Mais là nous ne parvenions pas à visionner le film, alors j'ai commencé l'autopsie. Dès que je l'ai ouverte, j'ai trouvé la trajectoire et l'emplacement de la balle, qui apparaissaient bien sur le film quand nous avons réussi à le voir.

— Un pistolet dans la bouche, c'est une méthode de suicide classique, non ? commenta Michelle.

— Pas chez les femmes. Voilà un exemple typique de l'opposition Mars-Vénus, testostérone-œstrogènes. Les hommes choisissent les armes à feu ou la pendaison ; les femmes préfèrent prendre du poison ou des médicaments, se trancher les poignets ou mettre la tête dans le four. En plus, on n'a pas trouvé le moindre résidu de poudre sur les mains de celle-ci.

— L'assassin ne pouvait ignorer qu'on finirait par déterminer la cause du décès, malgré ses efforts pour la dissimuler, remarqua King d'un air songeur.

— Nous avons un autre élément intéressant en notre possession : on ne l'a pas tuée dans les bois. Elle a été abattue ailleurs, en intérieur, puis son cadavre a été transporté – a priori en voiture, dans une bâche plastique.

— Comment pouvez-vous en être aussi sûre ? interrogea Michelle.

— Vous savez que la raideur cadavérique est un processus chimique consécutif à la mort. Il commence par les petits muscles de la mâchoire et du cou avant de gagner les groupes musculaires plus volumineux, comme ceux du buste et des membres ; il met en général entre six et douze heures pour s'achever. Je précise bien « en général », car il existe plusieurs exceptions à cette règle. La nature du cadavre et l'environnement dans lequel il se trouve peuvent en modifier le déroulement. Un individu obèse peut ne pas connaître de rigidité immédiate ; quant au froid, il ralentit sa propagation, alors que la chaleur l'accélère. Quoi qu'il en soit, la raideur dure entre trente heures et trois jours complets, puis disparaît dans l'ordre de son apparition.

— Très bien, qu'en concluez-vous ?

— Des tas de choses. Jane Doe était une femme jeune, possédant une bonne musculature, bien nourrie, mais sans surcharge pondérale. Dans son cas, la rigidité aurait dû s'estomper selon les critères ordinaires pour un cadavre non soumis à des conditions extérieures inhabituelles. Mais la nuit qui a précédé la découverte de son corps, la température est descendue sous les dix degrés, ce qui aurait dû freiner la progression du processus. Pourtant, quand j'ai examiné Jane Doe sur les lieux du crime, la rigidité s'était complètement résorbée et le corps était souple ; la mort remontait donc à plus de trois jours, ou au moins à trente heures. Compte tenu des éléments que je viens d'énoncer, je pencherais plus pour la première solution.

— Vous nous avez expliqué que la rigidité n'était pas un processus précis. Si ça se trouve, un autre facteur en a modifié le cours, suggéra Michelle.

— J'ai procédé à une vérification supplémentaire. Lors de l'examen du corps dans les bois, celui-ci était déjà décoloré, gonflé par les gaz que produit la prolifération des bactéries. La peau commençait à cloquer, et des fluides corporels s'écoulaient par tous les orifices. C'est un symptôme qui ne se produit jamais avant trois jours.

Elle marqua une pause.

— Si elle s'était trouvée à cet endroit ne serait-ce que depuis trente heures, l'infestation par les insectes aurait été très différente de ce que j'ai vu. Je m'attendais à une présence importante de mouches bleues et dorées, qui sont deux espèces d'*extérieur*. Les mouches s'attaquent aux cadavres presque immédiatement pour y pondre ; au bout d'un jour ou deux, les œufs éclosent, et le cycle se poursuit. Lors de l'examen de la bouche, du nez et des yeux, j'ai bien repéré des larves, mais de mouche *domestique*. Les œufs des autres espèces n'avaient pas encore éclos. En outre, au moment où nous l'avons découvert, le corps aurait dû grouiller de nécrobies et de nécrophores, car rien n'arrête les insectes. Enfin, s'il avait passé trois jours dans ces bois, les animaux sauvages en auraient amputé les extrémités en grande partie. Alors qu'il lui manquait juste les doigts...

Sylvia tourna Jane Doe sur le flanc et montra des taches d'un violet rougeâtre sur la face antérieure du cadavre, là où le sang s'était figé.

— La répartition de la lividité a également étayé mon hypothèse, en me fournissant des renseignements très précieux. Comme vous pouvez le constater, à cause de ces teintes brunâtres, la lividité donne l'impression que le cadavre porte des hématomes. Toutefois, on voit ici une décoloration du devant du torse, des cuisses et des tibias. Les zébrures blanches sur l'abdomen, le bas de la poitrine et certaines parties des jambes indiquent les endroits où le corps a reposé contre quelque chose de dur, et où la pression a contrarié le processus.

Elle souleva le corps afin qu'ils puissent en voir le dos.

— On ne constate aucune décoloration sur la face postérieure du buste et des jambes. Conclusion : après l'avoir tuée, on l'a étendue face à terre, et le sang a commencé à se déposer. En général, la lividité apparaît au bout d'environ une heure et s'achève entre trois et quatre heures. Si dans la période qui suit on déplace le cadavre, la décoloration d'origine peut disparaître en partie, et d'autres taches se forment lorsque le sang se déplace de nouveau. En revanche, douze heures après la mort, les changements de position ne produisent plus de nouvelles taches, car le sang est alors coagulé.

Elle remit avec douceur le corps sur le dos.

— À mon avis, on l'a tuée à l'intérieur ou dans une voiture, en lui tirant une balle dans la tête. Son corps a dû rester protégé de vingt-quatre à quarante-huit heures, puis on l'a emmené là où on l'a découvert. Elle ne pouvait pas se trouver dans les bois depuis plus de dix ou douze heures.

— Et le trajet en voiture ? Et la bâche ? demanda King.

— Il n'allait quand même pas longer la route en la portant sur ses épaules, répondit Sylvia. Ni la police ni moi n'avons relevé sur ses habits de fibres, comme celles qu'aurait pu laisser le revêtement d'un véhicule ou d'un coffre. Je n'en ai pas remarqué non plus sur le corps : le plastique laisse très peu, voire pas du tout, de résidus.

— J'ai découvert le cadavre aux environs de quatorze heures trente, intervint Michelle. Et les jeunes garçons ne l'ont vu que quelques minutes avant moi...

— Si l'on retranche les douze heures, cela signifie que Jane Doe a été déposée à cet endroit au plus tard à deux heures et demie du matin.

Williams, qui était jusque-là resté en retrait, s'approcha.

— Beau travail, Sylvia. Wrightsburg a de la chance de vous avoir.

Ces compliments arrachèrent un petit sourire à la jeune femme.

— Une autopsie ne dévoile pas qui a commis le crime – sauf si l'assassin a laissé du sperme, de la salive ou de l'urine que nous pouvons examiner. Elle nous apprend seulement comment il s'y est pris.

Après avoir jeté un coup d'œil à ses notes, elle poursuivit :

— Comme je vous l'ai dit, il n'y avait aucune trace de viol, pas de lésion rectale ou vaginale, et cette femme n'avait jamais accouché. Âgée d'environ vingt-cinq ans, en bonne santé et bien charpentée, elle mesurait un peu plus d'un mètre soixante. Elle avait des implants mammaires et les lèvres gonflées au collagène. On lui a aussi retiré l'appendice. Nous en saurons davantage quand nous recevrons les résultats des examens toxicologiques.

Sylvia montra le ventre du cadavre en ajoutant :

— Todd, elle avait le nombril percé et portait peut-être un anneau, mais je n'en ai retrouvé aucun. Cela devrait vous aider à l'identifier.

— Merci. Je me renseignerai.

— Le seul signe particulier intéressant que j'aie, c'est ça...

Découvrant le bas du corps jusqu'à la taille, Sylvia souleva une jambe et plaça une loupe à l'intérieur de la cuisse, près de l'entrejambe.

— L'état de décoloration avancée le rend assez difficile à identifier, mais c'est un tatouage de chat.

Michelle observa le petit dessin, nota sa proximité avec le sexe de la femme et se redressa, droite comme un I.

— Je préfère ne pas voir le rapport.

— Bon sang…, fit Williams en rougissant.

— Pas très élégant, n'est-ce pas ? commenta Sylvia.

Elle leva les yeux vers Kyle qui entrait.

— Il y a un autre mec de la police dehors, il veut parler au commandant, toubib.

— Un mec de la police, vous dites ? Un *agent* de police, plutôt, non ?

— Ouais, cet agent souhaite voir le commandant.

— Pouvez-vous lui demander de venir ici ?

Le jeune homme afficha un sourire mauvais.

— Figurez-vous que ç'a été mon premier réflexe, mais allez savoir pourquoi, M. l'agent a décliné mon invitation sans explication. Maintenant que j'y pense, il m'a semblé verdir un peu quand je le lui ai proposé.

— J'y vais, annonça Williams tout en s'éloignant en hâte suivi par Kyle.

Cinq minutes plus tard, il revenait avec un policier en uniforme visiblement mal à l'aise, l'agent Dan Clancy, et paraissait abasourdi.

— La photo qu'on a fait circuler nous a peut-être permis d'identifier la fille, annonça-t-il d'une voix légèrement tremblante sous les regards de tous. Apparemment, elle a travaillé un temps à l'Aphrodisiac.

— À l'Aphrodisiac ! s'exclama King.

Williams hocha la tête.

— Comme strip-teaseuse. Son nom de scène, si l'on peut dire, c'était Tawny Blaze – pas très original, je sais. En fait, elle s'appelait Rhonda Tyler.

Il jeta un coup d'œil au papier qu'il tenait à la main.

— Elle a quitté l'établissement à la fin de son contrat.

— La personne qui l'a reconnue pourra-t-elle venir ici confirmer l'identification ? demanda Sylvia. Malgré l'état du corps, je suis sûre que c'est possible. Mais si…

Williams lui coupa la parole.

— Ce ne sera pas nécessaire, Sylvia.

— Ah bon, pourquoi ?

— On nous a dit qu'elle possédait un signe particulier…, commença Williams, soudain gêné.

Michelle comprit sur-le-champ.

— Un chat tatoué près de son…

Williams hocha la tête, l'air presque hébété.

— Qui vous a fourni le renseignement ? demanda King.

— La gérante de l'Aphrodisiac, Lulu Oxley.

Ce fut au tour de King de rester bouche bée.

— Lulu Oxley ! La Lulu Oxley de Junior Deaver ?

— Vous en voyez beaucoup d'autres, Sean ?

— Je la connais aussi, déclara Sylvia. Euh… nous avons eu la même gynécologue.

— Ce n'est pas tout, dit Williams. La *Wrightsburg Gazette* nous a contactés. Ils ont reçu une lettre.

— De quel genre ? s'enquit Michelle, nerveuse.

— Une lettre codée, répondit-il, à présent livide. L'enveloppe portait l'insigne du Zodiaque.

11

King accompagna Williams au poste de police afin d'examiner le message. De son côté, Michelle demeura avec Sylvia et Clancy pour écouter le compte rendu des autopsies de Canney et Pembroke.

Pendant le trajet, King appela Bill Jenkins, un vieux copain de San Francisco. Ce dernier fut surpris par sa requête.

— Pourquoi tu as besoin de ça ? lui demanda-t-il.

King jeta un bref coup d'œil à Williams et répondit :

— C'est pour un cours d'investigation criminelle que je donne à la fac.

— Ah, d'accord. Après tout le grabuge que ton associée et toi avez provoqué l'année dernière, j'ai cru que vous étiez encore empêtrés dans une affaire similaire.

— Non, Wrightsburg est redevenue une petite bourgade bien paisible.

— S'il te vient l'envie de reprendre du service, passe-moi un coup de fil.

— Dans combien de temps tu peux me l'envoyer ?

— Tu as de la veine : nous avons une super-promo cette semaine sur les affaires de tueurs en série célèbres. Tu l'auras dans une demi-heure. Il me faut juste un numéro où te faxer le tout et celui de ta carte de crédit, annonça Jenkins en gloussant.

— Comment peux-tu me le trouver aussi vite ?

— Ton coup de téléphone tombe à point nommé, je te dis. Nous venons de finir un grand nettoyage de printemps dans les bureaux, et pas plus tard que la semaine dernière nous avons rangé ce dossier aux archives. Il contient des photocopies des notes de l'enseignant. En fait, je me suis replongé dedans, l'autre soir, en souvenir du bon vieux temps. C'est ce que je vais t'envoyer : la clé qui lui a permis de déchiffrer les lettres.

King remercia Jenkins et raccrocha.

À leur arrivée au poste, Williams entra à grands pas. Dépassé ou non par les événements, il retrouvait son territoire et comptait bien le faire sentir. D'une voix tonitruante, il appela l'agent qui l'avait prévenu pour la lettre, puis emprunta un flacon d'antalgiques à sa secrétaire. King et l'adjoint le suivirent dans son bureau, où il s'affala sur son siège et goba trois comprimés à l'aide de sa seule salive. Avant de s'emparer de la feuille de papier et de l'enveloppe que lui tendait le policier, il lança :

— J'espère qu'on y a relevé les empreintes...

— Oui, mais Virgil Dyles, le directeur de la *Gazette*, a cru à un canular quand il a reçu le courrier. On a failli ne pas en connaître l'existence. Heureusement, une amie journaliste qui travaille là-bas m'a téléphoné et tout expliqué. J'ai foncé à leurs locaux récupérer la lettre, mais pour moi c'est du chinois.

— Et après, Virgil l'a fait circuler dans toute la rédaction ? s'écria Williams.

— Presque, répondit l'adjoint, nerveux. Elle est probablement passée entre de nombreuses mains. J'ai demandé à mon amie de garder ça pour elle, mais elle a peut-être dit à quelques personnes que ça pouvait être du sérieux.

Le poing de Williams s'abattit sur son sousmain avec une telle force que King et l'adjoint grimacèrent.

— Et merde ! La situation commence déjà à nous échapper. Comment allons-nous éviter que l'info s'ébruite, si on n'arrive même pas à contrôler les journaleux d'ici ?

— Intéressons-nous au message, l'interrompit King. On s'inquiétera plus tard de la tornade médiatique.

Il se pencha par-dessus l'épaule de Williams tandis que ce dernier examinait l'enveloppe. Le tampon indiquait qu'on l'avait postée à Wrightsburg quatre jours plus tôt ; on avait placé le timbre avec une grande précision. En gros caractères, on l'avait adressée à Virgil Dyles. Dans le coin en bas à droite figurait le cercle frappé d'une croix. Rien n'était inscrit au dos.

— Pas grand-chose à en tirer, constata Williams en dépliant la feuille. Un expert pourrait sans doute nous éclairer grâce à la forme des lettres et à la façon dont il a collé le timbre, mais en ce qui me concerne j'en serais bien incapable.

Le message était rédigé à l'encre noire un peu voilée, là encore en capitales, sur du papier à petits carreaux.

— Les endroits flous, c'est à cause de la ninhydrine, expliqua l'adjoint. Elle sert à relever les empreintes.

— Merci du renseignement. Ça ne m'aurait jamais traversé l'esprit, répliqua Williams d'un ton irrité.

Toutes les lignes étaient codées. Certains caractères étaient des lettres, d'autres de simples symboles. Williams resta quelques minutes à examiner le message. Après quoi, il soupira et se renversa dans son siège.

— Vous ne sauriez pas déchiffrer les lettres codées, par hasard ? demanda-t-il à King.

À cet instant précis, l'adjoint Rogers – qui avait fait équipe avec King quand celui-ci travaillait à la brigade de Wrightsburg – entra, des feuilles de papier à la main.

— On vient de recevoir ce fax pour Sean.

King s'en empara et répondit à Williams :

— Il se trouve que oui.

Il alla s'installer à une table dans un coin de la pièce et se mit au travail. Dix minutes plus tard, il relevait les yeux. C'était de mauvais augure, se dit-il. Sans doute pire que d'avoir affaire à un énième imitateur du Zodiaque.

— Vous l'avez décodée ? s'enquit Williams d'un ton pressant.

King hocha la tête.

— Quand j'étais au Secret Service, j'ai été confronté à des cryptogrammes. Mais surtout, je me suis souvenu qu'un professeur de lycée habitant Salinas avait réussi à déchiffrer les lettres du Zodiaque de San Francisco ; et comme un de mes amis a suivi de près cette enquête, j'ai pensé qu'il aurait peut-être accès aux travaux de l'enseignant. C'est la clé du code qu'il vient de me faxer. Du coup, la lecture n'a pas été bien difficile.

— Alors, qu'est-ce que ça raconte ? insista Williams avant de déglutir nerveusement.

King examina ses notes.

— C'est plein de fautes de syntaxe – délibérées, d'après moi. Comme le Zodiaque d'origine.

L'adjoint Rogers lança un regard à Williams.

— Le Zodiaque ? C'est quoi, ça ?

— Un tueur en série qui a sévi en Californie. Il trucidait du monde bien avant ta naissance. On ne l'a jamais coincé.

Un éclair de panique traversa les yeux bleus de Rogers.

King se mit à lire :

Ça y est, vous avez trouvé la fille. Elle est toute charcutée, mais c'est pas moi. Ils l'ont découpée pour trouver des indices. Y en a

81

pas. Vous pouvez me croire. La montre ment
pas : elle était numéro uno. Y en a d'autres
qui vont suivre. Des tas. Une dernière chose :
je suis pas le Zodiaque, mettez-vous ça dans
le crâne. Ni le Zodiaque numéro deux, trois
ou quatre. Je suis moi, c'est tout. Je peux
vous assurer que vous allez pas vous marrer.
Quand j'en aurai fini, vous le regretterez,
votre bon vieux Zodiaque.

— Alors, ça n'est pas terminé, commenta
Williams.

— J'ai bien peur que ce ne soit que le début,
répondit King.

12

Malgré sa carrure imposante, l'adjoint Clancy
était visiblement nerveux.

— Ça va aller ? lui demanda Sylvia en l'observant de près. Je n'ai pas envie que vous vous éva-
nouissiez devant nous.

— Je vais très bien, toubib.

— Vous avez déjà vu un corps autopsié ?

— Bien sûr, répondit-il d'un ton brusque.

— L'un d'eux a été défiguré par un coup de
fusil, prévint Sylvia en s'adressant aussi à
Michelle.

Cette dernière respira à fond.

— Je suis prête.

— Ça fait partie du boulot, déclara Clancy, en essayant d'afficher une certaine assurance. Le mois prochain, le commandant m'envoie à un stage de la Forensic Crime Scene School[1].

— C'est très enrichissant, approuva Sylvia. Vous y apprendrez beaucoup. Ce que vous allez voir aujourd'hui ne doit pas vous dissuader de le suivre.

Elle s'avança jusqu'à une double porte en acier inoxydable.

— Là-derrière se trouve ce qu'on appelle entre nous la « salle des horreurs ». On y met les corps très abîmés – ceux qui ont souffert de brûlures, d'explosions, ou qui sont restés longtemps immergés... et ceux qui ont reçu un coup de fusil en pleine figure, ajouta-t-elle avec emphase.

Elle enfonça un bouton sur le mur. Quand les portes s'ouvrirent, elle entra dans la pièce, pour en ressortir quelques instants plus tard en poussant un chariot sur lequel reposait un cadavre. Elle vint le placer sous la lampe d'examen.

Clancy toussa et porta la main à son masque. Sylvia lui donna alors, comme elle l'avait fait pour Michelle, quelques brèves explications sur l'atténuation du sens de l'odorat. À contrecœur, le policier retira sa main et sembla chanceler. D'un coup de coude, Sylvia poussa près de lui un fauteuil à roulettes. Michelle remarqua son

---

1. Institut de formation à l'examen médico-légal des scènes de crime *(N.d.T.)*.

geste – pas Clancy – et les deux femmes échangèrent un regard.

— Voici Steve Canney, annonça Sylvia en ôtant le drap.

Michelle eut le réflexe de placer le siège derrière l'adjoint juste à temps pour qu'il s'y effondre. Il eut un haut-le-cœur et perdit connaissance.

Après l'avoir emmené avec l'aide de Michelle dans un coin de la pièce, Sylvia ouvrit un tube d'ammoniaque et le passa sous les narines du policier. Il revint à lui avec un sursaut et secoua la tête, l'air encore mal en point.

— Si vous avez envie de vomir, il y a des toilettes juste à côté, lui déclara-t-elle.

Le jeune homme s'empourpra.

— Je suis vraiment désolé. Je m'excuse.

— Pas la peine, adjoint Clancy. C'est un spectacle affreux. La première fois que j'ai vu quelque chose d'aussi horrible, j'ai eu la même réaction que vous.

— C'est vrai ?

Elle lui certifia que oui et ajouta :

— Si vous préférez partir, allez-y, je peux vous donner le compte rendu que j'ai rédigé. Si vous souhaitez nous rejoindre quand ça ira mieux, ça ne pose aucun problème non plus. C'est comme vous voulez... vous pouvez également rester assis ici.

Clancy opta pour la dernière solution, même s'il s'affala sur le bureau et enfouit le visage dans ses mains dès qu'il fut seul.

De retour auprès du corps, Michelle demanda à Sylvia :

84

— C'est vrai que vous vous êtes évanouie, la première fois ?

— Bien sûr que non, mais à quoi bon l'accabler davantage ? Les hommes tournent presque tous de l'œil. Et les plus costauds plus vite encore que les autres.

À l'aide d'une longue baguette métallique, Sylvia désigna divers endroits sur la figure de Canney.

— Comme vous pouvez le constater, l'étage supratentoriel du cerveau a été en grande partie arraché, ce qui n'a rien de surprenant avec une blessure par fusil.

Elle posa sa badine, soudain rembrunie.

— Le père de Canney est venu voir son fils. Je le lui ai déconseillé, en lui expliquant que les blessures étaient très impressionnantes, mais il a insisté. C'est l'aspect le plus dur de ce métier. Il a pu établir une identification provisoire grâce à une tache de naissance et à une cicatrice au genou qui lui restait d'une vieille blessure au football. Les empreintes digitales et le dossier dentaire ont permis de confirmer son identité.

Sylvia poussa un profond soupir.

— J'ai eu beaucoup de peine pour M. Canney, même s'il réagissait assez stoïquement. Je n'ai pas d'enfants, mais j'imagine que ce doit être terrible d'entrer dans une telle salle et de...

Elle laissa sa phrase en suspens.

Le silence s'installa quelques secondes.

— Et la mère de Canney ? lança enfin Michelle.

— Elle est morte il y a plusieurs années. J'ai presque envie de dire que c'est une chance..., répondit Sylvia avant de reprendre ses explications. Déterminer la distance à laquelle le coup de feu à été tiré est un vrai casse-tête. La façon la plus fiable est d'effectuer un tir de comparaison avec la même arme et la même quantité de bourre. Nous ne pouvons nous permettre ce luxe, mais vous remarquerez que la blessure ne montre ni bordures cannelées ni lésions satellites. La bouche du canon se trouvait donc à une cinquantaine de centimètres de la victime, affirma-t-elle en recouvrant d'un petit drap ce qui restait du visage de Canney.

— Connaissez-vous le type de munitions utilisé ?

— Ça oui. Nous avons retrouvé la jupe de la cartouche dans la plaie. Les plombs y sont restés aussi, ce qui explique pourquoi l'impact a été aussi dévastateur. Toute l'énergie cinétique s'est propagée de façon interne.

Sylvia compulsa ses notes avant de préciser :

— Il s'agissait d'un calibre douze, chargé de cartouches de la marque Federal contenant neuf plombs de double-zéro.

— Pembroke a été tuée par la même arme ?

— Elle, on lui a tiré dans le dos. Si ses blessures l'ont tuée sur le coup, elles n'ont pas été aussi destructrices. Et, en plus de la chevrotine, de nombreux éclats de verre se sont logés sous sa peau. Conclusion : le tueur a d'abord tiré à travers le pare-brise. Si l'on s'en tenait à l'examen de la seule plaie, on pourrait penser que la distance arme-victime était bien plus grande qu'en réalité. D'après moi, le canon était près du pare-brise au moment de la déflagration, c'est-à-dire à environ un mètre de Pembroke. Parce que la blessure d'entrée possède des bordures cannelées caractéristiques, et des lésions satellites infligées par des plombs qui se sont séparés du groupe principal.

— Pourquoi la fille tournait-elle le dos au pare-brise, à votre avis ?

— Ils étaient en plein rapport sexuel. Nous avons retrouvé dans son vagin des résidus du spermicide provenant du préservatif de Canney. Elle devait chevaucher le garçon quand c'est arrivé. C'est une position classique pour le coït dans l'espace confiné d'une voiture. Son corps a fait bouclier, sinon Canney aurait lui aussi été tué par la première décharge.

— Ce n'est pas le cas, vous en êtes sûre ?

— Le nombre de plombs retrouvés indique que l'assassin a tiré deux fois. Il y en avait neuf dans chaque corps. La symétrie dans la mort, ajouta Sylvia d'un ton acerbe.

— Je suppose qu'on ne possède aucune des cartouches.

Sylvia secoua la tête.

— Le tueur a dû les ramasser, ou alors il a utilisé une arme dont il faut les extraire manuellement.

— Comme il s'agissait d'un fusil à canon lisse. Si nous découvrons une arme suspecte, il sera impossible d'effectuer une analyse balistique, n'est-ce pas ?

— Parfois, des irrégularités à l'extrémité de la gueule laissent des marques sur la jupe de plastique. C'est le cas ici. Je ne suis pas experte dans ce domaine, mais la police aura peut-être de quoi établir une comparaison si jamais elle met la main sur le fusil. Et puis, nous avons aussi la balle retrouvée dans le cadavre de Rhonda Tyler.

— On a évoqué la possibilité que le coup de feu ait arrêté la montre de Steve Canney, étant donné l'heure du décès...

— Non. On lui a passé la montre au poignet après sa mort, et elle ne fonctionnait plus parce qu'on avait tiré le remontoir. Je l'ai remarqué sur les lieux mêmes du crime : il y avait du verre sous la peau de son poignet à l'endroit précis où aurait dû se trouver le bracelet.

— Pourquoi la lui a-t-on mise, à votre avis ?

— C'est peut-être une carte de visite. Elle indiquait trois heures, et celle de Pembroke deux. Cela confirmerait aussi l'ordre de leur mort.

— Jane Doe – ou Rhonda Tyler – portait elle aussi une montre qui ne lui appartenait pas et qui était réglée sur une heure. De plus, c'était une Zodiac...

Sylvia regarda Michelle et renchérit :

— ... et maintenant, nous avons une lettre rédigée dans le style du tueur du Zodiaque...

— ... et trois cadavres sur les bras.

— J'imagine que la prochaine montre marquera quatre heures, pour représenter la quatrième victime.

— S'il y en a une quatrième, observa Michelle.

— C'est quasi certain. Mais la première victime était une strip-teaseuse ; les deux autres étaient un couple de jeunes fricotant dans une voiture... D'ordinaire, les tueurs en série s'en tiennent d'abord à une frange particulière de la population, alors que ce gars-là nous montre déjà qu'il n'obéit à aucune règle.

Sylvia marqua une pause, puis lâcha brusquement :

— Donc la véritable question, c'est : qui sera le suivant ?

13

La Coccinelle bleu clair passa lentement devant le poste de police et s'arrêta à l'intersection. Le conducteur jeta un coup d'œil au petit bâtiment de brique. Ils avaient dû recevoir sa lettre, à présent. Et même la déchiffrer. Il faut dire qu'il ne leur avait pas trop compliqué la tâche. Tout se corserait plus tard, quand ils essaieraient de l'arrêter. « Je vous souhaite bien du plaisir, messieurs les policiers ! »

Maintenant, ils allaient faire intervenir la brigade criminelle de l'État. Sans que l'affaire ne s'ébruite, pour ne pas paniquer la population. À n'en pas douter, ils soumettraient une demande d'assistance au célèbre programme Vicap du FBI. On contacterait les grands pontes afin de s'assurer que rien ne traîne, et très vite on établirait un profil du tueur – le sien.

« Bien sûr, il sera complètement erroné. »

Un peu plus tôt, il était passé devant la morgue, là où Sylvia Diaz, pourtant un véritable crack dans son domaine, s'escrimait sur trois cadavres représentant des symboles différents, mais possédant des éléments communs. Elle ne trouverait que des indices sans importance. Il savait ce qu'elle allait chercher et s'était donc employé à l'éliminer. Cependant, nul n'était infaillible. La médecine légale pouvait obtenir de nombreux renseignements grâce à des débris microscopiques. La toubib détecterait deux ou trois broutilles, en tirerait des conclusions correctes. Mais, au bout du compte, elle sortirait bredouille de ses recherches. Rien qui vaille la peine de s'affoler.

Alors que plusieurs policiers quittaient le poste au pas de course pour monter en voiture et démarrer sur les chapeaux de roues, la Coccinelle traversa le carrefour.

Ils partaient sans doute explorer de fausses pistes et perdraient ainsi beaucoup de temps et d'énergie. « Guère étonnant, vu les faibles compétences de leur chef, Todd Williams. » À un moment donné, avec l'accumulation des cadavres, on confierait l'enquête au FBI. Cette idée l'excitait tout particulièrement.

Il avança jusqu'à un autre croisement, se gara à hauteur de la boîte postale, et y glissa sa lettre avant de repartir en vitesse. En lisant ses explications sur les circonstances de la mort de Steve Canney et Janice Pembroke, les policiers sauraient qu'ils étaient embarqués dans l'enquête de leur vie.

King passa prendre Michelle à l'institut médico-légal et la mit au courant du contenu de la lettre. En retour, elle lui fournit tous les détails sur les autopsies de Pembroke et Canney. Hélas, cette énumération n'éclaircissait pas l'affaire.

— Le tueur semble chercher à montrer que même s'il a copié le Zodiaque pour le meurtre de Rhonda Tyler, il n'a rien à voir avec lui, analysa-t-elle. Qu'est-ce que tu en conclus ?

— Que ces meurtres sont le coup d'envoi d'une longue série, répondit King avec un hochement de tête.

— Tu penses qu'on va recevoir une autre lettre ?

— Oui, et bientôt. Et, je suis sûr qu'elle parlera de Pembroke et Canney, même si Todd refuse de faire le lien avec ces meurtres. D'ailleurs, il est parti demander de plus amples renseignements sur Rhonda Tyler à Lulu Oxley.

Michelle regarda par le pare-brise de la Lexus.

— Et nous, où allons-nous maintenant ?

— Chez les Battle. J'ai appelé pour prendre rendez-vous, précisa-t-il en jetant un coup d'œil à son associée. On nous a confié une affaire, tu t'en souviens ?

Il se tut un instant, puis ajouta :

— Tu as déjà eu pas mal d'émotions, aujourd'hui. Tu es sûre de vouloir venir ?

— Après ce que j'ai vu, les Battle auront du mal à m'impressionner.

— Tu risques d'être surprise.

14

Bâtie sur une hauteur imposante, la propriété des Battle était une vaste structure de deux étages en brique, pierre et bardeaux, entourée de nombreux hectares d'une pelouse émeraude parsemée de grands arbres. Tout ici évoquait une fortune ancienne, même si la construction ne remontait en fait qu'à quelques dizaines d'années. King et Michelle s'arrêtèrent devant un énorme portail en fer forgé. Après avoir abaissé sa vitre, King enfonça le bouton blanc d'un interphone placé sur un petit poteau au bord de l'allée goudronnée. Une voix très cérémonieuse se fit entendre, et un instant plus tard les grilles s'ouvrirent.

— Bienvenue à la Casa Battle, dit King en s'engageant dans la petite route.

— C'est le nom qu'ils donnent au domaine ?

— Non, juste une petite blague de ma part.

— Tu connais Remmy Battle, c'est ça ?

— Oui, comme beaucoup de monde ici. Il m'est aussi arrivé de jouer au golf avec Bobby. Il a un caractère sociable mais dominateur, et pas marrant du tout si on se met en travers de son chemin. Quant à Remmy, elle est du genre à ne se livrer qu'au compte-gouttes. Et si c'est en travers de son chemin à elle que l'on se met, mieux vaut connaître un bon urologue et compter sur plusieurs miracles pour retrouver toutes ses facultés.

— D'où tient-elle un prénom pareil ?

— C'est le diminutif de Remington – la marque de fusils préférée de son père, à ce qu'il paraît. Tous ceux qui la connaissent estiment que ce nom lui correspond à merveille.

— J'étais loin de me douter qu'autant de gens passionnants vivaient dans ce patelin, avoua Michelle en posant le regard sur la majestueuse demeure. Ouah, quelle baraque !

— De l'extérieur, oui. À l'intérieur, c'est une autre histoire, tu verras.

À peine eurent-ils frappé à la porte qu'un homme de belle carrure, âgé d'une quarantaine d'années et vêtu d'un gilet de laine jaune, d'une chemise blanche, d'une cravate foncée et d'un pantalon noir, leur ouvrit. Il s'appelait Mason, déclara-t-il avant d'ajouter que Mme Battle terminait quelque tâche et les rejoindrait sous peu sur la terrasse de derrière.

Tandis que Mason les précédait dans la maison, Michelle examinait la décoration. Si ce mobilier coûtait sans doute très cher, elle s'était attendue à encore plus de richesse.

— Je ne vois pas ce que tu reproches à cet intérieur, Sean. Tout est magnifique, chuchota-t-elle.

— Ce n'est pas du mobilier que je te parlais, marmonna-t-il en retour, mais des occupants des lieux.

Sur la terrasse, on avait dressé une table où les attendaient thé chaud et froid, amuse-gueules et en-cas. Après leur avoir servi la boisson de leur choix, Mason les laissa seuls et ferma doucement la porte-fenêtre. Il faisait une vingtaine de degrés, et le soleil réchauffait l'air resté un peu moite après les récentes averses.

Michelle but son thé glacé à petites gorgées.

— Mason est une sorte de majordome, c'est ça ?

— Oui, il travaille pour eux depuis toujours. Il est même plus qu'un majordome, à leurs yeux.

— Un confident, alors ? Ça pourra peut-être nous servir.

— Il leur est sans doute trop fidèle pour qu'on puisse espérer en tirer quoi que ce soit... Enfin, il arrive que certains retournent leur veste, surtout quand on leur propose quelque chose en échange.

Un bruit de plongeon leur parvint, les incitant à s'avancer jusqu'à la rambarde en fer qui ceignait en partie la terrasse et donnait sur le splendide domaine.

Les vastes installations de loisirs en plein air comportaient une *pool-house* en pierre, un jacuzzi pouvant sans peine accueillir une dizaine de personnes, un salon d'extérieur couvert et une gigantesque piscine ovale bordée de briques et de dalles.

— Je me suis toujours demandé comment vivaient les gens très fortunés, dit Michelle.

— Comme toi et moi, mais mille fois mieux.

Des eaux bleues limpides et à l'évidence chauffées sortit une jeune femme vêtue d'un deux-pièces string au soutien-gorge fort décolleté. Elle avait de longs cheveux blonds, mesurait environ un mètre soixante-quinze, et ses courbes comme sa poitrine ne pouvaient qu'attirer l'œil. Les muscles bien dessinés, le ventre plat, elle portait un anneau au nombril. Lorsqu'elle se pencha pour ramasser sa serviette, ils virent qu'elle avait une inscription sur une fesse.

— Qu'est-ce qu'elle s'est fait tatouer ? demanda Michelle.

— Son prénom, répondit King. Savannah.

Il observait la jeune femme en train de s'essuyer.

— C'est dingue ce qu'ils arrivent à écrire sur la peau – et en cursives, s'il vous plaît !

— Tu arrives à voir ça d'ici ? répliqua Michelle, étonnée.

— Non, je l'avais déjà vu avant...

Il s'empressa de justifier sa réponse.

— ... lors d'une soirée piscine où j'étais invité.

— Ah, d'accord. Son prénom sur la fesse pour que les mecs s'en souviennent, tu crois ?

— Je préfère ne pas penser à ses motivations.

Comme Savannah levait la tête, elle les aperçut et leur adressa un signe de la main. Puis elle passa un peignoir court et transparent, enfila des claquettes, et gravit l'escalier de brique pour les rejoindre.

L'accolade qu'elle donna à King paraissait destinée à lui planter sa poitrine généreuse dans le torse. De près, son visage n'était pas aussi parfait que son corps ; son nez, son menton et sa mâchoire étaient un peu trop dessinés et irréguliers. Mais Michelle reconnut qu'elle chipotait : Savannah Battle était une femme splendide.

À cet instant, elle examinait King de la tête aux pieds d'un air admiratif.

— Ça alors, Sean, vous êtes plus beau à chacune de nos rencontres ! C'est vraiment injuste. Nous les femmes, nous ne cessons de paraître plus vieilles...

Elle prononça ces paroles avec un accent traînant du Sud que Michelle trouva très affecté.

— En tout cas, vous-même n'avez pas à vous en soucier, déclara-t-elle en lui tendant la main. Je suis Michelle Maxwell.

— Comme vous êtes aimable, répondit Savannah d'un ton qui ne l'était guère.

— Félicitations pour votre diplôme, dit King. Vous étiez à la fac de William & Mary, c'est ça ?

— Papa a toujours voulu que j'aille à l'université, et je l'ai fait, même si ça ne m'a pas vraiment emballée.

Elle s'assit et entreprit de se sécher les jambes – un geste destiné, d'après Michelle, à aguicher King. Puis elle grignota quelques canapés.

— En quoi êtes-vous diplômée ? s'enquit Michelle, s'imaginant que la jeune femme avait choisi la dominante pom-pom girls ou organisation de soirées, voire les deux.

— Génie chimique, fut sa réponse, aussi surprenante qu'étouffée.

Personne ne semblait lui avoir appris à ne pas parler la bouche pleine.

— Papa a fait fortune comme ingénieur, alors il faut croire que ça a orienté mes choix.

— Nous sommes navrés pour Bobby, déclara King d'un ton posé.

— Il est solide, il s'en remettra, répliqua-t-elle avec assurance.

— À ce qu'il paraît, vous allez vous installer seule ?

Savannah se rembrunit.

— Apparemment, tout le monde joue à deviner ce que je vais faire... La petite héritière Battle, ajouta-t-elle avec amertume.

— Ce n'était pas mon intention, Savannah.

Elle rejeta ses excuses d'un geste dédaigneux qui ressembla à un coup de karaté.

— Je supporte ça depuis toujours, alors pourquoi ça s'arrêterait ? Je dois tracer moi-même ma route, mais avec des parents comme les miens, ce n'est pas toujours facile... Enfin, je parviendrai à devenir quelqu'un. Je n'ai pas l'intention d'acheter mon bonheur à coups de carte de crédit.

À mesure qu'elle l'écoutait, Michelle se faisait une meilleure opinion de la jeune femme.

Savannah s'essuya la bouche de la main et reprit :

— Je sais ce qui vous amène ici : Junior Deaver, hein ? Je ne comprends pas ce qui a pu le pousser à commettre une bêtise pareille. Qu'est-ce qu'il croyait ? Que ma mère le laisserait repartir avec son alliance sans broncher ? Il s'est planté, sur ce coup-là !

— Ce n'est peut-être pas lui le coupable, remarqua King.

— Bien sûr que si, rétorqua Savannah en s'épongeant les cheveux. Il a laissé tellement de preuves derrière lui qu'il aurait aussi bien pu attendre sur place l'arrivée de la police.

Elle engloutit encore un canapé, qu'elle fit glisser avec une poignée de chips.

— Cesse de t'empiffrer, Savannah ! tonna une voix. Et pendant que tu y es, tâche de te tenir de façon un peu plus convenable, si ce n'est pas trop te demander.

Savannah, jusqu'alors affalée dans son siège les jambes écartées comme une racoleuse, se redressa sur-le-champ en refermant les cuisses, et tira son peignoir sur ses genoux.

Remington Battle traversa la terrasse à grands pas, avec la prestance d'une légende de Broadway sûre de son ascendant sur le public.

Vêtue d'une éblouissante jupe blanche plissée qui lui tombait bien au-dessous des genoux, elle portait des escarpins à talons plats classiques mais très élégants. Un gilet blanc jeté sur ses épaules couvrait en partie son chemisier bleu ciel à motifs. Plus grande que Savannah – elle faisait à peu près la taille de Michelle –, ses cheveux teints couleur auburn et son maquillage étaient arrangés de façon experte. Son visage dégageait une grande force, au point d'en être presque impressionnant. Michelle supposa que, jeune, Remmy avait été plus belle encore que sa fille. Dans la soixantaine, elle restait séduisante. Pourtant, c'étaient ses yeux qui attiraient l'attention et la retenaient : moitié aigle, moitié buse, et sacrément intimidants.

Remmy serra la main de King, qui lui présenta Michelle. Celle-ci se sentit examinée sous toutes les coutures et soupçonna Remmy Battle de trouver fort à redire à ses vêtements très communs, son absence de maquillage et ses cheveux ébouriffés par le vent. Elle n'eut cependant guère le temps de s'appesantir sur cette idée, car Remmy s'adressait de nouveau à sa fille :

— À mon époque, on ne recevait pas nos invités nu comme un ver, lui reprocha-t-elle d'un ton glacial.

— J'étais en train de nager, maman. Ce n'est pas mon habitude de me baigner en robe de débutante, répliqua Savannah.

Elle porta néanmoins d'un geste vif les doigts à sa bouche et se mit à se mordiller un ongle. Le regard que sa mère lui lança fut si pénétrant qu'elle prit un dernier canapé et une autre poignée de chips. Puis, tout en se levant, elle marmonna quelque chose qui, aux oreilles de Michelle, ressemblait fort à « vieille peau », et s'en alla d'un pas énergique, le cliquetis de ses claquettes mouillées sonnant comme une série de points d'exclamation.

Remmy Battle s'assit et gratifia enfin King et Michelle de toute son attention.

L'un et l'autre prirent leur souffle lorsqu'elle se mit à les fixer. Aux yeux de Michelle, c'était un premier contact très parlant avec la Casa Battle. À présent, elle comprenait ce que King insinuait quand il parlait de l'« intérieur ».

15

— Je vous prie de m'excuser pour Savannah, déclara Remmy. Je l'adore, mais j'ai parfois du mal à croire que le même sang coule dans nos veines.

— Ce n'est rien, Mme Battle, la rassura Michelle. Ce n'est qu'une enfant. Ils nous en font toujours voir de toutes les couleurs, à cet âge-là.

— Ce n'est plus une enfant, répliqua Remmy d'un ton sec. Elle a vingt-deux ans ! Elle est diplômée d'une des plus prestigieuses facultés de la côte est. Et voilà qu'elle rapplique avec un anneau dans le nombril et un tatouage sur la fesse ! Je ne l'ai pas envoyée à l'université pour qu'elle se mette à dérailler !

Du regard, Michelle implora King de venir à sa rescousse.

— Remmy, nous sommes navrés pour Bobby. Comment va-t-il ?

— Il est toujours dans un état critique, répondit-elle sur le même ton coupant.

Puis, d'un geste alangui, elle porta la main à son front ridé et reprit d'une voix plus contenue :

— Excusez-moi. Moi qui me plains de Savannah, je suis loin de vous offrir le meilleur accueil. Vous comprenez, tout a été très bousculé, ces derniers temps.

Elle marqua une pause.

— Bobby était dans le coma depuis des lustres, et les médecins n'étaient pas fichus de nous dire ni quand ni s'il allait en sortir... Enfin, il en a émergé. Ils ont même pu débrancher son respirateur artificiel. Avant-hier soir, il a prononcé ses premiers mots.

— Voilà qui est encourageant, commenta King.

— On pourrait le penser. Le problème, c'est que ses propos n'avaient ni queue ni tête. Il lâchait des noms par-ci par-là, rien qui ait un sens... Bon sang, ils ne sont même pas certains qu'il soit sorti du coma, en fait !

— Ce ne doit pas être facile à déterminer.

— Vu ce qu'ils facturent, ils ont intérêt à savoir marcher sur l'eau et à être en ligne directe avec Dieu, répliqua-t-elle avec amertume.

— Et nous, pouvons-nous vous aider de quelque manière ?

— Pour l'instant, une prière ou deux ne feraient pas de mal.

Mason arriva, muni d'un plateau de café. Il servit une tasse à Remmy et en proposa à King et Michelle – qui déclinèrent son offre –, avant de se retirer de nouveau.

— Rien de plus apaisant qu'un bon café l'après-midi, constata Remmy en buvant une longue gorgée, avant de se caler dans sa chaise. Harry Carrick est vraiment un avocat de première, Junior a de la chance de l'avoir pour sa défense.

Elle prit une autre gorgée et décréta :

— Enfin, peu importe. Junior est coupable. Je le sais comme si je l'avais pris en flagrant délit.

King bondit.

— C'est bien là le problème, Remmy, vous ne l'avez pas vu. Ni vous ni personne.

Elle balaya cet argument d'un geste qui rappela à Michelle celui de Savannah un peu plus tôt.

— Les preuves sont accablantes.

— C'est juste. Un peu trop, même. Il est possible qu'on lui ait tendu un traquenard.

Remmy le regarda comme s'il parlait une langue extraterrestre.

— Quel être un tant soit peu sensé pourrait bien vouloir piéger Junior Deaver ?

— Celui qui vous a cambriolé, répondit King. Vous voyez Junior refourguer des titres au porteur et de la joaillerie de luxe, vous ?

— Il ignorait ce qu'il allait trouver. Il a pris du liquide, aussi. Pas besoin d'être un génie pour dépenser de l'argent, non ?

— Nous aimerions faire un tour de la maison et discuter avec quelques personnes. Même si nous travaillons pour Harry et Junior, je suppose que vous souhaitez qu'on découvre le coupable, non ?

Remmy sourit, mais une lueur assassine traversa son regard.

— Vous avez raison, M. King, même si nous savons déjà de qui il s'agit.

Soudain, elle se mit à fulminer, crachant ses mots comme une mitrailleuse de calibre cinquante qui se serait emballée :

— Et si ce petit fils de pute se décide à me rendre mon alliance, je veux bien essayer de convaincre le procureur d'abandonner les poursuites ! Allez donc transmettre ce message à Harry ! Peut-être pourrons-nous mettre ainsi un terme à ce foutoir !

Michelle remarqua que son accent du Sud était bien plus prononcé quand elle était en colère, et que, contrairement à sa fille, il n'avait rien d'affecté. Posant son verre qu'elle avait manqué renverser après que Remington Battle se fut emportée, elle remercia le ciel de ne pas avoir une telle femme pour mère.

Imperturbable, King déclara d'un ton posé :

— C'est noté, Remmy. Bon, on peut jeter un coup d'œil, maintenant ?

Remmy le fixa longuement du regard ; ses lèvres tremblèrent comme si elle essayait de maîtriser sa fureur. L'espace d'un instant, Michelle crut qu'elle allait jeter sa tasse au visage de King. « Ce serait une bonne idée de passer au déca, non ? » pensa-t-elle.

Enfin, Remmy se leva et leur fit signe de la suivre.

— Et puis mince, je vais vous montrer moi-même.

16

Remington emmena King et Michelle au deuxième étage. La demeure semblait avoir été agrandie au fil des ans, remarqua Michelle, ses ailes étaient plus récentes que sa partie centrale.

Remmy sembla deviner ses pensées, car elle expliqua :

— Cette maison est en chantier depuis des décennies. La plupart de nos amis possèdent de magnifiques résidences un peu partout dans le monde, mais en ce qui nous concerne, nous n'avons jamais voulu que celle-ci. C'est parfois la pagaille, et certains couloirs ne débouchent que sur un mur, mais je... – elle se corrigea tout de suite – *nous* l'adorons.

Elle les introduisit dans une vaste chambre joliment meublée, aux couleurs chaleureuses, et éclairée par une rangée de fenêtres. L'une d'elles paraissait flambant neuve, et Remmy la leur montra du doigt.

— C'est par là qu'il s'est introduit. D'après la police, il s'est servi d'un pied-de-biche. On m'a enfin donné le feu vert pour tout remettre en ordre.

King examina un cadre posé sur l'une des tables de chevet, et dont le verre manquait. Il s'en empara.

— Qu'est-ce qui lui est arrivé ?

Remmy se renfrogna.

— Cette photo se trouvait sur une console près de la fenêtre. Junior a cassé le verre en entrant. Je n'ai pas encore eu le temps de le faire remplacer.

King et Michelle étudièrent le portrait au crayon d'un jeune garçon, qui était déchiré jusqu'en son milieu.

— Qui est-ce ? s'enquit King.

— Bobby Jr. Je ne pardonnerai jamais à Junior de l'avoir abîmé !

King le remit à sa place, puis demanda :

— Vous avez une sorte de compartiment secret dans votre dressing, c'est bien ça ?

Remmy hocha la tête et leur fit signe de la suivre. La penderie comportait de nombreux placards encastrés en acajou ; vêtements, sacs, chaussures et chapeaux y étaient rangés de façon très méticuleuse.

King observa le tout sans cacher son admiration, il était lui-même un maniaque invétéré. Michelle ne le savait que trop bien, et son air de ravissement absolu ne lui échappa d'ailleurs pas. Pendant que Remmy avait le dos tourné, elle tapota sur le bras de King, mima un frisson orgasmique, et fit semblant de fumer la cigarette d'après l'amour.

— Pourriez-vous nous dire où se trouvait ce compartiment ? insista-t-il après avoir jeté un regard mauvais à son équipière.

Remmy tira un tiroir et pressa un morceau de bois plat qui se trouvait juste en dessous. Celui-ci céda d'un petit coup sec, dévoilant un espace large d'une quarantaine de centimètres et profond de soixante.

— C'est une façade factice, expliqua Remmy. On dirait du bois de remplissage, mais le tiroir du dessus arme un levier, et celui-ci s'enclenche quand on pousse l'angle de la fausse devanture, qui s'ouvre.

King examina le mécanisme de près.

— Astucieux.

— Petite, je voulais déjà un compartiment secret dans ma penderie, avoua Remmy.

— Le cambrioleur ignorait comment l'ouvrir, non ? s'enquit Michelle.

— *Junior Deaver* l'ignorait, en effet, la corrigea Remmy avec véhémence. Tous les tiroirs ont été forcés et arrachés. Ça m'a coûté les yeux de la tête pour remettre l'ensemble à neuf. Au tribunal, je vais faire cracher Junior pour ça. Allez donc prévenir Harry !

— Comment pouvait-on connaître l'existence de ce coffre ? voulut savoir Michelle.

— Ça a dû m'échapper, depuis le temps. Je ne m'en inquiétais pas, car nous possédons ce que je prenais pour un système d'alarme de pointe.

— Il était branché ? intervint King.

— Oui, mais il n'y a aucun détecteur de mouvement au deuxième étage, et les fenêtres n'y ont pas de capteurs. Nous avons fait installer ce dispositif il y a des années, après avoir frôlé le drame... Apparemment, on estimait alors que les types s'introduisant au premier étage ne s'aventurent pas au deuxième, ajouta-t-elle avec dédain.

— De quel drame parlez-vous ? demanda King.

Remmy se tourna vers lui pour répondre :

— On a kidnappé mon fils Eddie.

— Je n'étais pas au courant.

— Ça remonte à plus de vingt ans, quand il était à l'université.

— A priori, l'affaire s'est bien terminée.

— Oui, Dieu merci. Nous n'avons même pas eu à payer la rançon de cinq millions de dollars.

— Pourquoi ?

— Le FBI a pisté le kidnappeur et l'a abattu au cours d'une fusillade. En fait, Chip Bailey, l'agent qui a sauvé Eddie et tué le ravisseur, vit tout près d'ici. Il travaille toujours pour le FBI, à Charlottesville.

— La maison était donc vide au moment du cambriolage ? questionna King, revenant à l'objet de leur visite.

Remmy s'assit sur le bord du grand lit à baldaquin et pianota sur un de ses poteaux sculptés.

— Savannah était encore dans son campus. Elle avait obtenu son diplôme en hiver, mais avait choisi de rester sur place pour fêter la fin de ses études. Ma petite fille aime s'amuser, vous l'aurez deviné. Eddie et Dorothea s'étaient absentés. Mason, notre domestique, et Sally, la jeune qui s'occupe des écuries, sont logés dans une maison au bout du domaine. Ils ne se seraient aperçus de rien, de toute façon : ma fenêtre donne sur une partie du terrain assez isolée.

— Vous vivez toute seule chez vous, alors ? constata Michelle.

— Je vis avec Bobby ! s'exclama Remmy, offusquée. Nos enfants sont grands. Nous avons hébergé amis et famille plus qu'à notre tour, autrefois. Pendant des années, cette bonne vieille demeure a été pleine la plupart du temps. Maintenant, ce n'est plus que notre foyer.

— Pourtant, la nuit du cambriolage, elle était bel et bien vide, fit remarquer King. Vous étiez à l'hôpital auprès de Bobby, c'est ça ?

— Exact. Au Wrightsburg General.

— On nous a dit que vous n'étiez pas rentrée avant cinq heures du matin, intervint Michelle. Les visites durent vraiment tard...

— J'ai dormi sur place, dans une chambre au bout du couloir que l'hôpital a mise à ma disposition.

— C'est très arrangeant de leur part, commenta Michelle.

— Notre nom figure sur la plaque du bâtiment, ma chère, rétorqua Remmy sur un ton faussement poli.

D'une voix bien plus brusque, elle ajouta :

— Pour quinze millions de dollars, j'estime que c'est quand même la moindre des choses.

— Oh, fit Michelle, penaude.

— D'après la police, tous les indices convergent vers Junior, y compris ses empreintes digitales, affirma Remmy.

— Il travaillait ici, observa King. Ça pourrait expliquer leur présence.

— Ils les ont trouvées sur la face externe d'un carreau de la fenêtre brisée, repartit Remmy. J'ai engagé Junior pour des travaux *à l'intérieur* de ma chambre, pas dehors.

— Le cabinet de Bobby a été visité aussi, paraît-il.

— On l'a forcé.

— Qu'y a-t-on volé ? questionna Michelle.

— Suivez-moi, vous en jugerez par vous-même.

Remmy les conduisit au bout du couloir, où elle ouvrit une porte, et ils pénétrèrent dans une pièce qui empestait le cigare et la pipe. C'était une pièce très masculine, remarqua Michelle. Au-dessus de la cheminée, on avait accroché un râtelier à fusils, ne supportant aucune arme. Deux épées anciennes croisées l'une sur l'autre décoraient un autre mur. Plusieurs tableaux représentaient de magnifiques chevaux. Dans un

108

coin, de nombreuses pipes mâchonnées pendaient à leur support ; dans un autre, on avait installé un bureau et un fauteuil de campagne.

Le lit était petit et la table de chevet encombrée de magazines de pêche, de chasse et de sciences. Un mur entier était consacré à des photos de Bobby Battle. Homme de grande taille et de forte carrure, il avait des cheveux foncés et ondulés, et des traits qui paraissaient taillés dans l'acier. Sur la plupart des clichés, on le voyait en train de pêcher ou de chasser, mais il y en avait aussi un où il sautait en parachute, et un autre où il pilotait un hélicoptère.

Remmy secoua la main sous son nez.

— Navrée pour l'odeur. Nous avons eu beau aérer pendant des jours, la puanteur persiste. Elle doit être incrustée dans la moquette et les meubles. Pour Bobby, la pipe et le cigare, c'est sacré.

En parcourant du regard le repaire de Robert E. Lee Battle, Michelle eut la vision d'un homme bourru qui profitait de la vie à plein et ne faisait pas de quartier. Qu'un tel individu soit à présent plongé dans le coma, sans grand espoir d'en sortir, la déprima, même si elle ne l'avait jamais rencontré et n'appréciait guère sa réputation de coureur de jupons.

Elle désigna quelques clichés montrant Battle au milieu d'une assemblée nombreuse.

— Qui sont ces gens ?

— Des employés de Bobby. Ingénieur à la base, il est devenu homme d'affaires. Il détient une centaine de brevets déposés. À voir cette pièce, on pourrait croire que mon mari ne pense qu'à s'amuser. En fait, Bobby est avant tout un travailleur forcené. Tout ce qu'il a inventé lui a rapporté de l'argent.

— Quand vous êtes-vous rencontrés ? Je sais qu'il s'agit d'une question personnelle, mais votre mari m'a l'air vraiment fascinant.

Contre toute attente, la remarque fit sourire Remmy.

— Il y a quarante-cinq ans, il est entré dans la boutique de mon père, à Birmingham, en Alabama, pour lui déclarer qu'il m'avait remarquée à plusieurs occasions, que j'étais la chose la plus adorable qu'il avait jamais vue, et qu'il comptait m'épouser. Il tenait à en avertir mon père, même s'il ne lui demandait pas son agrément – ce qui dans cette région était encore la coutume… et l'est d'ailleurs toujours plus ou moins. Il a déclaré à Papa que la seule personne à convaincre, c'était moi. Et il y est parvenu. Je n'avais que dix-huit ans et je ne connaissais rien de la vie, mais je ne comptais pas me jeter dans les bras du premier venu. Pourtant, il est arrivé à ses fins.

— C'est une sacrée histoire, commenta King.

— Bobby avait dix ans de plus que moi. Quand on s'est mariés, il n'avait pas encore fait fortune, mais il avait les idées et l'énergie pour. Il sortait du lot. Et de plus, c'était moi qu'il voulait.

Elle prononça cette dernière phrase avec une étonnante humilité.

— Il faut dire que vous n'étiez pas la plus moche, lança King avec sincérité.

— Je comptais parmi les quelques filles qui étaient à sa hauteur. Enfin, nous avons quand même eu des hauts et des bas, comme tout le monde, avoua-t-elle d'un ton posé.

Ouvrant une nouvelle porte, elle ajouta :

— Le dressing de Bobby.

Beaucoup plus confiné que celui de sa femme, le réduit était tout de même très sophistiqué.

Remmy écarta quelques pantalons suspendus à des tringles, puis montra à King et Michelle un des compartiments latéraux, dont un panneau avait été arraché.

— Il y a là un compartiment secret, de dimensions à peu près identiques au mien. L'un des tiroirs de cette penderie ne s'encastre pas à fond, vous voyez. C'est très astucieux, car vu de devant il est impossible d'en apprécier la profondeur. Et, à moins de la chercher vraiment, on ne remarque pas la petite serrure sur le côté. Moi qui suis venue ici des milliers de fois, je ne l'avais jamais notée.

King lui lança un bref regard.

— Vous ne connaissiez pas l'existence de cette cachette ?

Remmy eut l'air penaud de celle qui en a trop dit.

— Non, en effet.

— Que lui a-t-on volé ?

— Quelle importance ? rétorqua-t-elle sèchement. Je sais ce qu'on m'a volé à moi, et c'est suffisant.

— Remmy, vous ignorez ce que Bobby y gardait ? insista King.

Elle resta silencieuse un long moment. Lorsqu'elle reprit la parole, ce fut d'un ton bien plus humble.

— Je n'en sais rien, en effet.

17

— Bon, fit Michelle une fois dehors. Un psychiatre aurait de quoi écrire un livre rien que sur la relation entre Savannah et Remmy.

— Ne pas savoir ce que Bobby cachait dans son tiroir secret la chagrine drôlement, constata King en jetant un coup d'œil à la demeure, par-dessus son épaule.

— Le fait qu'on ait démoli sa penderie, mais pas celle de Bobby, est très révélateur.

— Exact. Le cambrioleur connaissait l'emplacement de la cachette sans en posséder la clé.

Avant de s'en aller, ils avaient questionné Mason : au moment du cambriolage, il se trouvait dans la maison au fond du domaine et n'avait rien vu ni entendu.

Ils remontèrent dans la Lexus, mais au lieu de repartir King engagea le véhicule sur l'allée goudronnée qui menait au bout de la propriété.

— Où allons-nous ?

— J'ai croisé Sally Wainwright – celle qui s'occupe des écuries – lors d'un événement hippique, l'année dernière. J'aimerais savoir si elle non plus n'a rien remarqué, cette nuit-là.

Âgée d'environ vingt-cinq ans, Sally était mignonne et menue, filiforme même, et portait ses longs cheveux bruns tirés en queue-de-cheval. Lorsque King et Michelle arrivèrent, elle était en train de curer un box. À l'aide d'un tissu, elle s'épongea le visage et vint à hauteur de la voiture.

— Vous ne vous souvenez sans doute pas de moi, déclara King. Nous avons passé la journée ensemble lors d'un meeting de dressage caritatif à Charlottesville, l'an dernier…

Sally se fendit d'un grand sourire.

— Bien sûr que je me souviens de vous, Sean. Elle lança un bref regard à Michelle.

— Mme Maxwell et vous avez une sacrée réputation, maintenant.

— Ou plutôt une sale réputation, répliqua King.

Après avoir observé les écuries et les chevaux, il ajouta :

— Les Battle sont-ils encore nombreux à monter ?

— Dorothea ne s'y est jamais essayée. Eddie continue un peu. Comme il participe à des reconstitutions de la guerre de Sécession, il en a parfois besoin.

— Et vous, vous y participez aussi ? demanda Michelle.

Sally s'esclaffa.

— Je suis originaire de l'Arizona. La guerre de Sécession, je m'en contrefiche.

— J'ai vu Savannah à la maison. Elle faisait de la compétition, à une époque, non ?

Sally parut agacée.

— Autrefois, oui.

King attendit avec impatience de voir si elle allait s'étendre un peu plus sur le sujet.

— C'est une excellente cavalière. Seulement, elle sait moins y faire pour récurer, panser les chevaux, ou s'adresser à ceux qui ne sont pas nés avec une cuillère en argent dans la bouche.

Sally parut soudain craindre de s'être trop laissée aller.

— Ne vous inquiétez pas, Sally, la rassura King. Je comprends votre sentiment.

Il marqua une pause et reprit :

— Et Mme Battle ?

— Depuis cinq ans que je travaille ici, je ne l'ai jamais vue seller un cheval, répondit la jeune femme.

Puis elle s'appuya sur son râteau et ajouta :

— Je vous ai aperçus à votre arrivée. Vous êtes venus en visite de politesse ?

King lui expliqua la raison de leur présence, et les sourcils de Sally se froncèrent lorsqu'elle regarda en direction de la bâtisse principale.

— Je ne sais rien de tout ça, déclara-t-elle.

— Au moment des faits, vous étiez chez vous avec Mason, je suppose ?

— En effet. Comme je me lève aux aurores, je me couche toujours très tôt.

— Forcément... Si des fois un détail vous revient, prévenez-moi.

Il lui tendit une carte de visite. Elle n'y jeta même pas un coup d'œil.

114

— Je vous assure que je ne sais rien du tout, Sean.

— OK. Vous est-il arrivé de croiser Junior Deaver ?

Sally hésita un instant.

— Une ou deux fois, quand il travaillait ici.

— Vous lui avez adressé la parole ?

— À une occasion, peut-être, répondit-elle, évasive.

— Bon eh bien, excellente journée, Sally.

Ils repartirent, mais, dans le rétroviseur, King suivit des yeux Sally, qu'il trouvait très nerveuse.

— Elle nous cache quelque chose, commenta Michelle.

— Exact.

— Et maintenant, où va-t-on ?

King indiqua une grande maison bâtie de l'autre côté de la clôture en planches.

— Encore deux Battle à voir, et ça suffira pour aujourd'hui.

18

— Alors, c'est ça une remise à attelages, commenta Michelle en posant le regard sur la structure en brique d'environ cinq cents mètres carrés. Je les ai toujours imaginées plus grandes, poursuivit-elle d'un ton sarcastique.

— Ça doit dépendre de la taille des attelages.

King jeta un coup d'œil au break Volvo dernier modèle garé sur le petit parking.

— C'est la voiture d'Eddie.

— Tu es devin, toi ?

— Non, mais il y a un uniforme de soldat confédéré et un chevalet, à l'arrière.

Eddie Battle leur ouvrit la porte et les invita à entrer. Homme imposant, il mesurait presque un mètre quatre-vingt-dix et dépassait les cent kilos de muscles. Il avait une épaisse chevelure brune indisciplinée, les yeux d'un bleu perçant, les traits burinés et la peau tannée par le soleil. Il tenait ses cheveux de son père, mais sa bouche et ses yeux lui venaient droit de sa mère, observa Michelle. Il n'avait pourtant rien de son air sévère ni de sa réserve froide – au contraire, ses manières de petit garçon lui conféraient un côté patelin. Il lui faisait penser à un séduisant surfeur californien, avec quelques années en plus.

Il leur serra la main et les invita à s'asseoir au salon. Ses avant-bras musculeux parcourus de grosses veines apparentes étaient mouchetés de peinture, et il portait un vieux jean délavé, rentré dans des bottes de cavalerie. Sa chemise blanche de travail comptait de nombreux trous et taches, et il n'était pas rasé. Il ressemblait à tout sauf à un fils de bonne famille.

Voyant que Michelle fixait ses bottes du regard, il pouffa.

— La semaine dernière, j'ai été tué au cours d'une charge perdue d'avance contre une position fortifiée de l'Union, dans le Maryland. J'ai tenu à

116

mourir debout, les bottes aux pieds, comme on dit, et je n'arrive pas à trouver l'énergie de les ôter. Dorothea commence à perdre patience, la pauvre !

Michelle sourit.

— Vous devez vous demander ce qui nous amène ici, intervint King.

— Non. Ma mère vient de m'appeler. Elle m'a mis au courant. Je crains de ne pas pouvoir vous apprendre grand-chose. Nous étions absents, lors du cambriolage. Dorothea assistait à un congrès d'agents immobiliers à Richmond. Quant à moi, j'ai participé pendant deux jours à une reconstitution féroce à Appomattox ; puis de là j'ai filé droit dans le Tennessee pour profiter de la luminosité de l'aube dans les Smoky Mountains. J'y ai peint un paysage, expliqua-t-il.

— Ça m'a l'air éreintant, commenta Michelle.

— Pas vraiment. Me prendre pour un cavalier de l'armée sudiste et me maculer de peinture, c'est mon truc. Je suis comme un petit garçon qui n'a jamais eu à grandir. À mon avis, mes parents ne voient pas d'un bon œil ce que je suis devenu, mais je suis vraiment un peintre, même si je ne serai jamais un grand artiste. Et le week-end, je joue les soldats. Je suis un privilégié, j'en suis conscient. C'est pour ça que je m'efforce de me montrer humble. En fait, j'ai vraiment des raisons de l'être !

Il sourit de nouveau, dévoilant des dents si parfaites que Michelle y vit autant de couronnes.

— En tout cas, vous êtes très lucide, dit-elle.

— J'ai des parents extrêmement fortunés et n'ai jamais eu à travailler pour gagner ma vie. Je ne me donne pas de grands airs, et j'essaie d'être le meilleur possible dans la branche que j'ai choisie… Enfin bon, vous n'êtes pas venus pour parler de moi. Allez-y, j'attends vos questions.

— Avez-vous déjà vu Junior Deaver par ici ?

— Bien sûr, il a beaucoup travaillé pour mes parents. Pour Dorothea et moi aussi, d'ailleurs, et nous n'avons jamais eu à nous en plaindre. C'est pour ça que je ne comprends pas ce qui lui a pris. Il gagnait pas mal d'argent, ici – mais pas assez à son goût, il faut croire. Il paraît qu'il a laissé un paquet de preuves derrière lui.

— Peut-être trop, même, répondit King.

Eddie le regarda d'un air songeur.

— Je vois où vous voulez en venir. Je n'ai pas beaucoup réfléchi à cette histoire. Nous avons eu l'esprit assez occupé par nos soucis familiaux, ces derniers temps.

— Nous sommes navrés pour ce qui arrive à votre père.

— C'est marrant, j'ai toujours cru qu'il nous enterrerait tous. Remarquez, rien n'est joué : il n'en fait jamais qu'à sa tête.

Après un silence, King reprit la parole :

— Cette question va peut-être vous paraître embarrassante, mais je dois vous la poser…

— De toute façon, toute cette histoire l'est déjà, alors allez-y.

— Apparemment, votre père a dans sa penderie un tiroir secret qui a été forcé. Votre mère n'en connaissait pas l'existence ; elle ne peut

118

donc dire ce qui s'y trouvait. De votre côté, étiez-vous au courant de quelque chose ?

— Non. Et j'ai toujours cru que mes parents n'avaient aucun secret l'un pour l'autre.

— Ils font chambre à part, quand même, intervint Michelle d'un ton brusque.

Eddie perdit son sourire rayonnant.

— C'est leurs affaires. Ça ne signifie pas qu'ils ne couchaient pas ensemble ou qu'ils ne s'aimaient pas. Papa fumait le cigare et avait ses goûts. Maman ne supporte pas la fumée, et elle a les siens. La baraque est grande, et ils y font ce qui leur chante.

— C'est un sujet embarrassant, je vous l'avais dit, déclara King, l'air penaud.

Eddie paraissait sur le point de s'emporter à nouveau, mais il se maîtrisa.

— Je ne savais pas que mon père avait un tiroir secret. D'un autre côté, je ne suis pas son confident.

— Se confie-t-il à quelqu'un d'autre ? Savannah, peut-être ?

— Savannah ? Non, vous pouvez rayer ma sœur de la liste des informateurs potentiels.

— Elle s'était absentée pour ses études, si j'ai bien compris ? insista Michelle.

— Ça, pour être absente, elle était absente, et déjà bien avant d'aller à l'université.

— J'en conclus que vous n'êtes pas très proches.

— Ce n'est ni sa faute ni la mienne. J'ai presque deux fois son âge, et nous n'avons rien en commun. J'étais moi-même à la fac quand elle est née.

— Votre mère nous a parlé de ce qui vous est arrivé, à l'époque.

— Je ne me souviens pas de grand-chose, en vérité. Je n'ai jamais vu mon ravisseur avant qu'on me montre son corps.

Il poussa un profond soupir.

— J'ai vraiment eu beaucoup de chance. Mes parents étaient tellement contents de me voir revenir qu'ils ont conçu Savannah. Du moins, c'est la version officielle qui circule dans la famille.

— Vous êtes devenu ami avec Chip Bailey ?

— Il m'a sauvé la vie. J'aurai toujours une dette envers lui.

King regarda Michelle un court instant.

— Je comprends.

Ils entendirent un véhicule approcher très vite, puis s'arrêter dans un crissement de freins.

— C'est sans doute Dorothea. Elle n'aime pas perdre de temps sur la route, commenta Eddie.

Par la fenêtre, Michelle vit une grosse BMW noire. La femme qui en sortit portait une robe noire courte et moulante, des souliers et des bas également noirs, et ses cheveux ondulés étaient assortis à cet ensemble. Elle ôta ses lunettes de soleil et jeta un coup d'œil à la voiture de King avant de se diriger vers la porte.

Dorothea entra d'un pas énergique, mais Michelle trouva qu'elle offrait une bien pâle imitation – malgré sa tenue noir de jais – de Remmy Battle. Copiait-elle délibérément l'attitude de sa belle-mère ? D'une minceur dans l'air du temps, Dorothea avait de belles hanches, des fesses rebondies et fermes, de longues jambes effilées, ainsi qu'une poitrine disproportionnée qui devait sans doute son volume au travail d'un chirurgien. Sa bouche était un peu trop large pour son visage, et son rouge à lèvres un peu trop criard pour son teint pâle. Ses yeux, d'un vert terne, laissaient pourtant deviner un esprit vif.

On fit les présentations, puis Dorothea alluma une cigarette pendant qu'Eddie lui expliquait pourquoi King et Michelle leur rendaient visite.

— Je ne peux rien pour vous, hélas, Sean, affirma-t-elle sans le quitter des yeux, comme si elle mettait un point d'honneur à ignorer Michelle. J'étais en déplacement au moment du cambriolage.

— Formidable. Presque tout le monde était absent, et les seuls à être restés semblent ne rien avoir remarqué, commenta Michelle, faisant exprès de la chercher.

Le regard de Dorothea se porta lentement vers elle.

— Navrée que la famille et le personnel n'aient pas organisé leurs emplois du temps en fonction des projets criminels de Junior Deaver, répondit-elle d'un ton glacial et hautain.

Si elle avait fermé les yeux, Michelle aurait cru entendre Remmy Battle. Sans lui laisser le temps de répliquer, Dorothea se tourna de nouveau vers King.

— Vous frappez à la mauvaise porte, je pense.

— Nous voulons juste nous assurer qu'on n'enverra pas un innocent en prison.

— Là encore, vous perdez votre temps.

King se leva.

— En tout cas, je n'abuserai pas davantage du vôtre, dit-il d'un ton affable.

Comme ils regagnaient la sortie, Michelle et King entendirent de violents éclats de voix derrière eux.

Michelle regarda son associé.

— Je parie que les réunions de famille chez les Battle, c'est une vraie partie de plaisir.

— J'espère ne jamais devoir m'en assurer.

— Bon, on a fini pour aujourd'hui, alors ?

— Je t'ai menti, il y a encore quelqu'un sur la liste : Lulu Oxley.

19

King et Michelle se garèrent devant un large mobile home posé sur une fondation de parpaings, au bout d'une allée de gravier. Seuls les câbles électriques et téléphoniques qui couraient jusqu'à la caravane indiquaient qu'elle était reliée au monde extérieur. Pins difformes et rhododendrons de montagne rabougris constituaient une toile de fond bien morne au foyer très modeste de Junior Deaver et Lulu Oxley. L'antique Ford LTD rouillée à la capote de vinyle craquelée et au cendrier plein, avec un quart de gin Beefeater vide sur le siège passager et des plaques minéralogiques de Virginie-Occidentale sales et cabossées, était stationnée devant, telle une sentinelle de pacotille.

En descendant de voiture, Michelle remarqua pourtant que des pots de fleurs bordaient les vitres du mobile home, et que d'autres chargés de fleurs colorées fraîchement écloses décoraient les marches en bois. La caravane paraissait vieille, mais son extérieur était propre et bien entretenu.

King observa le ciel.

— Qu'est-ce que tu guettes ? s'enquit Michelle.

— Une tornade. La seule fois où j'ai été pris au milieu d'une, j'étais dans une caravane au beau milieu du Kansas. Pas un seul brin d'herbe des environs n'a été arraché, mais le tourbillon a soulevé la caravane en question et l'a déposée dans le Missouri. Heureusement, j'en étais sorti juste avant le début du tour de manège. Le type que j'étais venu interroger au sujet d'une bande de faux-monnayeurs a préféré ne pas bouger : on l'a ramassé dans un champ de maïs quinze kilomètres plus loin.

Au lieu de frapper à la porte du mobile home, King en fit le tour. Un peu plus de dix mètres derrière, et entourée sur trois côtés par des arbres touffus, se trouvait une grande remise en bois dépourvue de porte. Ses murs étaient couverts de rangées d'outils, et elle abritait un gros climatiseur. Comme ils en approchaient, un chien pouilleux aux côtes saillantes sortit d'un pas lourd et se mit à aboyer et à montrer des crocs jaunis. Par chance, il semblait attaché à un pieu solidement ancré.

123

— OK, assez fureté comme ça, déclara King.

Ils gravissaient les marches de la bicoque quand une femme corpulente apparut derrière la porte grillagée.

Des mèches argentées zébraient ses longs cheveux noirs. Sa robe violette évoquait un panneau publicitaire d'homme-sandwich, collée comme elle l'était à son immense corps taillé à angles droits. Joues replètes, triple menton, lèvres étroites et yeux rapprochés composaient son visage. Sa peau très pâle ne comptait presque aucune ride. Sans la couleur de ses cheveux, deviner son âge aurait été difficile.

— Mme Oxley ? fit King en lui tendant la main.

Elle ne la lui serra pas.

— Qui c'est qui la demande ?

— Je suis Sean King, et voici Michelle Maxwell. Harry Carrick nous a engagés pour enquêter sur votre mari, dans son intérêt.

— Là, vous m'en bouchez un coin, parce que mon mari ça fait dix ans qu'il est mort, répliqua-t-elle. C'est de ma fille Lulu que vous devez causer. Moi, je suis Priscilla.

— Je vous prie de m'excuser, Priscilla, dit King en jetant un coup d'œil à Michelle.

— Elle est partie le chercher – chercher Junior, quoi.

Elle but une gorgée du mug Disney World qu'elle tenait dans une main.

— Je le croyais en prison, commenta Michelle.

Le regard de la femme se porta sur elle.

124

— Il y était, mais c'est à ça que servent les cautions, ma louloute. Je suis venue de Virginie-Occidentale pour m'occuper des mômes en attendant que Junior se tire de cette mouise. S'il y arrive.

Elle prit un air navré.

— Voler les riches… Y a rien de plus crétin, mais Junior l'a toujours été.

— Savez-vous quand ils doivent rentrer ? demanda King.

— Ils sont allés prendre les petits à l'école, alors ils devraient plus tarder… Mais qu'est-ce que vous venez fabriquer ici, au juste ? lança Priscilla après les avoir dévisagés avec méfiance.

— L'avocat de Junior nous a chargés de trouver les preuves de son innocence, expliqua King.

— Eh ben, vous êtes pas rendus !

— Vous le croyez coupable ? s'enquit Michelle, qui s'était appuyée contre la rambarde.

Priscilla ne chercha pas à dissimuler son dégoût.

— C'est pas la première fois qu'il fait ce genre de conneries.

King prit la parole.

— Justement, intervint King, peut-être que cette fois il n'y est pour rien.

— Ouais, et moi je m'habille en trente-six et je présente une émission de télé, aussi.

— S'ils doivent arriver bientôt, pouvons-nous les attendre à l'intérieur ?

Priscilla leva alors le pistolet qu'elle tenait dans son autre main, et qui était caché derrière une saillie de sa hanche replète.

— Lulu, elle tient pas trop à ce que je laisse entrer du monde, déclara-t-elle. Et puis, comment je peux savoir que vous me baratinez pas ?

Elle pointa son arme sur King et ajouta :

— Enfin, j'ai pas envie de vous tirer dessus, parce que vous êtes plutôt mignon. Mais si vous essayez de m'entourlouper, j'hésiterai pas une seconde à vous descendre, vous et la petite maigrichonne.

King feignit de se rendre.

— Pas de problème, Priscilla... répondit-il.

Puis, après avoir manqué une pause il remarqua :

— C'est un beau pistolet que vous avez là. Neuf millimètres HK, non ?

— J'en sais fichtre rien, il était à mon mari. Par contre, je sais m'en servir.

— Bon, nous allons juste nous promener un peu dehors, alors, annonça King, puis il redescendit les marches en tirant Michelle par le bras.

— C'est ça. Et vous avisez pas de me piquer ma Mercedes, leur lança Priscilla en refermant la porte.

— Petite maigrichonne ? Je lui fourrerais bien son flingue là où je pense ! s'emporta Michelle.

King la prit par l'épaule et l'éloigna du mobile home.

— Oublions ça, on reviendra jouer les détectives un autre jour.

Il se pencha pour ramasser un caillou et le jeter dans une ravine.

— À ton avis, demanda-t-il, pourquoi Remmy Battle a-t-elle laissé le tiroir secret de Bobby en l'état ? Elle a bien fait réparer le sien, pourquoi pas les deux en même temps ?

— Il se peut qu'elle lui en veuille, et refuse, du coup, de s'en occuper.

— Tu crois qu'elle est en colère parce qu'elle ignorait l'existence de cette cachette et de son contenu.

— En parlant de ça, quelque chose d'autre me chagrine, lança Michelle. Pourquoi laissait-elle son alliance dans son propre tiroir ? Si son mari est aussi formidable qu'elle le soutient, pourquoi ne la portait-elle pas ? Pas à cause de son tiroir à lui, en tout cas, puisqu'elle ne l'a découvert qu'après le cambriolage.

— Elle le soupçonnait peut-être de lui cacher quelque chose, ou alors ils étaient en conflit. Comme nous l'a expliqué Harry, Bobby couchait à droite à gauche. Ou alors elle nous a menti.

Une idée vint soudain à l'esprit de Michelle.

— Tu crois que quelqu'un a engagé Junior pour vider le coffre de Bobby ?

— Qui pouvait en connaître l'existence, à part son propriétaire ?

— Celui qui l'a fabriqué.

King hocha la tête.

— En effet, il devait bien se douter qu'on y garderait des objets de valeur. C'est peut-être le type qui a installé celui de Remmy. En fait, si ça se trouve, Bobby l'a embauché pour le sien sans en parler à sa femme.

— En tout cas, on peut écarter l'hypothèse que Remmy ait payé Junior pour vider le tiroir de son mari. Si elle en avait connu l'emplacement, elle aurait pu s'en charger elle-même.

— Comme tu dis, *si* elle en avait connu l'emplacement. Peut-être que ce n'était pas le cas, ou que, ne parvenant pas à le trouver seule, elle a recouru à Junior pour le dénicher à sa place et faire en sorte que ça ressemble à un cambriolage.

— Je veux bien, mais si c'était elle qui l'avait engagé, elle n'aurait jamais appelé la police...

King secoua la tête et répliqua :

— Sauf si Junior l'a doublée et en a profité pour la voler elle aussi. Si ça se trouve, Junior ne raconte pas tout parce qu'il attend de voir comment les choses se goupillent.

— C'est drôle, pourquoi cette affaire me semble-t-elle soudain bien moins simple que les gens le pensent ? dit Michelle d'un ton las.

— Je n'ai jamais pensé qu'elle était simple.

Ils se tournèrent vers la camionnette qui approchait du mobile home. King en examina les passagers, puis regarda Michelle.

— Lulu a dû allonger la caution : c'est Junior Deaver, sur le siège passager. Allons voir si on peut lui arracher la vérité.

— Vu comment ça se passe pour l'instant, n'y compte pas trop. Les réponses franches ont l'air d'être une denrée fort rare.

20

Junior Deaver avait tout d'un homme qui vit de ses mains. Son jean et son T-shirt étaient maculés de peinture et couverts de poussière de Placoplâtre. Il mesurait plus d'un mètre quatre-vingt-dix, avait des bras épais et puissants cuivrés par le soleil, et marqués de nombreuses croûtes et cicatrices. Michelle dénombra également au moins cinq tatouages, dont les sujets allaient de sa mère à Lulu en passant par les Harley-Davidson. Lui aussi attachait ses cheveux bruns en arrière, ce qui faisait ressortir leur côté grisonnant et sa calvitie naissante. Un petit bouc de poils raides lui couvrait le menton, et ses favoris broussailleux arrivaient au bas de ses joues replètes. Il prit dans ses bras sa petite dernière, une fillette de six ans aux yeux marron clair magnifiques et à qui on avait fait des couettes, et la fit descendre de la camionnette avec une tendresse que Michelle n'aurait jamais soupçonnée en lui.

Vêtue d'un tailleur noir impeccable et de chaussures à talon plat, Lulu Oxley sortit à son tour. Elle était mince, avec des cheveux attachés en un chignon compliqué et des lunettes chic à fine monture en or. Elle tenait une mallette à la main et donna l'autre à un garçonnet d'environ huit ans. Une fillette d'une douzaine d'années apparut derrière et les suivit avec un gros cartable sur le dos. Les trois enfants portaient l'uniforme d'une des écoles catholiques de la région.

King vint à leur rencontre et tendit la main à Junior.

— Sean King. Harry Carrick nous a chargés d'enquêter pour votre défense.

Junior jeta un coup d'œil à Lulu, qui hocha la tête, puis saisit la main de King avec réticence, mais la lui serra.

— Voici Michelle Maxwell, mon associée, reprit King en grimaçant de douleur.

Lulu les examina tous les deux avec attention.

— Harry m'a prévenue de votre visite. Je viens juste de faire sortir Junior et je n'ai pas envie qu'il y retourne.

— J'y retournerai pas, grommela ce dernier, parce que j'ai rien fait de mal.

Alors qu'il prononçait ces paroles, la fillette qu'il tenait dans les bras se mit à pleurer.

— Eh ben alors, Mary Margaret, faut pas être triste. Papa, il ira pas autre part qu'à la maison.

La petite continua de sangloter.

— Maman, cria Lulu, viens chercher les enfants, s'il te plaît !

Priscilla sortit, sans pistolet cette fois. Elle fit entrer les deux plus grands, prit Mary Margaret dans ses bras et lança un regard noir à Junior.

— Ils laissent vraiment sortir n'importe qui de prison, maintenant.

— Maman, rentre surveiller les enfants ! s'exclama Lulu d'un ton sec.

Priscilla posa Mary Margaret, qui fila dans la caravane, puis désigna King et Michelle d'un signe de tête.

— Le beau parleur et sa greluche, là, ils viennent poser des questions. Pour aider Junior, qu'ils disent. Moi, je trouve que tu devrais les envoyer au diable.

Par réflexe, King saisit le bras de Michelle pour l'empêcher de sauter à la gorge de la vieille femme.

— Mme Oxley, comme je vous l'ai expliqué, nous travaillons dans l'intérêt de Junior. Nous arrivons de chez Remmy Battle.

— Ça me fait une belle jambe, répliqua Priscilla, qui ponctua sa phrase par un ricanement. Comment va Sa Majesté, aujourd'hui ?

— Vous la connaissez ? demanda King.

— J'ai travaillé au centre de vacances Greenbrier Resort, en Virginie, autrefois. Elle et sa petite famille, ils venaient souvent.

— Et elle était... très exigeante ?

— Une emmerdeuse de première. Si Junior a été assez con pour voler une harpie pareille, il aura que ce qu'il mérite.

Lulu pointa le doigt vers sa mère.

— Maman, nous devons discuter avec ces personnes...

Elle leva les yeux vers la porte du mobile home, où Mary Margaret les écoutait, toute tremblante, et ajouta :

— ... de choses que les enfants n'ont pas besoin d'entendre.

— T'inquiète pas, ma chérie, rétorqua Priscilla. Je vais les mettre au courant de tous les défauts de leur papa. Mais il me faudra au moins deux mois.

— Vous avisez pas de faire ça, belle-maman, intervint Junior en regardant ses pieds.

S'il dépassait Priscilla Oxley d'une bonne trentaine de centimètres, il était moins lourd qu'elle, et King et Michelle avaient la certitude qu'elle le terrifiait.

— Ne m'appelle pas « belle-maman ». Avec tout ce qu'on a fait pour toi, Lulu et moi, c'est de cette façon que tu nous remercies ? Tu te fourres dans la mouise, si ça se trouve pour finir sur la chaise électrique !

Les sanglots de Mary Margaret se transformèrent en hurlements assourdissants. Lulu perdit patience.

— Excusez-moi, dit-elle d'un ton poli mais ferme.

Elle gravit les marches d'un pas énergique, empoigna la robe de sa mère et tira la grosse femme à l'intérieur avec Mary Margaret. À travers la porte, King et Michelle entendirent tour à tour cris étouffés et voix coléreuses, puis tout redevint calme. Quelques secondes plus tard, Lulu ressortit en fermant la porte derrière elle.

— Maman a parfois tendance à divaguer quand elle a bu. Désolée.

— Elle ne m'apprécie pas beaucoup, précisa inutilement Junior.

— Asseyons-nous donc par là, proposa Lulu en indiquant une vieille table de jardin à droite de la caravane.

Lorsqu'ils furent installés, King résuma à Junior et sa femme leur visite chez les Battle.

— Le problème, c'est ça, affirma Lulu en leur montrant la remise. Ça fait au moins un million de fois que je dis à Junior de poser une porte et des verrous sur ce machin.

— C'est toujours la même histoire, commenta ce dernier d'un ton penaud. Je passe ma vie à travailler chez les autres, et j'ai pas le temps de m'occuper de ma maison.

— Là où je veux en venir, insista Lulu, c'est que tout le monde peut y accéder.

— Pas avec ce bon vieux Luther pour monter la garde, la contredit Junior en désignant le chien, qui était de nouveau sorti de la resserre et aboyait de joie à la vue de ses maîtres.

— Luther, tu parles ! Ça, il va aboyer, c'est sûr ; mais jamais il ne mordra, et il se roulera par terre comme un chiot pour peu qu'on lui apporte à manger.

Elle se tourna vers King et Michelle.

— Des copains de Junior passent sans arrêt lui emprunter des outils. En notre absence, ils laissent de petits mots pour qu'on sache quand ils comptent les rapporter, même si parfois on ne les récupère jamais. Eh bien, je vous le donne en mille : Luther n'en a jamais empêché un seul d'entrer.

— Ils nous offrent un pack de bières en remerciement, s'empressa de préciser Junior. C'est des bons petits gars.

— Petits, je veux bien ; mais *bons*, je demande à voir, rétorqua Lulu avec feu. L'un d'eux t'a peut-être tendu un traquenard.

133

— Allons, ma poule, aucun me ferait un coup pareil.

— Notre seul but, intervint King, c'est de démontrer qu'il existe assez de doutes sur votre culpabilité. Si les jurés pensent qu'il y a une autre possibilité, c'est bien pour vous.

— Il a raison, Junior, approuva sa femme.

— Mais c'est mes potes ! protesta Junior. Je veux pas leur attirer d'ennuis. Je suis sûr qu'ils ont rien fait pour me nuire. Ils ont pas pu cambrioler les Battle. Et puis, je vais vous dire un truc : ils oseraient jamais chercher des poux à Mme Battle. Et moi, j'ai peut-être pas de diplômes, mais je suis pas con au point d'aller lui chourer son alliance. Comme si j'avais pas assez d'emmerdes...

— On ne vous demande pas d'enfoncer vos amis, le rassura King avec emphase. Donnez-nous simplement leurs noms et adresses, et nous irons nous renseigner sur eux de façon très discrète. Ils auront sans doute des alibis en béton, et nous pourrons passer à autre chose... Il faut vous rendre à l'évidence, Junior : amis ou non, si nous ne trouvons pas d'autre suspect possible, les preuves contre vous sont plutôt accablantes.

— Il a raison, Junior, répéta Lulu. Tu veux retourner en prison ?

— Bien sûr que non, chérie.

— Alors, on t'écoute...

Avec réticence, Junior leur fournit les renseignements voulus.

— Bon, Junior, déclara King avec délicatesse. À présent, il faut que vous me répondiez très franchement. Nous travaillons pour votre avocat, donc tous vos propos sont confidentiels, et personne d'autre que lui et nous ne les connaîtra...

Il s'interrompit pour choisir ses mots avec grand soin.

— Êtes-vous impliqué de quelque manière dans ce cambriolage ? Sans l'avoir commis vous-même, vous avez peut-être aidé quelqu'un d'autre à le faire, même si vous ne vous en rendiez pas compte...

Junior se leva, les poings serrés.

— Et toi, connard, t'as envie que je te refasse le portrait ? rugit-il.

Michelle se redressa et porta la main à son étui à pistolet, mais King lui fit signe de se rasseoir.

— Junior, ma coéquipière a été championne olympique. Elle est ceinture noire en plusieurs disciplines et pourrait nous foutre la raclée à tous les deux d'un seul pied. Sans parler de son neuf millimètres armé, avec lequel elle pourrait vous coller une balle entre les deux yeux à quinze mètres – alors, d'ici, ce serait une simple formalité. La journée a été longue et je suis fatigué. Asseyez-vous donc plutôt, et réfléchissez un peu avant que ça tourne mal !

Junior considéra d'un air surpris Michelle, qui soutint son regard sans montrer le moindre signe d'inquiétude ou de peur. Il obtempéra, mais ne cessa de tourner les yeux vers elle tandis que King poursuivait :

— On veut éviter d'être pris de court. Si vous avez oublié de nous confier un détail, il faut y remédier tout de suite.

Au bout d'un long moment, Junior secoua la tête.

— J'ai été réglo avec vous. Le cambriolage, c'est pas moi, et j'ignore qui est le coupable. Maintenant, en ce qui me concerne, je vais aller voir mes mômes.

21

Lulu raccompagna King et Michelle à leur voiture.

— Junior est quelqu'un de bien, leur confia-t-elle. Il nous aime, les enfants et moi. Il travaille dur, mais il a conscience que les choses ne se présentent pas bien pour lui, alors ça le mine.

Elle poussa un profond soupir avant d'ajouter :

— Jusqu'à présent, tout allait bien – trop bien peut-être. Mon affaire prospère, et on propose à Junior plus de travail qu'il ne peut en accepter. Nous sommes en train de nous bâtir une nouvelle maison, et les enfants ont de très bons résultats scolaires… Ouais, peut-être que tout allait trop bien !

— Vous avez gardé votre nom de jeune fille ? s'enquit Michelle.

— Je n'ai pas de frère, répondit Lulu, et mes sœurs ont pris le nom de leurs maris. Je voulais juste qu'il reste un Oxley au moins jusqu'à ma mort.

— Vous travaillez à l'Aphrodisiac, n'est-ce pas ? demanda King.

Elle parut un peu décontenancée.

— Exact, comment le savez-vous ?

Soudain, elle sourit.

— Ne me dites pas que vous y êtes allé...

King lui rendit son sourire.

— Une fois, si. Il y a des années.

— Quand j'ai commencé chez eux, c'était plus un bordel qu'autre chose. Ça s'appelait le Love Shack[1], à l'époque, le titre d'une chanson des B-52. Moi, j'y ai décelé un plus grand potentiel. Au fil des ans, nous en avons fait un beau club. Nous avons toujours les danseuses et le reste, d'accord, mais ce n'est plus qu'une partie de l'établissement d'origine. Junior a effectué beaucoup de travaux d'aménagement. Vous devriez voir les boiseries, les colonnes en bois, les belles moulures, les tentures chic et la tapisserie ! Nous avons un très bon restaurant, aussi, avec nappes et serviettes en tissu, et de la porcelaine ; une salle de billard et une autre pour jouer aux cartes ; un cinéma et un bar quatre étoiles, avec un compartiment ventilé réservé à ceux qui veulent fumer le cigare. Sinon, nous venons d'ouvrir un club destiné aux businessmen de la région – un endroit pour se constituer des réseaux. Nous y proposons des accès Internet,

---

1. La « Cabane de l'amour » (N.d.T.).

un centre d'affaires. Nos bénéfices ont augmenté de quatre-vingt-six pour cent l'année passée, la meilleure des dix dernières. J'insiste aussi pour qu'on change le nom, il faudrait quelque chose d'un peu plus...

— ... distingué ? suggéra Michelle.

— Exactement. Je possède des parts de l'établissement, et Junior et moi comptons dessus pour notre retraite. Je veux que ce soit le plus rentable possible. J'ai stabilisé les dépenses, nous avons un taux d'endettement correct, un gros cash-flow avec peu de concurrence directe et nous visons une clientèle en or : des hommes à forts revenus qui ne regardent pas à la dépense. Vous devriez voir notre EBITDA[1], comparé à ce qu'il a été autrefois.

— Vous m'avez l'air d'une sacrée femme d'affaires, commenta Michelle.

— Ce n'est pas par là que j'ai commencé ; je n'ai même pas terminé le lycée. Mon père a eu une rupture d'anévrisme quand je n'avais que seize ans. J'ai dû rester à la maison pour m'occuper de lui. Il faut croire que je n'avais pas de grands talents d'infirmière, parce qu'il est tout de même mort. Ensuite j'ai épousé Junior, j'ai eu mon GED[2] et j'ai suivi des cours de commerce à l'université. C'est à cette époque que j'ai commencé à

---

1. *Earning before interest tax depreciation and amortization*, résultat opérationnel avant dépréciation et amortissement.

2. Diplôme d'études secondaires obtenu en candidat libre *(N.d.T.)*.

travailler à temps partiel au Love Shack… comme serveuse, s'empressa-t-elle d'ajouter. Je n'ai pas les atouts physiques pour y être danseuse. J'ai gravi les échelons, appris le métier, et voilà.

— Et l'une de vos danseuses vient de se faire assassiner, intervint King.

Lulu se crispa.

— Comment le savez-vous ?

— Nous sommes en quelque sorte consultants à titre privé auprès du commandant Williams.

— C'était une de nos *anciennes* danseuses, précisa Lulu.

— Vous la connaissiez ? demanda Michelle.

— Pas bien. Les filles vont et viennent. La plupart ne restent pas très longtemps, c'est le métier qui veut ça. Nous, on respecte les règles. On n'autorise rien d'autre que les strip-teases. On n'a pas envie de perdre notre licence à cause d'une fille qui voudrait arrondir ses fins de mois en écartant les cuisses.

— Était-ce le cas de Rhonda Tyler ? Est-ce la raison de son départ ?

— J'ai déjà tout expliqué à la police. Pour quelle raison devrais-je vous le répéter ?

— Aucune, admit King.

— Tant mieux, parce que j'ai assez de soucis comme ça sans devoir en plus m'inquiéter de savoir pourquoi une fille s'est fait dessouder.

— Je doute qu'elle l'ait fait exprès, rétorqua Michelle.

— Je vais vous dire, ma petite : je suis dans ce milieu depuis assez longtemps pour que rien – rien, vous m'entendez ! – ne me surprenne plus.

139

— C'est ce que j'étais en train de penser, lâcha
King.

Lulu regarda la voiture s'éloigner, puis rentra
dans la caravane.

Michelle l'observa dans le rétroviseur.

— Elle nous raconte qu'elle ne connaissait pas
bien Rhonda Tyler, mais elle l'a reconnue à partir
d'un portrait-robot, et elle était au courant pour
son tatouage ? Ça me paraît un peu incohérent.

— Possible.

— Et même si Junior n'est pas assez malin
pour savoir quoi faire de titres au porteur et de
bijoux, sa femme m'a l'air tout à fait capable de
les revendre et d'en tirer de bons bénéfices.

— Si cette hypothèse est correcte, notre client
est coupable.

— Eh oui, ça arrive. À présent, qu'est-ce qu'on
fait ?

— On cherche celui qui a installé les tiroirs
secrets des Battle. On vérifie les alibis des
copains de Junior, on met Harry au courant de
nos avancées...

— ... et on attend le prochain meurtre, conclut
Michelle en soupirant.

22

Comme à son habitude, Diane Hinson quitta
son bureau du centre-ville vers dix-neuf heures.
Elle monta dans sa Chrysler Sebring dernier

modèle et passa s'acheter un plat à emporter dans un restaurant du quartier, avant de regagner son parc résidentiel fermé. Là, elle salua le vieux gardien – il ne portait pas d'arme, et deux préadolescents costauds auraient pu sans mal en venir à bout – et prit le chemin de sa maison mitoyenne, au bout d'une rue en cul-de-sac.

Hinson connaissait une année faste. Récemment nommée associée chez Goodrich, Browder & Knight, le deuxième cabinet d'avocats de Wrightsburg, elle venait enfin de rencontrer un homme qui d'après elle était le bon – un expert-comptable d'un mètre quatre-vingt-dix, de quatre ans son cadet, mordu de rafting et capable de la battre de temps en temps au tennis. Il allait lui poser la grande question d'un jour à l'autre, elle le sentait, et elle lui répondrait oui sans la moindre hésitation. Elle avait aussi apporté au cabinet un nouveau client dont les grosses factures à six chiffres allaient faire monter ses revenus en flèche. Elle envisageait d'acheter une maison individuelle et, à trente-trois ans, elle réaliserait un rêve en y emménageant la bague au doigt avec un mari pour vieillir à ses côtés.

La jeune femme rentra sa voiture au garage, mit son repas dans le micro-ondes, enfila sa tenue de sport et partit courir. Une vingtaine de minutes plus tard, après un footing de cinq kilomètres, elle revint, un peu en sueur mais à peine essoufflée. Bonne coureuse de demi-fond à l'université et joueuse de tennis amateur mais assidue, elle tenait une excellente forme physique.

Elle se doucha, mangea, s'installa devant une émission de télé qu'elle attendait avec impatience, et reçut un coup de téléphone de son petit ami, en déplacement à Houston pour un audit d'entreprise. Après lui avoir promis d'une voix rauque d'épiques moments de sexe à son retour, elle raccrocha, regarda les informations du soir, puis éteignit le téléviseur lorsqu'elle s'aperçut qu'il était presque minuit. Elle se déshabilla dans la salle de bains, passa un grand T-shirt qu'elle gardait suspendu à un crochet sur la porte, et se dirigea vers sa chambre.

Elle eut beau sentir la présence derrière elle, elle n'eut pas le temps de crier car une main gantée la saisit au cou, lui coupant à la fois le souffle et la voix. Un homme très fort lui enserra le corps, lui interdisant tout mouvement. Abasourdie, Hinson se retrouva plaquée au sol, incapable de se débattre ou de hurler, cependant qu'on lui enfonçait un bâillon dans la bouche et qu'on lui liait les poignets dans le dos à l'aide d'un cordon téléphonique.

Avocate au pénal, elle avait défendu des hommes accusés de viol et obtenu l'acquittement d'individus qui auraient dû finir en prison – résultats qu'elle avait considérés comme des victoires professionnelles. Face à terre, tandis qu'un poids écrasant lui appuyait dans le dos, elle s'arma de courage pour affronter son sort. Suffoquant d'appréhension, elle savait que d'un moment à l'autre on lui baisserait sa culotte, et que l'agression douloureuse et humiliante commencerait. L'estomac au bord des lèvres, elle tâcha de se convaincre de ne pas résister, de se laisser faire ; peut-être alors en sortirait-elle vivante. Comme elle n'avait pas vu son visage, jamais elle ne pourrait l'identifier ; il n'avait donc aucune raison de la tuer.

— Pitié, essaya-t-elle de l'implorer malgré son bâillon. Ne me faites pas de mal !

L'homme ignora sa supplique.

La lame s'enfonça sous son épaule, frôlant son cœur. Puis elle plongea une deuxième fois, pour ouvrir une entaille de cinq centimètres dans son poumon gauche, et lui trancha l'aorte en ressortant. Lorsque tout fut terminé, une dizaine de plaies marbraient le dos de Diane Hinson, même si elle était morte au quatrième coup de couteau.

L'homme à la cagoule noire se pencha sur elle, en prenant soin de ne pas mettre les pieds dans la mare de sang qui s'étendait sur la moquette, pour la retourner. Il souleva son T-shirt, prit un stylo dans sa poche et dessina un symbole sur le ventre plat de Hinson. Il reproduisit ce même symbole sur le mur derrière le lit. Ne voulant pas risquer que l'on passe à côté, il le fit en plus grand – les policiers étaient parfois d'une bêtise affligeante.

Il revint vers la femme pour lui retirer avec soin son bracelet de cheville, qu'il avait admiré sur le parking du centre commercial, et le fourra dans sa poche.

Le couteau ne pouvant mener les policiers jusqu'à lui, il le laissa à côté du cadavre. Il l'avait pris à la cuisine quand il s'était introduit dans la maison, un peu plus tôt. Auparavant, il avait guetté son arrivée tapi derrière les buissons, dans un recoin obscur. Il avait attendu qu'elle soit descendue de voiture et entrée chez elle pour se glisser à l'intérieur. Il était sûr que, comme la plupart des gens, elle refermerait son garage depuis l'interrupteur installé près de la porte de communication. Il ne s'était pas trompé : elle n'avait pas remarqué son intrusion.

Il lui délia les mains et cala son bras contre un tiroir de la commode entrouvert. Sur le parking de la grande surface, il avait noté qu'elle portait une montre, et n'avait donc pas pris la peine d'en apporter une. Il la régla à l'heure voulue et tira le remontoir. Cette fois-ci, il ne prononça aucune prière, mais marmonna un sermon comme quoi il fallait toujours garder ses reçus de distributeur de billets.

Avec sa méticulosité habituelle, il examina la chambre, à la recherche de traces signalant son passage, mais n'en trouva pas. Ils ne relèveraient aucune de ses empreintes. En plus de ses gants, il s'était collé des coussinets de feutre au bout des doigts et sous les paumes. Il sortit de sa poche de gabardine un petit aspirateur portatif et le passa par terre ainsi que sous le lit, où il s'était tenu caché. Il réitéra la manœuvre dans la penderie, dans l'escalier et enfin dans le garage.

Ensuite, il ôta sa cagoule, enfila une fausse barbe et une casquette, puis sortit par la porte de derrière. Il regagna sa voiture, garée sur une petite route non loin de ce risible parc résidentiel fermé et de son inoffensif gardien. Il conduisit vite mais sans dépasser les limitations. Il avait une nouvelle lettre à écrire, et il savait très précisément ce qu'il voulait y dire.

23

Sur son *house boat* de douze mètres, Sean King se réveilla tôt. Ce bateau de location, c'était son chez-lui – du moins en attendant qu'il ait pu reconstruire sa maison, transformée par un esprit malveillant en cratère fumant. Il enfila une combinaison, prit une brève inspiration et plongea. Après une nage vigoureuse sur plusieurs centaines de mètres, il regagna son embarcadère et partit ensuite pour un périple en kayak de trois kilomètres. Les habitudes sportives de son associée commençaient à déteindre sur lui, dut-il admettre avec réticence.

Alors qu'il se faisait cette réflexion, il leva les yeux et l'aperçut. Cela ne le surprit pas, même à cette heure matinale. Il se demandait souvent s'il lui arrivait de dormir. Se pouvait-il que Michelle soit une sorte de vampire ne craignant pas la lumière du jour ?

Elle faisait de l'aviron et ramait avec une adresse, une force et une constance que King lui enviait forcément. Elle filait à une telle vitesse que si on ne la connaissait pas on aurait pu croire sa yole propulsée par un moteur.

Il l'appela, sa voix portant loin sur les eaux lisses du lac.

— Tu as le temps de prendre un café, ou bien tu continues jusqu'à l'Atlantique, ce matin ?

Elle sourit, lui adressa un signe de la main et se dirigea vers lui.

Ils allèrent amarrer leurs embarcations au ponton.

King prépara le café ; Michelle sortit de sa banane une barre énergétique et mordit dedans à pleines dents. Elle parcourut des yeux l'intérieur ordonné.

— C'est fou, ce bateau est presque plus grand que mon cottage, fit-elle remarquer entre deux bouchées.

— Et bien mieux rangé, je sais, dit-il en servant jus de fruits et café.

Deux jours avaient passé depuis leur visite chez Lulu et Junior. Harry Carrick avait paru satisfait de leurs progrès, mais il leur avait appris en échange que le grand jury avait, comme l'on pouvait s'y attendre, mis son client en examen. Ils avaient ensuite retrouvé le menuisier ayant installé les compartiments secrets des Battle. Il s'agissait d'un retraité qui ne semblait pas avoir la moindre raison de cambrioler ses anciens clients. Cette piste leur avait donné l'impression de ne mener à rien jusqu'à ce que King demande au vieil homme quand Robert Battle avait fait poser son tiroir caché.

Il leur avait alors paru un peu mal à l'aise.

— Moi j'aime pas trop les cachotteries, avait-il répondu. Mme Battle est une femme exquise, j'en connais pas de plus charmante.

— Donc, M. Battle ne voulait pas qu'elle soit au courant, n'est-ce pas ? intervint Michelle, voyant que le vieillard semblait peu enclin à poursuivre.

—J'ai dû travailler en cachette pendant qu'elle était pas là, et ça m'a pas trop plu, je vous assure, dit-il en continuant de tourner autour du pot.

— À votre avis, pourquoi M. Battle a-t-il voulu ce tiroir ? insista King.

— Ça me regardait pas, alors j'ai pas demandé.

— Quand était-ce, à peu près ? s'enquit de nouveau Michelle.

L'homme réfléchit un moment.

— Y a environ cinq ans. Celui de Mme Battle, je l'avais posé quelques années avant.

King resta d'abord songeur, puis demanda :

— M. Battle en connaissait-il l'existence ?

— Aucune idée. Paraîtrait qu'il est à l'article de la mort.

—Rien n'est jamais joué, avec un homme pareil, avait rétorqué King.

Michelle et lui avaient aussi vérifié les alibis des amis de Junior. Au moment des faits, tous se trouvaient dans un bar ou au lit avec leur femme, leur petite amie ou leur maîtresse. Certes, ces dames avaient pu mentir ; mais il aurait fallu les cuisiner beaucoup plus pour infirmer leurs témoignages, et King avait eu l'intuition qu'elles disaient la vérité. En tout cas, les copains de Junior paraissaient fort peu capables d'accomplir un tel cambriolage tout en lui faisant porter le chapeau avec une telle ingéniosité. Leurs compétences semblaient se limiter à planter des clous, boire de la bière et coucher avec des femmes.

— Tu comptes vivre sur ce *house boat* tout le temps de la reconstruction ? s'enquit Michelle.

— Je n'ai pas trop le choix.

— J'ai une chambre d'amis, chez moi.

— C'est gentil, mais je ne pense pas que mon gène de la propreté y survivrait.

— J'ai fait des progrès.

— Des progrès ! La dernière fois que je suis passé, tu avais entassé tout un bric-à-brac allant du fusil aux skis nautiques sur une table de jeu en plein milieu de ta salle à manger, laissé un amas de linge sale dans l'évier de la cuisine, et de la vaisselle sale empilée sur un fauteuil dans ton séjour. Tu nous as servi le dîner dans des assiettes en carton sur un *wake board* calé entre deux chaises – une première pour moi, tu peux me croire !

— Ah, très bien, lança-t-elle d'un air vexé. Je croyais t'avoir fait plaisir en cuisinant pour toi. Sais-tu au moins combien de conserves j'ai dû ouvrir ?

— Ç'a dû être un vrai calvaire, c'est sûr...

Il allait ajouter autre chose quand son portable sonna. C'était Todd Williams. La conversation fut brève, mais King parut très ébranlé.

148

— Un autre meurtre ? questionna Michelle en posant son café.

— Oui.

— Qui était-ce ?

— Quelqu'un que je connaissais.

24

Le meurtre brutal de Diane Hinson n'avait pas été bien accueilli dans sa résidence de luxe pourtant réputée comme sûre. À l'arrivée de King et Michelle, un petit attroupement de gens en colère s'était formé autour des hommes en costume envoyés par la direction du projet immobilier, ainsi qu'un gardien âgé paraissant au bord des larmes.

Voitures de police et autres véhicules de services d'urgence étaient stationnés tout le long de la rue en cul-de-sac. Même si personne n'avait très envie d'y fureter. Un ruban jaune avait été tendu en travers de la petite parcelle de gazon devant la maison. Des agents en uniforme allaient et venaient par la porte d'entrée et le garage. Lorsque King et Michelle descendirent de la Lexus, Todd Williams leur adressa un signe de la main depuis le perron. Ils le rejoignirent en hâte, et tous trois entrèrent.

Si c'était possible, le commandant avait l'air encore plus affecté qu'à la morgue.

— Bordel ! s'exclama-t-il. Qu'est-ce que j'ai fait pour mériter ça ?

— Hinson a été formellement identifiée ? demanda King.

— Oui, c'est bien elle. Pourquoi, vous la connaissiez ?

— Wrightsburg, ce n'est pas grand, et nous sommes tous les deux avocats.

— Mais vous la connaissiez bien ?

— Pas assez pour être d'une quelconque utilité à l'enquête. Qui l'a trouvée ?

— Elle devait aller travailler tôt ce matin, pour préparer une déposition sous serment ou je ne sais quoi. Voyant qu'elle n'arrivait pas, ses collègues ont tenté de la joindre chez elle et sur son portable : pas de réponse. Ils ont envoyé quelqu'un la chercher. Sa voiture était dans le garage, mais personne n'est venu ouvrir la porte. Alors, ils se sont inquiétés et ont appelé la police.

Williams secoua la tête d'un air dépité.

— C'est l'assassin de Tyler, Pembroke et Canney qui l'a tuée, ça fait pas un pli !

Michelle remarqua son ton catégorique.

— Vous avez reçu une lettre où il parle des lycéens ?

Williams hocha la tête, sortit de sa poche une feuille de papier et la lui passa.

— En voici une photocopie. Ces imbéciles du journal l'ont laissée moisir dans un coin parce qu'elle était adressée à Virgil, qui était en déplacement. Personne n'a pensé à l'ouvrir. Et ça se prend pour des journalistes ! Des crétins, oui !

— Était-elle codée comme la première ? demanda King.

— Non, nous l'avons reçue telle quelle. Et il n'y avait aucun symbole sur l'enveloppe.

— On peut faire une croix sur l'hypothèse du Zodiaque, alors, constata King en regardant Michelle. Et qu'est-ce que ça raconte ?

Après avoir parcouru des yeux la lettre, Michelle commença à lire :

Bien, un cadavre de plus, et d'autres qui vont suivre. La dernière fois, je vous ai expliqué que j'étais pas le Z. Vous pensez sans doute quand même que c'est le Z qui lui a fait mordre la poussière. Réfléchissez encore un peu. J'ai laissé le collier parce que ce n'est pas le chien qui m'a forcé à le faire. Je n'ai même pas de clebs. L'idée vient de moi et de personne d'autre. Et, non, je ne suis pas lui non plus. En attendant la prochaine fois, qui va arriver vite. Pas le SOS.

Elle regarda King d'un air perplexe.

— « Le collier » ? « Le chien qui m'a forcé à le faire » ?

— On voit bien là que tu n'es plus toute jeune, ou encore un peu trop, Michelle. « SOS » et « le chien qui m'a forcé à le faire », c'est le Son of Sam, David Berkowitz, le meurtrier qui a sévi à New York dans les années 70. On l'avait surnommé « le Tueur des ruelles aux amoureux » parce que certaines de ses victimes étaient de jeunes couples en train de flirter dans leur voiture.

151

— Comme Canney et Pembroke, commenta Michelle.

— Berkowitz a déclaré que le démon lui ordonnait de tuer par le biais du chien de son voisin, raconta encore Williams. Un ramassis de conneries, bien sûr...

— Notre type sait exactement ce qu'il fait. Il le précise lui-même, fit remarquer King.

— Quelque chose m'échappe, intervint Michelle. Pourquoi commettre des meurtres calqués sur ceux d'anciens tueurs à la façon d'un *copycat* et ensuite écrire des lettres pour expliquer qu'on n'a rien à voir avec eux ? L'imitation est la forme la plus sincère d'admiration, non ?

— Qui sait ? répliqua Williams. Quoi qu'il en soit, c'est lui qui a tué ces deux gamins.

King dévisagea le commandant, puis examina la lettre.

— Attendez un peu... Ce n'est pas ce qu'il écrit. Il dit : « *Un* cadavre de plus. »

— Faut pas chercher midi à quatorze heures, avec la syntaxe d'un psychopathe. Il les compte comme un seul, voilà tout.

— Lisez bien cette lettre. Il utilise aussi le singulier plus loin : « qui *lui* a fait mordre la poussière », et pas : « qui *leur* ».

Williams se gratta la joue.

— Si ça se trouve, il s'est juste trompé. C'est peut-être pas plus compliqué...

— Mais si c'est intentionnel, de qui parle-t-il ? De Canney ou de Pembroke ? s'interrogea Michelle.

152

Williams soupira et pointa le doigt au sommet de l'escalier.

— Bon, venez donc voir là-haut. Ça ne va pas nous avancer beaucoup, j'en ai bien peur. Mais cette fois-ci, en tout cas, j'ai pas besoin de lettre pour savoir qui il n'essaie *pas* d'imiter.

Diane Hinson gisait toujours à l'endroit où on l'avait tuée. Il régnait dans sa chambre l'activité d'une ruche. Techniciens de la police scientifique, policiers, hommes vêtus de coupe-vent du FBI et enquêteurs de la brigade criminelle de la police d'État de Virginie s'appliquaient à y prélever ce qui pouvait leur être utile tout en préservant les lieux. Pourtant, à en juger par leurs regards vides, les indices semblaient une denrée très rare.

King observa Sylvia Diaz, en grande conversation dans un coin de la pièce avec un costaud vêtu d'un costume peu seyant. Elle lui adressa un sourire las et se détourna. Le regard de King rencontra alors le symbole tracé sur le mur et il eut un brusque mouvement de recul.

Il s'agissait d'une étoile à cinq branches renversée.

— Ouais, j'ai réagi de la même manière, remarqua Williams qui le fixait des yeux.

Il s'accroupit et souleva le T-shirt de Hinson.

— Il y a le même ici.

Ils examinèrent alors le dessin sur le ventre de la victime.

— C'est un pentacle retourné, constata Michelle.

Elle prit brièvement son souffle et dévisagea les deux hommes.

— Celui-ci, je le connais. Richard Ramirez, c'est ça ?

— Le Night Stalker, oui, confirma King en hochant la tête. Si je ne m'abuse, il croupit dans le couloir de la mort à presque cinq mille kilomètres d'ici. Il a dessiné des étoiles retournées sur certaines de ses victimes et sur les murs de la chambre d'au moins une d'entre elles.

Williams fit pivoter Hinson sur le flanc pour leur permettre d'observer les nombreuses plaies du dos.

— D'après Sylvia, il l'a maintenue face à terre, poignardée par-derrière, et sans doute retournée avant de caler sa main contre le tiroir de la commode.

Le policier la reposa sans donner l'impression d'être sur le point de rendre son petit déjeuner. Sa capacité de résistance face aux spectacles cauchemardesques semblait s'améliorer.

— Des indices ? s'enquit Michelle.

— L'assassin l'a frappée avec un couteau pris dans la cuisine et a utilisé le cordon d'un des téléphones de la maison pour la ligoter. Des traces sur ses poignets l'attestent. Il l'a quand même détachée pour placer son bras dans la position voulue. On a relevé des tas d'empreintes, mais à tous les coups cet enfoiré portait des gants.

— Est-ce forcément un homme ?

— On n'a pas trouvé de signes de lutte : elle a été maîtrisée très vite. Même si une femme avait fait le coup en la menaçant d'un pistolet, ç'aurait été risqué pour elle de l'attacher. Hinson aurait pu prendre le dessus, elle était en très bonne condition physique.

King semblait perplexe.

— Personne n'a rien vu ni entendu ? C'est une maison mitoyenne. Quelqu'un a forcément remarqué quelque chose.

— Nous nous penchons sur la question, bien sûr, mais il est encore un peu tôt. En tout cas, nous savons que le pavillon contigu à celui-ci est à vendre et vide.

— Quelle est l'heure du meurtre ? s'informa Michelle.

— Il faudra le demander à Sylvia, si ce type du FBI veut bien la lâcher.

King jeta de nouveau un coup d'œil en direction de la légiste.

— Il fait partie du Vicap ?

— Pour être franc, je n'en suis pas sûr. Il y a eu tellement de monde ici que je ne sais plus qui est entré ou sorti.

— Todd, fit King, prenez garde à ce que cet aveu ne tombe pas dans les oreilles d'un avocat de la défense.

Williams parut un instant interloqué, puis répondit :

— Ah, d'accord, compris.

Ils examinèrent la montre.

— Elle marque quatre heures, annonça Williams d'un ton misérable.

King s'accroupit pour y regarder de plus près.

— Non.

— Quoi ? s'exclama Williams.

— Elle est réglée sur quatre heures *une*.

Williams s'agenouilla à côté de lui en protestant :

— Allons, Sean, vu les circonstances, il ne faut pas chipoter.

— Ce type a toujours été très précis, jusqu'à présent.

Williams répliqua, l'air sceptique :

— Il venait de tuer une femme et il voulait se tirer au plus vite. Il a sans doute agi dans le noir et, contrairement aux autres lieux du crime, il était entouré d'un max de témoins potentiels... Dans sa hâte, il n'a pas dû s'apercevoir qu'il avançait d'une petite minute.

— Possible, lâcha King avec un égal scepticisme. Pourtant, un tueur assez prudent pour ne laisser aucun indice utilisable ne me paraît pas du genre à confondre le singulier avec le pluriel, ni à régler une montre sur quatre heures zéro une au lieu de quatre heures pile.

— Mais s'il a dépassé d'une minute de façon délibérée, pour quelle raison l'a-t-il fait ? s'enquit Michelle.

Incapable de lui apporter une réponse, King regarda longuement le cadavre pendant que Williams s'éloignait pour vérifier quelque chose dans la pièce.

Michelle posa une main sur l'épaule de son associé.

— Désolée, Sean, j'avais oublié que tu la connaissais.

— C'était quelqu'un de bien, et une avocate brillante. Personne ne mérite un sort pareil, et elle moins encore que les autres !

Alors qu'ils se dirigeaient vers la porte, Sylvia les arrêta en chemin. L'homme en costume s'était joint à un autre groupe agglutiné autour du corps. Un peu plus petit que King, il était en revanche de corpulence beaucoup plus forte ; ses épaules donnaient l'impression de vouloir déchirer sa veste. Il avait les cheveux bruns grisonnants, le front dégarni, les oreilles décollées, un nez de boxeur et des yeux d'un marron intense.

— Voilà le numéro quatre, et le prochain à suivre, déclara Sylvia. Le Night Stalker... Qui l'eût cru ?

Elle secoua la tête.

— À qui parlais-tu ? l'interrogea King.

— Un agent du FBI. Chip Bailey, de Charlottesville.

— Chip Bailey ? répéta lentement King.

— Tu le connais ?

— Non, mais j'aimerais bien.

— Je peux arranger ça. Plus tard, évidemment. Pour l'instant, tout le monde est pas mal occupé.

— Ça ira.

Après une courte pause, King ajouta :

— As-tu remarqué l'heure qu'indique la montre ?

— Quatre heures et une minute. Comme celle de Pembroke.

— Quoi ? firent King et Michelle à l'unisson.

— La montre de Pembroke était réglée sur deux heures *une*. Je ne vous l'avais pas dit ?

157

— Non, répondit Michelle, et Todd non plus. D'après lui, ce détail est trop minime pour avoir une signification.

— Et toi, qu'en penses-tu ? demanda King à Sylvia.

— Je ne sais trop pourquoi, mais moi je suis d'avis que c'est important.

— Quelque chose d'autre t'a frappée ?

— J'ai pris la température rectale de Hinson – après avoir cherché des traces d'agression sexuelle, bien sûr, lesquelles se sont révélées négatives. La mort remonte à huit ou neuf heures. Elle a reçu douze coups de couteau, sinon.

Michelle décela l'indignation dans sa voix et remarqua :

— Il n'y a pas été de main morte.

— Oui... Je dirais même qu'il y a mis de la rage, précisa Sylvia. Les avant-bras de Hinson ne portent aucune blessure de défense. À l'évidence, elle a été surprise et vite maîtrisée.

Elle ramassa son sac et indiqua la porte d'un signe de tête.

— Je retourne au bureau. J'ai des patients à voir, et ensuite je dois procéder à l'autopsie.

— On t'accompagne, dit King.

Dehors, l'air se réchauffait vite sous les rayons du soleil.

— Je voulais vous demander comment avance votre enquête sur Junior Deaver, lança Sylvia.

Surpris, King la dévisagea.

— Comment es-tu au courant de ça ?

— J'ai croisé Harry Carrick chez l'épicier. Je lui ai dit que vous vous intéressiez à ces meurtres, et il m'a appris que vous travailliez pour lui. J'ai encore du mal à croire que Junior puisse être coupable. Il a fait des travaux chez moi. Je l'ai toujours trouvé très courtois et accommodant, malgré son côté un peu rustre.

— Nous sommes allés nous entretenir avec Remmy, Eddie, Dorothea, Savannah et le personnel, raconta King.

— Ça ne vous a pas avancés à grand-chose, je parie.

— Remmy est bouleversée par ce qui arrive à Bobby.

— Il paraît qu'il est très mal en point...

— Il reste de l'espoir, intervint Michelle. Il a repris conscience il y a peu, et même prononcé quelques mots. Mais apparemment ses propos sont incohérents, il ne fait que jeter des noms par-ci par-là. Enfin, je suppose que c'est malgré tout encourageant.

— Les attaques sont imprévisibles, expliqua Sylvia. Alors qu'on croit le malade sur le point de se rétablir, il décède soudainement, ou vice versa.

— Pour le bien de Remmy, j'espère qu'il s'en sortira, déclara King en hochant la tête. Tu nous tiens au courant de tes découvertes sur Hinson ?

— Todd m'en a donné l'ordre et c'est lui le patron – au moins tant que le FBI ou la police d'État ne reprend pas l'enquête.

— Ça te paraît probable ?

— Si l'on veut arrêter ce cinglé, je pense que ce serait en tout cas une bonne chose, affirma Sylvia avec fermeté.

25

La nouvelle des quatre meurtres survenus à Wrightsburg déferla sur les écrans des chaînes nationales dans l'après-midi et figura parmi les gros titres jusque tard dans la soirée. Dans la petite localité, la plupart des habitants regardèrent des présentateurs à l'air grave expliquer consciencieusement où se trouvait cette bourgade rurale de Virginie, et qu'une série de crimes violents et apparemment aveugles avait semé la terreur parmi sa communauté. Les autorités fédérales et la police de l'État avaient été dépêchées sur place, annonçait-on, et on espérait voir arrêter l'assassin sous peu. On omettait de préciser que personne parmi les enquêteurs ne croyait vraiment à cette possibilité.

À l'instar de leurs concitoyens, King et Michelle écoutèrent raconter comment leur humble ville était devenue un véritable abattoir. Lorsqu'on informa la nation que le tueur avait adressé deux lettres à la *Wrightsburg Gazette*, King explosa :

— Et merde !

Michelle, qui comprenait son désarroi, hocha la tête.

— Tu crois qu'il regarde les infos ?

160

— Bien sûr, répondit-il sèchement. Le désir de notoriété est partie intégrante du processus.

— Et tous ces meurtres s'effectuent au hasard, d'après-toi ?

— Il n'y a pas de connection évidente entre certaines des victimes... à part la référence à un des lycéens dans la lettre concernant Canney et Pembroke, remarqua King. Reste à savoir duquel il parle.

— Je ne te suis pas...

— Si Pembroke était visée en particulier, par exemple, et que Canney s'est trouvé là en plus au moment du meurtre, cela signifie qu'il y avait une raison précise à la mort de la jeune fille. Si c'est le cas pour elle, ça peut l'être aussi pour les autres. Et ces raisons sont peut-être liées d'une manière ou d'une autre.

— Et les montres ?

— À l'évidence, elles sont la signature de notre type, mais elles peuvent avoir une autre signification.

— Avec un peu de chance, Sylvia nous fournira bientôt des réponses.

King regarda l'heure.

— J'ai rendez-vous au restaurant.

— Où ça ?

— Au Sage Gentleman, avec des gens qui ne sont pas du coin. Ça te branche ?

— Non, j'ai déjà des projets.

— Un rencard ? fit-il en souriant.

— Ouais, avec mon entraîneur de kick boxing. On a prévu de se frotter l'un à l'autre et de pousser de grands grognements tout habillés.

Ils partirent dans des directions opposées. Comme à son habitude, au volant de sa Toyota Sequoia qu'elle avait surnommée « la Baleine » en hommage au *Moby Dick* de Melville, Michelle roula trente kilomètres/heure au-dessus des limitations. Elle atteignit le dernier croisement, peu fréquenté, et trente secondes plus tard prit la petite route de gravier qui sillonnait les bois jusqu'à son cottage. Dès qu'elle eut passé l'intersection, les phares de la Coccinelle bleu clair s'allumèrent, et son conducteur démarra, pour tourner à droite et suivre le véhicule de Michelle.

Mais il ralentit lorsque la jeune femme s'engagea sur le chemin ; il laissa sa voiture s'éloigner en projetant des cailloux sur le bas-côté, puis disparaître rapidement dans l'obscurité grandissante. Maxwell continuerait sur cinq cents mètres avant de prendre à gauche – il le savait pour être déjà venu en son absence. Sa maison, la seule à un kilomètre à la ronde, donnait sur le lac, où étaient amarrés une yole, un kayak et un scooter des mers Sea-Doo à son ponton flottant. Ce cottage d'environ cent cinquante mètres carrés était conçu sans cloisons. Il s'était assuré que Maxwell vivait seule, sans même un chien pour lui tenir compagnie et garder les lieux. Néanmoins, c'était un ancien agent fédéral, très pointu dans ses spécialités, quelqu'un qu'il ne fallait pas sous-estimer… L'homme roula encore un peu sur la route principale, puis se gara sur une parcelle de terre, derrière un écran d'arbres, et partit à pied dans les bois.

Lorsqu'il arriva devant le cottage éclairé, il vit la Sequoia stationnée sur le rond-point devant la porte d'entrée. Il sortit ses jumelles et examina la façade. Aucun signe de Maxwell. Restant en retrait dans le sous-bois, il contourna la maison. Une lampe brillait dans une des pièces de derrière, à l'étage – sa chambre, supposa-t-il. Un rideau était tiré devant la fenêtre, mais il aperçut sa silhouette par deux fois. Ses gestes ne trompaient pas : elle se changeait. Il abaissa ses jumelles en attendant qu'elle ait fini. Quelques minutes plus tard, elle ressortit en tenue de sport, sauta dans son véhicule et démarra dans un nuage de poussière.

Il revint devant juste à temps pour voir ses feux de stop clignoter avant de disparaître dans le noir au détour du virage. On pouvait dire que cette femme ne traînait pas. Il jeta un coup d'œil à la porte. Elle était verrouillée, mais ça ne lui poserait pas un gros problème : et aucun système d'alarme n'était installé – il l'avait vérifié aussi. Il sélectionna la tige et le crochet appropriés dans sa trousse à outils.

Après quelques minutes passées à triturer la serrure, il examina l'intérieur. C'était le désordre absolu – il s'étonna qu'elle réussisse à s'y retrouver, dans un tel capharnaüm. Il plaça l'instrument derrière une pile de livres et de CD qui prenaient la poussière dans un coin du séjour. C'était un radiotransmetteur de la taille d'une pièce de monnaie. Il y avait soudé un micro, ce qui tombait sous le coup de la loi, car par ce procédé le transmetteur devenait un mouchard.

Mais transgresser la loi et violer l'intimité de ses concitoyens ne le souciaient guère. Il monta en vitesse dans la chambre, où il parcourut la penderie et trouva plusieurs tailleurs-pantalons noirs, deux chemisiers blancs, trois paires d'escarpins aux talons usés, ainsi que des jeans et des sweat-shirts en abondance, et tout un assortiment de chaussures de sport.

Il redescendit. Elle n'avait pas de coin bureau établi, mais il fouilla quand même le courrier jeté en vrac sur la table de la cuisine. Rien d'extraordinaire là-dedans, à condition de trouver normal d'être abonné à *Shooting Magazine* et *Iron Women*[1].

Il se glissa au-dehors pour accomplir une dernière tâche. Comme il avait placé ses mouchards dans plusieurs endroits, il ne pourrait les contrôler tous à la fois. Il avait donc modifié son appareil pour que celui-ci se connecte à distance à un micro-enregistreur qu'il allait dissimuler à l'extérieur du cottage. Le transmetteur avait une portée d'une centaine de mètres en lieu clos, et le magnétophone disposait d'un disque dur pouvant stocker des dizaines d'heures d'enregistrement.

L'homme revint ensuite à l'intérieur et prononça quelques mots pour vérifier que son installation fonctionnait. Ses paroles avaient bien été saisies sur le silicium. Satisfait, il repartit vers sa voiture. Puisqu'il avait déjà mis sur écoutes le *house boat* de King, ainsi que son

---

1. Soit *Tir magazine* et *Femmes de fer* (N.d.T.).

bureau de détective privé et ses téléphones, deux de ses poursuivants allaient à présent lui fournir sans le savoir des renseignements de première main.

Comme l'avait prédit King, l'homme avait en effet regardé les infos. Il avait donc tout à fait conscience qu'une armée d'enquêteurs était lancée à ses trousses. Peu importait, il mourrait avant qu'ils ne l'attrapent. Mais il en emmènerait le plus possible avec lui.

26

Un peu plus tard dans la soirée, Kyle Montgomery, l'assistant de Sylvia aux ambitions de star du rock, gara sa Jeep devant l'institut médicolégal. Il était vêtu d'une parka à capuche portant l'inscription UVA d'une salopette froissée, et avait les pieds nus dans ses chaussures de marche. L'Audi décapotable bleu marine de Sylvia étant sur le petit parking, il consulta sa montre : presque dix heures. Ça faisait un peu tard pour être encore au travail, mais Sylvia devait autopsier la dernière victime en date – l'avocate, se souvint-il. Sa chef ne lui avait pas demandé son aide, cette fois-ci, mais il était loin de s'en plaindre. En tout cas, sa présence ici allait lui compliquer la tâche, car il ignorait dans quelle partie du bâtiment elle se trouvait. Sans doute la morgue. Enfin, si par hasard elle était dans le cabinet médical et le surprenait, il pourrait toujours inventer un prétexte. Il passa sa carte d'accès dans la fente près de la porte et entra quand le cliquetis du déverrouillage eut retenti.

Seules les veilleuses d'urgence étaient allumées. Il se faufila dans les locaux familiers, ne marquant une pause qu'au moment de passer devant le cabinet de Sylvia. La lumière y brillait, mais la pièce était vide.

Il se glissa dans la partie pharmacie, ouvrit une des armoires à l'aide de sa clé et en sortit plusieurs flacons. Il prit un comprimé de chaque, les mit dans des sachets plastique différents sur lesquels il avait préalablement inscrit le nom des médicaments au marqueur noir. Il s'introduirait ensuite dans le programme informatique et maquillerait l'inventaire pour dissimuler son vol. Comme il ne subtilisait que quelques comprimés à la fois, il lui était facile de couvrir ses arrières.

Alors qu'il s'apprêtait à repartir, il se rappela qu'il avait oublié son portefeuille dans son casier. Il fourra son butin dans son sac à dos et ouvrit calmement la porte de communication entre les deux parties du bâtiment. S'il tombait sur Sylvia, il lui suffirait de raconter la vérité, qu'il venait chercher ses papiers. Il repassa devant le cabinet de sa patronne. Toujours vide. Il alla ensuite voir au compartiment de désinfection. La salle d'autopsie se trouvait tout au fond de l'installation. Sylvia devait y être, à s'occuper de sa compagne muette. Il comptait bien en rester à bonne distance. Il tendit l'oreille un instant pour essayer de discerner le son de la scie

Stryker, de l'eau qui coule ou du cliquetis des instruments contre le métal, mais rien ne lui parvint. C'était assez stressant, même si les autopsies se déroulaient en grande partie dans un tel silence. Évidemment, il y avait peu de risques d'entendre les morts se plaindre qu'on farfouille dans leurs entrailles...

Puis un bruit retentit, distinctement d'après lui, au bout du couloir. Sa patronne risquait de surgir d'un moment à l'autre. Prenant son portefeuille en hâte, il se tapit dans la pénombre. Soudain, il eut peur que Sylvia le surprenne et lui pose des questions embarrassantes. C'était bien son genre, de se montrer directe et brusque. Et si elle lui demandait d'ouvrir son sac ? Il s'enfonça un peu plus dans le renfoncement du mur, le sang lui battant dans les oreilles, et pesta en silence contre son manque de sang-froid. Des minutes s'écoulèrent, avant qu'il trouve enfin le courage de quitter sa cachette. Trente secondes plus tard, il s'éloignait au volant de sa Jeep, les pilules volées bien au chaud sur le siège passager.

Arrivé à destination, le parking était plein. Il se carra entre deux gros utilitaires sport et entra.

L'Aphrodisiac grouillait d'activité ; tables et places aux comptoirs étaient presque toutes prises. Kyle montra son permis de conduire à un videur somnolent posté devant la salle des danseuses, et resta quelques instants à savourer le spectacle offert par les demoiselles au corps de rêve et à peine vêtues. Elles se livraient à un numéro si obscène contre les barres métalliques que leurs pauvres mères seraient mortes de honte à leur vue – non sans avoir tout d'abord étranglé leur effrontée progéniture.

Kyle consulta sa montre, puis monta au deuxième étage où il longea un couloir jusqu'à un rideau rouge. Derrière se trouvait un dédale de petites pièces. Il tapota à la première porte selon un code établi et reçut aussitôt l'autorisation d'entrer.

Il referma d'un geste nerveux derrière lui et se tint immobile, peu désireux de trop s'avancer dans la pénombre. Il avait beau être déjà venu, chacune de ses visites comportait sa part de risque et d'incertitude.

— Vous les avez ? demanda la femme d'une voix si basse qu'il l'entendit à peine.

Kyle hocha la tête.

— Oui, toutes vos préférées.

Il puisa les sachets plastique dans la poche de sa parka et les brandit comme un garçonnet montre fièrement un oiseau mort à sa mère.

À son habitude, la femme portait une longue robe flottante et un foulard noué sur la tête. Malgré le faible éclairage, elle dissimulait ses yeux derrière des lunettes noires. À l'évidence, elle ne tenait pas à être reconnue. Kyle s'était souvent interrogé sur son identité, mais n'avait jamais trouvé le courage de la lui demander. Bien que sa voix lui semblât familière, il ne parvenait pas à la remettre.

Un soir, il avait découvert dans sa Jeep un petit mot disant que s'il voulait arrondir ses fins de mois il pouvait appeler le numéro inscrit sur le papier. Qui n'avait pas envie de mettre du beurre dans ses épinards ? Après qu'il eut répondu par l'affirmative, cette femme lui avait expliqué que la petite pharmacie du cabinet de Sylvia pouvait se révéler très lucrative pour lui. Antalgiques puissants et autres médicaments potentiellement psychotropes figuraient sur sa commande.

Sans scrupules, Kyle avait accepté d'envisager la question et réfléchi au meilleur moyen d'accéder à cette mine d'or en puissance. Une fois les termes de leur accord arrêtés, les livraisons avaient commencé, et les revenus de Kyle étaient montés en flèche.

La robe de la femme ne cachait pas totalement sa silhouette avantageuse. L'ambiance intime, le lit installé dans un coin de la pièce et le fait de se trouver dans un club de strip-tease affolaient toujours le rythme cardiaque de Kyle. Dans un fantasme récurrent, il entrait là avec assurance, bien plus massif et viril qu'en réalité. Il tendait les cachets comme il le faisait à cet instant, mais lorsqu'elle s'approchait pour les prendre il l'attrapait, la soulevait, riait de sa faible résistance et la jetait brusquement sur le lit. Puis il se laissait tomber sur elle et la culbutait jusque tard dans la nuit. Sa férocité sexuelle grandissait avec la stridence de ses protestations, jusqu'à ce qu'elle lui crie à l'oreille qu'elle aimait ça, qu'elle crevait de désir pour *lui*, le Grand Kyle.

Alors que ce scénario se déroulait une fois de plus dans sa tête, il eut un début d'érection. Il se demanda s'il aurait les tripes de le réaliser. Il en doutait : il était bien trop dégonflé pour ça. La femme posa l'argent sur la table et s'empara des sachets, puis lui signifia son congé d'un signe de la main.

Il s'exécuta sur-le-champ et, un grand sourire aux lèvres, plia ses billets en quatre et les glissa dans sa poche.

Kyle le comprendrait plus tard. Il avait enregistré à cet instant un détail d'autant plus révélateur que celui-ci n'avait aucun sens. Il finirait par s'interroger à son sujet, et au bout du compte ces interrogations le pousseraient à l'action. Mais pour l'heure, tout ce qui l'intéressait, c'était de savoir à quoi il allait employer ce qu'il venait d'empocher. Car Kyle Montgomery n'était pas du genre économe – plutôt panier percé, il ne jurait que par la gratification immédiate. Une nouvelle guitare, peut-être ? Ou alors une télé, avec un lecteur combiné CD-DVD ? Une fois sur la route, la guitare l'avait emporté : il irait la commander demain.

Dans la petite pièce, cependant, la femme avait verrouillé la porte, dénoué son foulard et ôté ses lunettes. Elle se déchaussa et retira sa robe, sous laquelle elle portait un caraco en soie. Elle examina les étiquettes des sachets, choisit un cachet, le broya, et avala la poudre avec un verre d'eau, suivi d'un gin Bombay Sapphire sec.

Elle mit de la musique, s'allongea sur le lit, croisa les bras sur la poitrine et laissa le médicament l'emmener ailleurs, là où elle goûterait peut-être au bonheur. Du moins jusqu'au matin, où la réalité de son quotidien l'assaillerait de nouveau.

Elle trembla un peu, fut prise de soubresauts, gémit, puis devint immobile. La sueur s'écoulait par tous les pores de sa peau tandis qu'elle filait sur les montagnes russes chimiques. Un de ses spasmes incendiaires lui fit arracher son caraco et elle se retrouva par terre en culotte, respirant par grandes saccades, se tordant d'avant en arrière dans un accès d'extase artificielle qui faisait se heurter l'un contre l'autre ses seins. Ses nerfs s'enflammaient par intermittence, sous l'action de son puissant mélange...

Mais elle était enfin heureuse – au moins pour quelques heures.

27

Le dîner de King s'étant terminé vers neuf heures et demie, il décida d'appeler Michelle pour lui proposer de prendre un verre au Sage Gentleman, afin de discuter encore un peu de leur affaire. Dix minutes plus tard, elle le rejoignait. King constata avec amusement que de nombreuses têtes se retournèrent sur la grande et belle brune lorsqu'elle entra d'un pas assuré, vêtue d'un jean, d'un col roulé, de chaussures de marche et d'un coupe-vent du Secret Service. « Les idées qui doivent leur passer par la tête ! songea-t-il. Et s'ils savaient qu'elle est armée,

redoutable tireuse et farouchement indépen-
dante... »

— Alors, ce resto ? s'informa-t-elle.

— Ennuyeux, comme on pouvait s'y attendre.
Et toi, le kick boxing ?

— Il me faut un nouvel entraîneur.

— Qu'est-il arrivé au dernier ?

— Pas assez fort.

Ils envisageaient de chercher une place dans
la partie bar, mais Michelle repéra un visage
connu non loin d'eux.

— Ce n'est pas Eddie Battle, là ?

À cet instant, Eddie leva les yeux, les vit et
leur fit signe de se joindre à lui.

Ils s'assirent à sa table, où refroidissaient les
restes d'un repas.

— Dorothea ne cuisine pas, ce soir ? demanda
King, un petit sourire aux lèvres.

— Eh non. Ce serait bénéfique à notre couple,
pourtant... En fait, la plupart du temps, c'est
moi qui suis aux fourneaux, confia-t-il d'un air
malicieux.

— Que de talents ! commenta Michelle.

Vêtu d'un pantalon de velours côtelé et d'un
sweater noir rapiécé aux coudes, Eddie portait
des mocassins.

— Vous avez fini par enlever vos bottes, à ce
que je vois, ajouta-t-elle.

— Ça n'a pas été une mince affaire. Les pieds
gonflent drôlement, là-dedans.

— Votre prochaine reconstitution, elle est
prévue pour quand ? interroga King.

— Ce week-end. Au moins, la météo est de nôtre côté. Ces uniformes en laine, c'est fou ce que ça démange, et quand il fait très chaud, c'est un vrai calvaire… D'ailleurs, j'envisage d'arrêter. Je me flingue le dos à force de monter à cheval.

— Vous avez vendu des tableaux, ces derniers temps ? s'enquit Michelle.

— Deux ! À un collectionneur de Pennsylvanie, qui lui aussi participe à des reconstitutions, justement – sauf que lui combat pour l'Union… Mais, bon, je ne lui en tiens pas rigueur : il faut prendre l'argent là où il est.

— J'aimerais bien voir vos œuvres, un de ces jours, dit King.

Michelle émit le même souhait.

— Elles sont toutes dans mon atelier derrière la maison, répondit Eddie. Passez-moi un coup de fil quand ça vous chante. Je me ferai une joie de vous les montrer…

Il fit un signe au serveur, en ajoutant :

— Vous m'avez l'air assoiffés, tous les deux, et, comme dit si bien ma mère, il est malpoli et fort dommage de boire seul.

Pendant qu'ils attendaient leurs cocktails, Eddie lança :

— Alors, vous avez résolu l'énigme et sorti Junior Deaver d'affaire ? Enfin, j'imagine que vous êtes tenus par le secret. On est comme qui dirait dans des camps adverses.

— Ça ne va pas être du gâteau, répondit King. Mais nous verrons bien.

On leur apporta leurs verres. King goûta son whisky sour, puis demanda :

— Comment va votre mère ?

Eddie consulta sa montre.

— Elle est encore à l'hôpital – même si, à presque dix heures, ils vont bientôt la virer de la chambre de Papa. En général, elle passe la nuit là-bas.

— Que pensent les médecins ?

— Apparemment, ça va vers le mieux. D'après eux, il a passé le plus dur.

— C'est une très bonne nouvelle, dit Michelle.

Eddie but une gorgée.

— Il faut qu'il s'en sorte. Ce n'est pas possible autrement…

Il les regarda tour à tour.

— J'ignore si Maman pourrait lui survivre. Quand bien même la mort est inéluctable, je ne l'imagine pas encore au soir de sa vie.

Il baissa les yeux, l'air soudain embarrassé.

— Désolé, quand j'ai trop bu, je me mets à enchaîner les clichés. Voilà pourquoi il vaut mieux éviter de boire seul en ruminant ses problèmes.

— À propos, où est Dorothea ? s'enquit Michelle.

— À une réception, répondit Eddie d'un air las. Quand on est dans l'immobilier, on doit se farcir toutes ces conneries. Enfin, son succès est incontestable.

— Exact, Dorothea a très bien réussi.

Eddie leva son verre.

— À Dorothea, la meilleure d'entre tous.

Michelle et King échangèrent un regard gêné.

174

— Elle est dans ses trucs, et moi dans les miens, commenta Eddie. Ça nous apporte un certain équilibre.

— Vous avez des enfants ?

— Dorothea n'en a jamais voulu, alors la question a été vite réglée. Peut-être que ça m'arrangeait ; j'aurais sans doute fait un très mauvais père.

— Vous auriez pu leur apprendre à peindre, à monter. Et, si ça se trouve, ils auraient pris votre relève pour les reconstitutions, observa Michelle.

— Surtout, il n'est pas trop tard pour en avoir, renchérit King.

— Dans ce cas, il faudrait que je change de femme, déclara Eddie avec un sourire résigné, et je ne suis pas sûr d'en avoir la force. De plus, chez les Battle, on ne divorce pas. Trop inconvenant... Bon sang, si Dorothea ne me tuait pas, c'est ma mère qui s'en chargerait !

— D'un autre côté, c'est vous que ça regarde, commenta Michelle.

Il la dévisagea d'un air étrange.

— Vous croyez ?

Il finit son verre.

— J'ai vu aux infos qu'ils avaient appelé les pontes à la rescousse...

— Votre vieux copain Chip Bailey en fait partie, observa King.

— Sans lui, je ne serais pas là.

— Vos parents ont dû lui être très reconnaissants.

— Bien sûr. Mon père lui a proposé un poste de chef de la sécurité dans une de ses boîtes. Avec un max de blé à la clé.

— Je l'ignorais, dit King. Apparemment, il a décliné l'offre.

— Ça devait lui plaire d'être flic.

Eddie tapota sa fourchette avec sa cuillère.

— Je me souviens, quand j'étais gamin, il n'y avait que des collines et des bois, par ici. C'était formidable. On ne s'inquiétait jamais de rien.

— Et maintenant ? lança Michelle.

— Maintenant on tue les gens chez eux, on les abandonne dans la forêt, on les descend à coups de fusil dans leur voiture. Si jamais je fondais une famille, ça ne serait pas ici.

— Vous pouvez vivre où bon vous semble, non ? dit King.

— Ça m'étonnerait que ma mère le voie d'un bon œil.

— Là encore, c'est vous que ça regarde, n'est-ce pas ? rétorqua Michelle.

Cette fois-ci, Eddie Battle ne prit même pas la peine de lui répondre.

28

Alors que Kyle Montgomery commettait son forfait et qu'Eddie, Michelle et King discutaient au bar, Bobby Battle gisait sur son lit d'hôpital, alimenté par une multitude de tubes d'intraveineuses. À son chevet, sa femme serrait sa main pâle et immobile.

Remmy surveillait la rangée de moniteurs détaillant la faible prise de son mari sur la vie. Dans la soirée, il avait connu une rechute, et on l'avait rebranché sur le respirateur artificiel, qui émettait son crissement horripilant dès que les poumons de Bobby faillaient à leur tâche. Quant à la respiration de Remmy, elle suivait les grincements irréguliers de cette machine infernale.

L'infirmière entra.

— Bonsoir, Mme Battle. Tout va bien ?

— Non, ça ne va pas ! rétorqua-t-elle d'un ton brusque. Il ne me reconnaît pas, il ne reconnaît personne.

— En tout cas, d'après les médecins, il reprend des forces. Il faut un peu de temps, c'est tout. Ses signes vitaux sont bien meilleurs. Même s'il lui faut de nouveau une assistance respiratoire, son état s'améliore pour de bon.

Remmy changea de ton.

— Merci de me rassurer. C'est très gentil, ma petite.

Elle posa les yeux sur son mari.

L'infirmière sourit d'un air gêné.

— Mme Battle..., commença-t-elle avec une déférence sans nul doute réservée aux rares mécènes dont le nom figurait sur la plaque du bâtiment.

— Je sais, dit soudain Remmy à voix basse.

— ... comptez-vous dormir ici ? Si c'est le cas, je demanderai à ce qu'on prépare votre lit.

177

— Pas cette nuit. Je repasserai dans la matinée. Merci quand même.

Sur quoi, elle partit. L'infirmière procéda à un rapide examen de son malade et quitta la pièce.

Battle était le seul patient dans ce petit couloir desservant pour une bonne part des pièces de rangement. Les neuf autres lits du service donnaient sur une zone centrale située en face de la salle de garde, mais Remmy Battle avait exigé cette chambre pour son mari car elle offrait plus d'intimité. De plus, une issue auxiliaire au bout du corridor lui permettait, grâce à un code d'accès spécial, d'aller et venir sans devoir passer devant le personnel hospitalier, et d'éviter ainsi les regards indiscrets.

À dix heures passées de quelques minutes, dans cette partie isolée de l'hôpital, se déroulait le changement d'équipe. L'infirmière en charge de Battle passerait les quarante-cinq minutes suivantes avec sa remplaçante, pour l'informer de l'état des patients, et lui donner les instructions concernant les soins et traitements à leur administrer.

Dans ce service, chaque chambre disposait d'une caméra qui transmettait ses images en direct au personnel soignant. Ce dernier était censé surveiller les moniteurs en permanence. Mais pendant le temps où les infirmières épuisées s'efforçaient de résumer la situation à leurs remplaçantes, ces consignes n'étaient pas respectées. Les appareils de soins étaient de toute façon équipés d'un système d'alarme servant à signaler sur-le-champ le moindre changement radical dans l'état des malades...

Quelques minutes après le départ de Remmy, quelqu'un entra par l'issue annexe qu'elle venait d'emprunter. En tenue stérile et blouse blanche, le bas du visage caché par un masque de protection, il ressemblait à s'y méprendre à un membre du personnel. Il passa devant la chambre de Bobby Battle, pour s'assurer d'un bref coup d'œil que lui seul s'y trouvait. Ayant constaté également que le poste des infirmières était inoccupé, il entra dans la chambre et en referma la porte.

Sans perdre de temps, l'intrus dévia un peu la caméra fixée au mur, afin que l'objectif ne couvre pas la zone située à gauche du lit. Puis il alla d'un pas vif jusqu'au pied à perfusions, sortit de sa blouse une seringue hypodermique et en vida le contenu dans une des poches en prenant soin de piquer au-dessus du liquide. L'inconnu regarda brièvement le malade, qui paraissait paisible malgré le tube enfoncé dans sa gorge. Il lui passa une montre au poignet et la régla sur cinq heures. Enfin, il plongea la main dans une autre poche de sa blouse et, avec précaution, déposa un petit objet sur la poitrine de Battle.

Une plume blanche.

Quelques instants plus tard, l'individu avait filé par la porte de derrière, dévalé l'escalier et traversé le parking pour remonter dans sa voiture.

Il avait une lettre à écrire.

Moins de dix minutes s'écoulèrent avant que la sonnerie d'alarme d'un appareil retentisse dans la chambre de Bobby Battle, vite suivie par une autre. En l'espace de quelques secondes, toutes se mirent à hurler à l'unisson leur avertissement menaçant.

Les infirmières se précipitèrent en nombre dans la chambre. Une minute plus tard, on diffusa une alerte code bleu par le système de haut-parleurs, et une équipe d'urgence arriva en trombe. En vain : le décès de Robert E. Lee Battle fut constaté à vingt-deux heures vingt-trois.

29

En premier lieu, on pensa que Battle avait simplement succombé aux suites de son attaque. La plume blanche sur son torse était tombée au sol sans qu'on y prête attention, tandis que l'équipe médicale tentait de le ramener à la vie. Un peu plus tard, un aide-soignant la trouva, mais il la posa simplement sur la table de chevet, croyant qu'elle s'était échappée d'un oreiller. La montre au poignet de Battle fut quant à elle enfouie sous un tas de tubes, et dissimulée par les bracelets indiquant son identité et les soins à lui administrer. Une Remmy Battle accablée et furieuse vint et repartit sans rien remarquer. On ne commença en fait à s'interroger que lorsqu'une infirmière s'étonna de la présence de la plume : celle-ci ne pouvait provenir d'un oreiller, pour la simple et bonne raison qu'il n'en contenait pas. En outre, ce changement dans l'état du patient, aussi surprenant que subit, posait quand même question...

Il fallut néanmoins attendre trois heures du matin environ, moment où on s'apprêtait à transférer la dépouille à la morgue de l'hôpital, pour qu'on découvre enfin la montre – ce qui entraîna un examen plus rigoureux du corps, et donc des poches de perfusion. Là seulement, le chef de service décela le trou laissé par la seringue.

— Nom d'un chien ! furent les seules paroles qu'il parvint à prononcer.

On arracha Todd Williams à son sommeil. Le commandant contacta King en chemin, qui à son tour prévint Michelle. Tous trois arrivèrent à destination à peu près en même temps. À leur grande surprise, Chip Bailey se trouvait sur place. Williams présenta brièvement King et Michelle à l'agent du FBI.

— Je loge dans un motel du coin, et j'étais branché sur la fréquence de la police, expliqua ce dernier. Bon sang, Todd, vous avez rameuté ici tous vos hommes ou quoi ?

— Il s'agit quand même de Bobby Battle, rétorqua Williams d'un ton sec. Un des plus importants notables de la communauté...

King termina en silence la phrase de Williams : « ... et maintenant, il va falloir subir les foudres de sa veuve. »

Plusieurs membres du personnel hospitalier les accompagnèrent jusqu'à la chambre. Des tubes s'enfonçaient toujours dans les avant-bras et la bouche de Battle, bien que tous les appareils, avec leurs chuintements et signaux digitaux, désormais inutiles, aient été débranchés. Michelle ne pouvait s'empêcher de regarder le cadavre. Elle n'avait jamais rencontré Battle, mais avait beaucoup entendu parler de lui. Et, pour une raison que les circonstances de son décès ne suffisaient pas à expliquer, il lui semblait aussi fascinant mort que vivant. L'infirmière en chef et le médecin leur fournirent un bref résumé de leurs découvertes.

— Tout cela est fort inhabituel, déclara le médecin, qui avait un don pour les euphémismes.

— On se doute bien que ça n'arrive pas tous les jours, commenta King.

Williams examina la montre.

— Ce n'est pas une Zodiac. Par contre, elle est réglée sur cinq heures *précises*, et on a tiré le remontoir.

Lorsque le commandant montra la plume à Chip Bailey, ce dernier fut loin de rester de marbre, mais il attendit que les blouses blanches aient quitté la pièce pour s'exprimer.

— Mary Martin Speck, dit-il alors. Une infirmière qu'on a surnommée Florence Nightinghell. Sur une période de dix ans, cette dame a tué vingt-trois patients dans six États. Elle purge actuellement une peine de prison à perpétuité dans un pénitencier fédéral de Georgie. Sa signature, c'était une plume d'oiseau blanche. Elle prétendait accomplir l'œuvre de Dieu.

— Donc, on peut s'attendre à une autre lettre, remarqua King.

— On n'en a même pas encore reçu pour Hinson, pesta Williams. Pourquoi Bobby Battle ?

182

Quelle raison a bien pu pousser le tueur à l'ajouter à sa liste ? C'était drôlement risqué, en plus, de s'introduire ici en pleine nuit !

Un nouvel entretien avec l'infirmière en chef leur apprit cependant qu'entrer par la porte de derrière n'était pas difficile. Le code, par ailleurs très simple, n'avait pas été changé depuis des années. De nombreux membres du personnel le connaissaient donc, et ils l'avaient sans doute communiqué autour d'eux.

— Sait-on ce qu'on a injecté dans la perfusion ? s'enquit Michelle.

— La labo va pratiquer un examen toxicologique de son contenu, répondit Williams. C'est un coup de bol que quelqu'un ait eu l'œil assez acéré pour découvrir le trou avant que tout finisse à la poubelle.

— Où est Sylvia ? demanda King.

— Chez elle, malade comme un chien. Elle a attrapé un microbe hier soir après avoir terminé l'autopsie de Hinson, et en ce moment elle est penchée au-dessus des toilettes en train de dégobiller. Du moins, elle en avait l'intention quand on a raccroché. Elle va essayer de nous rejoindre au plus vite.

— Le FBI aussi, annonça alors Bailey. Après ce cinquième meurtre de la série porté à notre connaissance, nous allons nous mêler un peu plus de cette affaire, Todd. Navré.

— Dans ce cas, c'est vous qui irez annoncer la nouvelle à Remmy. Quand elle saura la vérité, elle va demander mon scalp.

King intervint :

— À votre place, je n'en ferais rien tant que nous n'aurons pas reçu de lettre du tueur. La montre et la plume semblent indiquer que Bobby est une de ses victimes, mais nous devons en avoir la certitude absolue avant d'ouvrir la boîte de Pandore.

— Remarque judicieuse, reconnut Bailey.

— A-t-on constaté la disparition d'un objet dans la chambre de Battle ? interrogea Michelle. Jusqu'à présent, l'assassin a toujours pris quelque chose à ses victimes.

— Seule Remmy pourra nous le confirmer, dit Williams. Bon, j'aimerais bien établir une fois pour toutes la chronologie des événements...

Il quitta la chambre pour en revenir presque aussitôt en compagnie de l'infirmière et du chef de service.

— Pourriez-vous nous récapituler les faits ? demanda-t-il.

— Bien sûr, répondit l'infirmière. Mme Battle est restée de seize à vingt-deux heures environ. Elle n'a pas quitté la chambre un seul instant. Lorsque son infirmière a procédé à un dernier contrôle, peu après dix heures, M. Battle était vivant, et son état encourageant. Il n'a reçu aucune autre visite au cours de cette période.

— Et avant l'arrivée de Mme Battle ? s'enquit Michelle.

— Sa fille, Savannah, est passée en début d'après-midi. Je ne connais pas le moment exact. Ensuite, c'est Dorothy Battle qui est venue, à deux heures et demie, disons.

— Sont-elles entrées par la porte de derrière ? questionna Bailey.

— Savannah, oui ; mais pas Dorothea Battle.

— Il nous faut les horaires exacts de ces visites, lança Williams.

— Très bien, nous vous les trouverons, déclara le médecin avec raideur. Si vous voulez bien m'excuser, j'ai d'autres patients à voir...

« Il présage sans doute l'action en justice qui va prendre pour cibles son portefeuille et la caisse de l'hôpital », songea King.

— Espérons que vous aurez plus de chance avec eux, répliqua Williams, qui à l'évidence s'était fait la même réflexion.

Le commandant reprit l'interrogatoire de l'infirmière.

— Vous disiez que l'état de Battle avait brutalement changé à dix heures et quart...

— Oui, il a fait un arrêt cardiaque. À l'arrivée de la première infirmière, son électrocardiogramme était plat. L'équipe d'urgence a tenté de le réanimer, sans succès.

— Donc, l'assassin a frappé et le poison – si c'est ce dont il s'agit – a fait effet dans les dix minutes et quelques qui se sont écoulées entre le dernier contrôle et son infarctus.

— Ça m'en a tout l'air, convint Bailey.

— J'ai remarqué une caméra, dans la chambre, lança King.

— Toutes en sont pourvues, répondit l'infirmière. Ça nous permet de surveiller les malades depuis la salle des infirmières.

185

— Pourtant, personne n'a vu le meurtrier entrer.

— Il arrive que cette salle soit inoccupée, avoua l'infirmière, soudain mal à l'aise.

— Pendant le changement d'équipe, par exemple ?

— Oui. En tout cas, si quelqu'un s'est introduit ici, ça ne peut être que par la porte de derrière, sinon on l'aurait surpris.

— Très bien.

— Faut un sacré culot pour tenter le coup en sachant qu'il y a du monde partout, commenta Williams.

— Celui qui a fait ça a bien choisi le moment, déclara l'infirmière.

— Aucun doute là-dessus, dit King.

Alors que Michelle et lui quittaient le service, King voulut s'arrêter à la salle de garde.

— Je peux jeter un coup d'œil ? demanda-t-il à la responsable.

Il passa derrière une grande console et étudia les images diffusées en direct sur les moniteurs.

— Vous n'enregistrez pas ces films sur bande, par hasard ?

— Non. Nous ne filmons pas par mesure de sécurité, seulement pour le bien des patients.

— Dans ce cas, je vous suggère de revoir votre politique, répliqua-t-il en quittant la salle.

— Qu'avais-tu en tête ? demanda Michelle tandis qu'ils marchaient dans le couloir.

— Je me suis dit qu'un individu au courant du fonctionnement de l'hôpital connaîtrait aussi l'existence des caméras. Quand tu commets un meurtre, mieux vaut que tu évites d'agir sous l'œil d'un objectif, parce que sinon ta défense en prendrait un sacré coup. Dans toutes les chambres, la caméra est orientée de façon à voir le lit et les appareils qui se trouvent de chaque côté. Celle de Battle, en revanche, ne montrait que le lit et le côté droit.

— Tu penses que le tueur a bougé la caméra pour ne pas être repéré ?

— Exactement.

Dans le hall, Harry Carrick vint à leur rencontre. Malgré l'heure très matinale, il était tiré à quatre épingles, vêtu d'une veste en tweed et d'une chemise habillée ouverte au col.

— Tiens, Harry, qu'est-ce que tu fais ici ? s'étonna King.

— Bobby Battle et moi, nous sommes de vieux amis – enfin, nous *étions*. Je suis aussi l'avocat de l'hôpital. Ils m'ont appelé, et je viens de m'entretenir avec les responsables. C'est une position délicate, je veux bien l'admettre... Bref, vous voilà. Avez-vous vu Remmy ?

— Non, elle était déjà repartie quand nous sommes arrivés.

— Je suis un peu au courant de ce qu'on a trouvé dans la chambre de Bobby. Je suppose qu'il y a plus.

— Exact. Simplement, on ne sait pas bien quoi.

— Je ne veux pas vous retenir, mais il faut qu'on se voie bientôt pour discuter de l'affaire Deaver.

— Ça avance ?

— Ce que vous avez découvert, il fallait que j'en sois informé, mais ça n'apporte pas vraiment d'eau à notre moulin. J'ai tâté le terrain auprès du procureur général pour savoir s'il était prêt à revoir les chefs d'accusation à la baisse. Je me suis heurté à un mur. C'est Remmy qui tire les ficelles, ça ne fait pas l'ombre d'un doute. Elle était déjà en rogne, et je vois mal sa colère s'apaiser maintenant que Bobby est mort.

— Elle risque même de s'accentuer, dit Michelle.

— Sans doute... Bon, je vous laisse. Si vous avez du nouveau sur la mort de Bobby, prévenez-moi.

King et Michelle le regardèrent monter dans une décapotable MG parfaitement restaurée, puis démarrer sur les chapeaux de roue dans le rougeoiement du soleil levant.

Michelle se tourna vers King.

— J'ai de la peine pour Harry. C'est un ami des Battle, mais il défend Junior Deaver *et* l'hôpital où Bobby est mort.

— Le Wrightsburg General ne va pas échapper au procès, j'en mettrais ma main à couper. Drôle d'ironie du sort, d'attaquer un établissement où l'on a son nom gravé sur un des murs.

— À mon avis, ce n'est pas ça qui arrêtera Remmy Battle.

— À mon avis, ce n'est même pas imaginable.

Il s'étira et bâilla.

— J'hésite entre aller au bureau et retourner me coucher.

— Moi, je vais courir. Tu n'as qu'à m'accompagner. Les endorphines, c'est bon pour les méninges.

— Courir ? Tu reviens à peine du kick boxing !

— Ça, c'était hier, Sean.

— Dieu Lui-même s'est accordé un jour de repos, tu sais.

— Si ç'avait été une femme, il n'en aurait pas eu l'occasion.

— Très bien, tu m'as convaincu.

Elle eut l'air ravie.

— Tu viens avec moi ?

— Non, je vais me recoucher. Si ça convenait à Dieu, ça me convient aussi.

30

Le bureau de poste avait reçu l'ordre impératif de transmettre immédiatement à la police tout pli suspect adressé à la *Gazette*. La lettre concernant Hinson arriva le jour du meurtre de Bobby Battle. Elle était concise.

Un avocat de moins, bon débarras. Je pense que vous savez qui je ne suis pas, cette fois-ci. À très bientôt.

Dans le même temps, Sylvia Diaz avait quitté son lit et fini par autopsier Robert Battle. Revenue à son cabinet, elle informait King et

189

Michelle que le commandant Williams et Chip Bailey avaient assisté à l'examen du corps.

— Todd est à l'aise comme un poisson dans l'eau lors des autopsies, maintenant. À cause de leur fréquence, hélas.

— Alors, de quoi est mort Bobby ? demanda King.

— Pour en être sûr à cent pour cent il faudra attendre une bonne semaine – le temps que je reçoive les résultats de l'analyse toxicologique ; mais il semblerait qu'on ait injecté une forte dose de chlorure de potassium dans sa poche de perfusion. En moins de dix minutes, le chlorure s'est diffusé dans la solution parentérale, puis dans son organisme, et son cœur a dû entrer en fibrillation. Dans son état déjà précaire, la mort de Bobby aura au moins été rapide et indolore.

— Cela suppose des connaissances médicales, constata King.

Sylvia réfléchit un instant.

— Il est vrai que le chlorure de potassium est rarement employé par les meurtriers. Pourtant, si l'assassin possédait certaines notions, il s'est montré un peu négligent.

— Comment ça ?

— On administrait à Battle l'assortiment standard de perfusions : de l'héparine – un anticoagulant –, un sérum glucosé, une poche de solution nutritive ou de NTP, un antibiotique pour combattre l'infection pulmonaire qu'il avait contractée à cause du respirateur, et de la dopamine pour stimuler la tension artérielle.

— Et alors ?

— Si l'assassin avait injecté le chlorure de potassium par le tube et non par la poche, son geste aurait eu les mêmes conséquences, mais il aurait été indétectable. Voyez-vous, la solution parentérale, et par conséquent l'organisme de Battle, en contient déjà. J'ai découvert qu'on en avait ajouté dans la poche seulement parce que j'ai comparé son taux de chlorure avec celui d'une perfusion normale. J'ai trouvé le triple de la concentration habituelle, bien assez pour le tuer.

— Tu veux dire que si le tueur avait piqué dans le tube, tu n'aurais rien remarqué ?

— Exactement. Les résidus auraient été trop insignifiants pour éveiller les soupçons. D'ailleurs, ce qui aurait été suspect, c'est plutôt qu'on ne retrouve *aucun* résidu de chlorure. Comme je vous l'ai expliqué, Battle en avait déjà dans le corps. L'organisme l'absorbe naturellement, c'est pourquoi une autopsie n'aurait pas permis de détecter un surdosage.

— Donc, il semblerait que notre type possède des notions médicales, mais ne soit pas un expert.

— Ou alors, intervint Michelle, il voulait nous convaincre qu'il s'agissait d'un meurtre. Comme si la plume et la montre ne suffisaient pas.

— Peut-être, mais ça ne rime à rien, rétorqua Sylvia. La règle numéro un du meurtrier, c'est de viser le crime parfait, non ? Et le meilleur moyen d'y parvenir reste de faire croire qu'aucun meurtre n'a eu lieu, pas vrai ?

Michelle et King hochèrent tous les deux la tête. Ils étaient incapables d'avancer une hypothèse qui expliquerait le comportement du tueur.

Sylvia poussa un soupir.

— Ça n'a guère d'importance, mais Battle montrait des symptômes d'artériosclérose. J'ai également décelé une plissure inhabituelle de la surface de l'aorte. Il avait aussi une petite tumeur au poumon droit, peut-être un début de cancer – rien d'étonnant, chez un fumeur de son âge.

— Et pour Diane Hinson, quelle est la cause du décès ? demanda King. Même si ça paraît plutôt évident…

— Elle est décédée d'une importante hémorragie interne due aux nombreux coups de couteau reçus. La lame a sectionné l'aorte, transpercé la cavité cardiaque et le poumon gauche. Là aussi, la mort n'aura été qu'une affaire de minutes – même si elle a sûrement plus souffert que Battle.

— A-t-elle subi un viol ou des violences sexuelles ?

— Non, l'examen préliminaire n'a dévoilé aucun signe d'agression de cet ordre… Tiens, au fait, je suis au courant pour la référence à Florence Nightinghell. Il faut nous attendre à bientôt recevoir une lettre.

— Dans son dernier courrier, il a écrit qu'on aurait vite de ses nouvelles, expliqua Michelle. Au moins, il a tenu parole.

— D'abord une strip-teaseuse, énuméra King, ensuite des lycéens, puis une avocate, maintenant Bobby Battle…

— On dirait que l'assassin prend plus de risques à chaque fois, commenta Sylvia.

— Passer d'une danseuse de charme – qu'il a dû repérer dans un bar avant de l'abattre et de l'abandonner dans les bois – à un homme d'affaires immensément riche qui gît dans le coma à l'hôpital, ce n'est pas très cohérent, déclara King. Je ne voudrais pas avoir l'air d'un monstre, mais comment ce type choisit-il ses victimes ? En allant faire la bringue ou en ouvrant le Bottin mondain ?

— Comme je vous l'ai déjà expliqué, il ne joue pas selon les règles habituelles, dit Sylvia en frottant ses yeux rougis par la fatigue.

King la dévisagea.

— Tu as une tête de déterrée, déclara-t-il avec un sourire désarmant. Tu devrais être au lit.

— C'est gentil de me le rappeler. Je devrais pouvoir y songer… d'ici quelques semaines.

— Où est Kyle ? s'enquit Michelle. Il pourrait prendre la relève, non ?

— Il n'est pas légiste, alors il ne peut pas pratiquer d'autopsie. Pour répondre à votre question, il est en arrêt maladie. J'aimerais bien l'imiter : j'ai passé presque toute la nuit la tête dans les toilettes, et j'ai encore tout un régiment de patients qui m'attend. Dieu soit loué, il y a les antibiotiques.

— Que pensez-vous du choix de plagier Mary Martin Speck ?

— C'est-à-dire une femme plutôt qu'un homme ?

Michelle hocha la tête.

— Je n'en sais trop rien. Battle a pu être tué par une femme. Injecter le contenu d'une seringue dans une poche à perfusion n'exige pas une grande force physique, bien sûr. En revanche, je suis prête à mettre ma main à couper que les meurtres de Rhonda Tyler et de Diane Hinson sont l'œuvre d'un homme. Très peu de femmes seraient capables de porter un cadavre dans les bois sur une telle distance, et les blessures de Hinson étaient très profondes.

— Donc, il est possible qu'on soit en présence de deux meurtriers, conclut Michelle.

— Pas forcément, objecta King. Pour l'instant, le seul élément allant dans ce sens, c'est le rapprochement fait par Bailey entre la plume et Speck. Mais tant qu'on n'aura pas de lettre, on ne saura pas si l'assassin a copié Speck ou non. Peut-être que la plume symbolise autre chose, peut-être qu'elle correspond à une référence très précise dans l'esprit du tueur.

— C'est juste, reconnut Michelle.

Sylvia acquiesça d'un signe de tête.

King les regarda, puis lâcha :

— Une suggestion complètement dingue, ça vous tente ?

— J'achète, répondit Michelle sur-le-champ.

— Bobby Battle était très fortuné. Je me demande qui bénéficie de son testament.

Après un long silence, Sylvia demanda :

— Tu suggères qu'un membre de la famille l'aurait tué pour l'argent et aurait maquillé le meurtre pour qu'on croie au cinquième de la série ?

— Ça ne peut pas être Eddie, constata Michelle. Il est resté avec nous au Sage Gentleman jusqu'à plus de onze heures.

— Exact, fit King. Mais Dorothea et Savannah sont passées à l'hôpital plus tôt dans la journée. Elles n'ont pu injecter le poison à ce moment-là, sinon Bobby serait mort bien avant l'arrivée de Remmy. Mais supposons que l'une d'elles ait caché le chlorure de potassium dans la chambre lors de sa première visite, et qu'elle s'y soit glissée de nouveau, après le départ de Remmy, pour commettre son forfait...

— Eddie nous a dit que Dorothea assistait à une réception, lui rappela Michelle.

— Il faudra vérifier.

— Ce qui est sûr, c'est que les meurtres motivés par l'argent sont légion, remarqua Sylvia. Tu as peut-être mis le doigt sur quelque chose, Sean.

— Pendant qu'on y est, voici un autre sujet de réflexion : Remmy est restée des heures dans la chambre auprès de Battle. Qu'est-ce qui l'aurait empêchée de trafiquer la perfusion avant de rentrer chez elle ?

— Pour quel motif ? demanda Sylvia. Elle est déjà riche.

— Et si Bobby s'était remis à courir les femmes, et que Remmy en avait eu assez ? Tout l'argent du monde n'y changerait pas grand-chose.

— Là, ce serait encore une autre histoire. Tu as des indices susceptibles de corroborer cette hypothèse ?

King songea au tiroir secret de Battle et à l'alliance que Remmy ne portait plus, mais il préféra ne pas en informer Sylvia.

— Nous n'avons pas forcément d'éléments pour l'étayer. Je ne fais qu'émettre des conjectures. Plus encore que l'argent, la colère d'une femme est un des mobiles les plus vieux du monde... Donc, elle s'en va avec un alibi tout trouvé, et laisse la montre et la plume pour brouiller les pistes. Les journalistes ont décrit le mode opératoire du tueur en long, en large et en travers. Alors elle doit être au courant de ce genre de détails.

— D'un autre côté, sa simple présence sur les lieux fait d'elle un suspect, rétorqua Sylvia, surtout avec l'utilisation du poison. On pourrait objecter à ça que si elle avait l'intention de le tuer, il lui suffisait de s'introduire dans la chambre à un autre moment et d'en repartir sans être vue. N'empêche que, dans les circonstances actuelles, elle n'a en fait pas le moindre alibi.

— En tout cas, si j'avais assassiné Battle et tenté de mettre mon crime sur le dos de notre tueur en série, je ferais vachement gaffe, commenta Michelle.

— Comment ça ? demanda Sylvia.

— Le vrai tueur verrait sans doute cette manœuvre d'un très mauvais œil.

— Je ne vous suis toujours pas...

— Je vais vous expliquer. Les quatre premiers meurtres ont été préparés et exécutés avec une très grande méticulosité. Après chacun d'eux, le tueur a nargué la police en leur envoyant une lettre. Ce type est à l'évidence un maniaque qui tient à tout contrôler, et qui agit selon un plan bien précis. Alors, si c'est quelqu'un d'autre qui a liquidé Bobby Battle en essayant de lui faire porter le chapeau, notre cinglé va considérer qu'on lui gâche son chef-d'œuvre. Il va vouloir se venger.

— Par conséquent, on risque de se retrouver avec un assassin qui en pourchasse un autre, conclut King.

— Exactement.

31

— Je vous nomme adjoints tous les deux, leur annonça le lendemain le commandant Williams, assis à leur agence, en braquant les yeux sur eux.

Abasourdis, eux aussi le fixèrent du regard.

— Pardon ? fit King. J'ai déjà été un de vos adjoints. Je n'ai aucune envie de rempiler, Todd.

— Je ne vous demande pas votre avis. J'ai *besoin* de vous, bon sang !

— Ça fait un bail qu'on a aboli l'asservissement par contrat, répliqua King.

— Que se passe-t-il, Todd ? s'enquit Michelle.

— Les fédés sont en train de me bouffer, voilà ce qui se passe...

— Vous étiez le premier à souhaiter leur aide ! s'exclama King.

— D'accord, mais je ne voulais pas pour autant que le dossier me file sous le nez, ici dans ma ville. Je n'ai pas envie qu'on me prenne pour un incapable. Je suis tout à fait disposé à collaborer avec les fédéraux, et même à partager la direction de l'enquête avec eux, mais il est hors de question qu'ils me virent.

Ébahi, King secoua la tête.

— Todd, je crois que toutes ces autopsies vous ont tourné la tête. Pourquoi ne pas les laisser se coltiner l'affaire ? Ils possèdent l'expérience et le personnel nécessaire. À leur tour de s'arracher les cheveux.

— Et ma fierté, dans tout ça ? rétorqua Williams d'un air froissé. De plus, vous y avez déjà consacré pas mal de temps, tous les deux ; vous émettez des hypothèses et avez des idées. À nous trois, on pourrait très bien boucler cette histoire avant le tout-puissant FBI. Bon sang de bonsoir, Chip Bailey commence déjà à se prendre pour le pape ! Vous allez voir que bientôt il va me demander de lui préparer du café. Là, ce sera le pompon. Ce jour-là, je lui collerai une balle dans le bide, à cet enfoiré !

Il les implora du regard.

— Allez quoi, question expérience, vous n'avez rien à envier à tous ces types. Je sais qu'ensemble on peut s'en tirer haut la main. N'oubliez pas que, contrairement à eux, nous sommes du coin. C'est à nous de ramener la sécurité à Wrightsburg : c'est chez nous, ici, et tout le monde compte sur nous.

Michelle et King se regardèrent un bref instant.

Ce fut Michelle qui prit la parole la première :

— C'est vrai que c'est tentant...

— Le deltaplane aussi, c'est tentant, mais ce n'est pas une raison pour en faire, répliqua King d'un ton sec.

— Voyons, Sean, cette affaire t'obnubile, tu ne peux pas le nier. Tu y réfléchiras que tu travailles dessus ou pas. Au moins, en tant qu'adjoints, nous aurions une légitimité. Ça nous faciliterait la tâche.

— Et notre agence ?

— Rien ne vous oblige à la laisser en plan, s'empressa de répondre Williams. Je ne vous demande pas de consacrer tout votre temps à l'enquête. En revanche, je suis prêt à vous ouvrir toutes les portes : quand je vous aurai accrédités, vous serez couverts, et pourrez interroger qui bon vous semble, fureter à loisir tout seuls comme des grands... J'en ai le pouvoir. Je peux nommer autant d'adjoints que je veux, bon Dieu !

— Bailey risque de ne pas être très emballé, non ? répondit King, sceptique. Voyons, Todd, un peu de bon sens...

— Qu'il monte donc sur ses grands chevaux ! Il ne peut pas vous reprocher votre manque de références, en tout cas. Laissez-le-moi. Je vais monter au créneau, sur ce coup-là, même si je dois téléphoner au gouverneur.

— Je ne suis pas convaincu. Ça pourrait devenir un sacré bourbier, et j'ai déjà assez donné avec le Service.

Michelle lui décocha un coup de poing amical dans le bras.

— Oh, allez, ne fais pas ta mijaurée !

— Ce cinglé est capable de nous descendre...

Michelle adressa un clin d'œil à Williams.

— Moi, je marche.

Le commandant lança un regard nerveux à King.

Au bout d'un long moment, King marmonna enfin :

— D'accord.

— Parfait, se réjouit Williams.

Il sortit deux insignes argentés de sa poche, déclama les formules de rigueur pour assermenter Michelle et King, et leur donna leurs plaques.

— Voilà, vous êtes officiellement mes adjoints. Maintenant, visez un peu ça.

Il leur tendit une feuille de papier, qu'ils parcoururent en même temps.

— La lettre de l'assassin de Bobby, l'imitateur de Mary Martin Speck qui ne veut pas l'être, commenta Michelle en relevant la tête.

King lut à haute voix :

Encore un de moins. Et de cinq. C'était un gros poisson, ce coup-ci, mais attendez un peu la suite. Et, non, je ne suis pas Mary, oubliez Florence Nightinghell. La plume, c'était juste pour vous, bande de poids plume ! À très bientôt. Pas MMS.

Il les regarda Michelle et Williams, l'air songeur.

— L'enveloppe portait-elle le symbole du Zodiaque ?

— Non, elle était vierge. Comme pour Canney-Pembroke et Hinson. On n'a retrouvé ni empreinte ni trace d'aucune sorte. Des nèfles.

— D'après cette lettre, Battle est la cinquième victime, fit remarquer King.

— Et alors, c'est bien le cas, non ? rétorqua Williams.

— Le message concernant Canney et Pembroke ne faisait état de la mort que d'un seul adolescent. Si l'on s'en tient à ce décompte, Battle n'est que le numéro quatre. Cette incohérence reste pour l'instant inexplicable.

Williams se frappa la cuisse du plat de la main.

— Vous voyez, c'est pour ça que je veux vous compter dans mes rangs, tous les deux. Vous avez l'œil, et l'esprit de déduction qui va avec.

— On peut aussi être à côté de la plaque, objecta King.

— Ou alors mettre en plein dans le mille, riposta Williams. Ah, autre chose que vous devez savoir : Hinson portait une chaînette en or à la cheville. Elle n'était pas sur le cadavre, et on ne l'a trouvée nulle part chez elle.

— La bague de Pembroke, la médaille de Canney, peut-être l'anneau de nombril de Tyler, et maintenant le bracelet de Hinson, énuméra King.

— Il doit vouloir garder des souvenirs, analysa Michelle. Des trophées pris sur ses proies.

— Possible, approuva King. A-t-on subtilisé quelque chose à Bobby Battle ?

— Pas à notre connaissance, répondit Williams.

Le commandant scruta le visage de King.

— Alors, quels sont vos projets pour la suite ?

King réfléchit un instant.

— Il est grand temps de déterminer une bonne fois pour toutes si ces meurtres sont liés.

— Voyons, Sean, nous savons bien qu'ils ont tous été tués par la même personne ! s'exclama Williams, étonné.

— Non, nous n'en savons rien du tout, répliqua King sèchement. De toute façon, ce n'est pas à ça que je pensais. Nous devons découvrir s'il existe un point commun entre les victimes, si un élément les relie entre elles.

— Dans les meurtres en série, ce n'est jamais le cas, protesta Williams.

— Nous sommes peut-être confrontés à une exception... Pendant qu'on y est, nous allons devoir retourner dans l'antre du lion.

— L'« antre du lion » ? Comment ça ? intervint Michelle.

— Nous devons rendre visite aux Battle.

— Je préférerais aller chercher des noises à Priscilla Oxley. Je te préviens, si cette bonne femme me traite encore de « poule » ou de « greluche », ça ne sera pas beau à voir !

Après le départ de Williams, Michelle demanda :

— Qu'est-ce que tu espères trouver chez les Battle ?

— Avec un peu de chance, la réponse à ta question sur les raisons qui ont poussé Remmy à ne pas porter son alliance. Et puis la vérité sur le contenu du tiroir de Bobby.

— Tout ça se rapporte au cambriolage, pas aux meurtres.

— Exact, sauf qu'on a peut-être tué Battle à cause de ce qu'il cachait dans son compartiment secret. Même si quelqu'un d'autre l'a liquidé, il faut découvrir qui c'est.

— D'accord, mais si c'est bien un des Battle qui l'a empoisonné, quand nous les interrogerons nous aurons à un moment ou un autre affaire à un meurtrier.

— Plus tôt nous le démasquerons, mieux ce sera.

— Si l'un d'eux est le coupable, sur qui mises-tu ? Comme son fils est hors de cause, est-ce son dragon de femme, sa poufiasse de fille ou sa vipère de bru ?

— Je m'abstiendrai de tout pronostic, pour l'instant. Si la mort de Battle n'est qu'un plagiat motivé par un mobile à part, ça ne nous mène toujours pas à l'assassin des quatre autres, et Dieu sait combien restent à venir.

— D'après toi, il va y avoir d'autres victimes ?

— Possible.

Il lui donna une tape sur l'épaule.

— Ouvre l'œil.

— Tu sais bien que je suis capable de me défendre, Sean.

— Ce n'est pas ce que je voulais dire : je veux que tu ouvres l'œil pour me protéger moi.

32

L'assassinat de Bobby Battle figurait à la une de tous les journaux de la région. Qu'on attribue son meurtre au tueur en série en rendait la nouvelle plus sensationnelle encore. On avait caché à la presse et au grand public les vols commis sur chacune des victimes et le contenu précis des lettres.

Les habitants de Wrightsburg s'enfermaient désormais à double tour, nettoyaient leurs armes, branchaient leur alarme et se méfiaient de tout le monde. Leurs regards parlaient d'eux-mêmes : si l'on pouvait assassiner quelqu'un comme Bobby Battle en pleine nuit au beau milieu d'un hôpital, personne n'était en sécurité.

Une déduction en tout point correcte.

La grotte se trouvait en retrait de Wrightsburg, loin dans les terres vallonnées à l'est de la ville, en direction de Charlottesville. Son entrée était cachée par des pins morts, un épais rideau de vigne vierge et un amas d'autres végétaux ; aucune piste visible n'y conduisait. La cavité était assez vaste pour accueillir plusieurs familles d'ours noirs, ce qui avait été le cas autrefois. À présent, elle n'abritait qu'un seul occupant, un bipède, mais non moins prédateur.

Assis au milieu de la caverne à une table en bois aux finitions grossières, l'homme ruminait sa colère. Il disposait d'assez de vivres pour pouvoir s'isoler une éternité, mais avait pour seul éclairage une lanterne électrique fonctionnant à piles. Il saisit la cagoule qu'il portait lorsqu'il avait tué ses quatre victimes et en caressa le tissu. Un bourreau, voilà ce qu'il était, tout simplement. Mais les bourreaux n'exécutaient que des sentences justes.

Il contempla le quotidien. En première page apparaissait une photo de Robert Battle vieille de plusieurs années. LE MILLIONNAIRE ET PHILANTHROPE ROBERT E. LEE BATTLE ASSASSINÉ À L'HÔPITAL. ON SOUPÇONNE LE TUEUR EN SÉRIE DE WRIGHTSBURG, indiquait le titre.

« Tueur en série » ! Ces trois mots résonnèrent dans son crâne jusqu'à ce qu'il froisse le journal et le jette avec violence. En proie à une rage terrible, il projeta sa lanterne contre la paroi et se retrouva dans le noir. Il se leva et se mit à déambuler d'un pas trébuchant – se cognant dans des objets, tombant, se relevant, frappant dans la roche et la terre jusqu'à ne plus sentir ses poings. Au bout d'un moment, il s'affala sur le sol froid, épuisé.

Le cri qu'il poussa soudain fut si puissant que son cœur parut sur le point d'éclater. Puis la sueur se mit à couler sur sa peau, son souffle devint plus régulier, puis il finit par se calmer. À quatre pattes, il alla jusqu'à un coffre au bord de la cavité, parvint à ouvrir le loquet et sortit une lanterne de rechange, à essence celle-ci. Il prit dans sa poche une allumette, alluma la mèche, augmenta la flamme, regarda autour de lui et retrouva son journal. Il se rassit à sa table et parcourut l'article, en prenant soin d'éviter la photo granuleuse du mort.

Voilà qui constituait un sérieux revers, il fallait bien le reconnaître, mais la vie regorgeait de déceptions. Il réagirait comme à son habitude : en tournant cette difficulté à son avantage. Le grand Bobby Battle avait beau être mort, sa tâche à lui n'était pas terminée. Il restait d'autres personnes à tuer – non, à *exécuter*, s'empressa-t-il de rectifier.

Il fixa la manchette – du moins sa dernière partie : ON SOUPÇONNE LE TUEUR EN SÉRIE DE WRIGHTSBURG. En lui faisant porter le chapeau, cet imposteur lui avait volé la vedette de la pire façon qui soit. Force lui était de l'admettre, cet enfoiré était habile. Mais l'admirer était une chose ; lui pardonner, tout à fait une autre…

Il sortit une feuille de papier où figurait, en code, la liste de ses victimes, mortes ou encore en vie. Au crayon à papier, il traça un point d'interrogation tout en bas de la page. Il allait retrouver cet imposteur avant la police, et il le liquiderait. La justice l'exigeait.

33

— Kyle, qu'est-ce que vous faites ? demanda Sylvia lorsque, en entrant dans la partie administrative de son cabinet, elle découvrit son assistant assis devant l'ordinateur.

Il fit pivoter son siège.

— Ah, salut, toubib, je ne m'attendais pas à vous voir si tôt.

— Il faut croire que non. Alors, qu'est-ce que vous fabriquez, au juste ?

— Je surfe sur Internet, c'est tout.

— Je vous ai déjà dit de ne pas vous servir de ce PC pour votre utilisation personnelle.

— Je ne le fais pas. J'étais en train de passer une commande de tuniques stériles et de masques chirurgicaux dont nous avons besoin pour la morgue et ici. J'ai trouvé des tarifs bien plus intéressants que ceux de notre fournisseur actuel.

— Kyle, c'est parfait pour le cabinet, mais l'institut médico-légal est un établissement public. Nous devons respecter des procédures d'approvisionnement très strictes. Vous ne pouvez pas commander de fournitures comme bon vous semble et les payer avec un chèque du gouvernement.

— Bon sang, toubib, j'essayais juste de nous économiser quelques billets !

— J'apprécie votre initiative. Simplement, je vous explique que nous avons des contraintes.

— Parfois, je me demande pourquoi je me décarcasse. La bureaucratie vient toujours nous mettre des bâtons dans les roues.

— Vous croyez que ça m'enchante de m'en occuper ? Bon, vous n'avez qu'à m'envoyer un courrier électronique avec tous les détails et la comparaison des prix, et je me pencherai dessus. Si c'est une si bonne affaire que vous le dites, on passera par ce site, pour ici et à côté.

Kyle s'illumina.

— Ça marche. C'est cool.

Elle croisa les bras sur sa poitrine et le fixa du regard.

— Vous m'avez l'air tout à fait rétabli. Ce devait être un tout petit microbe.

— Oui, un coup de chance. Et vous ? Vous allez mieux ?

— Non, répondit-elle avec brusquerie. Mais je ne peux pas m'absenter comme ça.

— Voyons, les morts ne vous en voudront pas si vous les prenez un peu en retard.

— Dans tout le pays, les corps s'empilent dans les morgues. À chaque minute qui passe, ils se détériorent un peu plus, des indices essentiels disparaissent, et les risques qu'un criminel s'en tire à bon compte augmentent de façon exponentielle. Je refuse que ça arrive ici.

— Reçu cinq sur cinq : vous êtes la meilleure.

— Restons-en là... Il nous faut terminer les rapports des autopsies de Hinson et Battle, et nous avons toute une liste de patients à voir, aujourd'hui.

— C'est parti mon kiki.

Une fois seul, Kyle acheva ce qu'il était vraiment en train de faire : falsifier les registres de la pharmacie. Puis il songea qu'il lui faudrait à tout prix trouver une bonne affaire sur Internet pour les tuniques. Voilà une chose qu'il avait apprise sur Sylvia : elle n'oubliait jamais rien. Si jamais il omettait de lui soumettre des offres plus intéressantes, elle l'interrogerait à ce sujet ; et s'il ne lui fournissait pas de réponse satisfaisante, cela éveillerait sa méfiance. Il n'était pas censé posséder le code d'accès à ces fichiers, mais il l'avait chapardé à la secrétaire chargée de les gérer. Et comme celle-ci ne travaillait là que trois jours par semaine, il avait tout le temps nécessaire pour effacer ses traces à chacun de ses « emprunts ».

Néanmoins, Kyle sous-estimait Sylvia, qui nourrissait déjà des soupçons à son égard. Avec le temps, ceux-ci ne feraient que s'accentuer.

Alors qu'il s'apprêtait à la rejoindre, il jeta un coup d'œil au journal posé à côté de l'ordinateur. En première page figurait le titre qui avait mis en rage l'homme de la grotte, concernant l'assassinat de Battle. Il parcourut l'article. Le meurtre avait eu lieu le soir de sa transaction à l'Aphrodisiac. En fait, d'après le journal, l'assassin avait frappé au moment précis où lui-même passait devant l'hôpital afin de se rendre au club pour hommes. Lorsqu'il se rendit compte qu'il aurait pu croiser le tueur en chemin, Kyle se tortilla sur son siège. En repensant à ce soir-là, il se souvint soudain de ce qu'il avait vu. Et, comme à son habitude, il se mit à réfléchir au moyen de tirer le meilleur parti possible de ce qu'il savait.

34

Junior Deaver souleva une palette de plaques de goudron qu'il transportait à l'arrière de son pick-up. En atterrissant, son fardeau produisit un bruit sourd qui rompit le silence matinal. Junior sauta ensuite au bas de la plate-forme et jeta un coup d'œil au nouveau foyer qu'il construisait pour sa famille. La charpente était terminée, le toit posé et bientôt isolé. Ç'avait été un travail de longue haleine. Il l'avait fait presque tout seul – quelques copains l'ayant très ponctuellement aidé. Sans être immense, la maison était bien plus grande que leur mobile home. Il enfila sa ceinture à outils et alla brancher le générateur Diesel qui alimenterait le marteau pneumatique avec lequel il comptait travailler.

Alors seulement, il distingua les bruits de pas furtifs qui venaient dans sa direction. Il fit volte-face. Il n'attendait aucun visiteur dans cet endroit isolé : seule sa femme savait qu'il s'y trouvait. En outre, il n'avait entendu aucun véhicule se garer.

À la vue de la femme, il blêmit.

Remmy Battle portait un long manteau de cuir noir au col remonté, de grandes lunettes de soleil, des bottes et des gants malgré le temps plutôt doux.

— Mme Battle ? Qu'est-ce que vous faites ici ?

Elle vint se poster à une trentaine de centimètres de lui.

— Il faut que nous discutions, Junior, rien que vous et moi.

— Comment vous avez su que j'étais là ?

— Je sais beaucoup de choses, Junior, bien plus qu'on ne pourrait le croire. C'est pourquoi je tenais à m'entretenir avec vous.

Junior leva les mains en signe de protestation.

— Écoutez, j'ai engagé un avocat. Vous feriez mieux d'aller le voir lui.

— Je l'ai déjà fait. Maintenant, c'est à vous que je veux parler.

Il la dévisagea d'un air las puis balaya les environs d'un regard circulaire, comme s'il s'attendait à ce que surgissent des policiers venus l'arrêter. Il prit un air buté.

— Je ne vois pas de quoi on peut discuter. Vous m'avez déjà fait mettre en prison.

— Vous en êtes sorti, non ?

— Ouais, mais il a fallu payer la caution. Ça nous a presque mis sur la paille. On n'est pas des richards.

— Allons, Junior, votre femme gagne beaucoup d'argent grâce à ce *club*. J'en sais quelque chose : mon mari le fréquentait. À lui seul, il a dû lui rapporter une petite fortune.

— Je suis pas au courant.

Ignorant sa remarque, elle précisa :

— Feu mon mari.

— J'ai appris ça, marmonna Junior.

— Vous sortez de prison et on le retrouve mort.

Il ouvrit de grands yeux.

— Alors là, vous me collerez pas ça sur le dos !

— Je suis certaine que vous avez un alibi.

— Et comment !

— Tant mieux pour vous, mais ce n'est pas ce qui m'amène.

Elle s'approcha un peu plus et ôta ses lunettes. Elle avait les yeux rougis et gonflés.

— Pourquoi vous êtes venue, alors ?

— Rendez-moi ce que vous m'avez pris, Junior. Tout de suite.

— Bon sang de bonsoir, Mme Battle, j'ai pas volé votre alliance !

Soudain, elle se mit à crier :

— Mon alliance, je n'en ai rien à foutre ! C'est le reste qui m'intéresse. Rendez-les-moi. Je n'attendrai pas une seconde de plus.

Junior se donna une tape de frustration sur la cuisse.

— Je dois vous le dire en quelle langue ? Je n'ai pas vos trucs parce que ce n'est pas moi qui vous ai cambriolée.

— Je vous donnerai la somme que vous voudrez... Je vous paierai une équipe de spécialistes pour terminer cette maison, proposa-t-elle ensuite en regardant le chantier. Je vous la ferai construire deux fois plus grande, avec une piscine en rab, si ça vous fait plaisir.

Se collant devant lui, elle empoigna fermement son blouson en jean délavé.

— Tout ce que vous demanderez, Lulu et vous, vous l'aurez. En échange, je récupère ce qui m'appartient. Donnez-les-moi et j'abandonne toutes les poursuites. Vous pouvez même garder cette alliance à la con.

— Mme Battle, je...

La gifle le réduisit au silence. Si un homme avait osé le frapper ainsi, il l'aurait tué. Pourtant, il n'esquissa pas le moindre geste pour répliquer.

— Si vous ne me les rendez pas, vous regretterez de ne pas avoir pris vingt ans ferme. Vous

212

supplierez pour qu'on vous jette en taule, quand j'en aurai terminé avec vous. Je connais du monde, Junior, croyez-moi. Ils passeront vous rendre une petite visite que vous n'oublierez jamais… Je vous laisse un peu de temps pour réfléchir, mais dépêchez-vous, conclut-elle en relâchant son étreinte.

Elle avait gagné la porte quand elle se retourna.

— Une dernière chose, Junior : si jamais vous essayez de vous en servir, de quelque façon que ce soit, ou que vous les montrez à quelqu'un, c'est moi qui viendrais en personne. Avec un fusil de calibre douze que mon père m'a laissé juste avant de mourir. Je vous ferai sauter la tronche. Compris, mon petit ?

Son ton était si calme et glacial que Junior entendit les battements de son cœur lui marteler les oreilles.

Remmy Battle semblait ne pas attendre de réponse. Elle chaussa de nouveau ses lunettes et s'en fut aussi discrètement qu'elle était venue.

Junior resta un instant immobile, son gros ventre soulevé par son souffle nerveux. À de nombreuses occasions, il s'était castagné dans des bars avec des costauds bien décidés à lui faire avaler ses dents ; il avait même reçu quelques coups de surin. Chaque fois, il avait eu peur. Pourtant, ce n'était rien en comparaison de la terreur qu'il ressentait à présent, car il ne doutait pas un instant que cette folle mettrait à exécution sa menace.

35

Plus tard dans la semaine, Chip Bailey convoqua un matin tous les enquêteurs impliqués dans la traque du ou des meurtriers des cinq victimes. La réunion se tint au poste de police de Wrightsburg, ce qui d'après King – présent aux côtés de Michelle et de Todd Williams, parmi tout un panel d'agents de la police de l'État de Virginie et du FBI – constituait une façon fort mesquine d'indiquer qui dirigeait désormais les opérations. Le FBI était, bien sûr, le mâle dominant de la meute, mais King ne tarda pas à exprimer sa mauvaise humeur.

— Nous avons un profil, déclara Bailey pendant que son assistant distribuait des dossiers autour de la table.

— Laissez-moi le résumer, railla King. Homme blanc âgé de vingt à quarante ans, éducation niveau lycée voire université. QI supérieur à la moyenne, mais difficultés à garder un emploi. Premier-né d'une famille modeste, peut-être enfant illégitime. Jeunesse difficile, mère autoritaire. Intérêt pour les forces de l'ordre, caractère solitaire. Maniaque ayant développé très tôt un goût pour la pornographie sadomasochiste, le voyeurisme et la torture de petits animaux.

— Vous avez déjà eu un exemplaire du rapport ? s'exclama Bailey, ulcéré.

— Non, mais c'est ce qu'ils racontent tous, à peu de chose près.

— Pour la bonne raison que ce sont des dénominateurs communs à beaucoup de tueurs en série, rétorqua Bailey. Ç'a été clairement établi. Tous les éléments figurant dans ce profil corroborent, car malheureusement ce ne sont pas les cas qui manquent. Notre beau pays abrite plus des trois quarts des tueurs en série de la planète. Depuis 1977, le nombre de leurs victimes, qui sont aux deux tiers des femmes, dépasse largement le millier. Le seul détail original chez notre type, c'est qu'il semble fonctionner à la fois de façon organisée et désorganisée : utilisation d'entraves dans un cas mais pas dans les autres ; une victime déplacée, les autres non ; un corps caché dans les bois, les autres laissés sur les lieux du crime ; absence d'arme auprès d'un cadavre, mais pas auprès des autres... Quoi qu'il en soit, notre étude est basée sur des données concrètes, Sean.

— La plupart des tueurs en série correspondent sans doute à ce profil, mais certains ne rentrent pas dans des petites cases.

— Et d'après vous, notre type en fait partie ? s'enquit Williams.

— Réfléchissez. Aucune de ses victimes n'a subi d'agression sexuelle ni de mutilation, ce qui d'ordinaire constitue une composante des meurtres en série. Maintenant, intéressons-nous aux cibles. En général, les tueurs de ce genre ne brillent pas par leur courage. Ils s'attaquent à des proies faciles : enfants, fugueurs, prostituées, jeunes homosexuels et handicapés mentaux...

— Une des victimes était justement une strip-teaseuse et peut-être une prostituée occasion-nelle, le coupa Bailey. Deux autres étaient des lycéens. La dernière était dans le coma... Moi, je ne trouve pas qu'il se soit tellement mouillé, si vous voulez mon avis.

— Nous ignorons si Rhonda Tyler se prosti-tuait. Et, de toute façon, est-ce forcément la raison pour laquelle on l'a assassinée ? Canney et Pembroke n'étaient pas des fugueurs... Et vous croyez vraiment qu'un assassin du profil de Ted Bundy s'introduirait dans une chambre d'hôpital pour injecter un produit dans la perfu-sion d'un vieillard terrassé par une attaque ?

King marqua une pause pour qu'ils digèrent ces remarques, et reprit :

— En outre, Bobby Battle était très fortuné. Il avait peut-être des ennemis qui souhaitaient sa mort.

— Conclusion, on aurait affaire à deux assas-sins ? demanda Bailey, sceptique.

— Conclusion, on n'en sait rien, mais on ne peut négliger cette possibilité, répliqua King.

Bailey ne se démonta pas.

— J'ai un peu plus d'expérience que vous dans ce domaine, Sean. Alors, tant qu'aucun élément tangible ne viendra me faire changer d'avis, nous utiliserons le profil que voici et nous nous en tiendrons à l'idée d'un seul tueur...

Il dévisagea King.

— J'ai cru comprendre qu'on vous a nommés adjoints, ajouta-t-il en adressant un signe de tête à Michelle. Je n'y vois aucun inconvénient,

216

sachez-le. J'estime même que disposer de deux enquêteurs chevronnés de plus dans l'équipe, c'est une bonne chose...

« Mais », pensa King.

— Mais, dit Bailey, nous procédons selon des protocoles bien précis. Nous devons tous travailler de concert et nous tenir au courant de nos avancées respectives. Il faut que nous soyons sur la même longueur d'onde.

— Et, bien sûr, c'est le Bureau qui chapeaute tout, pesta Williams entre ses dents.

— Exact. Si vous trouvez une piste prometteuse, je veux en être informé illico. Ensuite, nous évaluerons qui est le plus apte à la creuser.

King et Michelle échangèrent un bref regard. « De cette manière, Bailey et le Bureau peuvent tirer les ficelles, arrêter le tueur et récolter tous les lauriers », songeaient-ils l'un et l'autre.

— En parlant de pistes, intervint King, vous en avez ?

Bailey se renversa dans son siège.

— C'est encore un peu tôt, mais maintenant qu'on a du monde sur l'affaire, ça ne devrait pas tarder à venir.

— Et la montre Zodiac. Ça donne quoi ? s'enquit Michelle.

— Une impasse. Par ailleurs, nous n'avons retrouvé aucun indice probant sur les lieux des différents crimes ni sur les corps. Nous avons interrogé les voisins de Diane Hinson : personne n'a rien vu. Nous avons parlé aux familles et aux camarades de classe de Canney et Pembroke :

217

personne ne connaît de rival jaloux susceptible d'avoir quelque chose à se reprocher.

— Et Rhonda Tyler ? lança King. Qu'est-ce qu'on connaît d'elle ?

Bailey feuilleta ses notes.

— Contrairement à ce que vous pourriez penser, le FBI sait très bien collecter les infos, Sean. Tyler est née à Dublin, dans l'Ohio. Elle a laissé tomber le lycée et s'est pointée à LA pour devenir actrice. Tu parles ! Quand son rêve s'est effondré, elle s'est mise à se droguer, a pris la route de l'Est, passé un petit séjour en prison pour quelques menus délits, puis elle est partie dans le Sud. Elle a travaillé comme danseuse de charme dans une ribambelle de clubs, de la Virginie jusqu'en Floride. Son contrat à l'Aphrodisiac s'est terminé environ deux semaines avant sa mort.

— Où logeait-elle au moment de sa disparition ? questionna Michelle.

— On n'en sait trop rien. Le club propose des chambres aux filles qu'il embauche. Comme elles sont offertes par la maison avec en plus trois repas par jour, elles connaissent un grand succès auprès des strip-teaseuses – pardon, des danseuses. D'après Lulu Oxley, la gérante, Tyler en a occupé une quelque temps à son arrivée, puis elle a trouvé un autre logement.

— Alors qu'elle travaillait encore au club ? s'étonna King.

— Oui, pourquoi ?

— Ces danseuses ne gagnent sûrement pas des mille et des cents. Alors, le gîte et la table gratuits, ça doit plutôt les intéresser... Avait-elle dans la région des amis ou de la famille qui auraient pu l'héberger ?

— Non. Mais nous essayons toujours de découvrir où elle a vécu pendant cette période.

— Il faut se pencher de très près sur cette piste, Chip, insista King. Si elle s'était trouvée un protecteur, nous devons découvrir son identité. Ça pourrait très bien être le type qui lui a collé une balle dans la bouche et l'a abandonnée dans la nature.

— C'est marrant, nous avons eu la même idée, répliqua Bailey sans pouvoir réprimer un ricanement.

— Vous avez déjà parlé aux Battle ? s'enquit Williams.

— Je comptais y aller aujourd'hui. Vous voulez m'accompagner ?

— Pourquoi ne pas demander à Sean et Michelle, plutôt ?

— Très bien, répondit Bailey en fronçant les sourcils.

Après avoir abordé d'autres points de l'enquête, il mit fin à la réunion. Tandis qu'il donnait des ordres supplémentaires à ses hommes, Williams accrocha Sean et Michelle.

— Et voilà, j'avais raison : ce sont les fédés qui tiennent les rênes et récoltent la gloire.

— Pas forcément, Todd, le tempéra Michelle. Pour l'instant, je trouve qu'ils ne se comportent pas trop mal. De toute façon, le principal, c'est qu'on arrête ce cinglé ; peu importe qui lui met le grappin dessus.

— C'est vrai, admit le commandant. Mais l'idéal serait quand même que ce soit nous.

— On vas bien voir si on arrive à dégoter quelque chose chez les Battle, dit King. Mais ne vous attendez pas à un miracle, Todd : ce type sait ce qu'il fait.

— Le tueur ou Bailey ? répliqua Williams d'un ton agacé.

Ils se rendirent chez les Battle à deux voitures – King et Michelle dans « la Baleine », Bailey dans sa grosse berline du Bureau.

— Le FBI a toujours eu de meilleures bagnoles que le Secret Service, remarqua King en reluquant ce dernier véhicule.

— Ouais, mais nous on a de meilleurs bateaux.

— Ça, c'est parce qu'on a piqué ceux de la DEA, qui les avait elle-même confisqués aux barons de la drogue d'Amérique du Sud.

— Que veux-tu, il faut ce qu'il faut...

Elle lui jeta un coup d'œil en coin et lança :

— Au fait, quelle mouche t'a piqué, tout à l'heure ? Bailey se montrait plutôt coopératif, jusqu'à ce matin. On dirait que tu as délibérément essayé de le mettre en rogne.

— C'est parfois le seul moyen de découvrir la vraie personnalité de quelqu'un.

Comme le grand portail du domaine des Battle se refermait derrière eux, King ajouta :

— Celle pour qui je m'inquiète, c'est Savannah.

— Savannah ? La super fêtarde ? Pourquoi donc ?

— Tu étais une fille à ton papa, toi ?

— Ben oui, et je crois que je le suis encore.

— Justement : quand on l'est, c'est pour toujours. Mais le petit papa de Savannah n'est plus là.

36

Plusieurs voitures étaient déjà garées dans la cour. Mason vint leur ouvrir la porte, les deux associés eurent la même impression au même moment. Alors qu'ils le suivaient à l'intérieur, Michelle se tourna vers King et chuchota :

— Mason a l'air plus jovial, non ?

— Il jubile, tu veux dire !

Remmy les reçut dans la vaste bibliothèque. Assis dans un gros canapé en cuir, King observait la façon dont la maîtresse de maison se tenait face à eux : une reine face à ses sujets. Difficile d'imaginer que son mari venait d'être assassiné, songea-t-il. Cependant, Remmy avait tendance à ne rien faire comme les autres.

— C'est un bien triste jour pour vous, déclara Chip Bailey avec un air de circonstance.

— Je commence à avoir l'habitude.

— Nous n'abuserons pas de votre temps... Vous connaissez Sean et Michelle, je crois.

— Oui, leur dernière visite ici a été plutôt mémorable.

King décela l'irritation dans sa voix. « Qu'avait-elle eu de mémorable, au juste ? »

Bailey s'éclaircit la gorge pour annoncer :

— Bobby n'est pas mort de cause naturelle, vous le savez ?

— Vous en êtes sûr ? Il ne peut pas s'agir d'une erreur médicale ?

King se demanda une fraction de seconde si elle posait cette question parce qu'elle comptait poursuivre l'hôpital en justice, mais il conclut très vite qu'elle avait autre chose en tête. Si seulement il pouvait deviner quoi...

— Non, il a subi un surdosage volontaire. Les effets ont dû être très rapides. En fait, le meurtrier s'est sûrement introduit dans la chambre peu après votre départ.

— Presque tout de suite après, précisa King. Remmy, avez-vous remarqué quelqu'un en sortant ?

— Je suis repartie par la porte de derrière, comme toujours. J'ai vu du monde sur le parking, rien de plus – personne qui ait l'air suspect, en tout cas.

— Vous n'avez reconnu personne ? s'enquit Michelle.

— Non.

— À quelle heure êtes-vous arrivée ici ? l'interrogea Bailey.

Remmy lui lança un regard insistant et répliqua :

— Chip, dois-je comprendre qu'on me soupçonne du meurtre de mon mari ?

Un silence gêné s'installa jusqu'à ce que King le rompe :

— Il s'agit d'une enquête criminelle. L'agent Bailey ne fait que son travail.

— Je vous remercie, mais j'aimerais m'expliquer seul, déclara Bailey d'un ton ferme.

« Très bien, pensa King. Je voulais juste t'aider, mon pote. Maintenant, démerde-toi. »

— Remmy, je dois savoir où tout le monde se trouvait quand on a tué Bobby. Répondez à ma question, que nous puissions progresser.

À cet instant, Mason apporta un plateau de café.

King remarqua qu'il tendait à Remmy une tasse déjà remplie.

— Merci beaucoup, Mason.

Le majordome sourit, ébaucha un salut et repartit.

— J'ai quitté l'hôpital autour de dix heures et je suis rentrée à la maison.

— D'accord, fit Bailey en prenant des notes. À quelle heure êtes-vous arrivée ?

— Vers onze heures environ.

— Pourtant, l'hôpital n'est qu'à une demi-heure de chez vous, observa King.

— Je suis passée par les petites routes, j'avais besoin de prendre l'air. Et j'ai roulé lentement, je voulais avoir du temps pour réfléchir.

— Quelqu'un peut-il nous confirmer vos dires ? demanda Bailey.

Remmy eut l'air agacée.

— Mason m'a ouvert, répondit-elle.

Elle but une grande gorgée.

— Je n'avais même pas eu le temps de me préparer pour la nuit quand l'hôpital a appelé.

Paraissant sonder les profondeurs de sa tasse, elle se tut un instant, puis lâcha :

— J'ai essayé de joindre Eddie, mais il n'était pas là.

— En fait, il est resté avec nous au Sage Gentleman jusqu'à un peu plus de onze heures, expliqua King. Il venait d'y dîner, et nous nous sommes joints à lui pour prendre un verre.

Remmy haussa un sourcil.

— Et Dorothea, où était-elle ?

— À une réception à Richmond, d'après Eddie.

— Une réception ? répliqua-t-elle avec un ricanement. Ça, on peut dire qu'elle y passe sa vie !

Elle s'interrompit et reprit d'un ton plus calme :

— Je suis retournée tout de suite à l'hôpital constater la mort de mon mari.

Elle les dévisagea un par un, comme pour les défier de mettre en doute une seule de ses paroles.

— C'est ainsi que s'est terminé le plus long jour de ma vie.

— Manquait-il quelque chose parmi les affaires personnelles de Bobby, là-bas ?

— Non, et je suis catégorique sur ce point. J'ai même demandé à l'hôpital d'en dresser une liste.

Bailey se racla la gorge une nouvelle fois.

— Remmy, ça va être une question délicate, mais je veux que vous tâchiez d'y répondre.

Remmy parut se raidir. Bailey lança un regard en biais à King, puis continua :

— Les autres meurtres, qui semblent liés à celui de Bobby, ne le sont peut-être pas. Nous envisageons la possibilité qu'il ait été tué par quelqu'un d'autre.

Elle posa sa tasse, se pencha vers eux et mit les mains sur les genoux.

— Quelle est votre question, au juste ?

— Voilà : savez-vous si quelqu'un aurait pu vouloir s'en prendre à Bobby ?

L'air déçue, elle se cala dans son fauteuil.

— On a tous nos ennemis. Un homme riche qui a réussi, encore plus que les autres.

— Pensez-vous à quelqu'un en particulier ?

— Non.

— Remmy, tout ce que nous voulons, c'est établir la vérité.

— Moi aussi, rétorqua-t-elle.

— Quand vous parlez d'« ennemis », intervint King, entendez-vous des ennemis personnels ou professionnels ?

Elle braqua son regard sur lui et rétorqua :

— Je ne saurais vous dire... Bon, si vous voulez bien m'excuser, je dois m'occuper des formalités pour les funérailles. Maintenant que j'ai enfin pu arracher Bobby à cet endroit, déclara-t-elle, faisant à n'en pas douter référence à la morgue, où on avait eu l'affront de mettre la dépouille de son mari.

— Remmy, nous avons encore des questions ! protesta Bailey.

— Vous savez où me trouver.

— Très bien. Nous voulons parler à Savannah. Elle est ici ?

Remmy, qui avait commencé à se lever, s'immobilisa.

— Pourquoi ?

— Elle est passée à l'hôpital le jour de la mort de Bobby.

— Et alors ?

— Alors, ça fait d'elle quelqu'un avec qui je dois m'entretenir, répondit Bailey avec fermeté. Vous savez, Remmy, j'ai sauvé la vie à votre fils. Je ne fais pas n'importe quoi, et je pensais que vous vous en étiez aperçue.

King s'attendait que cette remarque la mette en rage.

— Vous allez sans doute devoir attendre un petit bout de temps, se contenta-t-elle de répondre. Ma fille n'a jamais été du genre lève-tôt.

Sur quoi, elle quitta la pièce.

King ne put s'empêcher de demander :

— Alors, au bout du compte, vous n'écartez pas l'hypothèse des deux assassins, Chip ?

— Lors d'une enquête criminelle, je n'écarte rien du tout. Le fait qu'aucun objet n'ait disparu dans les affaires de Battle ne colle pas avec les autres meurtres... Eh bien, vos impressions ? ajouta-t-il à l'adresse des deux associés.

— À mon avis, Madame a ses propres projets en tête et elle essaie d'obtenir autant de renseignements de notre part que nous tentons de lui en soutirer, répondit Michelle du tac au tac.

— Et elle vient de remporter cette manche-là haut la main, renchérit King en fixant Bailey droit dans les yeux.

37

Ce même matin où on interrogeait les Battle, Kyle Montgomery grattouillait sa toute nouvelle guitare acoustique. Comme à son habitude lorsqu'il se creusait la tête, il plaqua quelques accords et chantonna quelques paroles. Puis il posa son instrument, enfila des gants en latex, prit de quoi écrire et s'assit à sa table de cuisine. Après plusieurs minutes d'intense réflexion pour trouver les mots appropriés, il se mit à tracer de grosses lettres capitales. Mais, arrivé à la moitié de son texte, il fît une boule de la feuille et la jeta. Il réitéra ce geste deux fois avant d'arrêter une formulation définitive, mâchonnant tout un crayon dans le même temps.

Il se cala sur sa chaise et se relut trois fois.

Voilà qui lui vaudrait à coup sûr l'entière attention de son destinataire. Quelque chose le tracassait quand même : possédait-il vraiment de quoi se livrer à un chantage ? Quoi qu'il en soit, et c'était là toute la beauté de la manœuvre, si la personne était coupable pour de bon, ce message remplirait forcément son office. Dans sa missive suivante, il réclamerait de l'argent et le récupérerait selon un protocole très sûr qu'il comptait mettre au point d'ici là. Quelle somme pouvait valoir son silence ? s'interrogea-t-il. Finalement, il conclut qu'il était encore trop tôt pour en décider. Il contempla sa guitare – fruit d'une heure de travail. Une seule petite heure !

Lui qui trimait toute la journée pour des clopinettes ! Enfin, peut-être plus pour très longtemps...

Il glissa sa lettre dans une enveloppe et alla la poster à la boîte du coin de la rue. Lorsque le battant métallique se referma en claquant, Kyle se demanda le temps d'une seconde terrifiante s'il ne venait pas de commettre une bourde. Mais son appréhension fut aussitôt remplacée par un sentiment plus puissant encore : l'avidité.

Au bout de trois quarts d'heure, Bailey s'apprêtait à aller quérir Mason quand Savannah Battle entra enfin d'un pas vacillant dans la bibliothèque.

Alors que la mère s'était montrée dure comme le roc et froide comme la glace, la fille faisait plutôt songer à une photo en flammes sur le point de se ratatiner et de partir en fumée.

— Bonjour, Savannah, fit King. Nous regrettons de devoir vous importuner dans un tel moment.

Si elle émit une réponse, ils ne l'entendirent pas. Tout en se rongeant les ongles, elle resta plantée devant eux, les yeux au sol, vêtue d'un bas de survêtement extra large et d'un T-shirt de l'université William & Mary, sans soutien-gorge en dessous. Elle était nu-pieds et avait les cheveux en pagaille. Son nez et ses joues étaient si écarlates qu'elle paraissait avoir plongé la tête dans un pot de rouge.

— Euh, Savannah, vous voulez peut-être vous asseoir ? suggéra Bailey.

La jeune femme continua de regarder par terre, un doigt dans la bouche. Michelle finit par se lever et la conduisit jusqu'au canapé, où elle lui servit un café.

— Buvez, dit-elle d'un ton ferme.

Savannah entoura la tasse de ses mains et prit une gorgée.

L'entretien qui suivit se révéla des plus frustrants. Savannah, lorsqu'elle daignait répondre à leurs questions, marmonnait. Quand ils la faisaient répéter, elle marmonnait de nouveau. Le jour de la mort de Battle, elle s'était rendue à l'hôpital vers midi. Pendant la demi-heure qu'elle y avait passé, elle n'avait vu personne, et son père était resté inconscient. Ils ne prirent pas la peine de lui demander si elle avait des raisons de soupçonner quelqu'un d'avoir voulu du mal à son père. Répondre à une telle question exigeait une acuité intellectuelle dont elle était à cet instant dépourvue. Le soir du drame, elle était restée chez elle, mais elle n'était pas certaine qu'on s'en soit aperçu.

Quand Savannah quitta la pièce d'un pas traînant, Michelle posa la main sur le bras de King.

— Tu avais raison : la fille à papa est drôlement secouée.

— D'accord, mais sait-on vraiment pourquoi ?

Chip Bailey reçut alors un coup de téléphone qui le poussa à partir en hâte. King et Michelle l'accompagnèrent jusqu'à la porte d'entrée, où King annonça :

— En ce qui nous concerne, nous allons traînailler un peu ici. Des trucs d'adjoints, vous comprenez.

Bailey n'eut pas l'air enchanté, mais rien ne lui permettait de contester leur décision.

— Tu prends un malin plaisir à l'asticoter, pas vrai ? commenta Michelle une fois l'agent sorti.

— Il faut toujours prendre les petits plaisirs de la vie là où ils sont.

Ils retournèrent à la bibliothèque, où Mason débarrassait la petite table.

— Attendez, je vais vous aider, lança King en s'avançant.

Il rassembla les tasses, mais renversa ce qui restait dans l'une d'elles.

— Désolé, fit-il en épongeant le liquide à l'aide d'une serviette.

— Merci, Sean, dit Mason en soulevant le plateau.

Ils le suivirent dans l'immense cuisine, pourvue d'appareils de qualité professionnelle et de tous les ustensiles permettant à un chef de transformer la nourriture en œuvre d'art.

King poussa un sifflement d'admiration.

— Je me suis toujours demandé comment les Battle réussissaient à servir autant de mets succulents, lors des réceptions auxquelles j'ai assisté.

Mason sourit.

— Tout est haut de gamme. Mme Battle n'accepte rien d'autre.

King se percha sur le coin d'une table.

— C'est une bonne chose que vous ayez été là au retour de Remmy, l'autre soir. Avec tout ce qu'elle avait déjà enduré...

— Ç'a été pénible pour toute la famille.

— Je n'en doute pas. Donc, elle est revenue vers onze heures, c'est ça ?

— Exactement. Je me rappelle avoir regardé ma montre en entendant sa voiture.

Michelle prit des notes pendant que King poursuivait :

— Étiez-vous toujours dans la maison quand on lui a téléphoné pour lui annoncer la mort de Bobby ?

Mason hocha la tête.

— Lorsqu'elle a dévalé l'escalier, j'étais en train de terminer deux ou trois bricoles. Elle était complètement affolée, à moitié habillée, et elle bredouillait des propos confus. Il m'a fallu une bonne minute pour la calmer et réussir enfin à la comprendre.

— D'après elle, elle a appelé Eddie pour qu'il passe la chercher.

— Oui, mais il était absent. J'ai proposé de la conduire à l'hôpital, mais elle a voulu que je reste ici au cas où quelqu'un chercherait à la joindre. Elle est partie environ dix minutes après. À son retour, on aurait dit un fantôme, plus aucune lueur ne brillait dans son regard.

Mason baissa les yeux, apparemment gêné par le choix de ses mots.

— Et ensuite, il est apparu qu'il s'agissait d'un meurtre. Mme Battle est quelqu'un de solide ; elle peut encaisser les plus mauvais coups. Mais deux à un intervalle aussi rapproché, c'est une autre histoire.

— Elle m'a paru très maîtresse d'elle-même, tout à l'heure, commenta Michelle.

— Elle est extrêmement résistante, rétorqua le majordome d'un ton irrité. Et puis elle doit se montrer forte pour tous les autres.

— Oui, Savannah semblait très affectée. Son père et elle devaient être très proches..., observa Michelle.

Mason ne fit aucun commentaire.

— ... même si elle n'a pas été très présente ces dernières années, continua Michelle.

— Presque jamais, répondit enfin Mason. Je ne saurais dire si ç'a été une bonne chose ou pas.

« Tu as déjà répondu, Mason », pensa King.

— Apparemment, Savannah était ici, ce soir-là, lança-t-il. Ça m'étonne qu'elle n'ait pas accompagné Remmy à l'hôpital.

— J'ignore si elle était là ou pas. En tout cas, moi, je ne l'ai pas vue.

— Puis-je vous parler en toute franchise ? demanda King.

Le majordome se tourna vers lui, l'air un peu surpris.

— Allez-y.

— Il est possible que la mort de Bobby n'ait aucun rapport avec les autres meurtres.

— Ah oui, articula lentement Mason.

— Donc, si quelqu'un d'autre l'a tué, nous devons chercher des mobiles possibles.

Mason resta silencieux quelques secondes.

— Vous voulez parler d'un membre de la famille, c'est ça ?

— Pas forcément, mais on ne peut écarter cette hypothèse, répondit King en scrutant le visage du majordome. Vous travaillez pour eux depuis longtemps. A priori, vous êtes bien plus qu'une simple aide domestique.

— J'ai été auprès d'eux dans les meilleurs moments comme dans les pires.

— Parlez-nous donc des pires.

— Écoutez, si vous essayez de me faire dire des choses qui pourraient porter préjudice à Mme Battle...

King lui coupa la parole.

— Tout ce que je veux, c'est la vérité, Mason.

— Jamais elle n'aurait fait une chose pareille ! s'offusqua-t-il. Elle aimait M. Battle.

— Pourtant, elle ne portait plus son alliance.

Mason parut perplexe un instant, puis affirma :

— Il fallait la porter chez le joaillier pour une réparation. Mme Battle ne voulait pas risquer de l'abîmer davantage. Il n'y a aucune conclusion à en tirer.

« Bien rattrapé », songea King.

— Quelqu'un d'autre aurait-il pu en vouloir à M. Battle ?

Mason réfléchit, secoua en suite la tête.

— Vraiment, c'est difficile à dire... Enfin, je ne suis au courant de rien, s'empressa-t-il d'ajouter.

« Il faudrait savoir, l'ami. »

King sortit une de ses cartes de visite.

— Si jamais un détail vous revient, passez-nous un coup de fil. Nous sommes bien plus gentils que le FBI.

Alors que Mason les reconduisait, King s'arrêta devant une étagère où l'on avait disposé de nombreuses photographies. L'une d'elles attira particulièrement son attention. Il la montra au majordome, qui expliqua :

— C'est Bobby Jr, le jumeau d'Eddie. Sur ce cliché, il a environ quatorze ans. Il est né quelques minutes avant Eddie. Aussi, c'est lui qui a hérité du prénom de son père.

— Vous ne travaillez quand même pas chez les Battle depuis cette époque-là…, commenta Michelle.

— Non. Ils avaient déjà les jumeaux à mon arrivée. Comme ils venaient d'acheter le domaine et faisaient bâtir la maison, il leur fallait de l'aide. J'ai répondu à une petite annonce, et depuis je suis ici. D'autres domestiques sont partis au bout de quelque temps, mais moi je suis toujours resté.

Il eut soudain l'air absent, mais se reprit vite et leva les yeux vers King et Michelle qui le fixaient du regard.

— Ils m'ont toujours très bien traité. Je pourrais prendre ma retraite, si je voulais.

— Vous y songez ? demanda Michelle.

— Difficile de laisser tomber Mme Battle maintenant, non ?

— Votre présence compte beaucoup pour elle, j'en suis sûr, affirma King.

Michelle examina les traits étranges du jeune homme sur la photo.

— Bobby Jr avait un problème ?

— Il souffrait d'un grave handicap mental. Il était mal en point, lorsque j'ai commencé chez eux. Ensuite, il a développé un cancer, qui l'a tué peu après son dix-huitième anniversaire.

— Il était le jumeau d'Eddie, et pourtant Eddie se porte très bien, remarqua King. C'est assez singulier, non ?

— Ça arrive. C'étaient de faux jumeaux.

— Comment Eddie s'entendait-il avec son frère ?

— Il lui était très dévoué. Il n'aurait pu se montrer plus gentil. À mon avis, Eddie savait que ç'aurait pu tomber sur lui.

— Et leur père ?

— M. Battle était très occupé à l'époque, sans cesse en déplacement. À la mort de Bobby Jr, il n'était même pas là... Ça ne l'empêchait cependant pas de l'aimer ; j'en suis sûr, s'empressa d'ajouter Mason.

— Remmy a dû être très bouleversée quand on a kidnappé Eddie.

— Sans l'agent Bailey, elle aurait sans doute perdu son second fils aussi.

— C'est une chance qu'il soit de nouveau chargé de l'enquête, déclara King.

Ils quittèrent la maison, mais lorsque Michelle prit la direction de la voiture, King l'attrapa par le bras.

— Il fait beau, aujourd'hui. J'ai envie de me promener un peu, annonça-t-il en lui adressant un regard complice.

— Où ça ?

— Tu verras.

Il sortit de sa poche la serviette dont il s'était servi pour nettoyer le café renversé, la renifla et sourit.

— Qu'y a-t-il ?

— Ça ne me surprend qu'à moitié, mais Remmy aime boire son café relevé d'une goutte de bourbon.

38

L'envie de promenade de King les mena au fond du domaine. Ils flânèrent jusqu'à un endroit d'où on voyait la chambre de Remmy. King contempla un instant la maison où logeait le personnel, puis reporta son attention sur la fenêtre de leur employeuse.

— Pour peu que quelqu'un ait regardé…, remarqua-t-il d'un air songeur.

— Mason a un faible pour Remmy, ça saute aux yeux, dit Michelle. Il espère peut-être devenir le nouvel homme de la maison.

King jeta un coup d'œil alentour, et vit Sally approcher des écuries.

— Allons discuter canassons.

Alors qu'il se détournait, une silhouette derrière l'une des vitres du premier étage attira son attention.

C'était Savannah qui les observait. Elle s'éclipsa si vite que pendant une fraction de seconde King douta de l'avoir vraiment vue. Pourtant, c'était bien le cas. Et l'expression de son visage ne mentait pas : elle était terrifiée.

Près des stalles, ils saluèrent Sally Wainwright. Son humeur affable semblait l'avoir abandonnée.

— Purée, je me demande si je ne vais pas démissionner ! lâcha-t-elle.

— À cause de l'assassinat de Battle ? l'interrogea King.

— Et des quatre autres, aussi, répliqua Sally en lorgnant derrière elle comme si elle craignait un agresseur. Quand je suis arrivée ici, c'était une petite bourgade bien tranquille. Maintenant, je serais plus en sécurité au Moyen-Orient, si ça se trouve.

— À votre place, je ne prendrais pas de décision précipitée, commenta Michelle. Vous pourriez le regretter.

— Tout ce que je veux, c'est vivre, répliqua sèchement Sally.

— Dans ce cas, aidez-nous donc à démasquer le tueur avant qu'il frappe de nouveau.

Sally eut l'air choquée.

— Moi ? Je ne suis au courant de rien du tout.

— Il est possible que, sans le savoir, vous ayez connaissance d'un détail important, insista King. Par exemple, d'après vous, quelqu'un aurait-il pu souhaiter la mort de Bobby Battle ?

Sally secoua la tête – avec trop d'empressement, aux yeux de King.

— Allons, Sally, tous vos propos resteront entre nous.

— Je ne sais rien, Sean, je vous assure.

237

Il décida d'employer une autre tactique.

— Bon, voilà ce que je vous propose : je jette des hypothèses en l'air et vous les saisissez au vol si elles vous évoquent quelque chose.

Elle eut l'air dubitative.

— Je vous écoute.

— Battle était un homme riche. Certains vont profiter de sa disparition, n'est-ce pas ?

— Oui, mais c'est Mme Battle qui va hériter de la plus grande partie de sa fortune, je suppose. Quant à Savannah, elle bénéficie déjà d'un fonds en fidéicommis. Je ne crois pas qu'elle ait besoin de plus d'argent.

— Et Eddie ?

Sally lança un regard sur la remise à attelages.

— Ils n'ont pas l'air d'être dans le besoin. En tout cas, Dorothea Battle gagne un max de fric.

— Comment le savez-vous ? s'enquit Michelle.

— C'est ma meilleure amie qui lui fait ses manucures. Dorothea est une sacrée vantarde.

— D'accord, mais certains en veulent toujours plus, insista King.

— Je ne crois pas que ce soit une question financière, voilà tout, s'entêta Sally.

— Si on ne l'a pas tué pour l'argent, alors pour quoi ?

King adressa à Sally un regard chargé de sous-entendus.

— Vous ne devez pas travailler ici depuis assez longtemps pour connaître le passé adultère de Bobby.

— Oh, j'en connais bien plus que ce que vous croyez, laissa échapper Sally. Enfin...

Elle se tut et baissa les yeux sur ses bottes sales.

— Il n'y a pas de mal, Sally, la rassura King, cachant sa satisfaction de la voir mordre si vite à l'hameçon. En savez-vous long parce que Bobby vous a fait des avances ?

— Non, rien de tel.

— Quoi, alors ? la pressa King. C'est peut-être d'une importance capitale.

Elle resta silencieuse un instant de plus, puis lança :

— Suivez-moi.

Ils passèrent devant l'écurie et la maison du personnel, prirent ensuite un chemin pavé qui les mena jusqu'à un grand bâtiment en brique d'un étage, pourvu de huit portes de garage en bois de style ancien. Une vieille pompe à essence surmontée d'un globe en verre se dressait devant la bâtisse.

— C'est le garage privé de M. Battle, expliqua Sally. Il possède, ou plutôt possédait, plusieurs voitures de collection. J'imagine qu'elles appartiennent à Mme Battle, maintenant.

Elle sortit une clé de sa poche et les fit entrer.

Un carrelage à motifs d'échiquier recouvrait le sol. Sur les étagères trônaient des trophées poussiéreux remportés lors d'expositions. Parfaitement alignées, des automobiles étaient garées devant sept des portes. Les modèles allaient de la Stutz Bearcat à un imposant véhicule doté d'une capote en toile et d'une calandre ronde – une Franklin six cylindres de 1906, comme le proclamait le panonceau sur le devant du stand.

— Je savais que Bobby collectionnait les vieilles voitures, mais j'ignorais qu'il en avait autant, commenta King en parcourant le hangar des yeux.

— Il y en a encore deux ou trois autres à l'étage. Un ascenseur spécial permet de les monter et de les descendre. Avant, un mécanicien s'en occupait à plein temps.

Sally alla jusqu'au dernier emplacement, qui était vide. King et Michelle la rejoignirent et l'interrogèrent du regard.

Elle eut un moment d'hésitation.

— Bon, ce n'est pas moi qui vous ai raconté ça, d'accord ?

Tous les deux acquiescèrent de la tête.

— Autrefois, il y avait une voiture, ici. Une énorme, une de ces Rolls-Royce qu'on voit dans les films.

— Qu'est-elle devenue ? questionna Michelle.

Sally resta muette un instant, comme si elle délibérait pour savoir si elle devait tout raconter ou non.

King le sentit et intervint :

— Allons, Sally, vous nous en avez déjà trop dit.

— Très bien. Ça remonte à plus de trois ans. C'était tard dans la soirée, et je m'étais glissée ici pour jeter un coup d'œil. Je n'étais pas censée avoir la clé, mais le mécano s'était pris d'amitié pour moi et m'en avait donné une. À un moment, j'ai entendu une voiture approcher, et je me suis alors rendu compte qu'il en manquait une. La porte s'est ouverte et j'ai vu la lumière des phares.

J'étais morte de trouille, et certaine que si on me trouvait ici on me virerait. J'ai couru me cacher par là.

Elle montra du doigt une montagne de bidons d'essence de deux cents litres environ entassés dans un coin.

— La Rolls est entrée et on a coupé le moteur. M. Battle est sorti et il semblait mal en point – très mal en point, même.

— Comment avez-vous pu vous en apercevoir ? Il ne faisait pas noir ? s'étonna King.

— Les portes sont équipées d'un interrupteur automatique. La nuit, lorsque l'une d'elles se lève, la lumière s'allume.

— Quand vous dites qu'il paraissait mal en point, qu'entendez-vous par là ? s'enquit Michelle. Il était malade ? ivre ?

— Non, plutôt très contrarié, inquiet.

— Savez-vous ce qui l'avait mis dans cet état ? demanda King.

— Non. Mais d'un seul coup il a souri, puis il s'est mis à rire. À rire tout seul ! Du moins jusqu'à ce qu'elle arrive...

— Qui, elle ? Remmy ?

Sally hocha la tête, et ajouta à voix basse :

— Si elle avait eu un pistolet, je pense que M. Battle serait mort depuis bien plus longtemps.

— Que s'est-il passé ensuite ?

— Ils ont commencé à se disputer. Enfin, d'abord, c'est juste elle qui lui criait dessus. Ça ne semblait pas rimer à grand-chose, mais d'après ce que j'ai entendu il était question d'une autre femme.

— Remmy semblait savoir de qui il s'agissait ? demanda King d'un ton vif.

— Si c'était le cas, elle n'a jamais prononcé son nom – ou en tout cas je ne l'ai pas entendu.

— Comment a réagi Bobby ?

— Il s'est mis à brailler à son tour, à lui répondre qu'il couchait avec qui il voulait, et que ce n'était pas ses oignons.

— Dire que j'étais à deux doigts d'admirer le bonhomme, commenta Michelle d'un air dégoûté.

— Et puis, il a fait une réflexion que je n'oublierai jamais.

Sally marqua une pause, prit une rapide inspiration et dévisagea les deux adjoints d'un air nerveux.

— Allez-y, Sally, l'encouragea King. Rien ne nous surprendra plus, à mon avis.

— M. Battle a dit qu'il n'était pas le seul de la famille à appliquer cette philosophie.

— D'aller voir ailleurs, c'est ça ?

Sally hocha la tête. King regarda Michelle.

— Vous pensez qu'il faisait allusion à Remmy ? interrogea cette dernière.

— J'ai pensé que oui. Pourtant, Mme Battle avait toujours l'air si convenable et...

— ... dévouée à son mari, suggéra King.

— Voilà, exactement.

— Le visage que l'on montre est parfois trompeur, constata-t-il.

— Et la Rolls ? s'enquit Michelle.

— Elle s'est envolée comme par enchantement après ce soir-là. J'ignore ce qu'elle est devenue. En fait, Billy Edwards – le mécani-

242

cien – avait disparu lui aussi. C'est à ce moment-là que M. Battle s'est désintéressé de sa collection. Il n'a plus jamais remis les pieds ici, par la suite.

— Vous n'avez pas vu ce Billy Edwards avant son départ ?

— Non, ils ont vidé son appartement le lendemain. J'ignore qui a emporté la voiture. Tout a dû se passer dans la nuit, parce que sinon quelqu'un l'aurait vue partir.

— Merci, Sally, votre aide nous a été très précieuse.

Ils prirent congé de la fille d'écurie et retournèrent vers le devant de la maison.

— Alors, qu'est-ce que ça t'inspire ? demanda Michelle.

— Beaucoup de questions. Qui Bobby fréquentait-il ? Faisait-il allusion à Remmy quand il parlait de tromperie ? Pourquoi s'est-il débarrassé de la voiture ?

King réfléchit quelques secondes, puis ajouta :

— Je me demande s'il y a moyen de retrouver la trace de ce Billy Edwards et de l'interroger à ce sujet.

— Pourquoi ne pas s'adresser directement à Remmy ?

— Elle voudrait savoir d'où nous tenons son nom, et à l'évidence Sally n'est pas très douée pour dissimuler ses émotions. Un seul regard de Remmy suffirait à la faire craquer. Nous devrons peut-être en passer par là, mais pour l'instant nous allons chercher un autre moyen.

— Les questions ne cessent de se multiplier, mais les réponses tardent à venir, commenta Michelle.

— Il faudra bien que la vapeur s'inverse un jour. Le risque, c'est que les réponses ne nous plaisent pas.

39

Dorothea et Eddie Battle n'étant pas chez eux, King et Michelle décidèrent d'aller à l'Aphrodisiac s'entretenir avec Lulu Oxley à propos de Rhonda Tyler.

À leur arrivée aux alentours de midi, le parking commençait déjà à s'emplir de clients venant déjeuner. En passant devant une des parties bar, ils entr'aperçurent des jeunes femmes presque nues qui dansaient, et des hommes qui les reluquaient et les sifflaient.

— Je ne saisis pas l'intérêt d'aller voir ça, commenta Michelle.

— Les services qu'on propose ici ne s'adressent pas tout à fait à des gens comme toi, répondit King.

— Attends, tu es en train de me dire que ça te plaît ?

— Non, mais j'ai bien peur d'appartenir à une petite minorité.

Il sourit et ajouta :

— Comme c'est déjà le cas en ce qui concerne l'intelligence, l'élégance et la sensibilité.

On les orienta vers le bureau encombré de Lulu, où cette dernière, en plein travail, ne parut pas se réjouir d'être interrompue.

— J'ai déjà raconté tout ce que je savais au FBI et au commandant Williams, déclara-t-elle en fermant son briquet d'un coup sec avant de tirer sur sa cigarette.

— Nous sommes ses adjoints, à présent, alors vous pouvez tout nous dire aussi, annonça King d'un ton affable en lui présentant son insigne.

Elle soupira, prit une autre bouffée et se renversa dans son siège.

— Au cas où vous ne seriez pas au courant, le ministre de la Santé a décrété que la cigarette est très nocive, lança Michelle en chassant la fumée qui s'élevait devant son visage.

— Le ministre de la Santé ne dirige pas un club pour messieurs, répliqua vivement Lulu.

— Nous nous ferons fumeurs passifs avec plaisir si vous nous renseignez sur Rhonda Tyler, intervint King d'un ton modéré.

— D'accord. Pour la troisième fois, Rhonda Tyler, alias je sais plus quel nom de scène elle utilisait...

— Tawny Blaze, l'aida Michelle.

— C'est ça. Bravo, bonne mémoire, commenta Lulu en examinant Michelle de la tête aux pieds. Bref, on lui a signé un contrat. Elle a occupé une de nos chambres, mais peu avant la fin de son engagement elle nous a annoncé qu'elle avait trouvé où crécher. Elle a fini son contrat et je ne l'ai jamais revue. On l'avait déjà embauchée par le passé, et elle s'était toujours comportée en professionnelle. Jamais eu à s'en plaindre.

— A-t-elle évoqué des amis ou de la famille qu'elle aurait eus dans la région ?

— Pas devant moi. En tout cas, quand on fait ce métier, la famille a en général tendance à prendre ses distances.

— Et un homme qu'elle aurait rencontré ? insista Michelle.

Lulu fit tomber sa cendre d'une pichenette dans un gobelet à café en carton.

— Pas à ma connaissance.

— Savez-vous à qui elle aurait pu se confier ? demanda King.

— Peut-être à une des filles.

— Pourrait-on leur parler ?

— Si vous arrivez à les réveiller : celles qui travaillent la nuit n'émergent pas avant la fin de l'après-midi ; celles qui sont de jour sont déjà sur scène.

— Nous allons tenter notre chance.

— C'est ça, allez-y, répondit Lulu, qui étudiait toujours Michelle sous toutes les coutures.

Ils se dirigeaient vers la porte quand cette dernière, jetant un coup d'œil en arrière, vit la main de Lulu disparaître dans son tiroir de bureau, puis en ressortir vide. Elle détourna le regard juste avant que Lulu ne les rappelle :

— Ah, au fait, voici un renseignement qui pourrait vous intéresser : Sa Majesté Remmy Battle a menacé Junior.

Elle leur résuma la fameuse rencontre, y compris l'offre de Remmy d'arroser Junior s'il lui rendait ce qui avait été volé.

— Donc, elle voulait quelque chose qui se trouvait dans le compartiment secret, mais ne se souciait guère de son alliance ? demanda King, déconcerté.

— Il faut croire que cette dame a un truc à cacher.

— Où pourra-t-on trouver Junior, aujourd'hui ?

— Il est à Lynchburg pour un boulot, mais il ne sera pas disponible. Par contre, ce soir il sera sur le chantier de la maison qu'il nous construit.

— Notez-moi les indications sur un papier. Et donnez-moi son numéro de portable, par la même occasion.

Pendant qu'elle écrivait le tout, King lui posa une autre question :

— Bobby Battle est-il déjà venu ici ?

Lulu parut fournir de gros efforts pour ne pas montrer sa surprise.

— Il me semble l'avoir aperçu quelques fois.

— Récemment ?

— C'est-à-dire ?

— Au cours des deux dernières années ?

— Je ne pourrais pas l'affirmer.

« Mon œil », songea King.

— Bien, merci encore pour votre aide.

— Je vais vous accompagner jusqu'aux chambres, leur offrit Lulu.

Elle les conduisit à l'étage et leur indiqua le couloir fermé par le rideau rouge.

— Bonne chance, leur souhaita-t-elle d'un ton qui paraissait peu sincère.

Mais, presque aussitôt, elle mit une main sur le bras de Michelle pour la retenir.

— Euh, je peux vous poser une question ?

— Nous vous en avons posé une tonne aujourd'hui, alors je vous dois bien ça.

— Vous n'avez jamais envisagé d'être danseuse de charme ?

— Pardon ? s'exclama Michelle, abasourdie.

— Je vous demande ça parce que vous avez le genre de l'Américaine typique, de la voisine bandante. Et ça, ça vaut de l'or dans le métier. Vous êtes plus mince que les autres filles et vous manquez un peu de poitrine, mais à mon avis les bonshommes s'en ficheront quand ils verront le reste.

Michelle s'empourpra.

— Vous plaisantez, j'espère !

— Ça paie mieux qu'on le croit souvent, et tous les pourboires sont pour vous. Vous pouvez faire le service du soir et garder votre travail dans la journée. La législation de l'État interdit la nudité intégrale, alors il est possible de garder votre string-ficelle. Par contre, il faut enlever le haut, c'est la politique du club. Pas de nichons, pas de biffetons.

Michelle eut un sourire crispé.

— Comment vous dire ? Le jour où vous me verrez en string en train de me tortiller contre une barre métallique devant une bande d'abrutis avinés, les poules auront des dents !

248

— Il faut voir, lança King, qui avait suivi l'échange avec une grande attention. Je lâcherais bien vingt dollars pour assister à ça.

40

King et Michelle se glissèrent derrière l'épaisse tenture rouge et entreprirent de frapper aux portes. Plusieurs des pièces étaient ouvertes et inoccupées. Depuis d'autres leur parvinrent des chapelets de jurons ou des grognements endormis. Quand on daignait se déplacer pour répondre, il s'agissait toujours d'une jeune femme chichement vêtue et à l'air très las, à qui Michelle posait la même question pendant que King détournait le regard.

On leur servait chaque fois le même refrain : « Je la connaissais pas bien. » Néanmoins, arrivés à l'avant-dernière chambre, on les invita à entrer. Ce fut Michelle qui y alla. Lorsqu'elle ressortit quelques minutes plus tard, elle paraissait profondément ébranlée.

— Ça va ? demanda King.

— Je viens de recevoir les avances d'une femme nue d'un mètre quatre-vingts qui s'appelle Heidi.

— Je peux t'attendre dans la voiture, si tu veux.

— La ferme !

— Ça doit être ton côté voisine bandante.

À la dernière porte à laquelle ils frappèrent, une jeune femme portant un long peignoir qui

ne cachait pas entièrement ses courbes géné-
reuses et sa poitrine siliconée apparut. Elle avait
tiré ses cheveux blonds décolorés en queue-de-
cheval, était pieds nus, et sirotait une tasse de
café noir. Lorsqu'ils eurent expliqué la raison de
leur visite, Pam – c'est ainsi qu'elle se présenta –
les invita à entrer.

Ils s'assirent à une petite table entourée de
quatre chaises. King se prit à lorgner le lit défait
dans un coin de la pièce, par ailleurs plutôt
douillette, et la collection de lingerie qui y était
entassée. Puis il croisa le regard sévère de
Michelle.

— Vous connaissiez Rhonda, c'est ça ?
demanda-t-il.

— Oui, monsieur.

King examina la danseuse. Elle paraissait si
jeune que, s'il l'avait vue se tortiller contre une
barre métallique, il lui aurait passé une couverture sur les épaules et aurait appelé son père
pour qu'il vienne la chercher.

— La police vous a-t-elle déjà interrogée ?

— Oui, monsieur. Le FBI. Enfin, c'est ce qu'ils
m'ont dit.

— Pouvez-vous nous répéter ce que vous leur
avez raconté ?

— Oui, monsieur.

— Inutile de m'appeler « monsieur », Pam. Je
m'appelle Sean, et voici Michelle.

Pam baissa les yeux sur ses orteils boudinés et
ses ongles au vernis rouge craquelé, puis croisa
ses jambes grassouillettes.

— Excusez, je suis un peu nerveuse, Sean.

Michelle lui tapota la main.

— Il n'y a aucune raison de l'être.

— Enfin, c'est à cause de Rhonda qui s'est fait tuer, et tout. Parce que ça aurait pu être n'importe laquelle d'entre nous, même si Rhonda prenait des risques que moi je prendrai jamais.

— C'est-à-dire ? demanda King.

— On travaillait dans les mêmes clubs. Il lui arrivait de se tirer avec des bonshommes qu'elle connaissait même pas. Suffisait qu'ils soient gentils avec elle. Moi, il y a juste deux ans que je suis dans le métier, mais je me garderai bien de faire comme elle. Enfin, elle revenait toujours...

Elle se tamponna les yeux pour sécher ses larmes et lâcha :

— ... mais pas ce coup-ci.

— Savez-vous avec qui elle est partie, cette fois ? s'enquit Michelle.

— Non. Comme je l'ai déjà expliqué aux autres, des fois elle me prévenait quand elle partait, et d'autres fois non. Là, elle m'avait rien dit.

Elle but une gorgée de café et s'essuya les lèvres d'une main tremblante. King remarqua que le vernis était ébréché sur ses ongles aussi.

— Quand l'avez-vous vue pour la dernière fois ?

— Environ deux semaines avant qu'on la retrouve. Nos contrats étaient finis, mais j'ai signé pour un mois de plus. Ça me plaît, ici : la paie est pas mal et les patrons sont sympas avec nous. C'est pas souvent qu'on nous file une chambre et des repas.

— Et aucun client ne peut vous suivre ici pour vous importuner, j'imagine, remarqua King.

251

— Nan, monsieur, jamais. La direction est très stricte là-dessus.

— L'aviez-vous déjà aperçue en compagnie de quelqu'un... d'un homme que vous ne connaissiez pas ? Vous a-t-elle parlé d'une aventure ?

— Non, jamais. Désolée.

King lui tendit une de ses cartes.

— Si quelque chose vous revient, passez-nous un coup de téléphone.

Perdus dans leurs pensées, les deux associés regagnèrent l'utilitaire sport de Michelle.

King contemplait le parking plein :

— Je trouve ça incroyable que des types trouvent le temps de venir ici en pleine journée.

— Moi je trouve ça gerbant, si tu veux mon avis, répliqua Michelle.

Lorsqu'elle s'installa au volant, elle fronçait toujours les sourcils.

— Tu savais qu'il faut avoir vingt et un ans pour venir mater les strip-teaseuses, mais seulement dix-huit pour en être une ? C'est n'importe quoi, non ?

King prit place sur le siège passager.

— Je reconnais que c'est absurde et dégradant. Voilà ce qui t'a mise de mauvais poil.

— Mais non ! Notre visite à l'Aphrodisiac, ce club mythique, s'est soldée par une perte de temps, voilà ce qui m'agace.

— Je te trouve quand même gonflée. Non seulement on t'a proposé un job de danseuse – ce qui pourrait se révéler bien commode pendant nos inévitables périodes creuses –, mais en plus tu t'es peut-être trouvé une super copine en la personne de Heidi...

Quelques secondes plus tard, King se massait le bras là où elle l'avait frappé.

— Bon sang, tu m'as fait vachement mal, Michelle ! se plaignit-il.

— Ça sera pire si tu continues de me chauffer.

41

Junior Deaver sortit sur le perron de sa maison en construction et regarda le ciel obscur. Ayant passé la journée à travailler chez d'autres avant de venir clouer plaques de goudron et planches de contreplaqué, il était épuisé. Il avait fini juste avant la tombée de la nuit, puis continué un peu à l'intérieur. Toute sa famille brûlait de quitter le mobile home exigu.

La perspective du procès au pénal qui l'attendait le hantait. Lulu en parlait sans cesse. « Ça pourrait foutre à l'eau tous nos rêves », répétait-elle à longueur de temps. Et si Mme Battle les attaquait en justice ? Ce serait le coup de grâce. Pour couronner le tout, sa belle-mère commençait à s'en mêler. Et, une fois lancée, impossible de lui fermer son caquet. Junior avait connu plusieurs périodes difficiles dans sa vie, mais celle-ci remportait la palme.

Il pensa à la proposition de Remmy Battle. Si seulement il avait eu quelque chose à lui offrir !

Il en avait marre que personne ne le croie. Néanmoins, avec toutes les preuves accumulées contre lui, il pouvait comprendre qu'elle soit persuadée de sa culpabilité.

Tout en dévorant un sandwich accompagné d'une bière qu'il avait gardée au frais dans sa glacière, il rumina quelques idées. S'il le désirait, il pouvait tout de suite mettre un terme à cette histoire – il lui suffisait de raconter la vérité sur ses activités de cette nuit-là –, mais il préférait encore finir en prison. Hors de question de faire ce coup-là à Lulu. Ç'avait été stupide et il s'en mordait les doigts, mais il ne pouvait revenir en arrière.

Il termina son en-cas. Son téléphone portable vibrait pour lui annoncer que tout un tas de messages l'attendaient. Il détestait cet engin de malheur – les gens voulaient toujours tout maintenant et tout de suite. Il consulta sa liste d'appels. L'un d'eux l'intrigua : Sean King.

« Je me demande ce qu'il peut bien me vouloir », songea Junior. Enfin, ça attendra.

Il retourna à l'intérieur. À presque vingt heures, il était grand temps de s'arrêter : il était debout depuis quatre heures du matin, et son dos lui faisait souffrir le martyre tant il avait gravi l'échelle chargé de plaques d'isolant. Il commençait à être trop vieux pour ce métier. Pourtant, il continuerait sans doute jusqu'à ne plus pouvoir tenir debout. Quel autre choix avait un type comme lui ?

Le coup arriva par-derrière ; il lui fêla le crâne et le fit chanceler. Junior se saisit la tête tout en faisant volte-face. Malgré le sang qui lui inondait le visage, il réussit à distinguer l'homme à la cagoule noire qui fondait sur lui, pelle levée. Il réussit à se protéger avec son avant-bras ; mais celui-ci fut néanmoins brisé. Il tomba en arrière en hurlant de douleur. Étendu sur le sol froid, il vit que la pelle allait de nouveau s'abattre. Il parvint à envoyer un coup de pied en avant et à faucher les jambes de son agresseur.

Ce dernier fit une chute brutale, mais se releva d'un bond. Junior se redressa un peu en tenant son bras cassé. Son gros ventre se soulevait violemment, mais il continua de battre des pieds pour maintenir l'inconnu à distance, tout en se traînant vers l'arrière. Il vomit son repas et en couvrit le sous-plancher en bois. Il réussissait à se relever à moitié quand on le frappa dans le dos, et il s'écroula une seconde fois.

Junior Deaver mesurait plus d'un mètre quatre-vingt-dix et pesait environ cent vingt kilos. Pour peu qu'il arrive à assener un coup à son adversaire, moins massif, l'issue de la lutte tournerait vite en sa faveur, songea-t-il. Il le tuerait, cet enfoiré ! Vu la gravité des blessures qu'il avait déjà subies, il savait n'avoir pas droit à l'erreur. Mais, ayant été mêlé à un bon nombre de rixes de bar, il pouvait se fier à son expérience. Il choisit de tendre un piège à son assaillant.

Il s'agenouilla, la tête touchant presque le sol, et feignit d'être hors d'état de combattre. Lorsqu'il vit la pelle s'élever une fois encore, il se jeta en avant, frappa l'autre en plein dans le ventre, et dans son élan traversa la pièce avec lui jusqu'à ce qu'ils enfoncent une rangée d'étançons.

Ils tombèrent lourdement à quelques dizaines de centimètres l'un de l'autre. Junior essaya de ne pas lâcher son adversaire, mais la douleur qui irradiait son épaule était trop violente. Sans compter que le sang filtrant par la fissure de son crâne exerçait une pression sur son cerveau et provoquait une détérioration rapide de ses capacités motrices. Il fournit un gros effort pour attraper les pieds de son adversaire, mais celui-ci fut plus rapide. Il roula sur le côté, ramassa un morceau d'étançon et se mit à frapper Junior à la tête, avec plus de force et de rage à chaque coup. La pièce de bois épaisse de cinq centimètres sur dix se fendit en plusieurs endroits, laissant apparaître des clous tordus, et finit par se casser en deux. Junior gémit, s'effondra et ne se releva pas. Sa poitrine se gonflait par mouvements saccadés. Il restait étendu, les yeux fermés.

Redoutant un autre traquenard, l'homme à la capuche s'approcha avec précaution. Tout d'abord, il insulta Junior ; puis il s'en prit à lui-même pour avoir autant sous-estimé sa cible. Il avait cru à tort qu'un seul coup porté derrière la tête suffirait. Il se calma peu à peu, et, en recouvrant son sang-froid, se dit qu'il lui fallait terminer le travail. « Alors, au boulot. »

Respirant lui aussi avec difficulté, la gorge irritée par l'effort, étourdi par une décharge d'acide lactique dans ses muscles, il s'agenouilla à côté de Junior et sortit de sa veste le bout de corde fixé à un morceau de bois courbé. Il passa le garrot autour du cou épais du colosse et serra jusqu'à entendre des gargouillis. Il continua de tourner à une cadence régulière pour garder une pression constante. Quelques minutes plus tard, la grosse bedaine se souleva une dernière fois et s'arrêta.

L'homme lâcha la poignée et s'accroupit. Il sentait son épaule le lancer là où elle avait heurté les étançons. Il s'en remettrait. Ce qui l'inquiétait bien plus, c'était les éventuels indices qu'il avait pu laisser à cause du combat. S'éclairant à la lampe alimentée par générateur, il procéda à un examen méticuleux de sa personne. Il était couvert du sang, du vomi et du mucus de sa victime. Par chance, car un seul poil ou cheveu pouvait se transformer en véritable cauchemar médico-légal, il portait une cagoule, des gants et un haut à manches longues.

Il brossa toute la zone, puis le cadavre pour détruire les traces qui pourraient permettre à Sylvia Diaz et consorts de le confondre. Il passa un long moment à gratter sous les ongles de Junior, afin de chasser toute particule révélatrice susceptible de s'y être logée. Enfin convaincu de n'avoir rien laissé, il tira de son autre poche le masque de clown et le plaça près du cadavre. L'objet s'était froissé lors de la lutte, mais malgré cela la police ne pourrait passer à côté de la référence.

Il prit le pouls de Junior pour s'assurer qu'il n'en avait plus, puis attendit cinq minutes et vérifia de nouveau. Il connaissait bien les altérations discrètes que subissait un corps après la mort, aussi fut-il satisfait de constater que toutes survenaient comme prévu. Le colosse n'était plus. Avec précaution, il souleva la main gauche de Junior et bloqua les aiguilles de sa montre sur cinq heures précises – l'heure sur laquelle l'autre assassin avait réglé celle de Bobby Battle. Voilà qui délivrerait un message clair à la police et à l'imposteur. Il voulait qu'ils soient prévenus, tous. Au lieu de caler le bras en hauteur comme à son habitude, l'homme reposa la main et, à l'aide d'un marqueur noir pris dans la ceinture à outils de Junior, dessina sur le sol de contreplaqué une flèche pointée vers la montre. Enfin, il ôta au cadavre sa grosse boucle de ceinture marquée du logo de la Nascar[1] et la fourra dans sa poche.

Le bruit le mit en émoi jusqu'à ce qu'il l'identifie. C'était le téléphone de Junior, tombé pendant leur bagarre, qui vibrait. Il regarda l'écran. L'identification du numéro indiquait qu'on l'appelait de chez lui. Ils pouvaient insister tant qu'ils voulaient : Junior ne rentrerait plus jamais à la maison.

Les jambes en coton, l'homme se leva, regarda sa victime, puis le masque de clown, et esquissa un sourire. « Un de plus pour la justice », se dit-il. Il ne comptait pas réciter de prière sur le cadavre. D'un grand coup de pied, il éteignit

---

1. *National Association for Stock Car Auto Racing* : association qui organise les courses de stock-car *(N.d.T.)*.

le générateur, et tous les environs sombrèrent dans l'obscurité. Le mort disparut comme par magie.

Mais le nouveau bruit qu'il entendit alors le fit tressaillir des pieds à la tête : une voiture approchait. Il se précipita vers un des emplacements prévus pour les fenêtres de devant.

Des phares fendaient l'obscurité et venaient droit sur lui.

42

King et Michelle descendirent de la Lexus et observèrent les alentours. Ils avaient changé de voiture, car un des phares de la Sequoia ne fonctionnait plus. King sortit une lampe électrique, mais son chétif rayon avait du mal à percer les ténèbres.

— Son pick-up est ici, constata Michelle en tapotant l'aile du véhicule cabossé, dont le plateau était encombré d'outils et de matériel de maçonnerie.

— Junior ! cria son associé. C'est Sean King. Nous voulons vous parler.

Michelle mit ses mains en porte-voix :

— Junior ! Junior Deaver !

En vain. Ils échangèrent un regard.

— Il est peut-être à l'intérieur.

— Comment ça ? En train de travailler dans le noir complet ? ironisa King.

— Ou bien au sous-sol, là où nous ne pouvons voir que c'est éclairé.

— Entrons, alors.

— Tu as une autre torche dans ta voiture ?

— Non, mais il y en a peut-être une dans celle de Junior.

Ils en trouvèrent effectivement une sur le plancher. À présent, deux faisceaux jumeaux se mouvaient dans la nuit.

Ils passèrent la porte et balayèrent la pièce de leurs lampes, tandis que King appelait de nouveau.

Dans un coin, une grande bâche recouvrait ce qui ressemblait à une pile de Placoplâtre. Partout ailleurs s'entassaient bois et autres matériaux de construction, outils, seaux et sacs de ciment – un vrai capharnaüm.

— C'est marrant, on se croirait chez toi, plaisanta King.

— Bravo, tu te surpasses, aujourd'hui. Ah, voilà : l'escalier qui descend au sous-sol est par ici.

Michelle appela vers le bas. Pas de réponse.

— Tu crois qu'il s'est blessé ? demanda-t-elle.

King regarda autour de lui.

— Tout ça ne me dit rien qui vaille, dit-il d'un ton calme. Tu devrais peut-être…

Michelle avait déjà dégainé son arme. Avec précaution, ils descendirent.

À l'autre bout de la cave se trouvait un tas de bidons. Ils jetèrent un coup d'œil derrière : rien. Le climatiseur était placé dans l'angle opposé.

Ils braquèrent leurs torches électriques sur la masse métallique : toujours rien.

L'homme à la cagoule, qui s'était caché derrière l'une des grosses conduites de chauffage entreposées à un endroit qui avait échappé à leur attention, les regarda remonter les marches, puis sortit lentement de sa cachette.

Au rez-de-chaussée, King et Michelle procédèrent à une fouille plus approfondie. Ce fut Michelle qui le vit la première.

— Oh non !

Elle attrapa King par le bras et le tira vers elle.

— Du sang, lui chuchota-t-elle à l'oreille.

Les éclaboussures cramoisies apparaissaient clairement. Les faisceaux des lampes suivirent les traces jusqu'à leur source : la bâche.

Ils s'en approchèrent à pas comptés, en prenant garde de ne pas marcher dans les petites flaques. King s'agenouilla et souleva la toile. Tous deux reconnurent Junior. King s'empressa de lui prendre le pouls mais n'en trouva aucun.

— Et merde ! Il est mort... Oh putain ! ajouta-t-il en l'examinant de plus près.

— Quoi ?

— Il a un garrot autour du cou.

— Ne me dis pas que...

King découvrit davantage le corps pour s'intéresser à son poignet.

— Sa montre est arrêtée sur cinq heures, et une flèche noire dessinée par terre est pointée droit dessus.

Michelle éclaira le visage de Junior.

— Il n'est pas mort depuis très longtemps, Sean.

— Je sais, il est encore tiède.

King se figea.

— C'était quoi, ça ?

Michelle regarda derrière elle, le disque lumineux de sa lampe décrivant des arcs de cercle dans l'obscurité.

— Quoi donc ?

— J'ai cru entendre des bruits de pas.

— Moi, je n'ai rien...

La voix lui fut coupée tout net lorsqu'elle vit le point rouge lumineux apparaître sur le front de King. Aux yeux de Michelle, qui en connaissait un rayon sur les armes à feu, sa signification était claire comme de l'eau de roche.

— Sean, ne bouge pas, lui ordonna-t-elle d'une voix rauque. On te braque au laser.

— On me qu...?

Puis il comprit. À tout moment, une balle pouvait suivre le repère de visée et l'atteindre à l'endroit précis qu'il désignait. Dans le cas présent : en pleine tête.

Le point rouge se déplaça lentement jusqu'au pistolet de Michelle, et voleta dessus telle une guêpe tueuse prête à piquer. Là aussi, le message était limpide. Elle hésita à prendre le risque de se retourner pour faire feu. Elle jeta un coup d'œil à King : lui aussi avait repéré le point. Lisant dans les pensées de Michelle, il secoua la tête d'un air catégorique.

Avec réticence, elle mit son arme par terre et la repoussa du pied. Le laser désigna alors sa lampe ; elle l'éteignit et la posa aussi. Avec précaution, King l'imita. Le point apparut ensuite sur la poitrine de Michelle et se promena le long de son corps, apparemment d'une manière suggestive, comme si celui qui le commandait caressait la jeune femme.

De plus en plus agacée, elle essaya d'estimer quelle distance elle devrait sauter pour attraper son pistolet, et ses chances de pouvoir tirer la première. C'est alors que le point rouge disparut.

Regardant la silhouette de King qui se détachait dans les ombres noires, elle lui demanda à voix basse :

— Il est parti ?

— Aucune idée. Je n'entends rien.

Quelques instants plus tard, lorsque retentirent des coups de feu, les deux associés se jetèrent à couvert, et Michelle se précipita à quatre pattes vers l'endroit où elle pensait trouver son arme. Elle explora les environs à tâtons. « Allez ! Vite ! » Quand ses doigts se refermèrent enfin sur le métal, elle s'immobilisa et tendit l'oreille.

— Sean, ça va ?

Plusieurs secondes s'écoulèrent en silence.

— Sean ! répéta-t-elle, à bout de nerfs, perdant de plus en plus espoir à mesure que le silence persistait.

— Ça va, dit enfin King.

— Bordel, j'ai frôlé la crise cardiaque à cause de toi. Pourquoi tu ne répondais pas ?

— Parce que je me suis étalé sur Junior, voilà pourquoi !

— Oh...

— Eh ouais.

Ils attendirent quelques minutes de plus. Mais quand une voiture démarra au loin, Michelle se leva d'un bond, s'empara d'une lampe et partit comme une flèche, suivie de King.

Ils remontèrent dans la Lexus.

— Appelle les flics, lança King. Dis-leur de barrer les routes des environs le plus vite possible. Ensuite, contacte Todd.

Michelle était déjà en train de composer le numéro de la police.

King appuya sur l'accélérateur, mais la voiture partit lourdement et fut secouée de cahots si violents que le téléphone de Michelle lui sauta des mains. King enfonça la pédale de frein, puis ils se regardèrent.

— Merde alors, il a flingué les pneus ! commenta King d'un air incrédule. C'était donc ça, les coups de feu... Je vais quand même essayer de rouler.

Au bout d'une trentaine de mètres, il ne fit aucun doute que s'ils dépassaient les dix kilomètres/heure, ils casseraient vite un essieu.

Michelle se précipita hors du véhicule et inspecta les roues de son côté. Elle alla ensuite examiner le pick-up de Junior. Deux des pneus étaient également crevés. Elle appela le 911, leur fournit les indications, puis contacta Todd pendant que King l'attendait, appuyé contre sa voiture.

— Todd et ses hommes sont en route, lui déclara-t-elle enfin.

— Ça nous fait une belle jambe, répliqua-t-il d'un ton posé.

— On ne sait jamais. Avec un peu de chance, ils vont le coincer, Sean.

— C'est rare que les gentils aient autant de pot.

Il croisa les bras sur sa poitrine et contempla la maison.

Michelle frappa le capot du plat de la main.

— Bon sang, j'ai l'impression d'être une bleue de première pour l'avoir laissé prendre l'avantage sur nous ! Je n'arrive pas à croire qu'on était à trois mètres à peine de ce cinglé. Trois mètres, tu te rends compte ? Et on l'a laissé filer...

Elle se tut, regarda ses pieds, puis jeta un coup d'œil à son associé.

— Alors, à quoi tu penses ?

Il ne répondit pas tout de suite. Lorsqu'il le fit, ce fut d'une voix un peu tremblante.

— Je pense que trois gosses viennent de perdre leur père et une femme son mari. Et je me demande quand ça va s'arrêter.

— Seulement quand quelqu'un le chopera.

King ne quittait toujours pas la maison des yeux.

— Eh bien, désormais, c'est notre boulot à temps plein !

43

Comme l'avait prédit King, la police arriva trop tard. Aussi, lorsque ce nouveau meurtre fut connu, une folle panique envahit toute la région. Le maire de Wrightsburg, avouant ainsi un manque de confiance stupéfiant en Todd Williams et le FBI, exigea qu'on fasse intervenir la garde nationale et qu'on déclare la loi martiale. Fort heureusement, sa requête resta sans effet. La machine des médias nationaux s'abattit sur la bourgade et ses environs, avide de détails, qu'ils aient ou non un quelconque rapport avec l'enquête. Gigantesques camions pourvus d'antennes satellites et correspondants munis de leur micro sans fil se multiplièrent autant que les bourgeons en fleur. Les seuls à se réjouir de la situation étaient les restaurateurs, les hôteliers et les fanas de la théorie du complot, que l'on pouvait entendre déblatérer sans fin. Presque tout le monde voulait grappiller son quart d'heure de gloire.

À l'instar de Chip Bailey, Todd Williams fut submergé par le raz de marée médiatique. Même King et Michelle ne parvinrent pas à y échapper. À leur grand désarroi, ils virent leurs anciens exploits d'enquêteurs d'élite remonter à la surface et être intégrés aux reportages.

De nouvelles têtes, agents fédéraux ou policiers de l'État, vinrent gonfler les rangs de l'équipe, mais King se demanda si ces renforts représentaient un plus ou un moins. Chacun manœuvrant pour tirer la couverture à soi, il penchait pour la dernière hypothèse.

Enfin, la lettre arriva. Cette fois, elle proclamait que le tueur de Junior Deaver imitait celui que l'on connaissait – du moins dans le petit cercle des tueurs en série – comme le clown prince des ténèbres : John Wayne Gacy.

Vous croyiez qu'il s'en prenait seulement à des petits garçons et des adolescents, raillait son auteur. Maintenant, vous savez qu'il n'hésite pas à zigouiller les culs-terreux comme Junior Deaver.

Au poste de police, on avait transformé la grande salle de conférences en une sorte de quartier général où l'on trouvait pêle-mêle et en nombre ordinateurs et téléphones fonctionnant jour et nuit, plans, cartes, piles de dossiers, personnel hautement qualifié chargé d'examiner la moindre piste, tonnes de café et de beignets. Pourtant, malgré tous ces efforts, il n'y avait toujours aucun suspect sérieux à l'horizon…

— Gacy a étranglé la plupart de ses victimes par ce procédé, expliqua Chip Bailey un matin lors d'une nouvelle réunion générale.

— Vous êtes drôlement calé en tueurs en série, commenta Michelle.

— Pas eu le choix : j'ai passé des années à les traquer.

— En prison, ce gros bonhomme jovial s'est mis à peindre des clowns, précisa King, ce qui explique le masque, au cas où le garrot n'aurait pas suffi à nous mettre sur la voie.

— La montre de Junior étant réglée sur cinq heures, fit alors remarquer Michelle, soit notre tueur ne sait pas compter, soit celui qui a assassiné Bobby Battle est bel et bien un imposteur.

— Nous pouvons envisager la présence de deux tueurs, admit Bailey, même s'il existe une possibilité infime qu'il y en ait un seul, et qu'il s'amuse à nous embrouiller avec les chiffres.

— Il chercherait à n'être accusé que de cinq meurtres au lieu de six, c'est ça ? railla King. Concernant les autres États, je ne sais pas ; mais en Virginie, on n'exécute les assassins qu'une seule fois.

Williams grommela tout en attrapant une boîte d'antalgiques :

— Bon sang, j'ai mon mal de crâne qui me reprend !

— Avez-vous lu le testament de Bobby Battle ? s'enquit Michelle.

Williams avala deux cachets et hocha la tête.

— C'est Remmy qui hérite du plus gros.

— Leurs biens appartenaient-ils aux deux ? demanda King.

— Non. Une grande partie était au seul nom de Bobby, y compris ses brevets. La maison va à Remmy, qui possédait déjà un immense patri-moine.

— Vous avez dit qu'elle héritait « du plus gros ». À qui est revenu le reste ?

— À des associations caritatives. Un peu à Eddie et Dorothea – pas de quoi pousser au meurtre, cependant.

— Et Savannah ?

— Elle n'a rien obtenu, mais elle détient déjà un fonds en fidéicommis colossal.

— C'est quand même assez rude de ne rien lui laisser.

— Peut-être n'étaient-ils pas très proches, intervint Bailey.

King le regarda et lança :

— Vous fréquentez beaucoup les Battle ?

— Eddie et moi nous nous voyons assez régulièrement. Nous allons à la chasse ensemble, et j'ai assisté à certaines de ses reconstitutions. De son côté, il est passé à Quantico visiter l'académie du FBI. D'ailleurs, Remmy et Bobby sont venus aussi, ainsi que Mason. Sinon, je possède quelques œuvres d'Eddie, et c'est Dorothea qui m'a aidé à trouver une maison à Charlottesville… Je suis resté un après-midi avec eux, après la mort de Bobby. Eddie en a pris un coup, croyez-moi. En fait, je pense qu'il s'inquiète de la suite pour sa mère.

King hocha la tête.

— En tout cas, il n'a pas pu tuer Bobby : il était avec nous, ce soir-là.

— Lors des meurtres de Rhonda Tyler et du couple Canney-Pembroke, il participait à des reconstitutions, précisa Bailey.

— Et Dorothea ? lança Michelle.

— Nous avons vérifié. Elle est à l'abri de tout soupçon.

— Concernant Bobby Battle aussi ? insista King.

— Elle affirme qu'à ce moment-là elle faisait route vers Richmond pour assister à une réunion le lendemain matin.

— Toute seule ?

— Oui.

— Donc, elle ne possède pas vraiment d'alibi solide. À propos, vous la connaissez aussi bien qu'Eddie ?

— Comme je vous l'ai dit, elle a été mon agent immobilier. Je ne crois pas qu'elle ait été bouleversée par la disparition de Bobby.

— Elle a fait un « mariage heureux » ? s'enquit Michelle.

— Eddie est amoureux d'elle, c'est sûr. J'ignore à quel point la réciproque est vraie. Entre nous, ça ne m'étonnerait qu'à moitié si elle allait voir ailleurs.

— Savannah a déclaré qu'elle était chez elle quand son père est mort... commença Michelle.

— J'ai interrogé Mason à ce sujet, déclara Bailey. Il ne se rappelle pas l'avoir vue. Quand nous en avons parlé à Savannah, elle n'était pas tout à fait dans son assiette. Il va falloir que je la questionne de nouveau.

— Donc, on ne la raye pas non plus de la liste des suspects, décréta King. Et Bobby et Remmy ?

— Quoi, « Bobby et Remmy » ?

— Si je vous disais qu'ils se sont violemment engueulés il y a trois ou quatre ans à propos des aventures extraconjugales de Bobby, ça vous surprendrait ?

— Pas du tout. Il avait la réputation d'en avoir. D'après certains, ça lui était passé, mais les vieilles habitudes ont la peau dure.

— Voilà qui offre un excellent mobile pour tuer son mari, constata Michelle.

— Possible.

— Et Remmy ? demanda King à Bailey.

— Si elle l'a trompé, c'est ça ?

King hocha la tête.

— Non, jamais, répondit Bailey, catégorique.

— Mason semble obnubilé par Remmy, fit remarquer King.

— Sans doute, mais il n'appartient pas à son monde, et ça ne sera jamais le cas, si c'est ce que vous insinuez.

King fixa Bailey quelques secondes, puis décida d'abandonner le sujet. Il se tourna vers Williams.

— Sylvia a-t-elle terminé l'autopsie de Junior ?

— Ouais, répondit le commandant, qui s'était suffisamment remis de ses émotions pour engloutir un *doughnut* au chocolat et deux tasses de café. Il est mort des suites d'une strangulation par ligature, même si auparavant on lui avait asséné de violents coups de pelle et de planche sur la tête. Il a perdu un paquet de sang.

— On est au courant, répliqua King d'un ton sec.

— Ah oui, c'est vrai. Bref, Sylvia pense avoir relevé des traces intéressantes sur le corps, cette fois. Et les types de la police scientifique ont retrouvé des fibres qui ne correspondent à aucun vêtement de Junior. On a aussi des traces de pneus pas loin de la maison – peut-être la voiture dans laquelle le tueur s'est enfui.

— Il vaudrait mieux comparer ces fibres à celles de mes habits, répliqua King. J'ai… j'ai touché Junior quand les coups de feu ont éclaté.

— À propos, vous avez extrait les balles ? interrogea Michelle.

271

— Calibre quarante-quatre, annonça Williams. Rien de particulier. J'espère que nous aurons un flingue pour procéder à la comparaison balistique, un de ces jours.

— Notre homme se sert d'un viseur laser, rappela King. Ce n'est pas commun.

— Il manque la boucle de ceinture de Junior, au fait, lança Williams.

— Encore un trophée, commenta Michelle.

— Apparemment, la lutte a été violente, expliqua Bailey. Junior souffrait de nombreuses blessures de défense sur les mains et l'avant-bras. Tout un mur d'étançons a été enfoncé, sans doute pendant la bagarre.

— À l'évidence, le tueur commence à commettre des erreurs, déclara Williams. Votre arrivée lui a vraiment mis des bâtons dans les roues.

— Je ne pense pas qu'on puisse se targuer d'avoir fait grand-chose, le contredit Michelle, à part le laisser nous filer entre les pattes.

King examina de nouveau la photocopie de la lettre.

— C'est la première fois qu'il mentionne une victime par son nom.

— Je l'avais remarqué aussi, dit Bailey.

— Qu'est-ce qui a bien pu lui prendre ? s'étonna Williams.

— Il joue avec nous. Il veut nous secouer un peu, affirma King.

— Pourquoi ? interrogea Michelle.

— Parce que tout ça fait partie d'un ensemble beaucoup plus vaste que nous sommes incapables de voir pour l'instant, expliqua King.

— C'est-à-dire ? fit Bailey d'un ton sceptique.

— Quand je l'aurai découvert, vous serez la *deuxième* personne prévenue, répondit King en jetant un coup d'œil éloquent à Williams. Comment Lulu a-t-elle encaissé la nouvelle, Todd ? ajouta-t-il d'un ton plus doux.

Se renversant dans son siège, le commandant haussa les épaules.

— Elle n'a pas versé une larme, mais à ce moment-là les enfants étaient juste à côté. Sa mère, par contre, elle a pété un boulon : cette bonne femme s'est mise à brailler qu'elle adorait Junior, et que jamais elles ne pourraient s'en sortir sans lui. Un sacré numéro, celle-là !

King et Michelle se contentèrent de secouer la tête.

— Abordons à présent un point intéressant, reprit Williams en s'adressant à eux deux. Vous nous avez dit que Remmy avait menacé Junior ; elle voulait récupérer je ne sais quoi que Junior ne devait montrer à personne...

— C'est du moins, ce que Junior aurait raconté à Lulu, rectifia King. En tout cas, Remmy Battle n'a pu ni cogner Junior ni l'étrangler.

— Elle lui a dit qu'elle connaissait du monde..., insista Williams.

King secoua la tête.

— Je ne vois pas bien pourquoi elle aurait voulu le tuer – pour l'instant, du moins. D'après Lulu, elle comptait laisser à Junior un peu de temps pour réfléchir. Maintenant qu'il est mort, il aura du mal à lui expliquer où retrouver ses biens. À mon avis, il n'en aurait d'ailleurs pas davantage été capable vivant, car je ne pense pas qu'il les ait jamais volés...

— Pourtant, mort, il ne peut plus les montrer à personne, observa Bailey.

King demeura dubitatif.

— Remmy ne pouvait en avoir la certitude. Il aurait pu prendre des mesures au cas où il lui arriverait malheur.

— Bien vu, approuva Williams. Enfin, ça reste un point qu'il faudra approfondir – même si je ne suis pas pressé d'aller me frotter à Remmy.

— Bon, lâcha King, nous avons du monde à voir.

— Qui ça ? demanda Bailey d'un ton brusque.

— Les parents de Steve Canney et de Janice Pembroke.

— Nous les avons déjà interrogés. Toutes les connaissances de Diane Hinson aussi.

— Oui, mais vous ne cracherez pas sur un avis supplémentaire, rétorqua Michelle.

— Allez-y, fit Williams. Vous avez toute latitude.

— Pensez bien à me tenir au courant si vous trouvez quelque chose d'intéressant, recommanda Bailey.

— J'en brûle d'impatience, marmonna King.

44

Avant de se rendre chez les Pembroke et les Canney, King et Michelle firent un crochet par leur agence pour régler quelques affaires. Un break Volvo gris métallisé et une BMW Série Huit étaient garées devant leurs locaux.

— Eddie et Dorothea, annonça Michelle en descendant de son utilitaire sport.

Comme pour ponctuer ses paroles, les portières des deux véhicules s'ouvrirent et leurs conducteurs en sortirent.

— Chacun sa voiture, commenta Michelle à voix basse.

— Et peut-être chacun son programme pour la suite.

Vêtu d'un pantalon de costume gris, d'une chemise blanche et d'un blazer bleu, Eddie portait une serviette en cuir. Avec son teint hâlé et ses traits burinés, il était resplendissant, remarqua Michelle d'un œil connaisseur.

Dorothea, elle, était habillée tout de noir, ce qui semblait approprié aux circonstances. Cependant, King sut tout de suite qu'elle n'avait pas choisi cette tenue pour porter le deuil de son beau-père : ses bas résille, ses talons aiguilles et son décolleté plongeant la trahissaient.

Il ouvrit la porte des locaux et invita le couple à entrer.

— Toutes nos condoléances pour votre père, Eddie, dit-il une fois à l'intérieur.

Il jeta un coup d'œil à Dorothea mais n'ajouta rien, car le regard de cette dernière n'incitait pas à lui témoigner de la sympathie.

— Je ne comprends toujours pas, déclara Eddie. Maman était auprès de lui à dix heures, et à dix heures et demie il était mort.

— Remmy affirme n'avoir vu personne en partant..., commença Michelle.

— Comme si l'assassin allait faire des pirouettes devant elle en criant : « Regarde-moi, je file tuer ton mari ! » railla Dorothea.

— Merci de le souligner, répliqua Eddie. Si tu n'as rien de plus intéressant à nous offrir, tu ferais mieux de t'asseoir et de continuer à tirer la tronche en silence.

« Bien envoyé », pensa Michelle.

Dorothea sembla sur le point de décocher une réplique venimeuse, mais elle parvint à se maîtriser. Elle resta les bras croisés à regarder le sol d'un air renfrogné.

— Que peut-on pour vous ? demanda King.

Eddie sortit de sa serviette un journal et lui désigna l'article de première page. King le parcourut en diagonale, puis s'écria, très agacé :

— Nom d'un chien, comment l'histoire des menaces que Remmy aurait faites à Junior a-t-elle pu tomber entre les mains des journalistes ?

— Par Lulu, suggéra Michelle. Ou alors sa mère, Priscilla. Ça ne m'étonnerait pas plus que ça.

— N'empêche, lança Eddie, toute la ville est persuadée que ma mère a commandité le meurtre de Junior, maintenant.

— La *Gazette* écrit aussi que Junior est une victime du tueur en série, fit remarquer Michelle.

Eddie s'affala dans un fauteuil.

— Ça ne changera rien : on pensera qu'elle a payé quelqu'un pour maquiller l'assassinat à cet effet.

— Comment Remmy prend-elle la nouvelle ?

— Ça la mine.

— Mais elle ne nie pas avoir menacé Junior ? voulut savoir King.

Eddie paraissait sur ses gardes, à présent.

— Je ne veux pas jouer sur les mots avec vous, Sean, mais même si elle l'a menacé, elle n'est pour rien dans ce crime.

— Je ne suis pas responsable de ce que pensent les gens.

— Bien sûr, mais je me disais que peut-être, enfin...

— Qu'attendez-vous de nous, au juste, Eddie ? s'enquit Michelle avec douceur.

— Oui, on te serait reconnaissant d'en venir au fait, le pressa Dorothea qui avait fini par s'asseoir aussi, mais s'agitait. J'ai deux visites, ce matin.

Eddie l'ignora.

— Pourriez-vous retourner voir ma mère ? Je sais que vous êtes déjà venus l'autre jour avec Chip, et qu'elle vous a plus ou moins fichus à la porte. Mais si vous repassez, elle vous recevra. Elle a besoin de parler à quelqu'un.

— Qu'aurait-elle à nous raconter ? demanda King.

— Je ne sais pas trop, mais au moins vous connaîtriez sa version des faits plutôt que ce ramassis de mensonges.

— Chip et ses hommes s'en chargeront volontiers, j'en suis sûr.

— Elle se sentirait plus à l'aise avec vous. Que ça reste entre nous : Chip et Maman ne s'entendent pas à merveille.

— Il vous a pourtant sauvé la vie...

— Je ne sais comment l'expliquer. C'est comme ça, voilà.

— Lui semble beaucoup l'estimer, en tout cas.

— Je vais tâcher d'être plus clair : Maman ne porte pas Bailey dans son cœur.

— Très bien, nous irons lui parler. Mais, encore une fois, ça n'empêchera personne de cancaner.

Dorothea prit la parole :

— Puisque Eddie ne cesse de tourner autour du pot, j'irai droit au but. Remmy n'a rien à voir dans le meurtre de Deaver, c'est impossible. Mais si vous trouvez son véritable assassin, ça coupera court à tous les commérages.

— Exact, fit Eddie. Alors vous ferez peut-être d'une pierre deux coups en découvrant celui qui a tué mon père.

— D'après vous, c'est la même personne ? demanda King.

— C'est quand même une drôle de coïncidence qu'on accuse Junior de cambrioler la maison de mes parents, et qu'ensuite mon père et lui se fassent tuer à intervalle très rapproché.

— En fait, c'est *moi* qui ai eu cette idée, déclara Dorothea d'un air fier. C'est pourquoi je suis ici. Quelqu'un a très bien pu se cacher derrière cette série de meurtres pour assassiner Bobby et Junior.

— C'est justement une des pistes que nous explorons, reconnut King.

— Ah, tu vois ! s'exclama Dorothea à l'adresse de son mari. Je te l'avais dit !

— Ça va, Dorothea, arrête, fit Eddie. Vous croyez vraiment que c'est possible, Sean ?

King resta vague :

— Nous n'écartons aucune hypothèse… Votre mère est chez elle, aujourd'hui ?

— Oui, mais les obsèques ont lieu demain et beaucoup de monde va y assister…

— Dans ce cas, nous lui rendrons visite après. À quelle heure est prévue la cérémonie ?

— À deux heures. Il y aura un service religieux à Christ Church, et l'enterrement est à Kensington. Vous êtes les bienvenus, bien sûr.

— Alors, vous avez des pistes, des suspects ? lança Dorothea à King.

— Il s'agit d'une enquête en cours, Dorothea, répondit-il. Nous ne pouvons rien en divulguer.

— Je pensais que si on vous aidait, vous nous renseigneriez un peu, avoua-t-elle de but en blanc.

— Désolé, ça ne fonctionne pas de cette façon. Enfin, maintenant que vous êtes là, j'ai une question à vous poser. Le jour où Bobby est mort, vous vous êtes rendue à l'hôpital dans l'après-midi…

Dorothea le regarda d'un air ébahi.

— Et alors ?

— … quel était le but de votre visite ?

— C'était mon beau-père. Je voulais voir comment il allait. Je lui avais déjà rendu visite plusieurs fois, et je suis passée bien avant qu'on le tue.

— Ce soir-là, vous vous êtes rendue à Richmond. À quelle heure y êtes-vous arrivée ?

— Je ne m'en souviens pas. Tard dans la soirée. Je suis allée me coucher tout de suite.

— À quel hôtel ?

— Le Jefferson. C'est toujours là que je descends.

— Je n'en doute pas. Et je suis sûr que le personnel pourra nous donner l'heure exacte de votre arrivée.

— Où voulez-vous en venir, bon sang ? Si je suis ici, c'est pour vous aider, pas pour subir un interrogatoire.

— Et moi, c'est *vous* que j'essaie d'aider. Si vous étiez dans un hôtel à cent cinquante kilomètres d'ici au moment du meurtre, ça vous fournit un alibi en béton. Le FBI a sans doute déjà vérifié vos dires.

Dorothea fixa King quelques instants, puis se releva soudain et s'en alla d'un pas raide. Eddie se dépêcha de la suivre, après avoir brièvement remercié King et Michelle, qui les observèrent par la fenêtre alors qu'ils regagnaient leurs véhicules respectifs.

— Tu crois qu'elle n'était pas à l'hôtel à dix heures, c'est ça ?

— Oui, et à mon avis elle ne tient pas à ce que son mari apprenne où elle se trouvait vraiment. Mais je suis persuadé que Bailey l'a déjà découvert, même s'il n'a pas pris la peine de nous en parler. En tout cas, elle n'avait jamais rendu visite à Bobby auparavant, elle nous a raconté des conneries. Je me suis renseigné à l'hôpital.

Michelle regarda Eddie monter en voiture.

— Je me demande comment un type aussi gentil que lui s'est retrouvé avec une harpie pareille.

King la dévisagea en souriant.

— On a un faible pour Eddie Battle ?

Michelle s'empourpra :

— Ne dis pas de bêtises, Sean.

— Tu as des projets pour demain après-midi ?

— Un footing, je pense.

— C'est annulé. Nous allons à un enterrement.

— Pourquoi ?

— Il paraît que les assassins assistent très souvent aux funérailles de leurs victimes.

— Pourquoi ne sommes-nous pas allés aux autres, dans ce cas ?

— Il n'y a pas eu de véritables obsèques. Apparemment, les parents de Rhonda Tyler ont refusé de s'en charger, alors on l'a enterrée dans une fosse commune près de Lynchburg. J'y suis allé. À part moi, il n'y avait que les fossoyeurs.

— C'est surprenant que personne de l'Aphrodisiac ne soit venu. Pam, par exemple.

— À mon avis, tous ces gens ne veulent qu'une chose : oublier ce qui est arrivé.

— Tu parles d'une bande d'autruches...

— Quant à Steve Canney, il a été incinéré sans cérémonie.

— C'est assez inhabituel pour une grande star du football.

— Son père ne semblait pas de cet avis.

— Et Pembroke ?

— Ses parents étaient si gênés par ce qu'elle était en train de faire au moment de sa mort qu'ils l'ont enterrée dans un cimetière des environs tenu secret.

— Hinson ?

— Ses parents ont ramené sa dépouille à New York, sa ville natale.

— Bon, qu'est-ce que tu penses de la visite d'Eddie et Dorothea ?

— Eddie, je comprends sa démarche : c'est sans doute sa mère qui lui en a soufflé l'idée. En revanche, la présence de Dorothea est bien plus intéressante. Elle a prétendu vouloir nous exposer son hypothèse sur le tueur, mais ça me surprend qu'elle y ait autant réfléchi. Je mettrais ma main à couper qu'elle venait surtout à la pêche aux renseignements.

— Si ça se trouve, elle espère avoir une part plus importante de la succession. Non pas qu'elle en ait besoin...

— Il est possible que si, au contraire.

— Comment ça ? Elle règne sur le marché immobilier du coin.

— Dorothea s'est fourvoyée dans des projets douteux qui se sont cassé la figure, il n'y a pas très longtemps.

— Tu as fait des recherches ?

— J'en avais marre de laisser tout le côté marrant de l'enquête à Chip Bailey.

— Tu ne lui en as pas parlé ?

— Il est du FBI, il saura bien trouver ça tout seul.

— Donc Dorothea a besoin d'argent, et elle essaie de rentrer dans les bonnes grâces de Remmy pour l'obtenir.

— Possible.

King consulta sa montre.

— Nous avons rendez-vous dans une heure, avec les parents de Pembroke, et ensuite nous devons voir Roger Canney. Quand on en aura terminé, je te conseille d'aller faire un peu de shopping.

— Du shopping... Pourquoi ?

Il l'examina des pieds à la tête.

— Un jean et un coupe-vent du Secret Service, c'est pas génial pour se rendre à un enterrement.

45

Sylvia Diaz comptait les comprimés. Lorsqu'elle eut terminé, elle recommença. Elle examina ensuite les ordonnances délivrées au cours des trois semaines précédentes et compara le nombre de médicaments prescrits aux chiffres de l'inventaire de la pharmacie. Enfin, elle vérifia les fichiers informatiques : leurs résultats correspondaient à ce qui lui restait en réserve, mais ne collaient pas avec les prescriptions écrites. Or, Sylvia se fiait à cent pour cent à ces dernières. De toute évidence, il manquait des cachets. Elle convoqua sa secrétaire et s'entretint longuement avec elle. Ensemble, elles épluchèrent les registres. Après avoir discuté également avec son infirmière-préparatrice, qui remettait les médicaments aux patients, Sylvia avait la certitude de connaître l'origine du problème.

Mais elle hésitait quant aux mesures à prendre. Elle ne possédait aucune preuve, juste une bonne quantité de présomptions. Elle se demanda à quel moment avaient pu être commis le ou les vols. Il n'existait qu'un seul moyen de l'apprendre : après les heures d'ouverture, les entrées et sorties par la porte commune à la morgue et au cabinet étaient contrôlées par un système d'identification à carte. Les archives lui permettraient de savoir qui était passé par cette porte et quand. Elle appela la société de sécurité, se fit connaître en fournissant les renseignements et le code indispensables, et posa sa question. On lui répondit qu'au cours du dernier mois la seule personne à avoir accédé au cabinet médical après la fermeture en dehors d'elle-même était Kyle Montgomery. En fait, Sylvia découvrit que la dernière visite nocturne de celui-ci remontait au soir de la mort de Bobby Battle, à vingt-deux heures.

La mère de Janice Pembroke était plus âgée que ne s'y attendaient King et Michelle. Janice était la petite dernière, la plus jeune de huit enfants, et la seule à être restée à la maison, leur expliqua-t-elle. Elle l'avait eue à quarante et un ans. Son second mari et elle habitaient un pavillon de plain-pied délabré, dans un quartier défavorisé. Le beau-père de Janice était un homme courtaud, bedonnant et rougeaud qui, à neuf heures du matin, avait déjà une cigarette sur l'oreille et une canette de bière à la main. Apparemment, il ne partait pas de bonne heure – si jamais il allait travailler. Il adressa un sourire lascif à Michelle et ne la quitta pas du regard avant qu'ils soient installés dans le salon en désordre. Toute frêle, la mère de Janice paraissait épuisée, ce qui paraissait concevable pour une femme ayant élevé huit enfants et venant d'en perdre un de la façon la plus horrible qui soit. Elle portait aussi de grosses ecchymoses sur les bras et le visage.

— Je suis tombée dans l'escalier, expliqua-t-elle quand King et Michelle l'interrogèrent à ce sujet.

Elle leur parla de sa fille de façon hésitante, en se tamponnant souvent les yeux avec un mouchoir. Elle ne savait même pas que Janice fréquentait Steve Canney, leur dit-elle.

— Ils étaient pas du même monde, commenta le beau-père d'un ton bourru. Elle allait se faire sauter à droite à gauche, cette petite salope, et voilà ce qu'elle a récolté. Elle devait espérer se faire mettre en cloque pour se caser avec un petit richard comme Canney. Je lui ai dit qu'elle était une merde, et que tout ce que récoltent les merdes, c'est encore plus de merde. Ça, faut dire qu'elle a décroché le pompon !

Il adressa un regard triomphant à King.

Chose surprenante, Mme Pembroke ne prit pas la défense de sa fille ; King en conclut que ses blessures l'incitaient à ne pas réagir.

Janice, à leur connaissance, n'avait pas d'ennemis, et rien d'après eux n'aurait pu pousser quelqu'un à vouloir la tuer. Ils avaient déjà tout raconté à la police, puis au FBI.

— J'espère bien qu'on se farcit ces questions pour la dernière fois, râla le beau-père. Si elle s'est fait trucider, c'est de sa faute, bordel ! Moi j'ai pas le temps de rester planté là à toujours répéter les mêmes trucs.

— Oh, vous avez peut-être des projets plus importants ? rétorqua Michelle. Comme boire une autre bière, par exemple ?

Il alluma sa cigarette, tira une bouffée et lui sourit de toutes ses dents.

— Tu me plais bien, ma cocotte.

— Au fait, où étiez-vous, *vous*, le soir où on l'a assassinée ? lui demanda Michelle, qui à l'évidence fournissait de gros efforts pour ne pas lui mettre une raclée.

Il perdit son air narquois.

— Ça veut dire quoi ça ?

— Ça veut dire que je veux savoir où vous étiez quand on a tué votre belle-fille.

— J'ai déjà répondu aux flics.

— Eh bien, nous sommes flics aussi. Alors, il va falloir nous le répéter.

— Je buvais un coup avec des potes.

— Et vos potes, ils ont un nom et une adresse ?

C'était le cas, et Michelle nota le tout pendant que l'homme la dévisageait avec nervosité.

— Je suis pour rien dans son assassinat, lança-t-il d'un ton véhément en les suivant dehors.

286

— Dans ce cas, vous pouvez dormir sur vos deux oreilles, répliqua Michelle.

— Compte là-dessus, ma poule.

Michelle fit volte-face.

— « Adjoint Maxwell », s'il vous plaît. Et, au cas où vous ne seriez pas au courant, battre votre femme est un crime.

Il ricana.

— Je vois pas de quoi vous parlez.

— J'ai comme l'impression qu'elle le verrait, elle, dit Michelle en désignant du menton Mme Pembroke qui, recroquevillée derrière les rideaux, les observait.

Il s'esclaffa.

— Cette petite bête ne bronchera pas. Je suis le seigneur en mon domaine. Repasse donc un de ces quatre, je te montrerai, ma louloute.

Michelle se crispa.

— Reste calme, Michelle, l'avertit King, qui la surveillait. Laisse tomber.

— Va te faire foutre, Sean !

Elle avança d'un air furieux jusqu'au beau-père et s'adressa à lui d'une voix basse mais tout à fait claire.

— Écoute-moi bien, sale minable. Elle n'a même plus besoin de porter plainte, mainte-nant ; l'État peut le faire à sa place. Alors, quand je reviendrai – et je te promets que je n'y man-querai pas –, si elle porte la moindre trace de coup, ne serait-ce qu'une seule, je te coffre, mais pas sans t'avoir défoncé la gueule avant !

La cigarette tomba des lèvres de l'homme.

— Vous pouvez pas, vous êtes flic.

— Je dirai que tu es tombé dans l'escalier.

Il regarda King.

— Elle vient de me menacer ! cria-t-il.

— Ah bon ? Je n'ai rien entendu, moi.

— Alors, c'est comme ça que vous voulez la jouer, hein ? Attends, j'ai pas peur d'une maigrichonne dans ton genre.

Dans le jardinet de devant, un poteau d'un mètre cinquante soutenait une lanterne de style ancien. Michelle s'en approcha et, d'un seul coup de pied circulaire, le cassa en deux.

Le beau-père en lâcha sa canette de bière et resta bouche bée devant cette démonstration de force.

— Compte sur moi pour revenir te voir, mon loulou, lui lança Michelle avant de regagner leur voiture.

King ramassa un morceau du poteau et le montra au beau-père de Janice, qui n'en croyait toujours pas ses yeux.

— Nom de Dieu, vous imaginez si c'était une colonne vertébrale ?

Il lui tendit quarante dollars pour les frais de réparation et rejoignit Michelle.

— Je crois bien qu'il s'est pissé dessus, lui annonça-t-il en démarrant.

— J'aurai le sommeil plus paisible si je sais que lui l'a perdu.

King prit un air offensé :

— Alors comme ça, je dois aller me faire foutre ?

— Excuse-moi, j'étais en rogne. Mais enfin, on ne peut pas toujours tendre l'autre joue !

288

— Pour tout t'avouer, j'étais très fier de toi.

— Mouais. Ce ne sont pas mes menaces qui vont soulager cette pauvre femme. Un bonhomme pareil, on ne sait jamais ce qui peut lui passer par la tête. J'aurais mieux fait de la fermer.

— Tu vas quand même passer vérifier qu'elle va bien, non ?

— Et comment !

— Préviens-moi, quand tu décideras d'y aller.

— Pourquoi ? Pour essayer de m'en dissuader ?

— Non, pour te le tenir pendant que tu lui mets une dégelée.

46

Il avait suivi King et Michelle jusque chez les Pembroke et les filait à présent à travers la ville tandis qu'ils se rendaient chez Roger Canney. Il ne conduisait pas sa Volkswagen bleue, ce jour-là, mais un vieux pick-up. Et un chapeau de cow-boy taché de sueur, des lunettes de soleil ainsi qu'une barbe factice intégrale de sa fabrication lui offraient un camouflage satisfaisant.

Les deux enquêteurs commençaient à représenter une véritable menace pour lui, et il se demandait quelles mesures prendre à leur égard. Tout comme la mort de Diane Hinson, celle de Pembroke ne les mènerait nulle part. En soi, le meurtre de Rhonda Tyler débouchait lui aussi sur une impasse. En revanche, le garçon était le détail qui pouvait faire s'écrouler tout le château de cartes.

Il manquait de temps pour supprimer Roger Canney. De plus, s'il s'occupait de lui, les soupçons sur les raisons expliquant la mort de la jeune star du football ne feraient que croître. Mieux valait donc laisser l'entrevue se dérouler et analyser les renseignements qu'il en récolterait pour agir en conséquence. Méthodique, il avait eu la prévoyance de poser un mouchard chez Canney avant de tuer l'adolescent. Tout n'était vraiment qu'une question d'organisation !

Il se massa le dos là où il s'était blessé pendant la lutte avec Junior Deaver. Ce genre de confrontation ne devait jamais se reproduire. Il avait regardé Michelle Maxwell casser le poteau d'un seul coup de pied, apparemment sans effort. Elle était dangereuse. Et King, à sa façon, l'était davantage encore. En fait, s'il croyait quelqu'un capable de le tenir en échec, c'était bien King. Il lui faudrait peut-être se charger de lui. Mais ensuite, il devrait liquider Maxwell ; il n'avait pas envie qu'elle le traque pour venger son associé.

Lorsque leur voiture s'engagea dans une longue allée carrossable menant à une grande demeure de style colonial, il prit une petite route secondaire, se gara et rabattit sur ses oreilles la paire d'écouteurs dissimulée jusque-là sous son chapeau. Il trifouilla un récepteur posé à sa droite, trouva la fréquence du transmetteur caché chez les Canney, se cala dans son siège et attendit le début du show.

47

La gouvernante qui les avait fait entrer était partie chercher son employeur.

— Alors, de quoi vit Roger Canney ? demanda Michelle en admirant l'intérieur de l'imposante propriété.

— Aucune idée, mais en tout cas il en vit bien, répondit King.

— De quoi sa femme est-elle morte ?

— Je n'en sais rien non plus. Nous ne sommes pas intimes.

Michelle ne cessait de regarder partout autour d'elle.

— Tu sais ce que je ne vois nulle part ?

King hocha la tête.

— Des photos de famille.

— À quoi c'est dû, à ton avis ?

— Le père accablé de chagrin les a enlevées il y a peu, ou bien il n'en a jamais exposé.

— « Accablé de chagrin » ? En attendant, il a enterré son fils unique à la dérobée.

— Chacun a sa façon d'exprimer ses émotions, Michelle. Certains, par exemple, cassent des poteaux en deux quand ils sont énervés.

Roger Canney, un homme tout en longueur, aux traits taillés à la serpe et aux épaules voûtées, arriva un instant plus tard, l'air mécontent et le teint blême. D'un geste, il les invita à s'installer dans le canapé du salon, puis s'assit en face d'eux. Il ne prenait pas la peine de les regarder lorsqu'il leur parlait, préférant contempler les poutres du plafond.

— J'ai du mal à percevoir l'intérêt d'une énième entrevue, annonça-t-il d'emblée.

— Je sais que vous traversez une période pénible…, commença King.

— Oui, bon, ça va, ne traînons pas.

Ils lui posèrent les questions habituelles, auxquelles Roger, très peu coopératif, répondit par monosyllabes.

Contrarié, King lui demanda :

— Donc, à votre connaissance, Steve n'avait aucun ennemi au lycée ? Votre fils n'en a jamais mentionné ?

— Steve avait beaucoup de succès. Tout le monde l'adorait. C'était le garçon parfait qui ne pouvait jamais mal faire.

Canney n'avait pas prononcé ces mots avec fierté, mais d'un ton moqueur. King et Michelle échangèrent un regard perplexe.

— Vous a-t-il raconté qu'il sortait avec Janice Pembroke ? s'enquit Michelle.

— Steve ne se confiait pas à moi. S'il tringlait une petite pétasse, c'était son affaire. Il avait dix-sept ans et les hormones qui bouillonnaient. Mais s'il avait mis une fille enceinte, ça aurait bardé.

— Quand avez-vous perdu votre femme ?

Canney porta enfin ses yeux sur Michelle.

— Quel est le rapport ?

— Simple curiosité.

— Eh bien, tâchez de garder votre curiosité pour le sujet qui nous intéresse.

— Très bien. Vous souvenez-vous d'un détail dont Steve vous aurait fait part, que vous auriez entendu par inadvertance, ou encore qu'un de ses amis aurait évoqué, et qui pourrait nous éclairer ?

— Écoutez, je vous ai déjà dit qu'on n'était pas très potes. Nous vivions sous le même toit, et ça s'arrêtait là.

— Existe-t-il des raisons à votre mésentente ? demanda King.

— Nous avions chacun les nôtres. En tout cas, sa mort n'a rien à voir avec.

— Je regrette, mais c'est à nous d'en décider. Si vous voulez bien nous répondre...

— Je regrette, mais je refuse, rétorqua Canney d'un ton acerbe.

— Comme vous voudrez. Résumons : votre fils et vous avez établi une relation que l'on peut sans mal qualifier d'ouvertement hostile. Vous voyiez d'un mauvais œil qu'il fréquente une « petite pétasse », selon vos propres termes, et craigniez de devoir payer les frais pour l'éducation d'un enfant. Puis Steve et cette « pétasse » ont été tués à coups de fusil. Possédez-vous un fusil, monsieur ?

Canney se leva comme un ressort, et son visage livide devint soudain écarlate.

— Qu'est-ce que vous insinuez, bordel ? Comment osez-vous ? Vous avez complètement déformé mes propos !

King demeura impassible.

— Absolument pas. J'avance les arguments que tout procureur compétent soumettrait à un jury, rien de plus. Vos déclarations font de vous un suspect potentiel. On vous a sans doute déjà demandé où vous vous trouviez au moment de la mort de votre fils. Veuillez nous éclairer aussi sur ce point.

— J'étais chez moi, je dormais.

— Seul ?

— Oui, quelle question !

— Donc, vous n'avez aucun alibi. Bon...

King se tourna vers Michelle.

— Allons rédiger notre rapport. Voilà au moins une autre piste que le FBI pourra creuser... Le Bureau va vous contacter, ajouta-t-il en reportant son regard sur Canney. Veillez à ne pas quitter la région dans un avenir proche.

Il fit mine de se lever, mais Canney, de nouveau blafard, s'écria :

— Attendez ! Une seconde, nom de Dieu ! Je ne suis pour rien dans la mort de Steve...

— Sauf votre respect, monsieur Canney, je n'ai jamais vu un meurtrier affirmer le contraire, rétorqua King.

Canney resta planté là, à serrer et desserrer les poings, sous le regard plein d'espoir de King. Enfin il se rassit et, après avoir paru chercher les mots justes pendant une bonne minute, il déclara :

— Steve, c'était tout bonnement un fils à sa maman. Il l'adorait, la vénérait même. Pour une raison ou une autre, il m'a tenu pour responsable de sa mort.

— Je ne me souviens pas de quoi elle est morte, dit King.

Canney s'était mis à se pétrir les mains de nervosité.

— Elle a eu un accident de la route il y a plus de trois ans. La voiture a quitté la chaussée et basculé dans un ravin. Elle a été tuée sur le coup.

— Pourquoi diable votre fils vous en aurait-il tenu pour responsable ? s'étonna Michelle.

— Comment voulez-vous que je le sache ? rugit soudain Canney, mais il se calma aussitôt. Excusez-moi. Je ne vous cache pas que tout cela m'est très pénible.

Tous trois restèrent silencieux un moment.

— Elle… elle avait un fort taux d'alcool dans le sang, d'après les examens, expliqua enfin Canney à voix très basse.

— Votre femme était ivre quand elle s'est tuée ?

— Il semblerait. C'était surprenant, car elle n'a jamais été grosse buveuse.

— Votre mariage était-il heureux ?

— Il ressemblait à beaucoup d'autres, répondit Canney, sur la défensive.

— C'est-à-dire ? insista Michelle.

— Nous connaissions des hauts et des bas.

À cet instant, la gouvernante entra pour annoncer à Canney qu'on le demandait au téléphone. Il s'excusa et s'absenta.

Michelle se tourna vers son associé.

— Je dois avouer que je ne m'attendais pas à ça. Il a joué un rôle dans la mort de sa femme, d'après toi ?

— Rien ne me permet d'écarter cette hypothèse.

— Ce qui est sûr, c'est qu'il nous cache quelque chose. Tu crois qu'il a tué son fils ?

— « Son fils »... C'est intéressant.

Elle le fixa d'un air perplexe.

— Canney n'a jamais utilisé ce mot pour désigner Canney, lui fit remarquer King. Il ne l'a jamais appelé que Steve.

— Exact. Mais c'est peut-être juste parce que Steve était presque adulte et qu'ils entretenaient des rapports pour le moins houleux.

— Non, je pense qu'il nous a fourni la réponse.

— Très bien, Sean. Quelle est donc cette réponse ?

— Il nous a expliqué pour quelle raison leur relation s'était détériorée : Steve lui reprochait la mort de sa mère.

— Et donc ?

— Eh bien, juste avant, il avait dit...

King sortit son calepin.

— Il a dit : « Steve, c'était tout bonnement un fils à sa maman. »

— Oui, ce qui signifie qu'il préférait sa mère à son père.

— Ou alors, si on interprète ses propos de façon plus littérale, qu'elle était sa mère...

King se tut et regarda Michelle. Elle comprit enfin où il voulait en venir et termina sa phrase :

— ... mais que lui *n'était pas* son père.

Dehors, le pick-up démarra. L'homme en avait suffisamment entendu. Le moment était venu d'agir. Mais d'abord, il devait préparer son plan.

296

48

Kyle Montgomery n'avait pas encore reçu de réponse à sa lettre de chantage. Il avait loué une boîte postale quelques jours plus tôt et fourni cette adresse pour le retour du courrier, en gardant l'anonymat bien sûr. En outre, la formulation de son message dissimulait – de façon très subtile d'après lui – le peu d'éléments en sa possession. Il comptait sur la mauvaise conscience de son pigeon pour récolter quelque chose d'important, c'est-à-dire dans son esprit quelque chose de lucratif. Malgré tout, il recommençait à se demander s'il avait fait le bon choix. Enfin, pensait-il, même si c'était le cas, il ne risquait rien. Il avait tort.

Il se rendait à l'Aphrodisiac avec une nouvelle livraison pour sa « cliente ». Ayant eu la bonne idée de dérober plus de comprimés qu'à l'accoutumée la fois précédente, il n'avait même pas eu à se réapprovisionner. Inutile de multiplier les risques, pas vrai ?

Il se gara dans le parking presque plein, sans prêter attention à la voiture qui s'engageait derrière lui. Rêvant à la somme qu'il allait empocher, il n'avait pas remarqué qu'on l'avait suivi depuis chez lui.

Il entra et, comme à son habitude, passa quelques minutes à regarder les danseuses avant de gravir les marches. L'une d'elles lui plaisait plus que les autres ; mais il n'avait ni le physique ni, plus important encore, l'argent nécessaire pour que de telles filles lui témoignent un intérêt particulier, il le savait.

Une fois en haut de l'escalier, il s'apprêtait à passer le rideau rouge quand une femme apparut près de lui. Les traits tirés, elle paraissait tituber un peu.

— Où allez-vous comme ça ?

— Voir quelqu'un. On m'attend.

— Tiens donc ? fit la femme, à l'évidence ivre, en mâchant ses mots. Vous avez des papiers ?

— Des papiers ? Pourquoi ? Je ne suis là ni pour boire ni pour mater le spectacle. J'ai l'air mineur, d'après vous ? Vous avez peut-être loupé les poils gris dans mon bouc ?

— Jouez pas au malin avec moi ou je vous fous dehors.

— Quel est le problème ? demanda Kyle d'un ton plus poli. Ce n'est pas la première fois que je monte ici, ajouta-t-il.

— Je sais, je vous ai vu.

— Et vous, vous venez souvent ? s'enquit-il, l'air soucieux.

Il avait soudain réalisé qu'acquérir une réputation de visiteur régulier pourrait être regrettable pour lui.

— Tous les jours, répondit Lulu Oxley, avant de désigner le rideau d'un petit geste rapide de la main. Allez, magne-toi, gros malin.

Elle descendit l'escalier d'un pas chancelant pendant que Kyle s'enfonçait en hâte dans le corridor.

Il frappa à la même porte que d'habitude et obtint la même réponse. Il entra. La femme était étendue sur le lit, recouverte d'une couverture. Il faisait si sombre dans la chambre qu'il la distinguait à peine.

Il brandit son sachet plastique.

— Et voilà.

Elle lui lança quelque chose qu'il tenta d'attraper, mais il rata son coup, et l'objet tomba par terre. Il le ramassa. Un rouleau de dix billets de cent serrés par un élastique. Il posa les comprimés sur la table et resta immobile à regarder nerveusement la femme. Après quelques secondes de silence, il tourna les talons pour partir. Il s'arrêta lorsqu'il entendit les ressorts du matelas grincer et vit l'éclairage s'intensifier. Les yeux plissés, il regarda l'inconnue approcher de lui. Toujours affublée de son foulard et de ses lunettes noires, elle s'était enveloppée de la couverture. Mais il ne tarda pas à s'apercevoir qu'elle avait les épaules découvertes et les pieds nus.

Arrivée à moins de trente centimètres de lui, elle laissa tomber la couverture. Sa tenue se limitait à un string de dentelle noire, des bas et un soutien-gorge assortis. Le souffle de Kyle s'accéléra, tous ses muscles se raidirent. Elle avait un corps époustouflant – le ventre plat, des hanches à la courbe délicate, une superbe poitrine que masquait à peine le frêle tissu la maintenant en place. Il n'avait qu'une envie : lui arracher le peu qu'elle portait.

Comme si elle lisait dans ses pensées, somme toute fort limpides, elle dégrafa son soutien-gorge, et ses seins jaillirent. Kyle gémit et faillit tomber à genoux. C'était, et de loin, la plus belle soirée de sa vie !

Elle tendit la main comme pour le toucher, mais se contenta de prendre les comprimés sur la table, puis ramassa la couverture et se couvrit de nouveau.

Kyle s'avança.

— Pas la peine, ma chérie, dit-il du ton le plus décontracté qu'il put. Ça va nous gêner plus qu'autre chose.

Jamais il n'aurait osé rêver pareille aventure : empocher mille dollars et tirer un coup gratis avec une femme aussi belle... Que demander de plus ? Il tenta de l'enlacer, mais elle le repoussa avec une force qui le surprit.

Quand elle se mit à rire, il s'empourpra.

Elle regagna le lit, se dénuda une nouvelle fois et fit le dos rond. Après quoi, elle se mit à quatre pattes et se retourna pour poser le sachet sur la table de chevet. Elle agit avec une lenteur délibérée qui offrit à Kyle une longue vue plongeante sur ses fesses. Le degré d'excitation de ce dernier était tel à présent que c'en devenait douloureux.

La femme s'allongea sur le dos, leva les jambes en l'air et prit tout son temps pour ôter ses bas, avant de les rouler en boule et de les lui jeter. Ensuite, elle le montra du doigt et s'esclaffa. Kyle sentit son pouls grimper en flèche, même si d'autres parties de son corps se dégonflaient.

— Espèce de garce !

Son fantasme allait enfin se réaliser, et il allait en profiter pour lui donner une bonne leçon. Il se précipita en avant, mais s'arrêta net à la vue du pistolet qu'elle braquait sur lui. Elle avait dû le cacher sous les draps.

— Dehors !

Pour la première fois, elle s'adressait à lui d'un ton normal. Il ne reconnut pas sa voix. Mais, de toute façon, ce n'était pas ce qui captivait son attention. Il fixait plutôt du regard l'arme qui allait et venait, pointée tour à tour vers sa tête et son bas-ventre.

Kyle recula, les bras devant lui comme pour se protéger d'une balle.

— C'est bon, du calme. Je m'en vais.

— Tout de suite, ordonna-t-elle d'une voix plus forte.

Elle se couvrit et se mit face à lui, tenant son pistolet à deux mains comme si elle savait parfaitement s'en servir.

Il leva les siennes un peu plus haut.

— Ça va, j'y vais, je vous dis ! Putain !

— Laissez l'argent sur la table.

— Quoi ?

— Sur la table, le fric.

Elle la lui montra du bout de son arme.

— Je vous ai apporté ce que vous vouliez, protesta-t-il. Ça vaut son pesant d'or.

Elle laissa tomber la couverture une fois de plus et caressa son corps presque nu.

— Ça aussi, déclara-t-elle avec une grande fermeté. Profite bien, petit, c'est la dernière fois que tu le vois.

L'insulte le fit enrager.

— Mille dollars ! Tout ça pour quoi ? Un pauvre strip-tease à la con ? Je paierais même pas ce prix-là pour vous baiser.

— Et moi, même pour tout l'argent du monde, je ne te laisserais pas me toucher, rétorqua-t-elle.

— Ah ouais ? Tu parles d'un numéro ! Une exhibitionniste camée qui vit dans un club de strip ? Cachée sous un foulard et des lunettes noires, en plus. Vous vous foutez à poil pour remuer votre cul sous mon nez, et après vous refusez de passer à la casserole... Pour qui vous vous prenez ?

— Vous m'ennuyez. Dehors !

— Vous savez quoi ? Je vous vois mal appuyer sur la détente, pas avec tout ce monde autour.

Il lui lança un regard triomphant. Mais pas très longtemps.

— C'est un silencieux. Très efficace, déclara-t-elle en tapotant un petit cylindre vissé au canon de son pistolet.

Elle braqua de nouveau l'arme sur son bas-ventre et ajouta :

— Vous voulez une petite démonstration, vite fait ?

— Non ! hurla-t-il en battant en retraite. Surtout pas !

Il laissa tomber l'argent sur la table et s'enfuit.

302

La femme s'enferma à clé, alla sur son lit et avala un assortiment de comprimés. Quelques minutes plus tard, elle gémissait sur le sol, de nouveau heureuse.

Sylvia s'écarta de derrière la porte juste avant que Kyle sorte en trombe. Elle avait tout entendu. Elle se précipita au-dehors à sa suite, mais n'eut que le temps de voir la Jeep de son assistant quitter le parking sur les chapeaux de roue en projetant des gravillons.

Elle ôta son chapeau et relâcha ses cheveux. Ses soupçons venaient d'être confirmés : Kyle volait des médicaments pour les revendre à cette femme. Elle décida d'attendre pour voir si l'inconnue allait sortir.

Les heures passèrent. À l'aurore, Sylvia avait observé la bonne centaine de personnes – pour la plupart des hommes – qui avaient quitté l'établissement. Elle était sur le point d'abandonner quand une nouvelle silhouette apparut à la porte. Une femme, la tête couverte d'un foulard, avec des lunettes noires sur le nez alors qu'il faisait encore très sombre. Un peu titubante, elle monta dans sa voiture, garée presque derrière le bâtiment, et s'en alla. Sylvia choisit de ne pas la suivre, elle aurait été trop facilement repérable. Cependant, elle connaissait à présent le véhicule de l'inconnue. Elle partit à son tour, en songeant que si elle venait d'obtenir quelques réponses à ses questions, elle s'en posait à présent d'autres, encore plus troublantes.

49

Le jour des funérailles de Robert E. Lee Battle débuta sous un ciel bleu qui devint vite nuageux. À l'arrivée du cortège au cimetière, il tombait une petite bruine tiède. La légion vêtue de noir était rassemblée sous une immense tente blanche autour de la tombe fraîchement creusée.

King reconnut de nombreux visages, mais beaucoup d'autres lui étaient inconnus. On racontait qu'une flopée de jets privés alignés aile contre aile – les avions des amis de la famille venus rendre un dernier hommage à Bobby – encombraient les aéroports régionaux de Charlottesville et Lynchburg. Une curiosité morbide avait sans doute attiré plus d'un membre de l'assistance.

À la droite de King, contre toute attente, Michelle portait une robe ! Il s'était gardé du moindre commentaire. Son bras, depuis sa dernière boutade, lui faisait toujours mal.

Au premier rang, Eddie et Savannah entouraient leur mère, Chip Bailey étant assis à côté d'Eddie ; à une extrémité de ce même rang se tenait Dorothea, les bras croisés, à l'autre, Mason, fixant du regard une Remmy abondamment voilée. « À jamais le domestique dévoué », songea King.

Harry Carrick s'était installé à sa gauche. Plus pimpant que jamais, son costume noir rendait le blanc de ses cheveux encore plus frappant. Avant de prendre place, il avait donné à Michelle une bise sur la joue et à King une franche poignée de main.

— Ça en fait, du monde, lui chuchota celui-ci.

Michelle se pencha pour écouter.

— Bobby et Remmy avaient beaucoup d'amis et de relations d'affaires, répondit Carrick. Ajoutez à cela les curieux et ceux qui sont venus pour se réjouir, et vous obtenez une affluence record.

— J'imagine que l'affaire Junior Deaver est close, alors.

— En principe, oui : on ne poursuit pas un mort en justice pour cambriolage. À quoi bon ?

— « En principe », mais…, répliqua King en examinant son ami de près.

— Si j'ai vu juste et que Junior était innocent, j'aimerais quand même coincer le coupable.

— Tu veux que nous poursuivions l'enquête…

— Oui, Sean. Il ne faut pas oublier sa femme et ses enfants. Pourquoi ceux-ci devraient-il grandir en prenant leur père pour un voleur, si c'est faux ?

— En fait, nous avons nous aussi nos raisons de vouloir continuer.

— Je comprends : à cause de la façon dont Junior a été tué.

— Exactement. Que fais-tu après l'enterrement ?

— Je suis invité chez les Battle.

— Nous aussi. Nous trouverons peut-être un coin tranquille où discuter tactique.

— J'en brûle d'impatience.

Tous trois se calèrent ensuite dans leur siège pour écouter le pasteur parler de la résurrection et de la vie éternelle. La pluie continua de tomber, rendant ce morne après-midi plus déprimant encore.

À la fin de l'interminable panégyrique, le pasteur alla réconforter la famille. King entreprit d'examiner les alentours, au-delà du petit groupe assemblé devant la tombe, en procédant à un quadrillage précis du terrain, selon la technique qu'il utilisait en mission de protection pendant ses années au Secret Service. À l'époque, il essayait de repérer des assassins potentiels ; à présent, il en cherchait un qui avait déjà tué.

King la vit lorsqu'elle passa une petite butte sur la droite.

Lulu Oxley était vêtue de noir, mais, contrairement à Remmy Battle, elle ne portait pas de voile. King réalisa soudain que les obsèques de Junior avaient lieu ce même jour, et que ce cimetière était le seul dans les environs. Derrière Lulu, qui approchait d'un pas décidé, apparurent Priscilla Oxley et les trois petits Deaver.

— Oh merde ! fit King à voix basse à l'attention de Michelle et Harry.

Michelle les avait déjà aperçus, mais pas l'ancien magistrat. Lorsque King les lui montra du doigt, il se redressa brusquement.

— Seigneur Dieu ! s'exclama-t-il.

Lulu fit signe à sa mère et à ses enfants de s'arrêter. Ils obéirent, tandis qu'elle-même poursuivait sa marche. D'autres membres de l'assistance l'avaient remarquée, car des murmures se faisaient entendre par endroits. King, Michelle et Harry se levèrent comme un seul homme pour l'intercepter.

Quand ils arrivèrent à sa hauteur, à une quinzaine de mètres des Battle, King s'adressa à elle :

— Lulu, c'est une très mauvaise idée.

— Dégagez ! s'emporta-t-elle.

À sa voix, King sut qu'elle avait bu.

Harry la prit par le bras.

— Lulu, écoutez-moi. Écoutez-moi, je vous dis !

— En quel honneur ? Je vous ai fait confiance, et maintenant Junior est mort !

King sentait qu'elle pouvait s'effondrer d'une seconde à l'autre, ou bien sortir un pistolet et se mettre à tirer sur tout ce qui bougeait.

— Votre venue ici n'arrangera rien, insista Harry. Absolument rien. Mme Battle est en deuil, elle aussi.

— Elle devrait griller en enfer pour ce qu'elle a fait !

D'un mouvement brusque, Lulu tenta d'échapper à l'étreinte de Harry, mais le vieil homme parvint à maintenir sa prise.

— Il n'existe pas la moindre preuve qu'elle soit impliquée dans la mort de Junior, affirma-t-il d'une voix posée. En fait, tout semble indiquer qu'il a été tué par l'auteur des autres meurtres, y compris celui de Bobby Battle. C'est la même personne qui a assassiné vos deux maris.

— Alors, c'est peut-être qu'elle a fait supprimer le sien. J'en sais rien, moi, mais en tout cas elle a menacé Junior, et maintenant il est mort !

King jeta un coup d'œil derrière lui et s'aperçut que Remmy avait relevé son voile et les fixait du regard. Ses pires craintes se réalisèrent : Remmy s'approcha de Mason pour lui parler tout en les montrant du doigt et se dirigea ensuite vers eux sous la protection d'un parapluie.

— De mieux en mieux, bougonna King.

Tous les membres de l'assistance observaient la scène, dans l'attente d'un affrontement dramatique entre les veuves.

À grandes enjambées régulières, Remmy les rejoignit vite. King s'empressa de s'interposer, mais elle lui lança :

— Poussez-vous, Sean. Cela ne vous regarde pas.

Son accent traînant n'avait jamais été aussi prononcé, remarqua-t-il, du moins en sa présence. Comprenant à son attitude qu'elle ne souffrirait aucune résistance, il finit par obtempérer.

Harry fut le second à lui barrer la route, mais un seul regard féroce de Remmy suffit à le faire capituler. Michelle, quant à elle, ne tenta rien, convaincue d'avance que son intervention se solderait par un échec.

Lulu, quoique titubante et les joues ruisselantes de larmes, la fixait avec haine. Remmy soutint son regard et déclara d'une voix impérieuse :

— Je veux m'entretenir seule à seule avec Mme Oxley de questions qui ne concernent qu'elle et moi.

Lulu voulut protester :

— Je n'ai rien à dire à...

King ne voyait pas son visage, mais il songea que l'expression de Remmy avait dû suffire à arrêter Lulu – d'habitude indomptable – dans sa tirade.

— Veuillez nous laisser, ajouta Remmy d'un ton plus calme.

Tous les trois s'écartèrent lentement. Cependant, King resta à proximité, prêt à bondir si les deux femmes se jetaient à la gorge l'une de l'autre.

Remmy saisit tout de suite Lulu par le bras avec fermeté. Comme cette dernière résistait un peu, elle se pencha pour lui parler d'un débit rapide, sans que personne d'autre ne puisse discerner ses paroles. Au bout d'un long moment, King, ébahi, vit les traits de Lulu se décrisper. Plus étonnant encore, elle s'agrippa quelques instants plus tard à Remmy pour garder l'équilibre. À la fin de leur conversation, elles se tournèrent vers King et Remmy lui annonça :

— Les Oxley nous rejoindront à la maison. Mais je vais tout d'abord rendre un dernier hommage à Junior.

Tandis que les deux femmes s'éloignaient en direction de la petite butte, King s'aperçut que Mason emmenait Priscilla et les enfants à la limousine des Battle.

— En plus de soixante-dix printemps, je n'ai jamais rien vu de plus mystérieux, commenta Harry, stupéfait.

— Ne bougez pas, je reviens, lança King à ses deux compagnons avant de partir au pas de course pour suivre Remmy et Lulu.

Aucune tente ne protégeait la tombe de Junior, dont les funérailles étaient à tous égards bien plus modestes que celles de Bobby Battle. Seuls les deux employés chargés de descendre dans la fosse le cercueil tout simple avant de le recouvrir de terre étaient présents. King se posta derrière la grande statue très ornementée, à l'effigie d'une mère et de son enfant, qui marquait une sépulture voisine, et observa Remmy qui s'adressait aux deux hommes. Ils hochèrent la tête d'un air respectueux et s'écartèrent, permettant à Lulu et Remmy de s'agenouiller, mains jointes sur le tapis de pelouse artificielle posé devant la bière pour prier. Lorsqu'elles se relevèrent, au bout de plusieurs minutes, Remmy alla poser une rose rouge sur le cercueil, et Lulu adressa un signe de tête aux fossoyeurs, qui revinrent terminer leur travail. Ensuite, les deux veuves repartirent bras dessus, bras dessous.

King se recula un peu quand elles passèrent près de sa cachette, et les regarda franchir la butte. Après quoi, il s'approcha de la tombe de Junior. Les employés du cimetière étaient retournés à leur camionnette, garée non loin de là, sans doute pour prendre des pelles. King fut tenté de rendre lui aussi un dernier hommage à Junior. Il ne l'avait guère connu, mais sa femme et ses enfants semblaient l'adorer. Il pensa que tout homme à sa mort devrait laisser un tel héritage et que, malgré ce qu'avaient dû coûter les obsèques de Bobby Battle, les larmes n'y avaient pas été versées en abondance.

Sur le point de repartir, il changea pourtant d'avis et fila s'accroupir un peu plus loin derrière la statue. Quelqu'un était en effet sorti subrepticement d'un bouquet d'arbres voisin et s'avançait d'un pas rapide vers la tombe en regardant avec nervosité alentour. King ne parvint pas à déterminer son sexe, car sa tenue consistait en un pantalon, une veste et un chapeau de cow-boy enfoncé bas sur le front.

Lorsque la silhouette s'agenouilla devant la fosse, King s'avança discrètement. Alors, au moment où la personne baissa la tête pour prier, faisant ainsi tomber son chapeau, King vit qu'elle avait les cheveux relevés en chignon. Toutefois, d'où il se tenait, il ne parvenait pas à distinguer son visage. Peu désireux de se montrer, il s'accroupit encore une fois derrière la statue et ramassa un caillou qu'il lança contre un autre monument funéraire, situé non loin de la tombe de Junior.

À ce bruit, la personne releva vivement la tête, offrant à King une vision parfaite de ses traits. Cependant, elle remit aussitôt son chapeau et courut se cacher dans le bosquet.

King n'avait aucune raison de la poursuivre : il connaissait son identité.

Mais pourquoi Sally Wainwright, la fille d'écurie des Battle, venait-elle prier sur la tombe de Junior Deaver ?

50

La Casa Battle, bien que très vaste, était pleine à craquer. Au rez-de-chaussée, on avait dressé un buffet sur de longues tables recouvertes de nappes. Quand ils se furent servis, Harry emmena King et Michelle dans le cabinet de travail du premier étage afin de pouvoir discuter.

— Nous ne devrions pas être dérangés, ici, déclara-t-il en les invitant à s'asseoir sur le canapé en face de la cheminée, tandis que lui restait debout. C'est assez loin de la nourriture et, surtout, de l'alcool. J'ai remarqué que la mort a tendance à assoiffer les gens.

King s'intéressa à l'écritoire ancien collé contre un mur. On y avait disposé du matériel de calligraphie haut de gamme, un épais papier à lettres de luxe frappé des initiales *R. E. B.*, un sous-main en cuir et plusieurs vieux encriers.

— Plus encore que moi, Remmy est restée très traditionnelle pour sa correspondance, expliqua Harry, qui observait King. Elle ne touche pas aux messages électroniques, ni même aux machines à écrire. Qui plus est, elle attend qu'on lui adresse des missives du même genre.

— Content de savoir qu'elle a le temps de correspondre de cette façon, répliqua King. Ça doit être l'apanage des riches... J'ai vu Remmy et Lulu s'isoler, à notre arrivée, ajouta-t-il.

— Remmy dispose d'un boudoir privé près de sa chambre, au deuxième, déclara Harry. Comme j'aimerais être une mouche pour me poser sur un mur de cette pièce !

— Je me demande bien ce que Remmy a pu dire à Lulu pour conclure une paix aussi rapide, intervint Michelle. C'était proprement miraculeux !

King but une gorgée de son vin et se fendit d'un sourire appréciateur.

— Saint-Émilion, château Valandraud. Remmy n'a pas lésiné sur les grands crus... J'ai ma petite idée, en ce qui concerne Lulu et elle, reprit-il en se tournant vers Harry. Et toi ?

Carrick prit le temps d'ajuster son nœud papillon, de lisser ses cheveux, puis de goûter son vin et prendre un beignet de crabe dans l'assiette posée sur ses genoux, avant de répondre :

— À mon avis Remmy a expliqué à Lulu qu'elle ne croyait plus Junior coupable, et donc qu'elle n'engagerait aucune poursuite pour récupérer ses biens volés. Si tel est le cas, le procès au pénal étant abandonné suite à la mort de Junior, l'affaire est officiellement close.

— Je suis sûr qu'elle a affirmé n'être pour rien dans la mort de Junior, renchérit King. Et elle s'est déclaré très peinée que Lulu ait perdu elle aussi son mari.

— Remmy a sans doute aussi promis à Lulu de financer les études de ses enfants...

— ... et peut-être même d'aider Lulu à finir la maison. Elle l'avait déjà proposé à Junior lorsqu'elle le croyait responsable du cambriolage. Enfin, elle a dû déplorer tous les ennuis qu'elle leur a causés.

Michelle les fixait du regard, abasourdie.

— Vous croyez qu'elle a pu aborder tout ça au cimetière et en quelques minutes ?

Harry leva son verre comme s'il portait un toast.

— Remmy n'est pas du genre à prendre racine. Elle se trompe parfois dans ses choix, mais elle agit toujours de façon étonnante. Ce n'est pas sans me rappeler une certaine détective de ma connaissance.

La remarque arracha un bref sourire à Michelle.

— À quoi est dû son revirement, d'après vous ? demanda-t-elle, de nouveau sérieuse.

— Elle a acquis la certitude, ou du moins la conviction, que Junior est innocent, supposa King. En outre, il est impossible que Junior ait tué Bobby. Même s'il avait possédé les connaissances médicales nécessaires pour y parvenir, ce qui n'était pas le cas, il aurait eu du mal à ne pas se faire remarquer à l'hôpital. Et de toute façon, j'ai vérifié : il avait un alibi pour le soir où Bobby est mort.

— Donc, Remmy doit penser que le meurtre de son mari et le cambriolage sont liés, conclut Michelle. Si Junior n'a pas commis l'un, il n'a pu commettre l'autre.

— Exact, confirma Harry. Ce qui prouve que quelqu'un l'a piégé avec ce cambriolage. Quelqu'un qui connaît la procédure des enquêtes criminelles.

King contempla les murs couverts de livres, puis jeta un coup d'œil dehors, où le ciel était plus maussade que jamais. La pluie tombait à grosses gouttes, éclaboussant le toit des voitures garées dans la cour de devant.

— Quand j'ai suivi Remmy et Lulu, tout à l'heure, j'ai vu quelqu'un pleurer sur la tombe de Junior, lança-t-il. Une visiteuse très inattendue.

— Qui ça ? s'exclamèrent en chœur Harry et Michelle.

— Sally Wainwright.

— La fille d'écurie ?

Harry parut perplexe, mais Michelle claqua des doigts.

— Sean, tu te souviens de notre première entrevue avec elle ? Tu lui as demandé si elle connaissait Junior, et elle a répondu d'un air évasif qu'elle l'avait croisé, mais elle paraissait nerveuse.

— C'est vrai.

— Alors comme ça, elle vient rendre un dernier hommage à un homme qu'elle a juste « croisé »..., commenta Harry, songeur.

— Alors, qu'est-ce qu'on fait, maintenant ? s'enquit Michelle.

Avant de lui répondre, Harry consulta une montre de gousset ancienne accrochée à son gilet par une chaîne en or.

— C'est une pièce magnifique, Harry, remarqua Michelle.

— Elle appartenait à mon arrière-grand-père, expliqua-t-il en maniant le gros oignon avec amour. Comme je n'ai pas de fils, je la garde bien au chaud pour l'aîné de mes neveux... Dans ce monde sens dessus dessous, il est réconfortant de savoir qu'on peut encore lire l'heure comme il y a plus de cent ans.

Il rabattit le couvercle métallique et leur adressa un regard pénétrant.

— Bon, fit-il, revenant à la question de Michelle. À présent, tout le monde en bas aura consommé un verre, voire deux. Je suggère donc de redescendre pour ouvrir l'œil et tendre l'oreille. Il n'est pas impossible que notre tueur se trouve en ce moment même sous ce toit. Peut-être obtiendrons-nous des renseignements nous permettant au moins de prévenir d'autres meurtres.

51

En bas, plusieurs regroupements inattendus s'étaient formés. Savannah se trouvait ainsi dans la véranda de derrière en compagnie des deux plus jeunes Oxley. Elle semblait jouer avec eux à un jeu où il fallait se tirer sur l'oreille et mimer quelque chose, tandis que leur aîné demeurait à l'écart et les observait sans sourire.

— Ils s'amusent aux charades en action, constata Michelle. Je n'aurais jamais imaginé que Savannah possédait des talents d'animatrice.

— À certains égards, elle est bien plus jeune qu'on pourrait le croire, à mon avis, dit King.

Chip Bailey et Dorothea discutaient à voix basse dans un coin du salon. Et, non loin de là, Eddie paraissait en grande conversation avec Todd Williams, qui n'avait pas assisté à l'enterrement, mais n'aurait manqué le buffet pour rien au monde.

Remmy et Lulu descendirent alors l'escalier en se tenant le bras, et tous les regards convergèrent vers elles.

— C'est drôle, ça me rappelle Lee et Grant à Appomattox, chuchota Harry.

Délaissant Dorothea sur-le-champ, Chip Bailey alla au-devant des deux femmes. Mason, occupé au service, le suivit de près.

— Le maître de la maison à peine enterré, les chiens de meute tournent déjà autour de sa femme, commenta Harry.

— Chip Bailey aussi ? s'étonna Michelle. Je n'y aurais même pas songé. Eddie affirme que sa mère ne l'apprécie guère.

— La perspective d'être entretenu par une femme à la fortune colossale incite à tenter de la faire changer d'avis.

Mais Remmy semblait avoir d'autres projets. Elle passa avec Lulu à côté des deux hommes sans leur prêter attention, pour se diriger vers Harry et ses comparses.

— Je sais que vous connaissez déjà Lulu, déclara-t-elle au premier en le saluant de la tête, alors je passerai sur les présentations.

King crut déceler un pétillement malicieux dans son regard.

— Heureux de voir que vous avez fait sa connaissance à votre tour, Remmy, répondit Harry. Et ce en des termes qui me paraissent des plus positifs.

— Disons que nous nous sommes découvert une communauté d'esprit, répliqua Remmy en regardant Lulu et en lui étreignant la main. J'ai été idiote, aveugle et injuste, et je m'en suis excusée auprès d'elle.

S'adressant directement à Lulu, elle ajouta :

— Ni vous ni moi ne pouvons ramener nos maris, mais je vous promets que vous et vos magnifiques enfants vous ne manquerez de rien tant que je serai de ce monde.

— Ça me touche beaucoup, Mme Battle, dit Lulu, l'air tout à fait calme, à présent.

— Je le sais, mais, je vous en prie, appelez-moi Remmy... J'espère que vous avancez dans votre enquête, continua celle-ci en s'adressant à King et Michelle.

— Chaque jour un peu plus, assura King.

Elle le regarda d'un air intrigué mais resta silencieuse.

— Nous comptons passer vous voir d'ici peu, l'informa-t-il.

— Oui, Eddie m'en a parlé. Quand vous voudrez, je ne bouge pas.

— Ne vous laissez pas abattre par les racontars qu'on imprime dans la presse, Remmy.

— La presse ? Si je veux savoir où en est ma vie, je ne consulte pas les journaux ; je ne me fie qu'à moi.

Priscilla Oxley débarqua soudain, tenant en équilibre précaire un verre de vin posé sur une grande assiette pleine de victuailles.

— Ma biche, lança-t-elle à Remmy, vraiment merci pour tout ! Moi, j'ai toujours répété à Lulu que vous étiez une sainte. Je vous jure, pas plus tard que l'autre jour, je disais que si le monde comptait plus de Remmy Battle, il serait bien meilleur.

— Maman, s'il te plaît ! commença à protester Lulu, ce qui n'empêcha pas Priscilla de poursuivre.

— Et voilà que Lulu et vous devenez amies. Et puis vous nous invitez dans votre belle maison et vous promettez de prendre soin des enfants. Quand on a perdu notre pauvre Junior, mon Dieu, je me suis demandé comment ma fille allait s'en sortir !

Sa poitrine massive se souleva et sa voix râpeuse se cassa. « Quel numéro magnifique ! » songea King.

— Maman, j'ai un travail et je gagne bien ma vie, protesta Lulu. Les enfants ne seraient quand même pas morts de faim.

Mais Priscilla poursuivit sur sa lancée :

— Maintenant, je compte rester ici pour aider Lulu. Et comme on va finir de faire construire la maison, grâce à votre gentillesse, je suis sûre que tout se passera bien. Vous qui êtes mère aussi, je vous apprendrai rien en disant que je suis sacrément soulagée, conclut-elle en vidant son verre d'un trait, tandis que deux larmes roulaient en parallèle sur ses joues replètes.

King trouva ce spectacle effroyable, mais dut admettre que, pour sa performance, cette femme méritait vraiment un prix d'interprétation.

— Je suis ravie de vous aider, Priscilla, répondit Remmy avec courtoisie.

— Vous devez pas vous rappeler, déclara Priscilla en lui lançant un timide regard, mais je vous ai servie quand vous veniez en séjour au Greenbrier, en Virginie-Occidentale.

— Mais si, je me souviens très très bien de vous, Priscilla.

Priscilla se figea.

— Ah bon ? Eh bien, merci encore.

Sur quoi, elle repartit aussi vite qu'elle était arrivée.

Eddie et Bailey se joignirent alors au groupe.

— La cérémonie était magnifique, Remmy, assura Bailey.

— Le révérend Kelly est très bon, répondit-elle. Et puis, il avait matière à faire un bel éloge : mon mari a vécu une vie tout à fait extra-ordinaire...

— Je vais assister à l'une des reconstitutions d'Eddie, samedi, annonça l'agent du FBI en changeant de sujet.

— Qu'est-ce que c'est, cette fois-ci ? s'enquit Michelle.

— La bataille de Cedar Creek, près de Middleton, expliqua Eddie. L'armée de Shenandoah, de Phil Sheridan, contre celle de la vallée, de Jubal Early. D'habitude, elle a lieu en octobre, mais cette année les organisateurs l'ont avancée.

Il baissa les yeux, puis regarda Michelle comme s'il allait ajouter quelque chose, mais resta finalement silencieux.

— Ce bon vieux Jubal... C'est bien le seul général confédéré à ne s'être jamais officiellement rendu ? fit Harry.

— Exact. Il a pratiqué comme avocat vers Rocky Mount, en Virginie.

— Au moins, il aura choisi une profession fort honorable, après la guerre.

— Je pense qu'Eddie et moi allons passer davantage de temps ensemble, annonça Bailey.

Aux yeux de King, ses intentions n'auraient pu être plus flagrantes.

— Je m'en réjouis, affirma Eddie avec un enthousiasme qui paraissait sincère.

« Tu mens à merveille, Eddie », pensa King.

Remmy prit la main de son fils.

— Comment ça va ?

— J'attends des jours meilleurs, Maman.

— Dorothea et toi devriez peut-être partir un peu, histoire de changer d'air.

— Ouais, on y songera, répondit Eddie d'un air indifférent.

King remarqua que les enfants Oxley étaient rentrés dès qu'ils avaient vu leur mère. Comme celle-ci les rejoignait, King en profita pour s'éloigner aussi. Il alla au bar, prit deux verres de vin, puis se dirigea vers la véranda afin de discuter avec Savannah tant qu'elle était encore seule.

La jeune femme s'était installée dans un canapé au bout de la pièce et ne quittait pas des yeux le superbe feu de cheminée.

— C'est une longue journée, pour vous, constata doucement King.

Elle sursauta, puis sourit à sa vue. Il lui tendit un des verres et s'assit à côté d'elle.

— Le Château Palmer peut faire des miracles pour le moral. C'est un excellent vin français.

— « Palmer », ça ne sonne pas très français, commenta-t-elle, en contemplant son verre comme si des images y défilaient.

— C'était un général anglais, aux ordres de Wellington, qui a mené son armée à Bordeaux en 1814 et n'en est plus reparti. La propriété qu'il a acquise est devenue le château Palmer, et il s'est lancé dans la viticulture – ce qui tend à prouver que la vigne, comme la plume, est plus puissante que le glaive.

— Je n'y connais pas grand-chose en vin. Je suis plus du genre Jack Daniel's et Coca.

— C'est une combinaison qui gagne à tous les coups, mais si vous vous intéressez au vin, je serais ravi de vous initier. Vous pourriez d'ailleurs commencer votre apprentissage ici même. Vos parents possèdent une cave de dix mille bouteilles. J'ai failli en faire une jaunisse, la première fois que je l'ai vue.

Tout en buvant une gorgée, il nota qu'elle s'était remise à observer le feu, et changea de sujet :

— Je vous ai vue avec les enfants, tout à l'heure...

— Ils sont mignons, dit-elle d'un ton doux en jouant avec son collier de perles. La petite, Mary Margaret, hurlait quand elle est arrivée, la pauvre. Son père lui manque beaucoup. Je les ai emmenés ici. Maman et Mme Oxley voulaient discuter.

— Il semblerait qu'elles aient réglé leur contentieux.

— J'étais persuadée de la culpabilité de Junior, avoua-t-elle, et ses yeux s'emplirent soudain de larmes.

— Moi aussi, au début.

— Je ne vous ai pas été d'une grande aide, l'autre jour...

— Vous étiez encore sous le choc. Quand vous serez prête à parler, vous savez où me trouver.

Jouant toujours nerveusement avec ses perles, elle hocha la tête d'un air absent et fixa une fois de plus les flammes sans répondre.

Au bout d'un moment, il se leva.

— Si vous avez besoin de quoi que ce soit, appelez-moi.

Relevant les yeux vers lui, elle lui agrippa la main et lança brusquement :

— Comment se fait-il que vous ne soyez pas marié ?

Tout d'abord, il crut qu'elle flirtait, puis il se rendit compte que sa question était très sérieuse.

— Je l'ai été, il y a longtemps, et ça n'a pas fonctionné, c'est tout.

— Certaines personnes sont destinées à rester seules, d'après moi.

— Vous ne pensez pas appartenir à cette catégorie, quand même ?

Elle secoua la tête.

— Non, pas moi. Mais mon père oui.

Intrigué, King se rassit.

— Qu'est-ce qui vous fait dire ça ?

Avant qu'elle ait eu le temps de répondre, la voix de Remmy retentit à leurs oreilles :

— Je suis sûre que beaucoup de gens aime-raient te voir, Savannah.

Tous deux levèrent la tête et virent Remmy qui les observait depuis la porte.

Obéissante, Savannah se dressa.

— À bientôt, Sean.

Il regarda la mère et la fille s'éloigner puis rejoignit Michelle dans la pièce principale. Harry avait intercepté Remmy et Savannah et leur parlait à l'autre bout de la pièce.

« Récolte autant de renseignements que possible, Harry, pensa King, parce que moi je reviens bredouille. »

— Du nouveau ? s'enquit Michelle.

— Savannah est quelqu'un de très tourmenté. Elle sait quelque chose, mais ne parvient pas à se livrer.

— Utilise ton pouvoir de séduction, Sean. Elle a le béguin pour toi.

— Ah bon, tu crois ?

— Pitié, Sean ! C'est incroyable ce que les hommes sont aveugles quand il s'agit de ça...

— Et toi, de ton côté, tu as avancé ?

— Eddie m'a invitée à la prochaine reconstitution. J'y vais avec Chip.

King croisa les bras et la dévisagea.

— Tiens donc ?

Sur la défensive, elle lui rendit son regard.

— Eh bien quoi ?

— C'est incroyable ce que les femmes sont aveugles quand il s'agit de ça, plutôt...

— Allons, Sean, il est marié !

— Oui, oui, c'est ça.

52

Michelle fit la route avec Chip Bailey jusqu'aux abords de Middleton. La matinée était magnifique, sans un nuage à l'horizon, avec une petite brise pour adoucir la chaleur naissante.

— C'est une journée idéale pour combattre, commenta Bailey.

« Y a-t-il vraiment des journées idéales pour s'entre-tuer ? » songea Michelle.

Tout en conduisant, l'agent du FBI sirotait son café et croquait dans son sandwich aux œufs. De son côté, Michelle mâchonnait une barre énergétique, une bouteille de jus d'orange posée sur les cuisses. Elle portait un jean, des chaussures de marche et son coupe-vent du Secret Service. Bailey avait opté pour un pantalon en toile, un sweat-shirt et des lunettes de soleil enveloppantes.

— Vous avez déjà assisté à l'un de ces événements ? demanda-t-il.

— Jamais.

— C'est plutôt sympa. Il y a pas mal d'animations, comme des exercices d'infanterie, des reconstitutions d'hôpitaux militaires, des groupes de musique, des danses, et même des bals, des thés de cinq heures et des visites aux chandelles. Les charges de cavalerie sont vraiment impressionnantes. Ces types ne prennent pas ça à la rigolade. Vous allez en voir des centaines aujourd'hui. Et, même si à l'époque les forces combattantes se comptaient par dizaines de milliers, ils offrent quand même un sacré spectacle.

— Comment Eddie y est-il venu ? A priori, ce genre d'activité n'attire pas forcément un artiste sensible...

— En fait, c'est son père qui s'y est d'abord intéressé. C'était un féru d'histoire. Il a même aidé à financer certaines reconstitutions.

— Eddie était-il proche de son père ?

— Il aurait bien aimé, je pense. C'est une des raisons qui l'ont poussé à s'intéresser à ces activités – enfin, simple supposition de ma part. Mais Bobby Battle était un personnage impénétrable. Et puis, il n'était pas très présent. À mon avis, il préférait parcourir le monde en montgolfière ou construire une usine en Asie plutôt qu'élever ses enfants.

— Il vous a proposé un poste après que vous avez sauvé Eddie, si j'ai bien compris.

Bailey parut surpris qu'elle soit au courant.

— Oui, mais ça ne m'intéressait pas.

— Puis-je vous demander pourquoi ?

— Ce n'est pas un grand secret : j'aime être agent du FBI. Je n'avais pas intégré le Bureau depuis très longtemps, et je voulais y faire carrière.

— Comment avez-vous résolu l'affaire de l'enlèvement ?

— J'ai obtenu un tuyau et remonté la piste jusqu'au bout. Eddie était à l'université, à l'époque. En fouinant un peu, j'ai appris qu'un des autres locataires de son immeuble était un ancien détenu.

— Pourquoi Eddie ne vivait-il pas chez lui ? Il n'allait pas à l'UVA, n'est-ce pas ?

— Non, il était à Virginia Tech de Blacksburg, à quelques heures d'ici... Quoi qu'il en soit, ce type de l'immeuble avait découvert l'identité d'Eddie, ou plutôt celle de ses parents. Un soir où Eddie est rentré chez lui à une heure avancée, il s'est réveillé ligoté dans une cabane au milieu de nulle part.

— Comment êtes-vous arrivé à cette cabane ?

— Le kidnappeur s'en était déjà servi pour la chasse. C'était loin d'être une flèche, mais il était dangereux. Les Battle ont payé la rançon, seulement nous surveillions l'endroit de la collecte.

— Attendez, je croyais que les Battle ne l'avaient pas payée...

— Si, mais ils l'ont récupérée – enfin, la plus grosse partie.

— Je ne vous suis pas.

— Dans les affaires d'enlèvement, le moment le plus périlleux pour le criminel, c'est quand il récupère son argent. De nos jours, on peut procéder par virement ou combine informatique, même si ça reste délicat. Il y a vingt ans, c'était bien plus compliqué, mais ce type pensait avoir trouvé la solution. Il avait exigé qu'on dépose la rançon dans un centre commercial en plein samedi après-midi, à l'heure de pointe. Il avait dû procéder à un repérage des lieux, parce qu'il connaissait les sorties de secours. Dès qu'il s'est emparé de son butin, il a disparu dans la foule.

— Comment l'avez-vous coincé, alors ?

— Nous avions caché deux émetteurs dans le sac. Mais, comme nous nous doutions qu'il se méfierait de ce sac et s'en débarrasserait, nous en avions placé d'autres sous certaines bandes plastique qui tenaient les liasses de billets. Il n'allait pas jeter le fric, pas vrai ? Ainsi, quand il a effectivement jeté le sac, nous avons quand même pu le pister.

— N'était-ce pas risqué de ne pas l'appréhender sur place ?

— Le plus gros risque, c'était de ne pas retrouver Eddie. Le passé du kidnappeur montrait qu'il agissait seul. Si Eddie était en vie, et rien n'était moins sûr, notre type allait sans doute revenir le libérer, ou plus vraisemblablement le liquider.

— Et là-bas, il y a eu une fusillade ?

— Il a ouvert le feu sur nous, et nous avons répliqué. Nous comptions un tireur d'élite dans l'équipe, alors le kidnappeur s'en est pris une en pleine tête.

— Vous avez récupéré la plus grosse partie de la somme, donc ?

Bailey s'esclaffa.

— Après nous avoir repérés et tiré dessus, ce crétin a brûlé environ cinq cent mille dollars sur le total de cinq millions dans le poêle de la cabane. Il a dû se dire que si on le chopait, au moins ce serait sans l'argent.

— Vous avez eu de la chance de ne pas blesser Eddie.

Il lui lança un regard sévère.

— C'est toujours facile de critiquer après la bataille.

— Je ne juge pas vos décisions. J'ai connu des situations similaires, et je sais qu'elles n'ont rien d'évident. Enfin, le principal, c'est qu'Eddie s'en soit sorti.

— Ç'a toujours été ma vision des choses, répliqua Bailey tout en pointant le doigt devant eux. Quand on parle du loup...

Ils avaient quitté la nationale et tourné dans une vaste aire de stationnement pleine de camionnettes, de remorques à chevaux et de camping-cars de tous gabarits, avec sur un côté de nombreuses tentes. Eddie se trouvait là, occupé à rassembler son matériel. Bailey et Michelle se garèrent et le rejoignirent.

— Alors, tu joues quel rôle, aujourd'hui ? lui demanda Bailey.

Eddie se fendit d'un immense sourire.

— Comme je possède plus d'une corde à mon arc, j'en ai plusieurs. Je suis d'abord un major du 52e régiment de Virginie, dans une brigade appartenant à la division du général John Pegram. Ensuite, je monte en selle dans le 36e bataillon de cavalerie de Virginie, de la brigade Johnson, sous le commandement du général Lomax... J'appartiens à plein d'unités différentes, en fait, car ils sont toujours avides de cadavres. Je me suis ainsi enrôlé aux côtés des confédérés dans le Tennessee, le Kentucky, en Alabama et une fois au Texas. J'ai servi dans l'artillerie, la cavalerie, l'infanterie, et une fois dans les ballons d'observation ! Sinon, il ne faut pas le dire à ma mère, mais j'enfile aussi l'uniforme de l'Union, à l'occasion.

— Ça m'a l'air très complexe, commenta Michelle.

— C'est une sacrée organisation. Pour mettre sur pied un tel événement, il existe des manuels très complets où l'on trouve des exemples de budget, des plans marketing, des conseils pour chercher des sponsors, etc.

Michelle montra la rangée de tentes.

— Et ça, qu'est-ce que c'est ?

— Les camelots. Pendant la guerre de Sécession, des marchands suivaient les armées pour leur vendre un peu de tout. Aujourd'hui, ces commerçants proposent aux participants et au public des imitations d'articles d'époque. Au sein même des participants, il existe des catégories très différentes. Il y a ceux qu'on nomme les « compte-fils », parce qu'ils veillent à ce que leurs uniformes soient identiques à ceux d'origine jusque dans le nombre de trames composant le tissu...

D'un ton pince-sans-rire, Eddie ajouta :

— On les appelle aussi les « nazis de la maille ».

Bailey et Michelle s'esclaffèrent.

— À l'opposé, il y a les « fumistes », ceux qui osent avoir du Polyester dans leur uniforme ou se servir de couverts en plastique pendant une reconstitution, alors que rien de tout ça n'existait bien sûr à l'époque. Moi, je les appelle les *Julie* Reb au lieu de *Johnny* Reb[1].

— Et vous, vous vous situez où ? s'enquit Michelle.

— Je suis un « entre-deux » : la plupart de mes vêtements sont conformes, mais je cède de temps en temps au confort moderne.

---

1. Surnom des soldats confédérés *(N.d.T)*.

Il se mit à parler à voix basse.

— Que ça reste entre nous : mon uniforme contient de la rayonne et, Dieu me pardonne, du Lycra. Enfin, si vous voulez tout savoir, j'avoue avoir sur moi quelques petits bidules en plastique.

— Motus et bouche cousue, le rassura Michelle.

— Je vais justement faire deux trois emplettes chez les camelots. Tout le monde est en train de s'équiper pour la reconstitution de la bataille de Gettysburg, qui se tiendra en Pennsylvanie, en juillet. Ensuite, nous avons la campagne de Spotsylvania, en Virginie. La route d'Atlanta et la bataille de Franklin, ce sera à l'automne. La bataille d'aujourd'hui est un événement marquant : les forces de l'Union comptaient environ un tiers de plus de fantassins et de cavaliers que les rebelles, et plus du double de canons, mais les Yankees ont subi deux fois plus de pertes.

Tout en l'aidant à mettre sur son dos fusil, gamelle et couverture, Michelle jeta un coup d'œil à l'activité qui régnait alentour.

— Ça ressemble à un tournage de grosse production.

— Ouais, mais sans l'énorme cachet à la fin.

— Une bande de petits garçons qui refusent de grandir, plaisanta Bailey, en secouant la tête et en souriant de toutes ses dents. Simplement, les jouets sont plus gros et plus sophistiqués.

— Dorothea est ici ? questionna Michelle.

Eddie haussa les épaules.

— Ma chère femme préférerait qu'on lui arrache les cheveux un par un plutôt que de venir me voir jouer au soldat.

Un clairon sonna.

— Bon, les camps sont ouverts. Ils vont commencer par un petit résumé de la bataille, puis il y aura des manœuvres d'infanterie, de la musique, et une démonstration de cavalerie.

— Vous avez dit que vous alliez monter. Où est votre cheval ?

Eddie montra à Michelle un fringant trotteur du Tennessee attaché à une remorque garée près de sa camionnette.

— Il s'appelle Jonas. Sally le dorlote bien, mais cet animal est prêt à passer aux choses sérieuses.

Ils gagnèrent les zones de défilé, et Michelle regarda avec une grande admiration Eddie marcher en rangs, puis faire exécuter à Jonas des pas très compliqués pendant la parade. Ensuite, on demanda aux spectateurs de quitter les camps avant le début du barrage d'artillerie, dont la première salve fit se boucher les oreilles à la jeune femme.

Après quoi on annonça le premier jour de la bataille.

Eddie indiqua à ses deux visiteurs un emplacement d'où ils pourraient le voir « connaître une mort glorieuse », ainsi que les tentes renfermant les buvettes.

— Hot-dogs et bières fraîches. Des douceurs dont les soldats de la guerre de Sécession n'ont jamais vu la couleur, commenta-t-il.

— Il paraît qu'on va filmer l'événement, dit Bailey.

— Exact. C'est souvent le cas... pour la postérité, répondit Eddie d'un ton sarcastique.

— Je suppose que tous les fusils et canons sont chargés à blanc, fit Michelle.

— Le mien, oui ; j'espère que les autres aussi, répliqua Eddie avec un sourire. Ne vous inquiétez pas, nous sommes tous des pros, ici. Vous ne verrez pas de balles voler dans tous les coins.

Il se leva et équilibra son paquetage.

— Parfois, je me demande comment ces types arrivaient à marcher, et surtout à se battre, avec tout ce barda sur le dos... À plus tard. Souhaitez-moi bonne chance.

— Bonne chance, dit Michelle alors qu'il s'éloignait en hâte.

53

Kyle découvrit le message sur sa Jeep en descendant de chez lui. Il ouvrit l'enveloppe et, un sourire jusqu'aux oreilles, en lut le contenu. Sa cliente de l'Aphrodisiac, la cinglée exhibition-niste amatrice d'armes à silencieux, souhaitait le retrouver dans un motel des environs, très tard dans la soirée, et fournissait même le numéro de la chambre. S'excusant pour son comportement, elle annonçait vouloir se racheter et lui remettre cinq mille dollars. Plus surprenant encore, elle promettait de lui accorder le petit plus auquel il s'attendait la fois précédente. Elle avait envie de lui, disait le mot. À en crever. Il vivrait une expérience qu'il ne serait pas près d'oublier... Elle avait ajouté à sa lettre un dernier petit cadeau : dix billets de cent dollars. Sans doute la liasse qu'elle l'avait forcé à lui laisser.

Il fourra l'argent dans sa poche, se glissa au volant et partit. Sa tentative de chantage n'avait pas porté ses fruits – à l'évidence, il s'était trompé –, mais voilà que se présentait cette nouvelle occasion, et avec pareille somme dans la poche, comment diable pouvait-il perdre ? D'accord, cette femme cachait peut-être son jeu, mais il ne l'imaginait pas lui refaire le coup du flingue. Pourquoi lui aurait-elle donné tout ce fric si elle n'était pas sincère ? Kyle comptait bien se montrer très prudent, mais il était convaincu de vivre le plus grand jour de chance de toute sa vie. Il allait la secouer un peu, pour se venger de sa frousse de l'autre jour. À tous les coups, elle aimait l'amour brutal. Il allait lui en donner pour son grade, à cette chienne. Le Grand Kyle était sur le sentier de la guerre.

Jumelles à la main, Michelle et Bailey regardaient la bataille – ou plutôt les enchaînements d'échauffourées – se dérouler un peu partout alentour : charges et contre-attaques de cavalerie, et corps à corps d'un réalisme stupéfiant.

Chaque fois qu'un canon tonnait, Michelle sursautait et Bailey s'esclaffait.

— Espèce de bleue, la taquinait-il.

Des colonnes d'hommes en uniforme gris venaient se heurter aux véritables murs que formaient leurs homologues en bleu. Dans la fumée, les coups de feu, la canonnade, les cris, le désordre, les bruits de course et des lames de sabre croisées un peu partout, Michelle imaginait sans mal une véritable guerre. Ici, au moins, pas de mares de sang, pas de membres dispersés sur le sol ; on n'entendait pas les sanglots précédant le hoquet des mourants. Pour l'instant, Bailey et elle n'avaient pas vu de blessure plus grave qu'une cheville foulée.

Michelle redoubla d'attention lorsque Eddie et sa compagnie de misérables jaillirent des bois en poussant le célèbre cri rebelle. La moitié d'entre eux s'écroulèrent, tués ou mortellement blessés par la mitraille adverse. Mais Eddie et une dizaine de ses hommes poursuivirent leur attaque. Eddie sauta sur le parapet de bois, s'engagea dans un violent combat avec trois soldats de l'Union et en abattit deux sous le regard captivé de Michelle. Il en souleva même un de terre avant de le jeter dans un buisson. Enfin, alors que ses hommes tombaient un par un, il tira son sabre au clair et se livra à des figures d'escrime complexes avec un capitaine du camp adverse, avant de finir par le transpercer.

Tout semblait si réel qu'au moment où Eddie se retourna pour chercher un autre ennemi et reçut une balle en plein ventre, Michelle en eut le souffle coupé. Et lorsqu'il s'effondra, elle eut du mal à maîtriser son envie de dégainer son pistolet et de foncer descendre celui qui venait de le tuer.

Elle s'aperçut que Bailey l'observait.

— Je sais, lui déclara-t-il. J'ai éprouvé la même chose la première fois.

L'espace de quelques minutes, plus aucun combattant ne bougea, et Michelle sentit la nervosité la gagner. Puis Eddie s'assit par terre et se pencha pour parler au mort à côté de lui, avant de rejoindre Michelle et Bailey.

Il ôta son chapeau et s'épongea le front.

— C'était époustouflant, Eddie ! le félicita Michelle.

Il lui répondit avec un accent du Sud à couper au couteau :

— Bon Dieu, m'dame, vous auriez dû me voir à Gettysburg ou à Antietam. J'y ai été très bon.

« Je vous ai trouvé pas mal aujourd'hui aussi », pensa Michelle, mais alors lui revint la mise en garde de King : même si sa femme semblait se soucier peu de lui, Eddie était un homme marié.

— Comment savez-vous qui doit mourir ou pas ? s'informa-t-elle.

— Presque tout est planifié à l'avance. Les reconstitutions se déroulent très souvent sur trois jours, du vendredi au dimanche. Dès le premier soir, on se réunit pour que les généraux expliquent le rôle de chacun. Ça dépend beaucoup du nombre de participants et du matériel disponible – chevaux, canons, etc. La plupart d'entre nous avons pas mal d'expérience, alors nous enregistrons les consignes assez vite. Les combats sont en grande partie chorégraphiés, mais il reste toujours de la place pour l'improvisation. Par exemple, si j'ai envoyé ce type dans les broussailles, c'était pour me venger un peu ; lors de la dernière bataille, ce petit con m'a mis un coup sur la tête avec le pommeau de son sabre. Un accident, d'après lui, mais j'ai quand même gardé une bosse pendant une semaine. Alors je l'ai jeté dans ce buisson, par accident, bien sûr.

Michelle regarda le terrain où les « morts » gisaient toujours.

— Existe-t-il des règles concernant le temps qu'il faut rester allongé ?

— Oui, mais ce temps varie. S'il faut demeurer à terre jusqu'à la fin de la bataille, le général nous prévient à l'avance. Sinon, les brancardiers peuvent venir nous évacuer. Comme aujourd'hui c'est filmé, il était un peu plus délicat de se relever. Mais les caméras sont parties suivre une autre escarmouche quand on m'a abattu, alors j'ai triché un peu et déserté le champ de bataille... Le spectacle est bien plus joli ici, ajouta-t-il en la regardant avec un sourire timide.

— Comparé à des cadavres ? Je ne prendrai pas ça comme un compliment, rétorqua Michelle en souriant à son tour.

Un peu plus tard, Eddie et son détachement de cavalerie menèrent de courtes offensives tactiques contre les lignes de l'Union. Les cavaliers passaient à la vitesse de l'éclair, gravissaient et descendaient les buttes au triple galop, en sautant les obstacles qui se dressaient sur leur passage.

Michelle se tourna vers Bailey.

— C'est un as de l'équitation, remarqua-t-elle.

— Et c'est loin d'être son seul talent. Avez-vous déjà vu ses peintures ?

— Non, mais j'aimerais beaucoup.

Quand Eddie revint il lança son chapeau à plume à Michelle.

— Que me vaut cet honneur ? demanda-t-elle en l'attrapant.

— Je n'ai pas été tué. Vous avez dû me porter chance.

Suivirent un thé et un défilé de mode. Puis on proposa une animation où l'on enseignait les danses de l'époque. Eddie aida Michelle à apprendre les pas compliqués de plusieurs d'entre elles. On donna ensuite un bal, réservé aux seuls participants à la reconstitution, mais Eddie tendit à Michelle une robe qu'il dit avoir achetée à l'un des camelots.

Surprise, elle l'interrogea :

— Qu'est-ce que je suis censée en faire ?

— Eh bien, madame, si nous voulons nous incruster au bal, il nous faut porter une tenue appropriée. Venez, vous pouvez vous changer dans ma camionnette. Je monterai la garde pour m'assurer que votre réputation ne sera pas ternie.

Eddie s'était aussi procuré un costume pour Chip Bailey, mais l'agent du FBI annonça qu'il devait les quitter.

— Je raccompagnerai Michelle, dans ce cas, déclara Eddie. Je ne peux pas rester pour le deuxième jour de bataille, de toute façon. Je rentre ce soir.

Michelle parut un peu mal à l'aise, mais il la rassura :

— Je me conduirai en parfait gentleman, promis. Et puis, n'oubliez pas que nous aurons Jonas dans la remorque pour vous chaperonner.

Ils passèrent les deux heures suivantes à danser, boire et manger.

Eddie finit par aller s'asseoir, respirant fort et par à-coups, alors que Michelle paraissait à peine essoufflée.

— Nom d'un chien, je dois avouer que vous avez du souffle.

— Je n'ai pas combattu à la guerre, moi, aujourd'hui.

— Je suis claqué et j'ai le dos en compote. Ça fait bien trop longtemps que je monte à cheval et participe à ces combats. On arrête pour aujourd'hui ?

— D'accord.

Il prit un Polaroïd d'elle en robe de bal et expliqua :

— Je ne vous reverrai sans doute jamais habillée comme ça. Alors, je préfère en garder une preuve.

Elle se changea avant de s'installer dans la camionnette. En chemin, ils discutèrent d'abord de la bataille et des reconstitutions en général, puis du passé et de la famille de Michelle.

— Vous avez beaucoup de frères, dites donc, constata Eddie.

— Un peu trop, je pense parfois. Je suis la plus jeune, et même s'il ne l'a jamais avoué, mon père est gâteux avec moi. Mes frères et lui sont tous flics. Quand j'ai choisi de m'engager aussi, ça ne l'a pas enchanté. Ça le chagrine toujours un peu, d'ailleurs.

— J'ai eu un frère, dit-il d'un ton doux. Il s'appelait Bobby. Nous étions jumeaux.

— Je sais, on me l'a expliqué. C'est triste.

— Il était adorable. Vraiment exceptionnel. D'une gentillesse... il aurait fait n'importe quoi pour les autres. Simplement, il était un peu ailleurs. Je l'adorais. C'est fou ce qu'il me manque.

— Ce malheur a dû être terrible pour toute votre famille.

— Oui, sans doute.

— Savannah et vous n'avez pas grand-chose en commun, si j'ai bien compris.

— Elle est gentille aussi, et très brillante, mais elle est un peu paumée. Bon sang, je ne peux pas le lui reprocher... Regardez-moi !

— Je trouve que vous vous en sortez très bien.

Il lui jeta un coup d'œil.

— C'est un sacré compliment venant de vous, une ex-championne olympique devenue agent du Secret Service, et aujourd'hui superdétective. Ça vous plaît, de travailler avec Sean ?

— Il est formidable. Je ne pourrais rêver meilleur associé ou mentor.

— Il est doué, ça se voit. Malgré tout, c'est lui qui a de la chance de vous avoir.

Gênée, Michelle regarda par la vitre.

— Je ne cherche pas à vous faire du gringue, Michelle, reprit Eddie. Je vous envie, c'est tout. Vous formez une excellente équipe, tous les deux. Ça doit être chouette à vivre.

Elle tourna la tête vers lui.

— Si vous êtes malheureux, vous pouvez y remédier, Eddie.

— Je le suis par certains côtés, mais je ne crois pas avoir le courage de bouleverser ma vie. Il n'y a pas que Dorothea ; elle suit son chemin, moi le mien. Mais beaucoup de couples fonctionnent ainsi, et je m'en accommode… Le problème, c'est ma mère. Si je m'en allais, qu'est-ce qu'elle deviendrait ?

— Elle m'a l'air tout à fait capable de se prendre en charge.

— Détrompez-vous. Surtout maintenant qu'on la montre partout du doigt.

— Sean et moi allons lui rendre visite et en discuter, justement. À l'évidence, elle a réussi à convaincre Lulu. Si celle-ci la croit innocente du meurtre de Junior, d'autres suivront.

— Je pensais à Junior, mais aussi à mon père par rapport à elle. Leur mariage a parfois été un peu mouvementé, ce n'est pas un secret ; alors, certains la soupçonnent de l'avoir tué. Je ne suis pas sûr qu'elle puisse le supporter longtemps.

— Avant que nous passions la voir, vous pourriez tenter d'apprendre ce qu'on lui a volé dans son compartiment secret.

Il parut perplexe.

341

— Je croyais qu'il y avait juste son alliance et du liquide.

— Non, il renfermait autre chose qu'elle désire récupérer à tout prix. Elle a proposé beaucoup d'argent à Junior pour qu'il le lui rende.

Eddie serra le volant un peu plus fort et s'exclama :

— Qu'est-ce que ça peut bien être, bon sang ?

— J'espère que vous le découvrirez. Si elle doit en parler à quelqu'un, je suppose que c'est vous.

— Je vais essayer, Michelle. Je vais faire de mon mieux.

Il la raccompagna jusque devant sa porte.

— En repartant de chez ma mère, passez donc par chez moi, que je vous montre quelques tableaux, à Sean et à vous.

Le visage de Michelle s'éclaira.

— J'en serai ravie, Eddie. Bon, merci pour cette merveilleuse soirée. Ça faisait longtemps que je ne m'étais pas autant amusée.

Il la salua bien bas, puis se redressa et lui tendit son chapeau.

— Pour vous, madame... En ce qui me concerne, ça faisait bien vingt ans que je ne m'étais pas autant amusé.

Ils restèrent là un long moment, un peu gênés, sans se regarder. Pour finir, Eddie tendit la main à Michelle, qu'elle s'empressa de serrer.

— Bonne nuit, alors, dit-il.

— Bonne nuit, Eddie.

Tout en tripotant le chapeau de cavalerie, Michelle suivit des yeux la camionnette qui s'éloignait.

Il lui était arrivé de rêver à une relation durable avec un homme. Cependant, sa vie avait jusque-là été essentiellement consacrée au travail. Après avoir été championne olympique, puis policier, elle avait passé les dix années précédentes à se frayer un chemin dans le monde rude et complexe du Secret Service. Ses projets et objectifs l'avaient accaparée, et elle les avait concrétisés. Mais à trente-deux ans, après avoir commencé une nouvelle carrière dans cette petite ville, la possibilité de connaître autre chose que des satisfactions d'ordre professionnel revenait la tarauder. Elle avait beau ne jamais s'être vraiment imaginée en mère – même si rien ne l'incitait à douter qu'elle puisse en être une bonne –, elle se voyait tout à fait devenir la femme de quelqu'un.

La mise en garde de Sean lui revint une fois de plus à l'esprit. Eddie était déjà marié, lui, même s'il était malheureux en ménage... « Allons, le problème est réglé », se dit-elle en tournant les talons.

Elle passa l'heure suivante à mettre une dérouillée à son sac de frappe.

54

Ce même jour, King avait reçu un coup de téléphone de Sylvia Diaz.

— Dommage que tu ne sois pas venue à l'enterrement et à la réception, lui dit-il.

— Je ne connaissais pas les Battle et, apparemment, je n'étais pas invitée. M'incruster dans ce genre de petite sauterie ne m'a pas semblé une idée brillantissime.

— Tu as manqué des épisodes intéressants.

Il lui expliqua la réconciliation entre Remmy et Lulu, mais ne mentionna pas la présence de Sally Wainwright sur la tombe de Junior. Pour l'instant, mieux valait en informer le moins de monde possible.

— Il faut que je te parle, lança brusquement Sylvia. Tu es libre, ce soir, pour aller dîner ?

— Tu m'as l'air bien nerveuse. Qu'y a t-il ?

— J'ai peur qu'il ne se passe quelque chose de très grave, Sean, se contenta de répondre Sylvia.

Dans la soirée, King se rendit donc à un restaurant aux abords de Charlottesville. Sylvia n'avait pas voulu qu'ils se retrouvent à Wrightsburg. Ses réponses floues aux questions qu'il lui posait avaient attisé la curiosité de King. Aussi, à peine furent-ils assis à une table au fond de la salle qu'il attaqua :

— Bon, qu'y a-t-il, alors ?

Sylvia lui raconta les vols de son assistant et sa visite à la femme mystérieuse de l'Aphrodisiac.

King se cala dans son siège, perplexe.

— Tu n'as pas reconnu sa voix ?

— Non, la porte l'étouffait. À l'évidence, Kyle ne connaît pas son identité non plus. Comme elle était armée, je n'ai pas voulu prendre de risques inutiles.

— Tu as eu raison. Mille dollars la dose, voilà qui réduit la liste des suspects.

— Une femme fortunée, ou qui a accès à beaucoup d'argent.

— Je croyais ces chambres réservées aux danseuses.

— Je ne peux affirmer que ce n'en était pas une. D'après ce que j'ai entendu, elle lui a fait une sorte de strip-tease. Il l'a engueulée parce qu'elle « secouait son cul » sous son nez, pour refuser ensuite « de passer à la casserole », ou une réplique vulgaire de cet acabit. Kyle n'a jamais montré cet aspect-là de sa personnalité au travail, Dieu merci. Mais, apparemment, il a vu rouge quand il a compris qu'il n'obtiendrait pas de rapport sexuel.

— De quel genre de médicaments s'agit-il ?

— Surtout des analgésiques, mais très puissants. Si l'on en ôte l'agent prolongateur de libération, ou si l'on en prend en trop grande quantité, ils peuvent provoquer une réaction très violente, parfois dangereuse.

— Et tu as vu repartir cette femme ?

— Je le pense, sans en être sûre à cent pour cent. Elle conduisait une décapotable Mercedes-Benz – un vieux modèle, comme une voiture de collection. Il faisait sombre, alors je n'ai pu ni relever la plaque d'immatriculation ni reconnaître la couleur ; mais c'était un coloris foncé, genre vert ou bleu marine. En tout cas, cette femme-là n'était pas une danseuse, sinon elle serait restée au club.

— On devrait pouvoir retrouver au moins la voiture.

— Qu'est-ce que je dois faire, pour Kyle ?

— C'est du ressort de la police, à mon avis. Tu possèdes des preuves et tu peux fournir un témoignage.

— Tu crois que je devrais lui en toucher un mot ?

— Surtout pas ! Sa réaction est imprévisible. Je vais prévenir Todd demain et voir ce qu'il en pense. Quoi qu'il en soit, tu ferais bien de commencer à chercher un nouvel assistant.

Elle hocha légèrement la tête.

— J'aurais dû m'y attendre, Kyle a toujours eu un comportement un peu bizarre. Tiens, l'autre jour, je l'ai surpris en train d'utiliser l'ordinateur du secrétariat, et il m'a sorti un baratin comme quoi il achetait des fournitures. En fait, il devait trafiquer l'inventaire de la pharmacie sous mes yeux.

— Il faut croire que c'est un bon menteur. Même s'il n'a pas l'air violent, mieux vaut s'en méfier... Je m'en occuperai demain matin à la première heure.

Elle lui sourit.

— C'est agréable de pouvoir se reposer sur quelqu'un, pour une fois.

Il lui rendit son sourire et parcourut la salle du regard.

— Ils ont une excellente cave, ici. Ça te dérange si je commande une bouteille exceptionnelle ?

— Comme je viens de le dire, c'est agréable de pouvoir se reposer sur quelqu'un.

— Si ma mémoire est bonne, ils ont un Château Ducru Beaucaillou de 1982.

— Ducru Beaucaillou ? Mon français est un peu rouillé.

Les yeux plantés dans les siens, il lui traduisit « Beaucaillou » et ajouta :

— C'est assez adéquat, je trouve.

Au cours des deux heures suivantes, qui passèrent très vite, la conversation s'orienta vers des sujets plus personnels.

— George et moi venions toujours ici pour fêter notre anniversaire de mariage, remarqua Sylvia en regardant la pleine lune.

— L'endroit convient bien aux grandes occasions, commenta King. D'ailleurs, j'y ai emmené Michelle quand nous avons ouvert notre agence.

— Le jour où George a eu son accident, raconta Sylvia, j'étais à l'hôpital, tellement assommée de médicaments que j'ai appris sa mort seulement deux jours plus tard.

— Pourquoi étais-tu hospitalisée ?

— Rupture du diverticule du côlon. C'est George qui m'avait opérée. Il y a eu des complications pendant l'intervention, j'ai mal réagi à l'anesthésie, et ma tension a chuté d'un coup... Excuse-moi, ce n'est pas vraiment un sujet dont on parle à table !

— Ce doit être très angoissant pour un chirurgien d'opérer sa femme.

— Il était spécialiste dans cette discipline et, à mon avis, il se doutait que l'opération serait un peu plus compliqué que ce qu'indiquaient les examens. Il voyait juste. George était de loin le meilleur chirurgien de la région – il jouissait d'une réputation nationale, en fait. Je ne pouvais être entre de meilleures mains...

Soudain, elle se tamponna les yeux à l'aide d'une serviette.

King lui prit la main.

— Je sais que ç'a été très dur pour toi, Sylvia. Je suis désolé que tu aies dû traverser de telles épreuves.

Elle respira à fond et sécha ses larmes.

— Je pensais que je finirais par m'en remettre. Chaque fois que j'autopsie la victime d'un meurtre, je me répète que la mort, même violente, fait partie de la vie. Sans cette vision des choses, je ne pourrais sans doute pas exercer mon métier.

Il leva son verre à son attention.

— Un métier où tu excelles.

— Merci, ça me touche.

Elle le regarda d'un air timide.

— Qu'y a-t-il ? lança King.

— J'étais en train de me demander pourquoi nous avons cessé de nous fréquenter.

— Je commençais à me poser la même question.

Elle mit doucement la main sur la sienne.

— On devrait peut-être tâcher d'y remédier.

— Peut-être, oui.

55

Kyle enrageait. Arrivé à la chambre du motel à l'heure précise, il avait frappé sans obtenir de réponse. Il avait attendu dehors encore trente minutes. La femme ne s'était pas montrée. Il décida alors de retenter sa chance en ouvrant la porte. Elle s'était peut-être endormie, ou alors elle était défoncée... Il tourna donc la poignée. Fermé à clé !

Il ressortit, jeta un coup d'œil alentour. Seuls deux véhicules étaient stationnés dans le parking, et ils se trouvaient face à l'autre extrémité de l'établissement. Mais alors qu'il remontait dans sa Jeep, une voiture arriva. Un gros type flasque en sortit, imité par une femme menue en minijupe qui avançait en titubant sur des talons de dix centimètres, et ils gagnèrent tous deux une des chambres sans même le regarder. Kyle secoua la tête d'un air dépité. Au moins, il y en avait un qui allait tirer sa crampe, ce soir ! Il décida de rentrer chez lui.

Pendant tout le trajet, il réfléchit au moyen de retrouver cette femme et de se venger avec cruauté de son dernier mauvais tour. Ce qui l'énervait le plus, c'était de ne pas avoir touché sa prime de cinq mille dollars.

Il se gara, claqua la portière et gravit l'escalier en hâte. Il était plus d'une heure du matin, et il n'avait rien obtenu pour compenser le manque de sommeil. En tout cas, il se vengerait ! Il détenait ce qu'elle voulait : la drogue. Il allait retourner la situation à son avantage, il se rendrait à l'Aphrodisiac. Si elle y travaillait, il la démasquerait. Sinon, il monterait à la chambre, lui demanderait des explications, ferait mine de battre en retraite, mais attendrait en fait qu'elle quitte le club. Il la suivrait ensuite jusque chez elle et découvrirait son identité. Avec un tel renseignement en sa possession, il la presserait comme un citron. Si elle pouvait se permettre d'allonger mille dollars pour une dose qui en valait cinquante, elle avait les moyens d'acheter son silence.

Lorsqu'il poussa la porte de son appartement, il avait élaboré la plus grande partie de son plan.

Il alla dans sa chambre et actionna l'interrupteur. La lumière ne s'alluma pas. Encore cette ampoule de malheur. Puis il remarqua le mouvement près du lit. C'était elle ! Ici, chez lui ! Allongée sur son lit, elle n'était couverte que d'un drap. Malgré l'obscurité, il distinguait son foulard et ses lunettes.

— Qu'est-ce que vous foutez là ? Je vous ai attendue presque une heure.

Il ne lui vint pas à l'idée de lui demander comment elle savait où il habitait.

Pour toute réponse, elle s'assit sur le lit, laissa le drap glisser un peu sur ses épaules nues. Le pouls de Kyle s'emballa, et sa colère l'abandonna vite. D'un air aguicheur, elle remonta le drap plus haut sur ses cuisses, nues elles aussi. Quand elle lui fit signe de le rejoindre, Kyle sentit l'excitation le gagner.

— Pas d'arme, cette fois, hein ? parvint-il à bégayer.

De la tête, elle lui indiqua la commode. Kyle s'en approcha et vit l'argent étalé dessus.

Lorsqu'il se retourna, elle était debout devant lui, à peine couverte. D'un petit mouvement brusque de la main, elle l'invita de nouveau à s'approcher.

Il obéit en souriant. Elle se posta derrière lui. Il pivota pour lui faire face. Le drap tomba à terre.

Elle leva sa main et Kyle se figea. Ce qu'elle tenait ressemblait à un pistolet. À l'instant où elle fit feu, il mit les bras en avant pour se protéger.

Les deux fléchettes propulsées par air comprimé et reliées au pistolet Taser par trois mètres de câble transpercèrent sa fine chemise. Une décharge de cinquante mille volts le frappa en pleine poitrine, bien assez pour stopper net un quarterback de cent trente kilos. Alors, un employé de morgue maigrichon... La déferlante électrique submergea vite son système nerveux central, et il tomba en arrière sur le matelas, où il se recroquevilla en position fœtale, les muscles agités par des contractions.

Il resterait immobilisé un moment. Néanmoins, la femme se précipita vers lui et retira les fléchettes. Puis elle rangea le Taser dans son sac, enfila des gants et sortit une seringue.

Apeuré et impuissant Kyle la suivit des yeux tandis qu'elle lui remontait une manche pour positionner sur son avant-bras un garrot en caoutchouc, cherchait ensuite une veine assez grosse et le piquait. Après, elle se dépêcha de lui retirer l'élastique et de le poser avec la seringue sur la table de nuit.

Elle se pencha sur lui pour l'examiner. Ce qu'elle lui avait injecté agissait déjà : les convulsions s'intensifiaient, mais à ses yeux cela n'allait pas assez vite. Elle s'empara de l'oreiller et le pressa contre le visage de Kyle. Deux minutes plus tard, tout était terminé. Elle prit le pouls de sa victime. Rien. Kyle était mort.

La femme qu'il avait crue nue portait en fait une petite culotte et un soutien-gorge. Elle sortit de son sac un survêtement qu'elle passa en vitesse, récupéra l'argent puis fouilla les poches de Kyle, où elle trouva le mot qu'elle lui avait écrit. Elle le fourra avec le drap dans ses affaires. Après s'être assurée de n'avoir laissé derrière elle que la seringue et le garrot, elle quitta le bâtiment.

Elle avait un problème de moins à régler, songea-t-elle avec satisfaction.

56

Le lendemain matin, tandis qu'ils allaient rendre visite à Remmy, King raconta à Michelle les soucis de Sylvia.

— J'ai discuté avec Todd, tout à l'heure, ajouta-t-il. Il va arrêter Kyle aujourd'hui.

— À présent, il faudrait connaître l'identité de cette femme...

— Le plus facile, c'est d'aller se renseigner au club. Si elle fait partie des habitués, ou si elle y travaille, quelqu'un pourra forcément nous rencarder.

À son tour, Michelle parla de sa journée à la reconstitution.

— C'était dingue, ces centaines de participants et cette agitation dans tous les coins ! J'avais l'impression de voir une vraie bataille. D'après Eddie, ils vont peut-être diffuser une partie du film sur la chaîne locale.

— En fait, j'ai déjà assisté plusieurs fois à ce genre d'événement. Une femme avec qui je sortais quand j'étais au Service avait un frère passionné de ça. Il possédait tout un musée d'objets et d'articles datant de la guerre de Sécession : fusils, uniformes, sabres et même un nécessaire d'amputation.

— Eddie a été impressionnant, il possède un immense talent... et pourtant il a une piètre opinion de lui.

— Difficile de reprendre le flambeau derrière son père.

— D'accord, mais ce n'est pas comme s'il n'avait rien accompli dans sa vie. À bien des égards, c'est sans doute lui le plus exceptionnel des Battle. Et, aussi costaud soit-il, tu aurais dû l'entendre parler de son frère jumeau...

King posa sur elle un regard interrogateur.

— Tu dis qu'il t'a raccompagnée chez toi, c'est bien ça ? Juste tous les deux ?

— Épargne-moi les sous-entendus, s'il te plaît. Il ne s'est rien passé entre nous, et il ne se passera rien.

— Tu me rassures, parce que je ne tiens pas à ce que Dorothea ou, Dieu m'en garde, Remmy Battle nous ait dans le collimateur.

Eddie les accueillit à l'entrée de la demeure.

— Je viens de passer une heure à essayer d'apprendre ce qu'il y avait dans le tiroir secret de ma mère, mais sans succès.

— Si elle ne veut rien vous dévoiler, je doute que nous parvenions à lui faire cracher le morceau, commenta King.

— Je pense malgré tout l'avoir adoucie un peu. Elle vous attend sur la terrasse de derrière. Le café est bien chaud, Mason l'a servi avec des toasts au jambon.

Ils suivirent Eddie et, à leur arrivée sur la terrasse, Remmy referma ce qui ressemblait à un journal intime. C'était un modèle à l'ancienne, avec fermoir et cadenas. Elle le rangea dans la poche de sa veste.

Pendant que King la saluait et s'asseyait à table, Eddie fit signe à Michelle de s'approcher et lui chuchota à l'oreille :

— Quand vous en aurez terminé ici, passez à mon atelier, il est juste derrière la remise à attelages. J'ai quelque chose à vous montrer.

Il s'éloigna, et Michelle s'aperçut alors que Remmy la fixait du regard.

— Vous êtes allée voir Eddie jouer au soldat, à ce que j'ai compris, remarqua celle-ci.

354

— Il a un grand talent, déclara Michelle en s'asseyant à son tour, pendant que King servait le café. J'ignorais que ça exigeait autant d'investissement.

— Eddie a commencé à y participer parce que son père s'y intéressait. Sinon, je ne pense pas que ça le passionne tellement.

— En tout cas, il m'a donné l'impression de beaucoup s'amuser.

— Les apparences sont parfois trompeuses, n'est-ce pas ?

Les deux femmes se regardèrent assez longtemps pour que la gêne s'installe.

King finit par prendre la parole.

— Vous êtes une faiseuse de miracles, Remmy.

— C'est-à-dire ?

— Vous avez réussi à transformer Lulu d'ennemie en amie...

Remmy écarta sa réflexion d'un revers de la main.

— Je me trompais et j'ai reconnu mes torts. N'y voyez pas un noble geste de bienveillance.

— Qu'est-ce qui vous a convaincue ? s'enquit Michelle en prenant un biscuit et sa tasse.

Remmy but une gorgée de café avant de répondre.

— J'ai fait à Junior une offre qu'il ne pouvait refuser. Pourtant, il l'a déclinée. Ensuite, on l'a assassiné. Pas besoin d'être un génie pour le comprendre : cette affaire est bien plus compliquée qu'il n'y paraît.

— Junior était peut-être quand même impliqué, répliqua King. En fait, il se peut qu'on l'ait tué pour cette raison.

Remmy posa sur lui un regard sévère.

— C'est bien vous qui vous êtes démené pour me convaincre de son innocence, ou je me trompe de Sean King ?

— Je me fais l'avocat du diable, voilà tout.

— Ah oui, j'oubliais que vous en étiez un. Je comprends pourquoi je ne peux pas les souffrir.

— Je suis content d'avoir raccroché les gants, alors. Je n'aurais pas aimé vous avoir comme adversaire.

— Vous avez bien raison, lança-t-elle d'un ton brusque.

— Vous tenez beaucoup à récupérer des biens autres que vos bijoux et l'argent, je crois.

— Eddie a déjà tenté sa chance sur cette question, Sean. Si lui n'a rien obtenu de moi, ce n'est pas vous qui y parviendrez.

— Est-ce grave à ce point ? demanda King, très sérieux. Grave au point de risquer que d'autres soient assassinés ?

— J'ai mes raisons.

— J'espère qu'elles sont en béton, parce qu'à mon avis, en plus d'être égoïste, vous êtes bornée.

— Je n'ai pas l'habitude qu'on s'adresse à moi de la sorte, rétorqua-t-elle sèchement.

— J'ai tendance à perdre mes bonnes manières pendant les enquêtes criminelles.

— Ce qui se trouvait dans ma penderie ne peut être la cause d'aucun meurtre.

— Votre mari et Junior ont peut-être été tués par la même personne. Si tel est le cas, je ne vois qu'un lien possible entre les deux affaires, et c'est le cambriolage.

— Impossible ! s'obstina Remmy.

— Vous ne voulez pas nous laisser en juger ?

— Non.

— Très bien. Revenons à la raison de notre visite. D'après Eddie, certains pensent que vous avez fait liquider Bobby et Junior. Il dit que ça vous mine…

— Eddie parle trop. Je croyais lui avoir appris que discrétion et stoïcisme sont les deux plus grandes qualités qu'on puisse avoir.

— Pas plus grandes que l'amour, intervint Michelle. Et il vous aime, c'est certain.

— Je le sais !

— S'il s'inquiète pour vous, il doit bien exister une raison, insista Michelle.

— Eddie s'inquiète excessivement pour les mauvaises raisons.

— Remmy, nous ne pourrons vous aider si vous refusez de vous confier à nous, déclara King.

— Je ne vous ai jamais demandé votre aide.

— Bon, très bien. Au fait, où étiez-vous quand Junior a été tué ?

— Personne ne m'a encore dit le moment exact de sa mort.

Après que King le lui eut indiqué, elle réfléchit un instant.

— Je lisais dans ma chambre.

— Quelqu'un peut nous le confirmer ?

— Oui, moi, intervint alors Mason depuis le pas de la porte. Je suis resté dans la maison jusqu'à vingt-deux heures, ce soir-là. Mme Battle n'est pas sortie de sa chambre pendant cette période.

King le dévisagea longuement.

— Merci, Mason.

Une fois le majordome reparti, il reporta son attention sur Remmy.

— Un tel dévouement, ce doit être agréable, non ? constata-t-il. Une dernière question : pourquoi votre alliance se trouvait-elle dans le tiroir et non à votre doigt ?

Remmy tarda un peu à répondre, mais King ne la lâcha pas des yeux. Enfin, elle dit :

— Une alliance est un symbole d'amour et d'engagement.

— Et..., fit King.

— C'était votre « dernière question ». Vous connaissez le chemin de la sortie, j'en suis sûre.

Dehors, Michelle observa :

— Sean, tu sais parfaitement que Remmy n'a pas assassiné Junior.

— Exact. Mais j'ai vu Mason arriver sur la terrasse, et je voulais qu'il nous dise où *lui* se trouvait au moment du meurtre.

— Pas bête.

— D'autant moins bête qu'il a affirmé ne pas avoir vu Remmy quitter sa chambre.

— Ce qui signifie ?

— Que Mason n'a lui-même aucun alibi pour ce soir-là.

— Tu le considères vraiment comme un suspect ?

— Bien sûr, Michelle. Il n'est plus tout jeune, mais il est encore assez costaud pour venir à bout de Junior. Et puis, tu auras noté que le tueur ne nous a jamais adressé la parole, ce soir-là. Il s'est servi de sa visée laser pour nous donner ses instructions.

— Parce que, s'il avait parlé, nous aurions reconnu sa voix...

— Voilà. Enfin, si tu t'en souviens, Mason nous a menti sur la raison pour laquelle Remmy ne portait pas son alliance.

— À ce propos, notre grande stoïque de Mme Battle nous a fourni une réponse plutôt franche : pas d'amour, pas d'engagement, pas de bague. Pourtant, elle ne s'est pas séparée de son mari.

— Beaucoup de mariages fonctionnent ainsi, hélas. Enfin, au moins elle est libre, maintenant..., conclut King comme ils arrivaient à la voiture.

— Je passe à l'atelier d'Eddie, annonça Michelle.

— Moi, je vais rendre visite à Sally pour voir si elle se montre plus coopérative que sa patronne. Je te rejoins dès que j'ai fini.

— Qu'espères-tu obtenir de Sally ?

— J'en ai marre de toutes ces réponses évasives qu'on me sert dans cette affaire, lança-t-il en mâchant ses mots. Alors, il vaudrait mieux pour elle qu'elle ait une explication du tonnerre pour justifier sa présence sur la tombe de Junior !

— Dis-moi, Sean King, tu sais que tu es très sexy quand tu te mets en colère ?

— Il paraît, oui, répliqua King en s'éloignant d'un pas vif.

57

Un cavalier vint à la rencontre de King. C'était Savannah, qui chevauchait un grand hongre aux pattes avant tachetées de blanc.

Elle s'arrêta à sa hauteur et mit pied à terre. Elle portait un jean, des bottes d'équitation et une veste en velours côtelé.

— C'est un temps idéal pour une promenade à cheval, remarqua-t-il.

— Je peux vous en seller un, si vous voulez.

— Ça fait un bail que je n'ai pas monté.

— Allez, c'est comme le vélo…

Il désigna son costume.

— Je ne suis pas vraiment habillé pour. Une autre fois ?

— Pas de problème, dit-elle ; elle pensait qu'il se dégonflerait.

— Ce ne sont pas des paroles en l'air, Savannah. Je parle sérieusement.

— OK. Vous venez voir ma mère ?

— C'est déjà fait. Hélas, l'entretien a tourné court.

Savannah ne put réprimer un sourire.

— Ça vous étonne ?

— Non. Il faut croire que je suis de caractère optimiste.

Il jeta un coup d'œil alentour.

— Avez-vous vu Sally ?

— Elle est aux écuries, par là-bas, répondit-elle en lui indiquant du doigt la direction. Pourquoi ?

— Juste pour savoir.

Elle le regarda d'un air suspicieux, mais se contenta de hausser les épaules.

— Merci d'avoir passé un peu de temps avec moi, à l'enterrement.

— Je vous en prie. Je sais que ces derniers temps ont été difficiles, pour vous.

— Ça risque de se corser encore, à mon avis. L'agent du FBI, là, il est revenu.

— Chip Bailey ? Que voulait-il ?

— Savoir où j'étais au moment de la mort de papa.

— Simple question de routine. Que lui avez-vous répondu ?

— Que j'étais chez moi, dans ma chambre. Personne ne m'a vue, du moins pas à ma connaissance. J'avais dû m'endormir, parce que je n'ai pas entendu ma mère rentrer. Je n'ai même découvert la mort de Papa qu'à son retour de l'hôpital.

— C'est surprenant qu'elle ne soit pas venue vous chercher quand on l'a prévenue.

— Ma chambre se trouve au premier étage, à l'autre bout de la maison par rapport à la sienne. Et puis, c'est souvent que je sors et ne rentre que très tard. Elle a dû croire que je n'étais pas là et n'a pas pris la peine de vérifier.

— Je vois. Vous devriez éviter de faire la bringue à ce point, c'est mauvais pour votre teint.

— Autant en profiter pendant que j'en ai l'énergie. J'aurai tout le temps d'être terne et barbante plus tard.

— Personne ne songerait à vous décrire en ces termes, il me semble.

— Une grosse entreprise de pétrochimie m'a proposé un poste de chef de projet. Ce serait à l'étranger. Je suis en train d'y réfléchir.

King avait oublié la qualification de la jeune femme : le génie chimique.

— En tout cas, vous seriez le plus joli chef de projet qu'on ait jamais vu, répondit-il.

— Continuez comme ça, et je croirai que vous avez des arrière-pensées.

— À mon avis, je serais incapable de suivre la cadence.

— Vous risqueriez de vous surprendre, M. King.

Alors que Savannah repartait, King la suivit du regard. Elle non plus, comme beaucoup dans cette affaire, n'avait pas d'alibi au moment du meurtre de Bobby Battle. Pourtant, il n'y avait qu'un assassin. Que faisait-il à cet instant précis ? Cherchait-il à allonger la liste de ses victimes ?

Arrivé à l'écurie, King trouva Sally en train de curer les stalles.

Elle s'appuya sur sa pelle et s'épongea le front.

— Savannah a repris l'équitation, à ce que je vois, déclara-t-il.

— Je ne l'ai jamais vue s'occuper de cette partie du boulot, par contre, rétorqua-t-elle en regardant son outil.

King choisit d'aller droit au but.

— Je vous ai vue à l'enterrement.

— M. Battle avait beaucoup d'amis. C'est sûr qu'il y avait des tas de gens, là-bas.

— Non, je parlais de celui de Junior Deaver.

Sally se figea.

— Junior Deaver ? répéta-t-elle avec prudence.

— À moins que vous ayez une jumelle vous ressemblant comme deux gouttes d'eau, vous êtes allée prier sur sa tombe.

Alors que King étudiait sa réaction, elle reprit son nettoyage.

— Vous pouvez vous confier à moi, ou bien au FBI, comme vous voulez, continua-t-il.

— Je ne sais pas de quoi vous parlez, Sean. Pourquoi serais-je allée sur la tombe de Junior ? Je vous l'ai dit la dernière fois, je le connaissais à peine.

— C'est bien pour ça que je suis ici. À l'évidence, vous étiez plus proches que vous voulez bien le reconnaître.

— Vous vous trompez.

— Êtes-vous sûre de vouloir continuer sur cette voie ?

— J'ai beaucoup de travail, aujourd'hui.

— Très bien, à votre guise. Vous connaissez un bon avocat ?

363

Sally s'interrompit et lui lança un regard apeuré.

— Pourquoi aurais-je besoin d'un avocat ? Je n'ai rien à me reprocher.

King lui prit des mains la pelle et la posa sur le côté. Puis il s'approcha jusqu'à bloquer Sally contre le portail d'une stalle.

— Que ce soit bien clair entre nous : si vous cachez délibérément aux enquêteurs des renseignements concernant la mort de Junior Deaver ou le cambriolage, vous êtes coupable d'un délit passable d'une peine d'emprisonnement. Si l'on vous accuse d'un tel crime, vous aurez besoin d'un avocat. Et si vous n'en avez pas, je peux vous en recommander de bons.

Sally parut à deux doigts de fondre en larmes.

— Je ne sais rien, Sean, je vous le jure ! gémit-elle.

— Dans ce cas, vous n'avez rien à craindre. En revanche, si vous me mentez, vous risquez la prison.

Il lui rendit son outil.

— Ils n'ont pas de chevaux en taule, mais ils ne manquent pas d'ordures... de type humain, précisa-t-il.

Il sortit de sa poche une de ses cartes de visite, et la fourra sous la bande absorbante de la casquette de Sally.

— Quand vous aurez réfléchi et compris que j'ai raison, appelez-moi. Je pourrai vous aider.

Derrière lui, Sally resta un moment à fixer des yeux le bristol, l'air désarmée.

58

Eddie avait installé son atelier dans une grange d'un étage derrière la remise pour voitures à chevaux. Michelle passa la tête par la petite porte sur le côté et appela :

— Eddie ?

L'intérieur du bâtiment avait été en grande partie réaménagé. On avait posé des fenêtres tout le long du rez-de-chaussée, une lucarne pour procurer assez de lumière à l'artiste, et installé un escalier menant à un étage. Plans de travail, chevalets et pots contenant pinceaux et autres outils étaient bien rangés. Des toiles de toutes dimensions, à divers stades d'avancement, étaient pendues aux murs. Il flottait une lourde odeur de peinture et de térébenthine.

— Eddie ? appela-t-elle de nouveau, tout en examinant quelques-unes des œuvres.

Portraits et paysages étaient réalisés avec un grand souci du détail. Michelle repéra une scène de bataille de la guerre de Sécession presque achevée qui, à ses yeux – novices en la matière, il est vrai –, aurait eu sa place dans un musée.

Sur un autre pan de mur étaient exposés de nombreux objets soigneusement accrochés et étiquetés. Il s'agissait de la collection qu'Eddie avait amassée par passion pour les reconstitutions.

Michelle se retourna quand elle entendit des pas dans l'escalier. Vêtu d'une blouse d'artiste toute tachée de peinture bleue, Eddie avait les cheveux en bataille, ce qui n'était pas sans lui conférer un certain charme. Il portait sous le bras un petit tableau enveloppé de tissu.

— Ah, vous voilà... J'avais un travail à finir.

Michelle désigna les œuvres au mur.

— Je ne suis pas experte, mais je ne m'attendais pas à une telle qualité.

Il balaya son compliment d'un revers de la main, mais son sourire trahit le plaisir qu'il en tirait.

— Techniquement parlant, je me défends très bien, je crois. Mais les grands artistes ont un truc en plus, qu'on ne peut définir, et que moi je n'ai pas. Enfin, tant pis. Je me contente de mes qualités, et mes clients aussi.

Il posa le petit tableau sur un chevalet, mais ne le découvrit pas.

— Alors, comment ça s'est passé avec ma mère ?

— Disons que tenter de lui faire dire quelque chose dont elle n'a pas envie, c'est comme essayer de déplacer une montagne. Enfin, on reviendra à la charge... Qu'est-ce que c'est ?

Eddie sourit de toutes ses dents.

— Fermez les yeux.

— Pardon ?

— Allez, fermez les yeux et ne posez pas de questions.

Michelle hésita, puis obtempéra.

— Très bien, vous pouvez les rouvrir.

Elle se retrouva face à elle-même, du moins une version d'elle sur toile, en robe de bal.

366

Ébahie, elle s'avança vers la toile pour l'examiner de plus près avant de se tourner vers Eddie.

— C'est pour ça que j'ai pris un Polaroïd de vous, hier, expliqua-t-il.

— C'est magnifique ! Comment avez-vous réussi à le peindre aussi vite ?

— J'y ai travaillé toute la nuit. Quand on a la motivation, on peut accomplir ce qu'on veut... Malgré tout, ça ne vous rend pas justice, Michelle, loin de là.

Il emballa le portrait avec du papier kraft et du gros adhésif.

— C'est pour vous.

— Pourquoi m'avez-vous peinte ?

— Vous avez passé la journée à me regarder jouer au soldat, alors c'était bien la moindre des choses.

— Ç'a m'a plu, d'assister à cette reconstitution. La journée n'a rien eu d'une corvée.

— N'empêche, ça m'a fait plaisir.

Elle posa la main sur son tableau.

— Moi, c'est ce cadeau qui me fait plaisir.

Elle lui donna une accolade et fut surprise de la vigueur avec laquelle il la serra et de la force qu'il avait. Elle lui rendit son étreinte. Leurs corps restèrent serrés l'un contre l'autre un long moment. Eddie sentait la peinture, la sueur et autre chose, une odeur très masculine. Les mains de Michelle effleurèrent les lignes des muscles fermes de son dos. Avec réticence, elle finit par s'écarter, les yeux baissés.

Il lui releva le menton.

— Écoutez, je sais que tout ça devient sans doute un peu gênant pour vous. Je ne veux pas m'imposer à vous ; vous ne vous réveillerez pas demain matin avec une autre voiture dans votre allée. Mais...

— Eddie, commença-t-elle.

— ... mais je suis content d'avoir une amie, voilà tout, l'interrompit-il avec un geste de la main pour l'arrêter.

— Je pensais que vous en aviez des tas, hommes et femmes confondus.

— Je suis plutôt un solitaire. Je peins et je participe à des batailles factices.

— Et vous excellez dans les deux domaines.

— C'est exact..., lança une autre voix.

Ils tournèrent la tête et virent King entrer.

— ... vous avez un sacré coup de pinceau, ajouta-t-il en contemplant les murs.

— Ma mère vous a payé pour me dire ça, non ?

King regarda ensuite les pièces de la guerre de Sécession.

— Collection intéressante.

— C'est un de mes hobbies. Vous savez, Sean, j'aimerais vous embringuer dans les reconstitutions. Je vous vois tout à fait enfoncer les lignes de l'Union sur un robuste étalon, dormir malgré les assauts des moustiques, et manger des biscuits militaires jusqu'à vous en faire péter la panse.

King regarda Michelle et sourit.

— Quand les poules auront des dents, répondit-il, reprenant la réplique de Michelle quand Lulu lui avait proposé une reconversion en danseuse de charme.

Eddie allait ajouter quelque chose, mais le téléphone portable de King sonna. Celui-ci prit la communication puis raccrocha, l'air très préoccupé.

— C'était Sylvia. On a retrouvé Kyle Montgomery mort.

— Quoi ! s'exclama Michelle.

— Qui est ce Kyle Montgomery ? demanda Eddie, stupéfait.

— L'assistant de Sylvia Diaz, répondit Michelle. Il a été assassiné ?

— Sylvia n'en est pas sûre. D'après elle, ça ressemble à une overdose, mais elle n'en est pas convaincue. Elle veut que nous la rejoignions chez Kyle. Todd y est déjà.

King se hâta vers la porte, suivie de Michelle qui lança à Eddie par-dessus son épaule, avant de disparaître :

— Je vous appelle, Eddie... Merci.

— Vous avez oublié votre tab..., s'écria Eddie quand son regard tomba sur le portrait.

Mais ils étaient déjà trop loin. Déçu, il haussa les épaules et emporta sa peinture à l'étage.

59

À leur arrivée chez Kyle, l'équipe de police scientifique avait déjà terminé son travail. Le cadavre se trouvait toujours sur le lit, ses yeux sans vie fixant le plafond du petit appartement froid et humide.

Sylvia était penchée sur lui quand King posa la main sur son épaule. Elle se retourna, les larmes aux yeux. Elle les chassa du bout des doigts et se redressa pour afficher une attitude plus professionnelle.

— Laissez-vous aller, Sylvia, lui conseilla King. Vous aviez beau ne pas vous entendre à merveille avec lui, je sais que c'est toujours douloureux.

Elle se moucha et adressa un signe de tête aux techniciens de scènes de crime.

— Vous pouvez l'emmener.

Ils mirent Kyle dans une housse mortuaire et l'emportèrent.

— Alors, c'était bien une overdose ? demanda Michelle à Todd Williams. On n'a pas affaire à un nouveau meurtre ?

Le commandant secoua la tête.

— Ni montre, ni collier de chien, ni rien de ce genre, ce coup-ci.

— Au téléphone, tu m'as dit ne pas être certaine qu'il s'agissait d'une surdose, remarqua King en se tournant vers Sylvia.

— Ce que nous avons retrouvé semble l'indiquer…, répondit-elle lentement.

— Une seringue, un garrot en caoutchouc et une trace d'aiguille sur son bras, précisa Williams.

— … mais nous devons examiner les résidus contenus dans la seringue pour déterminer la substance, ce qui prendra plusieurs jours. Je vais effectuer un examen toxicologique sur les fluides corporels, mais nous n'obtiendrons pas les résultats avant deux semaines.

— Vous ne pouvez pas savoir ce qu'il a pris grâce à l'autopsie ? demanda Williams.

— Oui et non. Si c'était de l'héroïne, par exemple, qui est un dépresseur respiratoire, il peut y avoir une légère surcharge ou congestion pulmonaire, et une présence d'écume dans les bronches, mais rien de très probant. En fait, en cas de mort par overdose, l'autopsie seule ne permet pas de déterminer avec certitude la substance injectée et il faut attendre les résultats toxicologiques. Retrouver dans le corps du 6-monoacetylmorphine, un dérivé morphinique métabolite de cette drogue, c'est une preuve très convaincante d'une overdose par héroïne.

— Il s'agit peut-être d'un médicament provenant de ton cabinet...

— Possible, mais si les prélèvements montrent la présence de 6-monoacetylmorphine dans le sang ou les urines de Kyle, sans qu'il y ait trace d'aspirine ou de Tylenol, cela indiquera que ce n'est pas un opiacé délivré sur ordonnance.

— Du Tylenol ou de l'aspirine ? répéta Williams.

— Oui, ce sont des composants que l'on associe en général à ces substances pour un traitement, mais qui sont absents des doses d'héroïne, de cocaïne ou d'autres drogues vendues dans la rue.

— Qui a découvert le corps ? s'enquit Michelle.

— Moi, répondit Williams. Après votre coup de téléphone de ce matin, j'ai décidé de me charger moi-même de cette histoire. Je suis

371

venu ici avec un adjoint. Nous avons frappé, personne n'a répondu. Sa Jeep était garée devant, alors nous en avons conclu qu'il était chez lui. Nous l'avons appelé sur son fixe et sur son portable, et là encore, pas de réponse. Nous n'avions pas de mandat, mais comme la situation me paraissait assez suspecte, je suis allé au bureau du chef de la police pour demander à ce qu'on ouvre la porte. C'est là que nous l'avons trouvé.

— D'après la température interne du corps et le degré de rigidité cadavérique, il est mort depuis moins de douze heures, indiqua Sylvia.

King consulta sa montre.

— Ça fait peu après minuit, ou dans ces eaux-là.

— Voilà.

— Personne n'a vu quelqu'un entrer ou sortir de chez lui ?

— On n'a pas fini de se renseigner là-dessus, répondit Williams.

— Bon, il faut trouver rapidos cette mystérieuse femme de l'Aphrodisiac, déclara King.

— J'y vais tout à l'heure, annonça Williams.

— Nous aimerions vous accompagner, Todd. Si vous pouvez attendre deux heures, on vous passera un coup de fil pour vous prévenir que nous y allons.

— Ça peut pas faire de mal d'être plusieurs.

— Quand allez-vous procéder à l'autopsie, Sylvia ? questionna Michelle.

— Tout de suite. J'ai annulé mes rendez-vous de la journée.

— Maintenant que Kyle est mort, tu devrais prendre quelqu'un pour t'aider, non ? dit King. Ils peuvent t'envoyer un assistant de Richmond ou de Roanoke.

— Ça risque de demander un peu de temps, répondit Sylvia.

— S'il est bien mort d'une overdose, ce n'est pas un gros problème, intervint Williams. Vous avez dit que vous n'obtiendriez pas confirmation avant deux semaines.

— D'accord, mais il se peut que d'autres indices soient en train de disparaître en ce moment même, répliqua Sylvia d'un ton brusque. Les corps ont beau nous parler après la mort, plus on attend, plus leur voix est faible.

— Dans ce cas, c'est moi qui vous aiderai, décida Williams. Il faut que j'assiste à l'autopsie, de toute façon… C'est en train de devenir la routine, bordel !

Sur le pas de la porte, King arrêta Sylvia.

— Ça va ?

Elle le regarda d'un air affligé.

— Je pense que Kyle a pu se suicider.

— Se suicider ! Pourquoi ?

— Il se doutait peut-être que j'avais découvert ses activités clandestines.

— Quand même, se donner la mort pour ça serait un peu radical ! Et puis, il m'a semblé assez pleutre. Et en plus il n'a pas laissé de lettre d'explication.

— Les lâches aussi mettent fin à leurs jours, Sean. Ils ont peur d'affronter les conséquences de leurs actes.

— Qu'est-ce qu'il y a, tu te sens responsable ?

— S'il s'agit bien d'un suicide, je n'y vois pas d'autre cause que mes soupçons.

— Tu es dure avec toi, Sylvia. Personne n'a demandé à Kyle de voler des médicaments.

— Non, mais...

— Avant de te reprocher sa mort, tu ferais mieux de commencer l'autopsie. Aussi douée sois-tu, tu ne peux deviner ce qui s'est passé sans avoir procédé à cet examen.

— Même l'autopsie ne me dira pas si son overdose était accidentelle ou intentionnelle.

— Si c'était le cas, il s'agirait du choix de Kyle, contre lequel tu ne pouvais rien... Allons, dans la vie, les raisons valables de se sentir coupable ne manquent pas, alors inutile d'y ajouter celles des autres.

Sylvia parvint à esquisser un sourire.

— Tu es quelqu'un de très sage.

— Disons que j'ai de l'entraînement. Pour commencer, j'ai dû apprendre à corriger mes propres erreurs grossières.

— Je t'appelle dès que j'ai fini l'autopsie.

— J'espère sincèrement que ce sera la dernière avant un bon bout de temps.

Alors qu'il se détournait, elle dit :

— Ça faisait des années que je n'avais pas passé un moment aussi agréable qu'hier soir.

— Pareil pour moi.

Dans la voiture, Michelle le dévisagea.

— Je me trompe ou Sylvia et toi avez rallumé la flamme de votre passion ?

Il lui lança un regard noir, mais ne répondit rien.

— Allez, Sean, ne me ressors pas ta rengaine comme quoi je suis ton associée et pas ton psy.

— Pourquoi pas ? Elle est toujours valable.

L'air déçue, Michelle s'enfonça dans son siège.

— Très bien, comme tu veux.

— En quoi ça t'intéresse, de toute façon ?

— Ça m'intéresse parce qu'on est en plein milieu d'une enquête criminelle très compliquée, et qu'on se passerait bien de voir notre meilleur enquêteur et la brillantissime médecin légiste distraits par une histoire d'amour.

— Je sais que ce n'est pas le cas, mais je pourrais prendre ça pour de la jalousie.

— Oh, je t'en prie !

— J'ai dit : « Je sais que ce n'est pas le cas. » Ne t'inquiète pas, pour l'instant, l'enquête passe avant tout.

Il marqua une pause et ajouta :

— Je vous ai vus vous serrer l'un contre l'autre, avec Eddie.

Elle lui lança un regard assassin.

— Tu nous as espionnés !

— Non, j'ai juste jeté un coup d'œil par la fenêtre pour voir si vous étiez là. J'ignorais que vous essayiez de fusionner vos corps.

— Cette réflexion est dégueulasse, Sean ! Je ne faisais que le remercier pour le portrait qu'il a peint de moi.

— Tiens, il a peint ton portrait ? Voilà qui devrait rendre ses intentions tout à fait claires.

— Il est malheureux.

— Ce n'est pas à toi d'y remédier, rétorqua-t-il. Laisse tomber, Michelle. Il ne faut surtout pas que tes capacités de jugement soient altérées.

Michelle parut sur le point de protester, mais se tut.

King poursuivit :

— C'est un type séduisant, amusant et sympa, qui a eu sa part de tragédie, et pour couronner le tout il s'est embarqué dans un mariage raté. Tu ne serais pas la première à vouloir aider un tel homme.

— On dirait que tu as fait l'expérience de trucs dans le genre...

— Le monde regorge de « trucs dans le genre », comme tu dis. Ni toi ni moi n'en sommes à l'abri.

— Ça va, c'est bon, j'ai compris. Alors, où allons-nous, maintenant ?

— Voir Roger Canney. Il semblerait qu'il ait touché une grosse somme pas très longtemps après la mort de sa femme. L'origine de cet argent est un peu floue.

— Intéressant.

— Tu ne connais pas le plus intéressant : feue Mme Canney travaillait.

— Ah bon ? Où ça ?

— Chez Battle Enterprises. Et devine donc de qui elle était la secrétaire ?

— Bobby Battle !

— Bingo.

60

Chez Canney, personne ne leur répondit.

— C'est bizarre, dit King. J'ai appelé pour prévenir. Il devait être chez lui.

— La gouvernante est sûrement là, elle.

Michelle alla jeter un coup d'œil par la fenêtre du garage.

— Il y a deux voitures, là-dedans, une grosse BM et un Range Rover. À moins qu'il paie grassement sa gouvernante, je ne pense pas qu'elles appartiennent à cette femme.

King posa la main sur la porte d'entrée, qui s'ouvrit toute seule. Voyant cela, Michelle dégaina son pistolet sur-le-champ et rejoignit King.

— Sur ma vie, murmura-t-elle, si on le retrouve mort avec un collier de chien autour du cou et une montre au poignet indiquant le chiffre six, je hurle pendant une semaine entière.

Ils se faufilèrent à l'intérieur en silence. La première pièce était vide, les suivantes aussi.

Ce fut Michelle qui entendit le bruit la première – comme un grognement, qui semblait provenir du fond de la maison. Ils s'y rendirent à pas comptés et examinèrent les lieux. Personne. Pourtant, le bruit se répéta, suivi cette fois par un fort cliquetis métallique.

Michelle indiqua une porte au bout du couloir. King hocha la tête, avança, et la poussa doucement du pied pendant que Michelle le couvrait. Il jeta un coup d'œil à l'intérieur, se mit sur le qui-vive puis se détendit. Ouvrant plus grand la porte, il fit signe à son équipière de le suivre.

Canney, des écouteurs sur les oreilles, leur tournait le dos et s'exerçait les jambes sur la presse de sa salle de sport dernier cri. Lorsque King tambourina à la porte, il se retourna brusquement et arracha littéralement son casque de sa tête.

— Qu'est-ce que vous foutez là ?

— Je vous ai appelé ce matin. Vous m'avez dit que treize heures vous convenait. Il est treize heures. Personne ne nous a répondu, et c'était ouvert.

Canney se leva, posa son lecteur de CD et s'essuya le visage avec une serviette.

— Veuillez m'excuser. C'est le jour de congé de ma gouvernante, et j'ai dû perdre la notion du temps.

— Ça arrive à tout le monde. Nous pouvons attendre, si vous voulez vous changer.

— Non, je préfère qu'on s'y mette tout de suite. On ne devrait pas en avoir pour bien longtemps. Installons-nous dehors. J'ai préparé de la citronnade.

Ils allèrent dans le grand jardin de derrière, qui comptait une piscine, un spa, une sorte de cabine de plage et d'élégants aménagements paysagers.

— C'est magnifique, commenta Michelle.

— Oui, je me plais beaucoup ici.

378

— Tout ça m'a l'air assez récent, constata King. Vous habitez cette maison depuis peu, n'est-ce pas ? Ça fait quoi : trois ans, non ?

Canney le regarda fixement en buvant sa boisson.

— Comment le savez-vous ?

— C'est le propre des archives publiques, tout le monde peut les consulter. Vous êtes à la retraite, maintenant. Vous étiez comptable, pas vrai ?

— J'ai estimé que vingt ans, c'était bien suffisant pour se soucier de l'argent des autres.

— En tout cas, vous avez tout le temps de vous soucier du vôtre, à présent, et vous n'en manquez pas. La comptabilité paie bien mieux que je ne l'aurais cru.

— J'ai réalisé quelques bons investissements au fil des ans.

— Votre femme travaillait, elle aussi – pour Battle Enterprises. Elle était la secrétaire de direction de Bobby Battle, je crois. En fait, elle l'était toujours quand elle s'est tuée en voiture, n'est-ce pas ?

— Oui. Ce n'est pas un secret.

— Je ne vous ai pas vu aux funérailles de Battle.

— Pour la simple et bonne raison que je n'y suis pas allé.

— Vous n'avez pas gardé contact avec la famille ?

— Ce n'est pas parce que ma femme travaillait pour eux que nous étions amis.

— En faisant mes recherches, je suis tombé sur une photo de votre épouse. C'était une femme magnifique – elle a même remporté des concours de miss dans la région.

— Megan était d'une beauté époustouflante, en effet... Ce sujet de conversation est-il censé nous mener quelque part ?

— Au fait que j'ai cherché en vain des photos d'elle chez vous. Comme de votre fils, d'ailleurs.

— Dans les pièces communes, il n'y en a pas.

— Ailleurs non plus. Personne ne venant nous ouvrir, nous avons pensé que quelque chose clochait, et nous sommes allés de pièce en pièce, y compris dans votre chambre. Il n'y a de photo de votre famille nulle part.

Canney se leva, furieux.

— C'est inadmissible !

King resta impassible.

— Je vais aller droit au but, Roger : vous avez touché le pactole il y a trois ans, peu après la mort de votre femme. C'est à ce moment-là que vous avez acheté cette maison. Auparavant, vous n'étiez qu'un petit gratte-papier ordinaire aux revenus ordinaires, qui s'en sortait bien seulement parce que sa femme touchait elle aussi un salaire. Cette catégorie de personnes ne prend pas sa retraite juste après avoir perdu une des paies du ménage, pour ensuite s'acheter une propriété à un million de dollars.

— Megan avait souscrit une assurance vie...

— ... de cinquante mille dollars. J'ai vérifié aussi.

— Qu'insinuez-vous, au juste ?

— Les insinuations ne m'intéressent pas. Je préfère de loin la vérité.

— Cet entretien est terminé. Vous connaissez le chemin, puisque vous avez fouillé la maison.

King et Michelle se levèrent.

— Très bien, si vous voulez qu'on règle ça à la dure, libre à vous.

— Vous jouerez les durs avec Giles Kiney, mon avocat. Il va vous tailler en pièces.

King sourit.

— Giles ne me fait pas peur. Je lui mets sa pâtée au golf au moins une fois par semaine.

61

Ayant retrouvé Todd Williams et deux de ses adjoints à l'Aphrodisiac, King et Michelle se rendirent sans tarder avec eux dans le bureau de Lulu pour l'interroger sur l'occupante de la chambre et les visites de Kyle. Elle affirma tout d'abord n'être au courant de rien, mais finit par reconnaître qu'elle avait récemment croisé Kyle dans l'établissement.

— Par contre, je ne sais pas qui est cette femme. En tout cas, elle ne travaille pas ici, j'en suis sûre.

— Comment ça ? Vous faites dans la charité, maintenant, vous fournissez des chambres gratuitement aux droguées fortunées ? railla Williams.

— J'ignorais qu'elle s'y livrait à de telles activités. Elle payait la location en espèces. Je pensais qu'elle avait juste besoin d'un endroit où dormir.

— Venait-elle tous les soirs ?

— Je n'y ai pas vraiment prêté attention. À moins d'aller dans un des espaces de spectacle voir les filles ou boire un verre dans un des bars, ce n'est pas la peine de montrer ses papiers. Nous avons des restaurants et des salons, aussi, ainsi qu'un centre pour hommes d'affaires, et tout le monde peut y accéder… Figurez-vous que nous sommes ouverts au public, ajouta-t-elle avec véhémence.

King secoua la tête.

— Bon sang, Lulu, vous voulez me faire croire que le jour où cette femme est venue ici la première fois, vous ne lui avez pas parlé ? Comment auriez-vous pu savoir ce qu'elle voulait, sinon ?

— Elle a laissé de l'argent et une lettre expliquant qu'elle désirait cette chambre et pas une autre.

— Et alors ? Vous la lui avez donnée comme ça, sans poser de questions ?

— Ce n'est qu'une chambre, Sean, et le fric, c'est le fric ! Et puis, elle n'y pratiquait pas je ne sais quelle activité criminelle. Elle venait le soir seulement et ne laissait jamais rien. La journée, on faisait nettoyer la pièce, comme toutes les autres… Je sais que ça peut sembler un peu bizarre, et j'avoue que ça m'a intriguée. D'ailleurs, au début, j'ai ouvert l'œil. Mais on n'a

382

jamais entendu de bruit violent ou quoi que ce soit. Et à part ce Kyle, là, personne ne lui rendait jamais visite.

— Vous l'avez vue aller et venir ?

— Parfois, mais elle portait toujours un foulard, un long manteau et des lunettes noires.

— Vous n'avez jamais tenté de satisfaire votre curiosité en attendant qu'elle s'en aille pour la suivre et découvrir son identité ?

— Je ne suis pas du genre à me mêler des affaires des autres. Vivre et laisser vivre, c'est ma devise. Si elle voulait louer une chambre en restant anonyme, au moins elle allongeait l'argent pour obtenir ce privilège. Rien de plus compliqué... Faire fuir les clients, c'est pas mon truc, ajouta Lulu avec un air de défi.

— Kyle Montgomery est mort, peut-être assassiné ; alors tout prend une autre tournure, vous comprenez, déclara Williams.

Lulu posa sur lui un regard nerveux.

— Je ne suis au courant de rien. Et comme il n'a pas été tué ici, je ne vois pas en quoi cet établissement est concerné.

— Dans ce cas, permettez-moi d'éclairer votre lanterne. D'après un témoin, Kyle et cette femme ont eu ici une violente altercation. Nous savons qu'il lui apportait les médicaments qu'il volait au cabinet médical où il travaillait.

— Je ne suis au courant de rien, répéta-t-elle.

— Donc, insista Williams, une dispute les oppose, et la nuit dernière Kyle meurt.

— D'accord, mais moi je ne l'ai pas tué, et j'ignore qui est cette femme.

— Est-elle venue ici, hier soir ?

— Pas à ma connaissance. En tout cas, je ne l'ai pas vue.

— La dernière fois, c'était quand ?

Lulu réfléchit, mais secoua la tête, agacée.

— Je n'en sais trop rien. J'avais d'autres soucis, y compris un mari à enterrer.

— Nous allons devoir interroger toutes les personnes présentes ici hier soir qui auraient pu la croiser.

— Certaines d'entre elles ne commencent à travailler que plus tard dans la journée.

— Eh bien, en attendant je veux questionner celles qui sont déjà là et examiner la chambre.

Lulu parut inquiète.

— Tout de suite ?

— Ça pose un problème ?

— Non, c'est juste qu'un certain nombre de danseuses dorment encore.

— Comment ça ? À deux heures et demie de l'après-midi ?

— Elles dansent jusqu'à l'aube !

— Très bien, nous commencerons par les autres employés, mais pendant ce temps vous allez réveiller tout votre petit monde. Compris, Lulu ?

— Compris.

En quittant la pièce, Michelle jeta un bref coup d'œil derrière elle, et vit la main de Lulu disparaître dans un des tiroirs de son bureau, comme lors de leur précédente visite.

— Todd, pourriez-vous vous occuper de réunir les membres du personnel et commencer à les interroger ? proposa-t-elle une fois dans le couloir. Sean et moi allons fouiner un peu.

— Bonne idée. Nous échangerons nos informations tout à l'heure.

— Que se passe-t-il ? demanda King lorsque le commandant et ses hommes se furent éloignés.

— Suis-moi, vite !

Michelle l'emmena à l'extérieur, derrière le bâtiment, là où elle avait repéré un escalier qui menait au premier étage. Ils se cachèrent derrière une benne à ordures et attendirent. Au bout d'environ une minute, leur patience fut récompensée. Plusieurs hommes émergèrent par une porte, certains tenant leur pardessus sur le bras, d'autres ayant la chemise déboutonnée ou sortie du pantalon, et les cheveux en bataille. Ils dévalèrent les marches, montèrent dans leurs voitures garées juste à côté et partirent en hâte.

— Bien vu, Michelle ! lança King en échangeant un regard avec son associée.

— La prostitution comme moyen de gonfler les recettes... Qu'est-ce qu'on fait ?

— Je crois qu'une autre discussion avec Lulu s'impose.

— Un mari mort et trois gamins... En dépit de tout, ça ne m'enchante qu'à moitié de la faire coffrer, Sean.

— Avec un peu de chance, on pourra la convaincre de son erreur.

Lulu avait quitté son bureau, mais quand elle y revint peu après King occupait son fauteuil et Michelle était debout à côté de lui.

— Qu'est-ce que vous fichez ici ? aboya Lulu.

En guise de réponse, King pressa l'interrupteur placé dans le tiroir en répliquant :

— J'espère que cette seconde alerte n'affolera pas les filles. Au moins, tous les clients se sont déjà carapatés.

Lulu eut l'air stupéfaite, mais se ressaisit vite.

— Qu'est-ce que ça signifie, au juste ?

— Asseyez-vous, Lulu, lui ordonna King. Nous sommes venus vous aider. Mais si vous essayez de nous entourlouper, nous demanderons à Todd de nous rejoindre pour prendre le relais et dès lors nous n'aurons plus aucune prise sur l'affaire.

Lulu les fixa d'un regard noir, mais finit par obéir et se mit à agiter les mains nerveusement sur ses genoux.

— Si vous voulez vous allumer une cigarette, suggéra King, n'hésitez pas, nous risquons de rester ici un petit moment.

Elle ne se fit pas prier, et inhala une grande bouffée tandis que King se calait dans son siège en poursuivant :

— Bon, expliquez-nous comment ça fonctionne.

— Ce n'est pas ce que vous croyez.

— Vous êtes bien trop futée pour travailler à l'ancienne, et je suis sûr que vous avez une méthode très ingénieuse. Je brûle de savoir ce que c'est.

— Ça fait des années que je m'échine pour faire prospérer cet établissement. J'y ai passé de longues heures, parfois au détriment de mes enfants, et de Junior aussi. J'ai des ulcères et je fume deux paquets par jour, parce que si je ne suis que l'actionnaire minoritaire de cette affaire, dans les faits, c'est moi qui la dirige. Mes associés passent le plus clair de leur temps en Floride. En revanche, ils sont toujours sur mon dos, à me demander d'augmenter les bénéfices pour pouvoir s'acheter de plus gros bateaux et de plus belles femmes. Plus, plus, plus, encore et toujours plus, c'est le seul mot qu'ils ont à la bouche !

— Vous avez donc eu l'idée de mettre les danseuses à contribution ?

— Ce sont mes associés qui me l'ont suggéré, en fait. Je ne voulais pas, mais ils ont insisté. Ils ont menacé de trouver une gérante plus conciliante et de me virer... Mais les filles qui n'ont pas envie peuvent refuser sans devoir se justifier. Je suis restée ferme sur cette condition.

Elle hésita, puis reprit :

— Si je vous explique...

— Lulu, comme vous l'a dit Sean, nous sommes là pour vous aider, intervint Michelle.

Soudain, Lulu explosa :

— Pourquoi ? Qu'est-ce que ça peut vous foutre ?

— Parce que nous pensons que vous avez un bon fond et que vos trois enfants ont besoin de leur mère, répondit King. Vous avez sans nul doute subi une énorme pression et vous venez

387

de perdre votre mari. Ce que vous nous racontez ne sortira pas de cette pièce, vous avez notre parole.

Lulu prit une grande inspiration et se lança.

— Il n'y a aucun échange d'argent entre les clients et les filles. Nous... eh bien, nous avons créé une sorte de club. Les membres paient pour y entrer des droits d'inscription, puis un montant mensuel basé sur... sur la fréquence de leurs visites. Pour nos registres, nous classons ça dans la rubrique « Constitution de réseau ».

— Eh bien, il faut avouer que c'est une façon très originale de nouer des relations d'affaires, remarqua King. Mais continuez.

— L'adhésion coûte très cher, alors la clientèle est limitée à une certaine catégorie d'hommes.

— Traduction : des types pleins aux as qui veulent se défouler au lit.

— Appartenir au club leur donne accès aux filles uniquement sur rendez-vous. On leur fournit un mot de passe spécial afin qu'ils montrent patte blanche. Ils doivent se protéger, et on n'autorise aucune pratique dangereuse. Le premier qui devient brutal, on le fout dehors une bonne fois pour toutes, mais nous n'avons jamais rencontré le moindre problème. Les danseuses qui participent touchent une prime.

— C'est très ingénieux, mais ça n'en reste pas moins illégal, Lulu. Ça pourrait entraîner la fermeture du club et vous envoyer droit en prison.

Lulu parut sur le point de vomir.

— Je sais, dit-elle d'une voix tremblante en allumant une autre cigarette. Bon Dieu, je savais que c'était une connerie !

— Le bouton de sonnette de votre bureau est relié aux chambres afin d'alerter filles et clients en cas de problème. Quand vous appuyez dessus, les types déguerpissent par la sortie de derrière...

— Oui, avoua Lulu, l'air misérable. Et puis, j'ai du monde qui garde un œil sur l'entrée du couloir, de temps en temps.

— Comment Kyle a-t-il pu passer au travers, alors ?

— La dame nous a laissé un mot et une photo de lui en assurant qu'il était réglo... Tout ce que je sais, ajouta-t-elle en écrasant sa cigarette, c'est que Kyle était suivi, le soir où je l'ai croisé. Un de mes guetteurs me l'a dit.

— C'était le médecin pour qui Kyle travaillait, Sylvia Diaz.

— Ce nom me dit quelque chose...

— C'est le légiste de la région. Avant que vous changiez de gynécologue, vous aviez la même, toutes les deux.

— Je n'ai pas changé de gynéco.

— Quoi qu'il en soit, le témoin qui a vu Kyle venir ici et entendu son altercation avec la femme, c'est elle.

King marqua une pause et reprit :

— Vous allez devoir tout arrêter, Lulu. Dès aujourd'hui, sinon l'Aphrodisiac ferme ses portes.

— Il va falloir que je rembourse tous les clients. Ça fait beaucoup de fric !

— Non, inutile. Ils ont participé de leur plein gré à une activité illégale. Prévenez-les qu'ils viennent de l'échapper belle, et que leur rendre leur argent permettrait de remonter jusqu'à eux si on ouvrait une enquête. Je suis sûr qu'ils préféreront en éviter le risque... Vous n'avez pas le choix, Lulu, conclut-il en la fixant des yeux.

Elle finit par acquiescer d'un signe de tête.

— Je les appellerai tous dans la journée.

— Contactez vos associés en Floride, aussi. Expliquez-leur que le long bras de la justice de Virginie peut venir les chercher là-bas. S'ils tiennent à leurs bateaux et leurs gonzesses, ils feraient mieux de vous lâcher un peu la grappe, et de s'en tenir à la danse sur barre et la vente de bière, qui doivent déjà rapporter assez de pognon comme ça.

King se leva et, tout en faisant signe à Michelle de le suivre, ajouta :

— Maintenant que Remmy vous donne de l'argent pour élever vos enfants et finir la maison, vous devriez passer moins de temps ici et rester un peu plus chez vous, Lulu. Simple suggestion.

Ils se dirigeaient vers la porte quand Lulu lança :

— J'ai une grosse dette envers vous. Je ne peux que vous remercier...

King se retourna.

— Il m'a semblé que vous méritiez un peu de répit. Bonne chance.

Mais Lulu les arrêta de nouveau en reprenant la parole :

— Je sais quelle voiture conduit la femme. Je l'ai vue, une fois.

— Nous le savons aussi : c'est une Mercedes décapotable ancienne.

— Plus précisément, une vraie pièce de musée : un Roadster 300 SL de 1959.

— Comment savez-vous ça ? s'enquit Michelle.

— Un de mes associés est fana de voitures. Il en a toute une collection qu'il garde à Naples, en Floride. Il m'a beaucoup appris dans ce domaine... Celle de la femme est magnifique. Elle vaut une petite fortune.

King marmonna dans sa barbe.

— Lulu, considérez votre dette comme complètement remboursée. Viens, Michelle.

Il l'attrapa par le bras et la poussa dehors.

— Qu'est-ce qui presse à ce point ? demanda Michelle.

— Je crois savoir où trouver cette fameuse Mercedes.

62

King gara sa Lexus sur une petite route secondaire.

— On va devoir continuer à pied. Je préfère éviter qu'on nous voie.

— Où allons-nous ?

— Patience. Tu vas bientôt t'en apercevoir.

Ils passèrent par-dessus un portail au fond d'un grand domaine et remontèrent un chemin de gravier. Enfin, par un jour dans une rangée de haies hautes de plus de trois mètres qui étaient plantées de chaque côté, Michelle entr'aperçut la demeure au loin.

— Nous sommes chez les Battle.

Comme King prenait la direction opposée de la bâtisse, elle ajouta :

— Sean, la maison, c'est de l'autre côté.

— Ce n'est pas là que je veux aller.

— Où ça, alors ?

King pointa le doigt devant lui.

— À la grange à voitures.

Ils atteignirent la grande structure sans rencontrer qui que ce soit, et King parvint à forcer une des portes latérales.

Après avoir passé en revue tous les véhicules du rez-de-chaussée, ils montèrent à l'étage, où ils trouvèrent un certain nombre d'autres automobiles que King inspecta à leur tour. Arrivé à la troisième, il en ôta complètement la housse et la laissa tomber par terre, puis regarda le nom du modèle.

— Une 300 SL.

Il s'agenouilla pour examiner les pneus, passa un doigt sur la bande de roulement et le mit ensuite sous le nez de Michelle.

— De la boue, constata-t-elle. Comment peut-on emprunter cette voiture sans que personne ne s'en aperçoive ?

— Facile, ce bâtiment n'est plus utilisé, Sally nous l'a dit. Qui plus est, on ne le voit pas depuis la maison. Et cette allée de gravier mène droit à la petite route. Si cette femme ne la prend que la nuit, il y a de grandes chances que personne ne la remarque.

— L'identité de notre strip-teaseuse droguée est assez évidente, alors.

King se releva.

— En effet. On ferait bien d'aller lui parler.

— Ça va être moche.

— Crois-moi : ne pas savoir la vérité, c'est encore pire.

Ils prirent la direction de la demeure. Pourtant, avant d'y être arrivé, King bifurqua de nouveau et, passant devant les écuries, franchit le portail qui reliait la remise à attelages à la propriété principale.

— Où tu vas, Sean ? Savannah vit à la Casa Battle.

King continua d'avancer d'un bon pas. Constatant que la voiture était garée dans la cour, il monta les marches en hâte et tambourina à la porte. Il y eut presque aussitôt des bruits de pas, et on vint leur ouvrir.

— Qu'est-ce que vous voulez ?

— On peut entrer, Dorothea ? demanda King tout en calant son pied entre la porte et le cadre, au cas où il n'obtiendrait pas la réponse voulue.

— Pourquoi ? s'enquit-elle d'un ton agressif.

— Kyle Montgomery est mort.

Dorothea porta brusquement une main à sa poitrine, puis fit un pas en arrière, comme sonnée par un coup.

— Je... j'ignore qui c'est.

— Nous savons tout, Dorothea. Nous avons retrouvé la voiture.

— Quelle voiture ?

— La 300 SL que vous prenez pour vous rendre à l'Aphrodisiac.

Elle les dévisagea d'un air de défi.

— Vous vous trompez.

— Nous perdons notre temps, répliqua-t-il d'un ton agacé. On vous a vue quitter le club, Dorothea. Il y a peu, un témoin vous a aperçue alors que vous montiez dans cette voiture aux environs de cinq heures du matin.

Le regard arrogant de Dorothea commença à faiblir.

— Cette même personne vous a entendue échanger des mots avec Kyle. Vous avez braqué une arme sur lui. Vous l'avez menacé...

— Je n'ai pas menacé ce petit...

Dorothea se tut et parut sur le point de perdre connaissance.

— Je me suis dit que vous préféreriez nous parler en premier, avant la police, déclara King. Dans le cas contraire, nous pouvons l'appeler tout de suite.

— Pitié, non !

En quelques secondes à peine, sa carapace se disloqua et des larmes roulèrent sur ses joues. King poussa la porte et entra, Michelle sur les talons.

63

— Je ne l'ai pas tué, Sean. Je le jure !

— Vous lui achetiez bien de la drogue, en revanche, n'est-ce pas ?

Ils étaient dans le séjour : King et Michelle dans des bergères à oreilles ; Dorothea assise en face d'eux sur un petit canapé, s'agrippant à l'accotoir comme si elle craignait de s'écrouler à terre.

— J'ai connu quelques... revers financiers, ces derniers temps, commença-t-elle lentement.

— Dépenser mille dollars par soir pour de la drogue, il y a mieux comme façon de régler ses problèmes d'argent.

Elle le regarda, stupéfaite.

— Vous avez interrogé ce petit branleur ?

— Du calme, ce n'est pas beau d'insulter ainsi un mort. Racontez-moi ce qui s'est passé ce soir-là, et sans me baratiner parce que j'en connais assez pour vous percer à jour et cela aurait le don de m'agacer.

— J'ignore ce qui m'a pris, je vous assure. Je me rendais bien compte que Kyle avait envie de coucher avec moi. Ça sautait aux yeux. Les hommes sont comme des livres ouverts.

— Ce n'était pas réciproque ?

— Bien sûr que non ! Mais j'avais beaucoup bu, et pris la décision que ce serait la dernière fois. Vous avez raison, la drogue ne peut résoudre mes problèmes. Il y a non seulement l'argent, mais aussi la famille... Entrer dans le clan Battle, ça comporte une bonne part de pression et de stress.

— J'imagine qu'avoir Remmy Battle pour belle-mère n'est pas une sinécure tous les jours, admit sèchement Michelle.

— C'est le cauchemar absolu ! Quoi que je fasse, porte, mange, boive ou dise, elle m'attend au tournant. Pour les critiques, le tact n'est pas son fort. Mais Bobby était bien pire que Remmy. Un vrai tyran ! Il avait des sautes d'humeur terrifiantes. Il pouvait être tout sourires, et d'un seul coup se mettre à hurler et terroriser son monde. N'importe qui pouvait subir ses foudres, même Remmy... J'ai commencé à voir un psychiatre pour m'attaquer à mes problèmes de façon plus constructive.

— C'est bien, fit King. Mais vous alliez nous parler de Kyle...

— Oui. Quand Kyle est venu m'apporter les médicaments, j'avais un petit coup dans le nez, et j'ai eu envie de l'emmerder un peu. Alors j'ai, euh...

Elle se tut et s'empourpra.

— ... j'ai agi comme une idiote. J'en ai bien conscience.

— Nous sommes au courant, pour le strip-tease. Inutile d'entrer dans les détails. En revanche, vous l'avez menacé d'un pistolet.

— Il allait m'agresser ! Il fallait que je me protège.

— Vous avez exigé qu'il vous rende l'argent.

— Je l'avais assez bien payé comme ça. Les cachets, il les volait. C'était cent pour cent de bénéfices, pour lui. Je voulais juste rendre la transaction un peu plus juste de mon point de vue.

— Vous avez donc bien récupéré la somme ?

— Oui, j'ai feint d'être prête à lui tirer dessus, et il a décampé. C'est la dernière fois que je l'ai vu, je le jure.

— Comment vous est venue l'idée de l'approcher, au fait ?

— Je savais qu'il travaillait pour Sylvia Diaz, même si nous n'avions jamais eu de contact direct. J'ai consulté ce docteur pour un mal de dos, et développé une accoutumance aux antalgiques qu'elle m'a prescrits. Mais, à la fin de mon traitement, elle n'a plus voulu me rédiger d'ordonnance. Le problème, c'est qu'à ce moment-là j'étais vraiment devenue accro. Je savais que Sylvia possédait les médicaments qui m'intéressaient à son cabinet. Je me doutais que Kyle serait peu scrupuleux, et prêt à tout pour gagner de l'argent. Je savais aussi que les médicaments délivrés sur prescription médicale sont bien plus sûrs que tout ce qui s'achète dans la rue. De plus, je ne voulais pas me retrouver coincée avec un vrai dealer. J'ai choisi l'Aphrodisiac comme lieu de rendez-vous parce que, y étant déjà venue pour des déjeuners et des réunions, je savais qu'ils avaient des chambres et ne poseraient aucune question.

— Vous ne croyez pas que Kyle vous avait identifiée ? Il vous avait forcément vue au cabinet de Sylvia...

— Non, je portais toujours des lunettes noires et un foulard, je réglais la lumière très bas et parlais peu. S'il m'avait reconnue, je suis sûre qu'il aurait tenté de me faire chanter.

King l'observait très attentivement lorsqu'elle prononça ces paroles. Elle surprit son regard et pâlit.

— Je sais que ça a l'air grave, Sean.

— Ça l'est, Dorothea. Eddie est-il au courant ?

— Non. Par pitié, ne lui dites rien ! Nous avons beau ne pas vivre une vie de couple idéale, je tiens quand même à lui, et il ne s'en remettrait pas.

— Je ne peux rien vous promettre, Dorothea. Bon, maintenant, je voudrais savoir où vous étiez hier soir.

— Ici.

— Eddie peut le confirmer ? demanda Michelle. Il est revenu tôt de la reconstitution.

— Comment le savez-vous ?

Michelle parut mal à l'aise.

— Je suis allée à Middleton avec Chip Bailey. Chip a dû partir avant nous, alors Eddie m'a raccompagnée. Il m'a dit qu'il ne comptait pas participer au deuxième jour de la bataille.

Dorothea la fixa d'un regard suspicieux.

— En tout cas, je ne l'ai pas vu à la maison la nuit dernière. Il l'a sans doute passée à son ate-lier. Il lui arrive d'y dormir.

Michelle fut sur le point de dire quelque chose mais se ravisa.

— Donc, vous n'avez pas d'alibi, constata King. Au fait, j'ai appelé l'Hôtel Jefferson, à Richmond. Vous ne vous y êtes pas rendue le soir où l'on a tué Bobby, contrairement à ce que vous affirmiez. Le FBI a dû le découvrir aussi. Vous étiez à l'Aphrodisiac ?

— Oui. Kyle m'a apporté les médicaments aux alentours de vingt-deux heures.

— Drôle d'ironie du sort.

— Quoi donc ?

— Il aurait pu vous fournir un alibi pour ce soir-là, mais voilà qu'il est mort. Alors, à moins que quelqu'un d'autre vous ait aperçue au club, vous n'en avez pas pour ce meurtre-là non plus.

Dorothea enfouit la tête dans ses mains et se mit à sangloter. Au bout d'un moment, Michelle se leva et alla lui chercher un tissu humide.

— Détendez-vous, Dorothea, lui conseilla King. On n'est pas encore sûrs que Kyle ait été assassiné. En fait, c'est peut-être une overdose, et même un suicide.

— Je ne le vois pas mettre fin à ses jours. Il m'a semblé bien trop occupé à servir son intérêt pour l'envisager.

Dorothea s'essuya le visage puis fixa King du regard.

— Qu'est-ce qui va se passer, maintenant ?

— Nous ne pouvons garder le secret sur vos actes.

— Je m'en doute, admit-elle, les lèvres tremblantes.

— En revanche, l'étendue de ce que nous devons révéler reste à déterminer.

— Je n'ai tué ni Kyle Montgomery ni mon beau-père !

— À propos de ce dernier, pourquoi vous êtes-vous rendue à l'hôpital, ce jour-là ?

— Ça change quelque chose, à présent ?

— Possible.

Elle prit une profonde inspiration.

— Bobby m'avait promis de l'argent et une partie plus conséquente de son patrimoine. Pour cela, il fallait modifier son testament. Il m'a affirmé qu'il le ferait, mais il ne m'en a jamais donné de preuve.

— Donc, vous êtes allée voir s'il confirmait avoir tenu promesse ?

— J'avais appris qu'il était éveillé et parlait. Peut-être qu'une autre occasion ne se présenterait pas... Si Bobby avait changé son testament, mes problèmes financiers auraient été résolus.

— Ou plutôt, ils l'auraient été à sa mort, quand vous auriez vraiment touché l'argent, rectifia Michelle.

— Oui, dit Dorothea en baissant les yeux.

— Eddie avait-il connaissance de cet éventuel accord ? demanda King.

— Non, Eddie pense que nos finances sont saines. Il vit dans un autre monde, ne s'inquiète de rien.

— Vous vous trompez, je crois, dit Michelle.

— Pourquoi Bobby aurait-il changé sa succession en votre faveur, à Eddie et vous, plus qu'en celle de Remmy ? insista King. Si j'ai bien compris, il vous entretenait déjà tous les deux.

Dorothea esquissa un pâle sourire.

— A-t-on jamais assez d'argent ? Pour ma part, je sais que non. Et puis, Bobby en avait des tonnes et des tonnes.

King la dévisagea.

— Bobby était dur en affaires. Qu'a-t-il exigé en contrepartie, Dorothea ?

— Je préfère ne pas en parler, répondit-elle au bout d'un moment. Ce n'est pas une prouesse dont je suis très fière.

— Je crois deviner. Le petit strip-tease à l'intention de Kyle a dû paraître bien dérisoire, en comparaison... Au fait, pourquoi preniez-vous une des vieilles voitures de Bobby pour vous rendre à l'Aphrodisiac ?

Elle sourit d'un air triomphant.

— J'estimais qu'il me devait bien ça. De toute façon, il ne les conduisait plus.

— Savez-vous pourquoi ?

— Il s'en est lassé, je pense. Le grand Bobby Battle était connu pour ce trait de caractère : il se lassait des choses et les oubliait.

Elle étouffa un sanglot.

King se leva tout en posant sur elle un regard sans compassion.

— Si l'on conclut au meurtre pour la mort de Kyle, la police voudra vous interroger.

— Ça n'a plus guère d'importance. Rien ne peut être pire.

— Détrompez-vous, Dorothea, répliqua-t-il avant de tourner les talons.

Une fois dehors, Michelle demanda :

— Comment as-tu su que c'était elle ? J'aurais plutôt parié sur Savannah, moi.

— Impossible.

— Pourquoi ? Tu ne te rappelles pas la façon dont elle s'est exhibée, l'autre jour, en sortant de la piscine ?

— Justement. Sylvia a entendu Kyle dire que la femme agitait son croupion sous son nez...

— Oui, et alors ?

— Savannah a son prénom tatoué sur la fesse. Elle ne l'aurait donc sûrement pas exposée devant Kyle si elle voulait rester anonyme. Il n'y a qu'une seule Savannah à Wrightsburg possédant un tel signe particulier.

64

Plus tard dans la journée, Sylvia prévint King et Michelle qu'elle avait terminé l'autopsie de Kyle Montgomery et ils convinrent de se retrouver à leur agence. Elle arriva accompagnée de Todd Williams. Quelques instants plus tard, ils virent Chip Bailey se garer dans le parking.

— C'est moi qui l'ai appelé, expliqua Williams. Je me suis dit qu'il valait mieux le tenir au courant, même si la mort de Kyle n'est pas liée à la série de meurtres.

— Vous en êtes sûr ? répliqua King.

Williams lui lança un regard sévère.

— Vous cherchez à me rendre cinglé ou quoi ?

Pendant qu'ils prenaient tous place dans la salle de réunion, Sylvia ouvrit une chemise cartonnée.

— Comme je vous l'ai déjà expliqué, nous ne connaîtrons la cause exacte de la mort qu'à la réception des tests toxicologiques, commença-t-elle. Nous avons néanmoins fait, lors de l'examen externe, des découvertes inhabituelles qui me poussent à croire sa mort suspecte.

— Un suicide par overdose ? demanda King.

— Non, un meurtre.

Elle marqua une pause, et reprit d'une voix ferme malgré un débit rapide :

— Kyle n'était pas un toxicomane notoire. Nous n'avons retrouvé aucune autre drogue, aucun attirail d'héroïnomane chez lui, ni aucune autre trace d'aiguille sur son corps.

— Pourtant, il y avait une seringue usagée dans son appartement, et une marque de piqûre sur son bras, observa Bailey.

— Et cette seringue contenait bien de l'héroïne, ç'a été confirmé... Admettons que Kyle ait voulu se tuer. Il faut se demander où il s'est procuré cette héroïne, parce que, je peux vous l'assurer, il n'y en a pas dans ma pharmacie. De plus, quand on achète cette drogue dans la rue, on n'est jamais certain de la dose qu'on s'injecte vraiment.

— D'un autre côté, il en savait forcément plus long qu'un toxico ordinaire, dit Williams. Et il faut bien avouer qu'on trouve des drogues illégales partout, hélas.

— D'accord, mais quand on cherche à se donner la mort, on essaie de réussir du premier coup, rétorqua Sylvia. Conclusion : l'héroïne n'est pas le bon choix pour un suicide… Bien plus important, j'ai trouvé deux petites traces de piqûre superficielles au milieu de son torse. Je ne les avais pas remarquées sur les lieux du crime, à cause du mauvais éclairage.

— Quelle sorte de piqûre ? s'enquit Bailey.

— Comme de minuscules aiguilles à peine séparées de trois centimètres. Une espèce de blessure qui laisse un dessin particulier.

— Différente de celle d'une seringue, donc ? demanda Michelle.

— Oui. Et de toute façon, on ne se pique pas sur la poitrine : bras et jambes sont de loin les meilleurs endroits pour ça.

— De quoi s'agit-il, alors, d'après toi ? questionna, King.

— J'ai déjà vu un cas similaire à Richmond, après une émeute. Un homme est mort d'un arrêt cardiaque après avoir été immobilisé par la police à l'aide d'un pistolet Taser. Les deux fléchettes électrifiées de cet appareil laissent des stigmates semblables à ceux qui apparaissent sur le torse de Kyle.

— Donc, quelqu'un l'aurait neutralisé avec le Taser avant de lui injecter de l'héroïne en surdose. Ce qui expliquerait l'absence de traces de lutte.

— Mes découvertes ne s'arrêtent pas là, déclara alors Sylvia. J'ai aussi décelé de petites pétéchies et hémorragies dans les yeux et la bouche.

— Des signes d'asphyxie et d'étouffement, remarqua Michelle.

— Tout à fait. Les hémorragies apparaissent quand on lutte pour respirer. L'autopsie n'ayant révélé aucune marque de strangulation, je pense qu'on a étouffé Kyle avec un objet qui ne laisse aucune trace de ce genre, comme un oreiller. En outre, l'héroïne étant un dépresseur respiratoire, son souffle devait être déjà très faible, ce qui aura facilité la tâche à son assassin.

— Donc, si la mort n'est pas un suicide, qui avait un mobile pour le tuer ? lança Bailey.

— La femme à qui il vendait de la drogue à l'Aphrodisiac, pardi, répondit Williams.

Bailey le regarda d'un air interrogateur, et le commandant le mit au courant.

— Mais si elle a récupéré son argent, pourquoi aurait-elle dû le supprimer ? demanda l'agent du FBI.

— Peut-être que Kyle avait découvert son identité et tenté de la faire chanter ? suggéra Sylvia. Voilà qui serait un mobile très plausible : la peur de la dénonciation.

— Alors, il faut trouver cette femme, et fissa, déclara Williams.

— Nous savons qui c'est, annonça King après avoir consulté Michelle du regard.

Les trois autres le considérèrent d'un air surpris.

— Eh bien, qui est-ce, bon sang de bonsoir ? s'impatienta Williams.

— Dorothea Battle. Et elle n'a aucun alibi pour le moment où Kyle a été tué.

— Dorothea Battle ?

Le commandant se leva.

— Pourquoi avoir tant tardé à me prévenir, Sean ?

— Nous venons juste de le lui faire avouer.

— Dans ce cas, nous allons la cueillir illico, affirma Williams en sortant son portable.

— Elle est chez elle.

— Vous voulez dire que vous l'espérez. Si elle s'est fait la malle, je vous en tiendrai pour responsable.

— Je ne pense pas qu'elle ait assassiné Kyle, Todd.

Ignorant sa remarque, Williams ordonna à son interlocuteur d'arrêter Dorothea, puis coupa la communication et dévisagea de nouveau King.

— Quels éléments viennent étayer cette conclusion ?

— L'instinct.

— Merci, je tâcherai de m'en souvenir.

— Si Dorothea l'a effectivement tué, cela signifie que nous avons affaire à trois tueurs, insista King. Le tueur en série, l'assassin de Bobby Battle, et elle.

— Dorothea a pu assassiner Bobby aussi, dit Williams. Vous a-t-elle expliqué pourquoi elle lui a rendu visite à l'hôpital ?

— Elle espérait qu'il aurait modifié son testament pour lui léguer une plus grosse somme, comme il le lui avait promis, selon elle. Elle serait allée à l'hôpital afin de s'assurer qu'il avait

406

tenu son engagement, mais ce n'était pas le cas puisque Remmy a touché l'argent. Dorothea ne profite donc en rien de sa mort.

— Et si, en apprenant qu'il n'avait rien changé, elle avait vu rouge et décidé de l'empoisonner ? lança Michelle.

— Je ne pense pas que Battle ait été en mesure de répondre à d'éventuelles questions. Au moment de sa mort, il était sous respirateur artificiel, ce qui interdisait toute conversation.

Bailey lança un bref regard à King.

— Et votre théorie selon laquelle les meurtres seraient liés ?

— J'explore toujours cette piste, répondit King en haussant les épaules.

Une fois les autres partis, King passa un coup de téléphone, mais reposa le combiné presque tout de suite.

— Qui essayais-tu de joindre ? s'enquit Michelle.

— Harry Carrick. Ça ne répond pas. Je réessaierai plus tard. Dès qu'ils auront arrêté Dorothea, ça va drôlement chauffer. Comme Harry est un ami de Remmy, je voulais le prévenir ; il aura peut-être envie de passer la voir. Dorothea va sacrément avoir besoin d'un avocat.

— Je me demande si je dois aller avertir Eddie.

— Mieux vaut qu'il l'apprenne de la bouche d'un autre. Bailey s'en chargera sans doute...

— Pourquoi ne lui as-tu pas parlé du lien entre Canney et les Battle ?

— J'ignore encore s'il existe bien un lien. J'aimerais en être d'abord sûr.

— Tu as des soupçons, pourtant.

— Oui, de forts soupçons.

— Ça te dérangerait de m'en faire part ?

— J'ai l'intuition que Steve Canney est le fils naturel de Bobby Battle et de Mme Canney, et qu'à la mort de sa femme Roger Canney a fait raquer le vieillard. Voilà qui expliquerait son enrichissement soudain, ainsi que l'absence de photos de sa femme adultère et du fils qui n'était pas le sien.

— Ça m'étonne qu'il ait attendu qu'elle meure dans un accident de voiture pour faire chanter Battle.

— Un accident ? répéta doucement King.

— Oui, elle avait bu et a quitté la chaussée. Tu ne t'en souviens pas ?

— Je m'en souviens très bien, merci.

Elle remarqua le regard vague de son associé.

— Toi tu as flairé quelque chose... Tu veux bien m'affranchir ?

— Et si la mort de Mme Canney n'était pas un accident ?

— C'en est pourtant un : ils ont retrouvé sa voiture au fond d'une ravine. Je t'ai dit que j'avais vérifié l'info auprès de Todd.

— Ouais. Elle est bien morte sur la route, mais s'agit-il pour autant d'un accident ?

65

Quand King parvint enfin à joindre Harry, il lui expliqua ce qui s'était passé.

— Je file chez les Battle, annonça Carrick. Vous pourriez peut-être me rejoindre là-bas, Michelle et toi ?

Ils se retrouvèrent au domaine à l'heure du dîner.

Ce fut Remmy qui les accueillit.

— Mason est sorti, expliqua-t-elle.

— Vous avez appris la nouvelle ? questionna King.

— Oui. J'ai du mal à croire qu'elle s'en tirera à bon compte, ce coup-ci.

King la regarda d'un air étonné.

— Remmy, je sais que vous ne vous entendez pas à merveille, toutes les deux, mais il s'agit de votre belle-fille...

— C'est bien la seule raison pour laquelle je m'en soucie.

— Où est Eddie ?

— En ville, il a rendez-vous avec les avocats. Dorothea n'est pas encore officiellement accusée ?

— On ne connaît même pas la cause exacte de la mort, intervint Michelle. Tant que ce ne sera pas le cas, on ne pourra pas l'inculper.

— Vous ne pensez quand même pas qu'elle a pu le tuer ? demanda Harry à Remmy.

Elle le regarda droit dans les yeux.

— Non, mais d'un autre côté je ne l'imaginais pas consommatrice de médicaments volés.

— Il y a une sacrée différence entre se droguer et assassiner quelqu'un, répliqua Harry.

Elle leur fit signe d'entrer.

— Pourquoi ne pas poursuivre à table cette discussion des plus passionnantes ?

Savannah les rejoignit dans la salle à manger. Vêtue d'une jupe longue, d'un chemisier blanc, d'un sweater bleu marine, de bas et d'escarpins à talons plats, elle était coiffée avec élégance et très peu maquillée.

Il fallut quelques instants à King pour se rendre compte qu'elle était habillée à l'identique de sa mère. Il lança un regard à Michelle. Vu son air stupéfait, ils partageaient la même pensée.

Harry s'assit à côté de Savannah et engagea la conversation avec elle pendant que Michelle et King se concentraient sur Remmy.

— Dorothea n'a hérité de presque rien, dit King. L'argent n'est donc pas un mobile pour elle.

— Tous les mobiles ne sont pas forcément d'ordre financier, répondit Remmy en beurrant son petit pain.

« Comme celui qui vous a poussée à tuer votre mari ? » songea King.

— Vous avez une raison particulière en tête ? questionna Michelle.

— Non, je ne fais qu'énoncer ce qui m'apparaît comme une évidence.

— Vous ignoriez que Dorothea empruntait une des voitures de Bobby et louait une chambre à l'Aphrodisiac ? Et qu'elle prenait de la drogue ?

Remmy hocha la tête.

— Mais je ne suis pas le chaperon de ma belle-fille, voyez-vous.

— Moi, je savais qu'elle se droguait, intervint Savannah.

Tous les regards se tournèrent vers elle.

— Elle s'est confiée à vous ? s'enquit Michelle.

— Non, mais un jour je l'ai vue rentrer, sans doute de cet endroit. Je m'étais levée tôt pour aller me promener. Elle semblait revenir de la grange à voitures. Elle était dans un sale état. Je me suis même demandé comment elle avait pu conduire.

— Vous n'avez pas pensé qu'elle pouvait être ivre, tout simplement ?

— Après quatre années à l'université, je sais faire la différence entre quelqu'un de bourré et quelqu'un de défoncé.

— Je suis ravie que notre argent ait servi à t'offrir une éducation aussi précieuse, commenta sèchement Remmy.

— Vous vous en êtes entretenue avec elle, Savannah ? voulut savoir King.

— Non, ça ne me regardait pas.

— Vous n'en avez parlé à personne – comme à Eddie, par exemple ?

— Je vous le répète, ce n'était pas mes affaires. Dorothea et moi ne sommes pas proches, au cas où vous ne l'auriez pas remarqué.

Après le dîner, prétextant qu'elle avait des lettres à écrire, Remmy prit congé et laissa à Savannah le soin de reconduire les invités. King demanda auparavant à utiliser les toilettes. En l'attendant, Harry emmena Savannah dans un coin de la pièce et lui parla d'un ton confidentiel. Puis King reparut et sortit de la maison avec Harry et Michelle.

— Je ne voulais pas vous mettre à l'écart, Michelle, déclara Carrick, mais je m'inquiète au sujet de Savannah, et je tenais à discuter avec elle en privé.

— Tu as remarqué qu'elle s'habille comme sa mère, maintenant ? lui demanda King.

— C'est un signe que quelque chose ne tourne pas rond, répondit Harry avec diplomatie. Remmy est une femme très intimidante, et m'est avis que même un caractère fort comme Savannah a du mal à se libérer de son emprise...

— Remmy écrit beaucoup de lettres, tient un journal et reçoit sans doute de nombreuses missives de ses amis, commenta King.

Harry le regarda d'un air intrigué.

— Possible – tout comme moi, d'ailleurs. C'est important ?

— En allant aux toilettes, je suis passé devant son boudoir. Remmy s'y trouvait et rédigeait son courrier comme elle l'avait annoncé.

— Et alors ? fit Michelle.

— Eh bien, on ne sait toujours pas ce qui a été volé dans sa penderie et celle de Bobby... S'il s'agissait de lettres ou d'un journal, par exemple ?

— C'est plausible, admit Harry. Les femmes telles que Remmy désirent souvent posséder un endroit sûr où ranger leur correspondance confidentielle.

— Une correspondance qui peut s'avérer compromettante pour une raison ou une autre, renchérit King. Pas forcément d'un point de vue criminel, mais personnel. En tout cas, il faut prendre en compte cette hypothèse.

Là-dessus, tous trois se saluèrent et montèrent chacun dans leur véhicule.

Alors qu'il s'installait au volant de sa Lexus, King remarqua un petit mot sur le siège passager. Le message était concis et allait droit au but :

J'ai à vous parler. Je vous retrouve devant chez vous ce soir à dix heures.

C'était signé *Sally*.

King jeta un coup d'œil alentour, mais ne vit personne. Il consulta sa montre : neuf heures. Il envisagea d'appeler Michelle pour lui demander de le rejoindre à son *house boat*, mais finalement il s'abstint. Il ne tenait pas à effrayer la fille d'écurie. Il démarra. Dans une heure, l'énigme serait peut-être résolue en partie ; en tout cas un peu moins embrouillée. Pour l'instant, ça lui suffisait.

66

King aperçut Sally à l'heure dite au bout de son allée. Après être passés devant le chantier de sa nouvelle maison, ils descendirent dans son *house boat*.

La jeune femme paraissait très nerveuse. Pour la mettre à l'aise, King déclara :

— Vous avez pris la bonne décision, Sally. Je vous assure. Après vous être déchargée de ce poids, vous vous sentirez mieux.

Ils s'assirent à la petite table de la cuisine, et King prépara du thé, puis fixa du regard Sally, impatient d'entendre autre chose que le bruit des vaguelettes clapotant contre la coque.

— Junior, fit-il au bout d'un moment. C'est de lui que vous êtes venue me parler ?

Sally poussa un profond soupir et se lança :

— J'étais avec lui au moment du cambriolage.

King fut stupéfait.

— Vous l'avez aidé à s'introduire chez les Battle ?

— Bien sûr que non ! Nous n'étions pas chez les Battle mais chez Junior, dans la maison qu'il est en train de construire.

— Donc, il n'est pas l'auteur du vol ?

— C'est impossible. Nous sommes restés là-bas de huit heures du soir jusqu'à plus de quatre heures du matin. Et ça se trouve à une bonne heure de route de chez les Battle.

— Que faisiez-vous chez lui ?

Sally but un peu de thé et se cala dans sa chaise, le visage empourpré, les joues zébrées de larmes.

— Bon Dieu, qu'est-ce qui me prend de vous raconter ça ?

— Sally ? Que faisiez-vous chez lui ? insista King.

— Nous nous sommes rencontrés quand il travaillait chez les Battle. Nous… nous sentions tous les deux seuls, je pense.

— Vous aviez une liaison avec Junior ?

— Mais non !

— Alors, expliquez-moi, répondit-il calmement.

— Nous étions juste amis. Enfin, au début. Je veux dire…

Elle posa sa tasse et se pencha en avant.

— Il m'avait expliqué qu'il allait passer la nuit à travailler là-bas. Sa femme avait une soirée de repos et s'occupait des enfants. J'y suis allée, je l'ai séduit et nous avons couché ensemble. Voilà. Ça y est, vous savez tout.

— C'est vous qui l'avez séduit ?

Elle parut vexée.

— Je ne suis pas toujours en jean et couverte de crottin, Sean. Je sais m'apprêter, quand je veux. Il a été surpris de me voir, bien sûr, mais je lui ai bien fait comprendre ce que je voulais.

— Je croyais Junior très amoureux de Lulu…

— Oui, mais il n'en restait pas moins un homme, et je ne portais presque rien sur moi ; alors, c'était plutôt dur de refuser mon offre. Je ne voulais que du sexe, pas de questions ni d'engagement. D'après ce qu'il me racontait, ça faisait un bout de temps que Lulu ne lui accordait plus tellement d'attention. Elle passait sa vie à son club.

— Donc, Junior était tout à fait disposé à céder à vos avances ?

— Que ce soit clair : Junior n'aurait pas eu la force de commettre ce cambriolage. Moi-même, je tenais à peine debout, après.

King leva la main pour la freiner.

— Ça va, j'ai eu assez de détails.

Sally se frotta les yeux.

— En tout cas, je l'aimais vraiment bien. Je sais qu'il était costaud et qu'il n'avait pas l'air commode, mais au fond c'était quelqu'un de très tendre.

— Pourquoi n'avez-vous rien dévoilé de votre aventure quand on l'a arrêté ?

— C'est lui qui a refusé ! Il m'a dit qu'il préférait aller en prison plutôt que laisser Lulu tout découvrir.

— Je peux le comprendre. Quoi d'autre ?

— C'est tout. À l'enterrement de Battle, j'ai filé discrètement pour dire adieu à Junior. Je pensais que personne ne me verrait... Tout ça ne peut pas rester secret ? reprit-elle en baissant les yeux.

Elle baissa les yeux.

— Maintenant que Junior est mort et que Remmy est convaincue de son innocence, peut-être. Il me paraît inutile de gâcher les souvenirs que Lulu a de son mari.

— Il l'aimait vraiment, Sean. Moi, je n'ai été qu'une aventure d'un soir.

D'une toute petite voix, elle ajouta :

— Je ne suis jamais rien d'autre, de toute façon.

Après le départ de Sally, King songea à appeler Michelle, mais décida d'attendre le lendemain. La journée avait été longue. Il alla se coucher.

Dehors, l'homme avait écouté toute la conversation grâce au mouchard posé chez King. Il leva la tête vers le *house boat* lorsque la dernière lumière s'y éteignit. Il attendrait que King soit profondément endormi pour lui rendre une ultime visite.

67

Chez elle, Michelle s'était entraînée au kick boxing sur le sac de frappe suspendu dans son sous-sol ; puis elle avait rangé du linge propre et poussé l'audace jusqu'à nettoyer sa cuisine. Après une bonne douche, elle songeait à se mettre au lit mais se sentait très agitée. Ces meurtres l'obnubilaient. Existait-il un détail qui leur échappait ? King avait émis l'hypothèse que Mme Canney n'ait pas été victime d'un accident, mais d'un meurtre. Dans ce cas, qui était l'assassin ?

Le cerveau en ébullition, Michelle résolut d'aller faire un tour en voiture – cela l'aidait toujours à s'éclaircir les idées. En chemin, elle passa à l'agence pour consulter ses tonnes de notes sur l'enquête, dans l'espoir d'un déclic.

En traversant le petit espace d'accueil, elle vit sur le bureau de leur réceptionniste des messages qui les attendaient. L'un d'eux, adressé à King, émanait d'un certain Billy Edwards. Ce nom lui disait quelque chose, mais elle ne parvint pas à le remettre. En tout cas, d'après l'indicatif régional, Edwards habitait les environs de Los Angeles – et il était encore assez tôt, là-bas, songea-t-elle. Ce qui l'agaçait un peu chez King, c'était sa manie du secret, même aux dépens de son équipière… Voilà qui lui offrait une occasion de prendre une longueur d'avance sur lui. Elle appela Edwards, qui répondit à la troisième sonnerie.

— Billy Edwards ?

— Lui-même. Qui est-ce ?

— Michelle Maxwell. Je suis l'associée de Sean King, de Wrightsburg, en Virginie. Il vous a appelé, je crois.

— Exact. Il m'avait demandé de le recontacter.

— Il est absent, pour l'instant, et il m'a chargée de vous joindre.

— Pas de problème. Alors, vous voulez savoir des trucs sur la période où je travaillais chez les Battle ?

Cette fois, le nom lui fit tilt. Billy Edwards : le mécanicien qui s'occupait des voitures anciennes de Bobby Battle. On l'avait remercié le lendemain de l'altercation entre Remmy et Bobby.

— Voilà, répondit tout de suite Michelle. Il semblerait qu'on vous ait renvoyé de façon assez brutale.

Edwards s'esclaffa.

418

— Je dirais plutôt que j'ai été foutu à la porte du jour au lendemain.

— Par Bobby Battle ?

— Le seul et unique. J'ai vu aux infos qu'il est mort, c'est ça ?

— Oui. Vous a-t-il fourni un motif pour votre licenciement ?

— Nan, aucun. Pas jugé bon. Tout ce que je sais, c'est que ça venait pas de mon boulot... Je reconnais que j'étais fumasse sur le coup, mais Battle m'a quand même bien traité : il m'a payé une belle indemnité. Et puis il m'a écrit une lettre de recommandation du tonnerre, qui m'a permis de retrouver super vite une place chez un autre richard avec une collection encore plus impressionnante.

— C'est une chance. Sinon, nous avons cru comprendre qu'une dispute avait opposé Bobby et Remmy Battle dans la grange à voitures, le soir qui a précédé votre licenciement...

— Remmy Battle, en voilà une sacrée bonne femme ! Savez quoi ? Ces deux-là, c'était kif-kif, comme si Godzilla se fritait avec King Kong.

— C'est sûr. Étiez-vous au courant de cette dispute ?

— Non. Et vous, comment vous avez appris ça ?

— Je ne peux vous fournir mes sources.

— Mouais. Je parie pour Sally Wainwright, pas vrai ?

— Pourquoi pensez-vous à elle ?

— Parce qu'elle aimait bien traîner là-bas toute seule de temps en temps. Et puis, elle y

419

allait parfois avec moi, aussi, ajouta-t-il en pouffant. On s'est bien éclatés, Sally et moi !

— Donc, tous les deux, vous vous fréquentiez.

— Non. C'était juste pour le fun. Une drôle de coquine, celle-là ! Si Battle avait appris ce qu'on faisait dans ses bagnoles...

— Ah bon ?

— Ben ouais, tiens. En plus j'étais pas le seul.

— Qui d'autre ?

— Mason travaille toujours là-bas ?

— Oui.

— Eh ben voilà.

Michelle ne put dissimuler son étonnement.

— Mason couchait avec Sally ?

— En tout cas, c'est ce qu'elle m'a dit... moi, je les ai jamais vus, précisa Edwards. C'est une jolie fille. Je devrais pas raconter ça à une femme, mais quand on vit à plusieurs sous le même toit, il s'en passe. On la voyait se balader dans la maison vêtue de presque rien, ou sortir de la salle de bains avec une petite serviette autour d'elle, alors vous comprenez, on est humains, après tout. J'ai rien à me reprocher.

— Je vois le tableau. D'autres en ont profité aussi ?

— Sans doute, même si je connais pas les noms.

— D'après Sally, Bobby venait de rentrer avec sa Rolls-Royce quand Remmy et lui se sont accrochés.

— La Rolls ? Une merveille ! Des comme ça, il n'y en a que cinq au monde, je crois. Il l'a toujours ?

— Non, il s'en est débarrassé dès le lendemain, il semblerait.

— Je m'en doutais.

Michelle se raidit.

— Pourquoi ?

— Le matin où je me suis fait virer, je suis allé chercher mes outils et d'autres trucs dans la grange. Mais j'ai toujours eu un faible pour cette Rolls, c'était vraiment une belle bagnole. Bref, je savais que je la reverrais jamais et que je risquais pas de m'en acheter une...

Edwards rit.

Michelle, qui était tendue comme une corde à piano, le relança :

— Alors, qu'avez-vous fait ?

— Je voulais l'admirer une dernière fois. J'ai soulevé la housse et je me suis mis au volant, en m'imaginant qu'elle m'appartenait.

— Oui, d'accord, s'impatienta Michelle, mais pourquoi pensiez-vous que Battle allait s'en débarrasser ?

— Parce qu'en remettant la protection j'ai remarqué que le pare-chocs avant était enfoncé sur la gauche et qu'un des phares était fendu. Ça n'avait pu arriver que le soir précédent, parce que j'avais examiné la voiture dans l'après-midi et que tout allait bien à ce moment-là. Ce n'étaient pas de gros dégâts, mais sur une bagnole pareille la moindre réparation se chiffre en milliers de dollars. Et puis, on ne trouve plus les pièces... Un vrai gâchis ! Je me suis dit que Battle avait dû heurter quelque chose, et que c'était ce qui l'avait mis en rogne. Il ne supportait pas le moindre pet de travers. Quand il venait à la grange, s'il trouvait une tache d'huile par terre ou une plaque d'immatriculation accrochée de travers, il me passait un savon. Ça a dû le rendre malade de bigner sa Rolls. Alors, à coup sûr, s'il pouvait pas la faire réparer comme il fallait, il s'en séparerait. C'était tout lui.

— Vous n'avez jamais parlé de cet incident à personne ?

— Non. C'était sa voiture, il en faisait ce qu'il voulait.

— Vous rappelez-vous la date exacte de ces événements ?

— L'accrochage a dû avoir lieu la veille de mon renvoi – le soir, comme je vous ai expliqué.

— Oui, j'ai bien compris, mais à quelle date ?

Edwards resta silencieux un instant.

— Il y a plus de trois ans, ça c'est sûr. À l'automne, environ. J'ai travaillé un peu pour une boîte en Caroline du Nord, avant de trouver mon job dans l'Ohio. Peut-être en septembre. Non, plutôt octobre ou novembre – enfin je crois, dit-il d'un ton moins confiant.

— Vous ne pouvez pas être plus précis ?

— Écoutez, j'ai déjà du mal à me rappeler où j'étais la semaine dernière ; alors il y a trois ans, je vous en parle même pas. J'ai pas mal bourlingué, depuis.

— Pourriez-vous consulter vos fiches de paie de chez les Battle ? Ou bien celles de vos emplois en Caroline ou dans l'Ohio ? Ça réduirait le champ des recherches.

— Vous savez, je vis dans un studio à West Hollywood. J'ai pas la place de garder tous ces papelards. Déjà que j'ai à peine de quoi ranger mes fringues...

— Bon, si ça vous revient, vous me rappelez ?

— Bien sûr, si c'est important.

— C'est très important.

Michelle reposa le combiné. Plus de trois ans, à l'automne... Plutôt trois ans et demi, donc, vu qu'on était au printemps. Elle s'assit droit comme un I. « Une seconde, se dit-elle. Sally Wainwright se souviendra sans doute de la date exacte, elle... » Mais il était trop tard pour lui téléphoner, constata-t-elle en consultant sa montre. Ils s'en occuperaient dans la matinée. Pour l'instant, elle allait mettre King au courant de ses avancées.

Elle l'appela sur son portable, mais n'obtint pas de réponse. Elle ne put que laisser un message sur la boîte vocale, car King n'avait pas de poste fixe. Il devait être en train de dormir... Michelle fixa son téléphone du regard et se mit à cogiter. Une part d'elle lui disait de rentrer, cependant elle avait un étrange pressentiment. Sean avait le sommeil léger. Pourquoi n'avait-il pas décroché ? Il avait dû voir que c'était elle grâce à la présentation du numéro... à moins qu'il n'ait pas été en mesure de répondre ! Attrapant ses clés en hâte, Michelle courut jusqu'à son utilitaire sport.

68

Sean King ne cessait de remuer dans son lit. Le cerveau en feu, il poussa un petit geignement quand le bateau tangua. Pourtant, il ne se réveilla pas. Il ne subissait pas les assauts d'un cauchemar. Tandis qu'on ôtait à son corps sa capacité à absorber de l'oxygène, il glissait lentement vers la mort.

Des phares tranchèrent l'obscurité lorsque Michelle arriva au volant de sa grosse Toyota. Elle dévala l'escalier qui menait au *house boat*.

— Sean ? appela-t-elle en tambourinant à la porte. Sean ?

Elle examina les environs. La Lexus était garée un peu plus haut. King était donc forcément là.

— Sean ?

Elle essaya d'ouvrir. Fermé à clé. Longeant l'embarcadère jusqu'à la fenêtre de sa chambre, elle insista :

— Sean ?

Elle crut entendre un bruit – comme un gémissement. Elle retourna à la porte en courant et la heurta épaule la première. Sans résultat. Elle prit alors un peu d'élan puis, d'un puissant coup de pied, enfonça le chambranle à hauteur de la serrure. L'arme au poing, elle se précipita à l'intérieur. La lourdeur dans ses poumons qu'elle ressentit sur-le-champ intensifia sa panique. Un bourdonnement s'élevait de quelque part, et, tout en avançant dans l'obscurité, elle avait l'impression que des lianes froides s'agrippaient à elle. Après avoir trébuché plusieurs fois, elle finit par trouver un interrupteur.

— Sean ? Ça va ? cria-t-elle.

Elle se saisit enfin de lui, le secoua. Il ne reprit pas connaissance. Alors, même si elle-même avait de plus en plus de mal à respirer, elle le sortit du lit et l'emmena dehors, à l'air libre. Mais, une fois étendu sur le ponton, il restait inerte, le visage d'un rouge cerise effrayant. « Intoxication au monoxyde de carbone ! » Se penchant sur lui, Michelle chassa les cheveux de son visage et commença le bouche-à-bouche.

— Respire, Sean, respire, nom de Dieu ! Allez, respire !

Elle ne cessait de lui insuffler de l'air dans les poumons, lui transmettant le contenu des siens au point de se sentir nauséeuse.

— Sean, je t'en prie ! Fais-moi plaisir, mon biquet ! Ne me fais pas ce coup-là, t'as pas intérêt ! Allez, petit con, respire maintenant !

Elle lui prit le pouls, puis lui souleva son T-shirt et écouta son cœur. Presque aucun battement. Elle lui souffla encore un peu d'air, puis sacrifia de précieuses secondes pour appeler les urgences. Elle continua les soins, prête à commencer un massage cardiaque en cas de besoin. Pour l'instant, son cœur battait toujours faiblement, elle l'entendait. Si seulement ses poumons voulaient bien se remettre au boulot ! Elle poursuivit la respiration artificielle jusqu'à être sur le point de s'évanouir. « Il a l'air mort. C'est fini. J'ai échoué. »

Elle jura et souffla. Jura et souffla encore, exhortant Sean à respirer ; essayant de l'atteindre où qu'il soit, dans ce monde, dans l'autre, ou entre les deux...

Et, enfin ! ses efforts portèrent leurs fruits. La poitrine de Sean se souleva avec plus de force et de régularité, la coloration rouge vif de son visage s'atténua. Michelle courut chercher de l'eau à la cuisine et lui aspergea la figure. Que fabriquait l'ambulance ? Elle aurait déjà dû arriver. Même si Sean réemergeait peu à peu, son état n'allait-il pas se détériorer de nouveau ? Et s'il avait été privé d'oxygène pendant long-temps, n'allait-il pas souffrir de lésions céré-brales ? Elle s'efforça de repousser ces pensées angoissantes.

Alors qu'elle se redressait pour retourner chercher de l'eau, Michelle baissa la tête et se figea. Le point laser se trouvait juste entre ses seins, en plein sur son cœur.

Elle n'hésita pas une seconde, parce qu'elle en avait assez de jouer à cache-cache avec ce tueur qui avait toujours une longueur d'avance sur eux, mais aussi parce qu'elle rageait de l'avoir manqué après la mort de Junior. Avec une rapi-dité étourdissante, elle bondit sur le côté, et dans le même temps dégaina et fit feu. Elle vida son arme, espérant couvrir une surface assez vaste pour toucher cet individu qui avait pris la vie à tant de victimes.

Après une roulade, elle s'accroupit derrière le bastingage plein du *house boat*, éjecta son chargeur vide et en enclencha un autre d'un coup sec, arma son pistolet dans la foulée, puis jeta un coup d'œil par-dessus le plat-bord. Elle entendit alors le tueur s'enfuir en courant. Elle s'apprêtait à le pourchasser, mais King poussa un gémissement sonore qui l'incita à se précipiter plutôt auprès de lui. Respirant par grands halètements, il tenta de s'asseoir sur son séant. Presque aussitôt, il fut pris de violentes nausées et abandonna. Michelle trempa un torchon dans le lac, lui essuya le visage, et vint s'asseoir au sol près de lui pour le tenir le plus fermement possible.

— Appuie-toi contre moi, Sean, ça va aller. Je suis là. Vas-y, appuie-toi...

Elle essaya de retenir ses larmes, des larmes de soulagement, mais préféra les laisser couler. Elle avait envie de hurler sa joie, dans le même temps.

— Qu'est-ce qui s'est passé ? demanda-t-il d'une voix faible. Qu'est-ce qui s'est passé, bordel ?

— Garde ton souffle, l'ambulance va arriver.

Alors qu'elle lui maintenait délicatement la tête sur ses genoux, King s'inquiéta pour elle.

— Et toi, tu vas bien ?

À cet instant seulement, Michelle réalisa qu'elle avait été touchée – pas à cause de la douleur, du moins pas tout de suite, mais à cause du sang qui ruisselait le long de son bras. Elle palpa le trou dans le tissu qu'avait laissé le projectile. « Ce n'est qu'une éraflure, croyait-elle. La balle n'est pas rentrée. » Déchirant le bas de sa manche, elle improvisa un garrot pour juguler le saignement.

— Michelle, tu es sûre que ça va ? insista King, d'un ton plus pressant, même s'il avait fermé les yeux.

— Mieux que jamais, mentit Michelle.

69

— Quelqu'un a bouché les conduits de chauffage du bateau, expliqua Todd Williams à King et Michelle, un peu plus tard à l'hôpital où il les avait suivis ainsi que deux adjoints et Sylvia. Toutes les émanations sont revenues dans la cabine. Vous avez de la chance que Michelle soit arrivée à temps.

— J'ai bien failli ne pas passer chez toi, commenta-t-elle en massant son bras blessé, à présent en écharpe.

Depuis le lit, King lui lança un regard sévère.

— Je croyais que tu allais bien. Se prendre une balle, ce n'est pas « aller bien », pour moi, grommela-t-il.

— C'est juste une égratignure.

— Pas tout à fait, Michelle, intervint Sylvia. Vous avez été touchée sur la face interne du bras. À quelques centimètres près, vous auriez été atteinte au torse, et les dégâts auraient été bien plus graves.

Michelle écarta ces paroles d'un mouvement d'épaule et demanda :

— On a retrouvé la balle ou le tireur ?

— Ni l'un ni l'autre, répondit Williams. La balle est sans doute dans le lac ; quant au tireur, allez savoir...

— En tout cas, il faut voir l'aspect positif de cette histoire..., commença King.

Tous le regardèrent.

— ... si le tueur veut se débarrasser de moi, c'est qu'on se rapproche du but.

— Au fait, ce n'est pas en restant ici que je le coincerai, dit Williams en se dirigeant vers la porte.

— Tu ne peux pas retourner chez toi, déclara Sylvia à King après son départ. Je peux t'héberger, si tu veux, j'ai toute la place qu'il faut.

Mais Michelle se leva et répliqua d'un ton ferme :

— Il va rester un peu chez moi. Comme ça, je pourrai garder un œil sur lui.

Mal à l'aise, King lança un regard aux deux femmes avant de remarquer :

— Tu as déjà assez de boulot comme ça, Sylvia. Tu ne peux pas te permettre de rester cloîtrée à t'occuper de moi, même si je me sens en forme.

Michelle secoua la tête.

— Tu as entendu le médecin, Sean : tu dois y aller mollo pendant quelques jours.

— Michelle a raison, renchérit Sylvia. Ils t'ont bourré d'oxygène, alors tu as l'impression de te sentir bien. Mais ton corps a subi un choc violent, et si tu forces trop tu risques de te retrouver ici plus vite que tu ne le crois.

Elle se tourna vers Michelle.

— Bon, prenez soin de vous aussi.

— Ça va aller, merci.

En donnant une accolade à King, Sylvia lui chuchota quelque chose à l'oreille puis partit.

— Qu'est-ce qu'elle t'a dit ? voulut savoir Michelle.

— Je n'ai pas droit aux secrets, moi ?

— Pas avec moi. Je viens de te sauver la vie. D'ailleurs, ce n'est pas la première fois.

King soupira.

— OK. Elle m'a dit de ne jamais lui refaire une frayeur pareille.

— C'est tout ?

— Désolé de te décevoir. Tu attendais quoi, qu'elle me jure un amour éternel ? Ça se construit, une relation, tu sais. Il faut au moins trois repas au restau et plusieurs séances de ciné à se peloter comme des malades – enfin, à ce qu'il paraît.

— Gros malin, va. En tout cas, tu as repris du poil de la bête.

— On peut se tirer d'ici ?

— Ils veulent te garder un peu en observation.

— Bon sang, ce qu'il me faut, c'est de l'air, et ce n'est pas à l'hôpital que je vais en trouver !

— D'accord, je vais voir ce que je peux faire. On passera chez toi te prendre des affaires, si tu veux.

— Tu peux conduire, avec ton bras ?

430

— Conduire *et* tirer. Vu comme ça se présente, nous aurons sans doute besoin des deux.

Alors qu'ils quittaient le parking, une heure plus tard, King constata d'un air grognon :

— Ce coup-ci, au moins, on n'a pas fait sauter ma maison.

— J'admire les hommes qui savent voir le bon côté des choses.

— Il me reste une épreuve à affronter, maintenant.

Michelle le regarda d'un air intrigué.

— Laquelle ?

— Survivre à un séjour chez toi.

Il faisait à peine jour quand Sally se leva pour aller travailler. Il fallait nourrir les chevaux, les promener et les brosser, puis curer les stalles, réparer brides et sangles de selle, et s'occuper de tout un tas d'autres tâches routinières qui feraient défiler les heures à la vitesse de l'éclair. Toujours la première debout et en général la première au lit, elle était cependant moins énergique que d'habitude, ce matin-là, à cause du manque de sommeil. Elle redoutait les conséquences de ses aveux à Sean King. Pourtant, elle demeurait convaincue d'avoir pris la bonne décision. Au moins, tout le monde saurait que Junior était innocent.

Elle s'habilla, sortit dans l'air frais du matin et se rendit à grandes enjambées aux écuries. Tout en s'avançant vers la stalle du premier cheval, qu'elle essayait consciencieusement de dresser, elle se demanda combien de temps encore elle travaillerait ici. Seuls Eddie et Savannah montaient. Si cette dernière s'en allait, aurait-on encore besoin de ses services ? De toute façon, il était sans doute temps de passer à autre chose. Il y avait eu trop de drames, trop de morts dans le coin. Rien que d'y penser, elle se mit à trembler.

Le couteau-scie plongea comme dans du beurre à l'intérieur de son cou, tranchant carotide et veines jugulaires. Il s'enfonça même si profondément qu'il mordit dans les cervicales. Un borborygme s'échappa de la bouche de Sally Wainwright tandis que le sang se mettait à couler abondamment sur sa chemise. Elle tomba d'abord à genoux, puis face contre terre, et comprit avec stupeur, juste avant de mourir, qu'on venait de l'assassiner.

Son meurtrier se servit du râteau pour la retourner sur le dos. Elle semblait le fixer du regard, mais ne pouvait plus le voir, bien sûr. Le râteau s'abattit en plein sur son visage et lui brisa le nez. Le deuxième coup lui enfonça une pommette. Le troisième dévasta l'orbite de son œil gauche. Lorsque la pluie de coups cessa, la mère de Sally n'aurait pas reconnu sa fille.

L'assassin laissa enfin tomber couteau et râteau à côté du cadavre, mais son expression de fureur et de haine n'avait pas encore disparu quand il abandonna Sally sur la paille imbibée de sang. Dans l'écurie, il n'y eut plus alors que le bruit du cheval remuant contre la porte de la stalle, dans son impatience de partir pour une promenade... qui ne viendrait pas.

70

King se redressa un peu dans le lit de la minuscule chambre d'amis. Alors que le jour se levait à peine, il entendait Michelle s'agiter dans sa cuisine. Au bruit des plats et ustensiles qui s'entrechoquaient, il frissonna en se demandant quelle ignoble mixture elle lui concoctait. Elle voulait toujours lui faire avaler cocktails multi-vitaminés et barres énergétiques à faible taux de glucides, sans glucides ou seulement avec les « bons », en lui promettant qu'il sentirait l'amé-lioration miraculeuse du jour au lendemain.

— Je n'ai pas très faim, lança-t-il d'une voix faible. Ne t'occupe pas de moi, prépare-toi juste un petit quelque chose, comme du carton avec un peu de tofu...

Les casseroles continuèrent de cliqueter, l'eau de couler, et le bruit d'une coquille d'œuf qui se casse fut suivi par celui d'un mixer.

— Oh, pitié ! grommela-t-il, en s'enfonçant dans ses oreillers.

« De l'œuf cru dans un mixer avec Dieu sait quoi... »

Il choisit de se concentrer sur l'affaire pour ne plus penser au cauchemar gustatif qui l'attendait.

Sept meurtres, commençant par Rhonda Tyler et se terminant, du moins pour l'instant, par Kyle Montgomery. Cinq d'entre eux étaient sans doute à mettre sur le compte du même meurtrier ; ceux de Bobby Battle et Kyle non, mais était-ce la même personne qui les avait tués ? Et voilà que Michelle et lui venaient d'échapper de justesse à la mort... Alors que la liste des suspects semblait interminable, ils souffraient d'une pénurie d'indices ; et le ou les tueurs avaient toujours une longueur d'avance sur eux. Par exemple, lorsqu'ils étaient allés voir Junior, l'assassin s'était déjà acharné contre lui. Quand Sylvia leur avait parlé de Kyle, de ses vols et de ses relations avec la femme de l'Aphrodisiac, le jeune homme avait été trouvé mort aussi. Après que Sally était venue lui avouer son aventure avec Junior et qu'on avait tenté de le supprimer...

King se redressa brusquement.

Sally !

— Michelle ! appela-t-il.

Les cliquetis se poursuivirent. À l'évidence, elle ne l'entendait pas. King se leva et alla jusqu'à la cuisine d'un pas chancelant. Michelle était devant l'évier, en train de couper un oignon dans le dessein manifeste de l'ajouter à son mélange, un liquide visqueux d'un vert jaunâtre.

Percevant soudain sa présence, elle se retourna et s'écria sur le ton de la réprimande :

— Que fais-tu debout ?

— Il faut s'assurer que Sally va bien.

— Sally ? Pourquoi ?

— Elle est passée chez moi hier soir pour me parler, et c'est juste après son départ qu'on a trafiqué mon système de chauffage.

Il fit part à Michelle des aveux de Sally.

— Eh ben, ça c'est un développement étonnant, constata-t-elle. Et tu crains que celui qui a essayé de te tuer ait vu Sally chez toi ?

— Rien ne me surprend plus, avec ce type. Il semble toujours tout savoir avant nous.

Michelle s'essuya les mains et appela Todd Williams.

— Il y va tout de suite avec ses hommes, annonça-t-elle en raccrochant.

— On devrait peut-être y aller aussi.

— Le seul endroit où tu iras pour l'instant, c'est au lit.

— Tu peux parler, toi ! On t'a tiré dessus, mais ça ne t'empêche pas d'agresser des œufs ni de trucider des oignons.

— J'ai dit : « Au lit. » Je suis sûre que Sally va bien, et Todd m'a promis de rappeler.

King finit par obtempérer. Les risques qu'il soit arrivé malheur à Sally aussi vite étaient très faibles, pensa-t-il pour se rassurer.

Savannah tambourinait si fort contre la porte de l'ancienne remise à attelages que ses mains commençaient à marquer. Au bout d'un moment, Dorothea vint enfin lui ouvrir, vêtue d'un peignoir. Savannah se laissa presque tomber à l'intérieur.

Dorothea remarqua son air terrifié.

— Qu'est-ce qui se passe, Savannah ?

La jeune femme pointa le doigt en direction des écuries.

— J'ai trouvé... j'ai trouvé Sally. À l'écurie. Elle est morte, elle a le visage en bouillie... Elle est morte ! cria-t-elle d'une voix stridente.

L'air affolé, Dorothea regarda autour d'elle comme si le tueur pouvait se cacher dans son vestibule. Puis elle gravit quatre à quatre les marches de l'escalier qui menait à la chambre, où Eddie dormait encore.

— Eddie ! Savannah a trouvé Sally morte dans l'écurie. Eddie !

Il resta immobile. Elle s'approcha, le saisit par les épaules et le secoua vigoureusement en continuant de l'appeler.

Tout ce qu'elle obtint fut un faible grognement. Le pouls et le souffle d'Eddie étaient faibles au point d'en devenir alarmants. Dorothea prit le verre d'eau posé sur la table de chevet et aspergea le visage de son mari. Aucun résultat. Elle lui souleva une paupière : la pupille était aussi petite qu'une tête d'épingle. Forte de son expérience des drogues, Dorothea comprit tout de suite. Elle téléphona aux urgences, puis redescendit en hâte au rez-de-chaussée où Savannah, accroupie près de la porte, sanglotait. En tenue d'équitation, elle avait laissé de la boue dans toute l'entrée, remarqua sa belle-sœur.

Todd Williams, qui s'était penché au-dessus du cadavre, se releva en hochant la tête. Sylvia

436

s'avança pour examiner à son tour Sally, pendant que l'équipe de la police scientifique cherchait des indices tout autour. Chip Bailey se tenait près de la double porte de l'écurie et observait les opérations quand Williams le rejoignit.

— Comment va Eddie ? demanda l'agent du FBI.

— Toujours inconscient, sans qu'on sache s'il a été empoisonné... Je ne comprends plus que dalle à ce qui se passe. Bon sang, qui pourrait vouloir s'en prendre à Eddie... et à Sally ?

— Je n'aurais jamais cru que cette fille serait impliquée là-dedans...

Quelques minutes plus tard, Sylvia rejoignit les deux policiers.

— On lui a tranché la gorge presque d'une oreille à l'autre, et elle s'est littéralement vidée de son sang. La mort a dû survenir très vite. Ensuite, on a réduit son visage en bouillie.

— Vous êtes sûre qu'on l'a égorgée d'abord ? interrogea Bailey.

— Oui. Elle était morte au moment des coups.

— À quand remonte le décès ?

— Quatre heures maximum. J'ai pris sa température rectale, et le degré de rigidité cadavérique corrobore mes calculs.

Williams consulta sa montre.

— Donc, ça s'est passé vers cinq heures et demie ce matin.

— Apparemment. Je n'ai décelé aucun signe de viol ou d'agression sexuelle. Son assassin l'a attaquée par-derrière, et il est droitier. On lui a tranché la gorge de gauche à droite.

— C'est Savannah qui l'a trouvée ? demanda Bailey à Williams.

— Elle s'apprêtait à monter quand elle est tombée sur le corps, répondit-il. Du moins, c'est ce qu'elle a déclaré, il me semble, mais elle pleurait tellement que je n'en suis pas certain.

— Ensuite, elle est allée chercher de l'aide chez Eddie et Dorothea ?

— L'ancienne remise est plus proche des écuries que la demeure des Battle ou la maison de Sally.

— Dorothea lui a ouvert, elle a tenté de réveiller Eddie et appelé de l'aide...

— Voilà.

Bailey médita sur ces renseignements.

— Donc, Dorothea et Eddie ont dormi dans le même lit. Dorothea va bien, mais quelqu'un a administré du poison ou je ne sais quoi à Eddie.

— Je n'ai pas encore pris la déposition complète de Dorothea...

— Vous feriez bien de vous y mettre, à mon avis.

— À mon avis à moi, je ferais mieux de joindre Sean et Michelle. Ils m'ont appelé pour me parler de Sally avant qu'on ait reçu le coup de téléphone de Dorothea. De toute évidence, ils en savent plus long que nous.

71

Alors que King attendait le coup de téléphone de Williams, Michelle entra dans la chambre en tenant tant bien que mal un plateau en équilibre sur son bras valide.

Il fronça les sourcils d'un air réprobateur.

— C'est plutôt moi qui devrais m'occuper de toi.

— Tiens, ça va te requinquer.

Elle arrangea la disposition du plateau tout en lui énumérant son contenu :

— Mon mélange super-énergétique, un bol de céréales sans lait avec rondelles de banane, et en friandise du pain à faible teneur en glucides tartiné à la crème d'avocat.

— Qu'est-ce qu'il y a, dans ton mélange super-énergétique ? Non, laisse tomber, je préfère ne pas savoir.

Il prit une toute petite gorgée de la mixture et s'empressa de reposer le verre.

— Je pense qu'il faut le laisser respirer un peu.

— Ce n'est pas du vin, Sean.

— À qui le dis-tu !

Il s'essuya la bouche avec une serviette.

— J'ai oublié de te demander ce que tu venais faire chez moi si tard, hier soir.

— Ah, mince, ça m'était sorti de la tête ! Billy Edwards, l'ancien mécanicien de Battle, a appelé de L.A.

King se redressa dans son lit.

— Qu'est-ce qu'il a raconté ?

Michelle le mit au courant des dégâts sur la Rolls. Avant même qu'elle ait terminé, King avait sauté du lit et commencé à s'habiller.

— Qu'est-ce que tu fabriques ? s'enquit-elle, stupéfaite.

— Nous devons rendre à quelqu'un une petite visite, et fissa.

— À qui ?

— Roger Canney.

À leur arrivée chez Canney, ils ne trouvèrent personne. Toutes les fenêtres étaient enténébrées, toutes les portes fermées à clé, et le journal était posé sur les marches du perron. Ils s'apprêtaient à repartir lorsqu'ils virent approcher un homme qui promenait deux gros bassets – ou plutôt que ses bassets promenaient.

— Il n'est pas chez lui, leur annonça-t-il. Je l'ai vu s'en aller il y a environ deux heures, quand je faisais mon footing.

King consulta sa montre.

— C'était drôlement tôt.

— Il a chargé des bagages dans sa voiture. Il a dû partir en voyage.

— Quelle voiture ? La BM ou le Range Rover ? demanda Michelle.

— Le Range.

— Vous a-t-il dit où il allait ?

— Non. Il a démarré si vite qu'il a bien failli me renverser.

Ils le remercièrent et reprirent la route.

— J'appelle Todd pour lui dire de transmettre à toutes les patrouilles un avis de recherche concernant Canney, déclara King.

— Qu'est-ce qui se passe, Sean ?

— Réfléchis à la façon dont Mme Canney a trouvé la mort.

— Elle était ivre et s'est tuée en voiture. Mais, d'après toi, elle a pu être assassinée.

— Exact. Poussée dans un ravin par une Rolls-Royce très lourde que conduisait Bobby Battle. Les deux événements ont eu lieu il y a environ trois ans et demi.

— Bobby Battle aurait supprimé Mme Canney ? Pourquoi ?

— Et si l'idée de faire chanter Battle ne venait pas de Canney ? Sa femme l'a peut-être menacé de dévoiler qu'il était le père de Steve, et il n'a pas réagi comme elle le souhaitait, ou bien il en a eu assez de payer. Ensuite, Roger Canney a repris le chantage sous peine de le dénoncer pour le meurtre de sa femme…

— Mais comment Roger Canney aurait-il appris que Battle était l'assassin de sa femme ?

— Canney devait être au courant de cette affaire de chantage – si ce n'est pas carrément lui qui a échafaudé le stratagème, sa femme l'aidant juste à mettre la pression sur Battle… Enfin, toujours est-il que Mme Canney, comme par hasard, se tue en voiture. Même s'il ne possède pas d'éléments prouvant un crime, Canney fait le rapprochement.

— Il contacte donc Battle, lui explique qu'il sait tout – concernant à la fois la mort de sa femme et la paternité de Steve – et exige de l'argent en échange de son silence.

King hocha la tête.

— Ironie du sort : alors qu'il a tué Mme Canney pour échapper au chantage qu'on exerçait sur lui à cause de son fils illégitime, voilà Battle exposé à une nouvelle extorsion à cause d'un meurtre.

— D'un autre côté, en allant dénoncer Battle à la police, Canney aurait été obligé de révéler sa complicité dans le premier racket, tu ne crois pas ? Si Battle l'avait compris, il aurait peut-être douté que Canney ose le faire…

— Canney pouvait ne parler que du fils naturel, prétendre tout ignorer du chantage ou de la source des rentrées d'argent, et tout mettre sur le dos de sa femme.

— Quel type charmant !

— N'est-ce pas ?

— J'ai bien l'impression qu'on lui a fichu une trouille de tous les diables, pour qu'il se débine comme ça.

— Espérons qu'il n'est pas déjà trop loin. Nous avons besoin de lui pour trouver tout un tas d'éléments manquants.

Alors que King allait téléphoner à Williams, ce fut le commandant qui l'appela. King lui fit part des révélations de Sally, ainsi que de ses soupçons par rapport à Roger Canney, et de la fuite de ce dernier. Williams lança un appel à toutes les patrouilles, puis demanda à King et Michelle de le rejoindre chez les Battle. Il refusa d'expliquer pourquoi ou de répondre à leurs questions à propos de Sally.

L'air abattu, King s'affala dans son siège. « Elle est morte. »

72

Dès que Michelle et King arrivèrent chez les Battle, Williams et Chip Bailey les conduisirent à l'écurie tout en les informant de ce qui était arrivé à Sally et à Eddie. King blêmit et s'appuya contre une clôture. Michelle le soutint par le bras.

— Vas-y doucement. On n'a pas envie que tu nous lâches aussi.

— Le couteau qui a servi à tuer Sally vient du râtelier de l'écurie et a été abandonné sur place, expliqua Bailey. Pareil pour le râteau. D'après Sylvia, qui est repartie il y a quelques minutes, la mort est survenue très vite.

— Est-ce qu'on peut voir le corps ? demanda King.

— Ce n'est pas joli joli, Sean, répondit Williams. À votre place, j'éviterais.

— Il le faut, répliqua King avec fermeté.

Avec réticence, Williams les accompagna auprès du cadavre.

— Quelle horreur ! s'écria Michelle.

— On dirait que le tueur éprouvait de la haine à son égard, commenta Williams. Il s'est déchaîné contre elle... Sally en savait peut-être plus qu'elle ne voulait bien l'avouer, ajouta-t-il en plantant son regard dans celui de King.

— Possible, répondit ce dernier en détournant les yeux.

L'air grave, il regarda le corps de Sally disparaître dans une housse noire. Puis, lorsque les portières de l'ambulance se furent refermées, il déclara à Williams :

— C'est ma faute. Je l'ai forcée à m'avouer la vérité, et ensuite je n'ai pas pensé une seule seconde que ça pourrait la mettre en danger.

— Vous étiez en train de lutter pour survivre, Sean, rétorqua Williams. Ça ne vous a pas trop laissé l'occasion de songer à autre chose.

— Comment va Eddie ? s'enquit Michelle.

— Je viens d'appeler l'hôpital, répondit Bailey. Il serait toujours inconscient mais sorti d'affaire.

— Savent-ils ce qui lui est arrivé ?

— Pas encore. Si ça vous tente de m'accompagner, j'envisage d'y passer tout à l'heure. Pour l'instant, je veux interroger Dorothea une nouvelle fois et ensuite Savannah – même si, à ce qu'il paraît, elle est dans un sale état.

Avant de s'en aller, Williams lança à King :

— Si cette histoire avec Canney se vérifie, je vous devrai une fière chandelle. Moi, je n'aurais jamais eu l'idée de revenir là-dessus.

— Ce n'est qu'une petite pièce du puzzle, Todd.

Dorothea les reçut chez elle. Elle était pâle et avait les traits tirés. Williams, King et Michelle lui offrirent des mots de réconfort. Chip Bailey, lui, se contenta de la dévisager avec un mélange de colère et de détermination. Ils traversèrent l'entrée en évitant la boue restée au sol et allèrent dans le salon.

— À quelle heure vous êtes-vous couchés, Eddie et vous ? demanda Williams.

— Vers minuit et demie. Avant, il avait travaillé à son atelier. Nous n'avons pas dormi tout de suite – pas avant une bonne heure... Je ne pensais pas qu'être mêlée à un meurtre éventuel pouvait réveiller la libido à ce point, reprit-elle avec un sourire gêné. Eddie est formidable depuis le début de cette épreuve.

— C'est dur de trouver un homme sur qui compter dans les moments difficiles, commenta Michelle d'un ton pincé.

— Je commence à m'en rendre compte, répondit Dorothea avec une sincérité surprenante.

— Il a été drogué, Dorothea, intervint Bailey. J'ai discuté avec les internes. Ils m'ont dit qu'Eddie était sous l'effet d'un puissant narcotique.

Elle eut soudain l'air effrayé.

— C'est bien ce que je ne comprends pas. Je... je dois vous avouer que j'étais moi-même complètement dans le coaltar quand Savannah m'a réveillée en cognant à la porte. Je ne me sens toujours pas dans mon assiette, d'ailleurs.

Bailey lui lança un regard suspicieux.

— Vous n'avez rien mentionné de tel, tout à l'heure.

— Les choses allaient trop vite : je venais de ramasser Savannah à la petite cuillère, Sally était

445

morte, et Eddie ne se réveillait pas. Comprenez-moi, c'était un vrai cauchemar.

— À quelle heure Savannah est-elle arrivée ici ?

— Un peu après huit heures. Je me rappelle avoir regardé la pendule de l'entrée.

— Qu'a mangé, bu et fait Eddie, hier soir ?

— Nous avons dîné comme d'habitude, pris un peu de vin après le repas ; puis il est allé peindre, et moi je me suis occupée avec de la paperasserie dans mon bureau.

— Peut-on voir les restes du repas et de la bouteille de vin ?

— Nous n'avons rien laissé dans nos assiettes. La bouteille doit être quelque part dans le coin…

— J'aimerais que vous me la montriez avant que je m'en aille.

Elle prit un air de défi.

— Qu'essayez-vous de prouver, au juste ?

Il la dévisagea froidement.

— On a fait prendre à Eddie une substance si puissante qu'il n'a toujours pas recouvré ses esprits. Il a bien fallu qu'on la lui administre d'une manière ou d'une autre.

— Mais je n'en ai aucune idée, moi ! rétorqua-t-elle avec véhémence.

— Eh bien, c'est mon travail de le découvrir. Les médicaments que vous avez achetés à Kyle, vous en avez, ici ?

— Je… je n'en suis pas sûre. Je peux aller voir.

— Inutile. Je vais plutôt faire fouiller votre maison. Y voyez-vous un inconvénient ?

Dorothea se mit debout, chancelante.

— Je veux d'abord parler à mon avocat.

Bailey se leva à son tour.

— Entendu. Pendant ce temps, je vais obtenir un mandat de perquisition. Et poster un de mes agents devant chez vous, au cas où un élément important aurait envie de se carapater. Nous pouvons aussi examiner vos canalisations. Et comme vous avez une fosse septique, ici, nous sommes en mesure de retrouver toute pièce à conviction jetée dans les toilettes.

— Vos insinuations sont ridicules ! s'écria-t-elle. Je n'ai ni tué Sally ni drogué mon mari.

— Dommage pour vous que nous ne connaissions pas la cause exacte de la mort de Kyle Montgomery, répliqua Bailey durement. Si c'était le cas, vous seriez peut-être en prison, à l'heure qu'il est, mais ça vous aurait fourni un alibi en or pour aujourd'hui.

Sur ces mots, le chef du FBI tourna les talons et partit. Dorothea lança un regard misérable à King en murmurant :

— Sean, qu'est-ce qui m'arrive ?

Il n'eut que le temps de la rattraper avant qu'elle ne s'écroule. Il l'allongea sur le canapé, puis se tourna vers Michelle.

— Va vite chercher de l'eau.

Michelle fonça à la cuisine et King reporta son attention sur Dorothea qui, revenue à elle, lui saisit le bras.

— Ce que je me sens mal ! J'ai la tête comme dans un étau et mon estomac fait des culbutes.

— Je vais m'arranger pour que Mason vienne s'occuper de vous.

Elle serra son bras un peu plus fort.

— Je n'ai rien fait, Sean. Vous devez me croire !

Michelle apporta un verre d'eau que but Dorothea.

— Vous me croyez, hein ? reprit-elle ensuite d'un ton implorant.

— Tout ce que je peux vous dire, c'est que pour l'instant je ne vous crois ni plus ni moins qu'un autre.

Après l'avoir quittée, King, Michelle et Williams virent Bailey s'adresser à l'un de ses hommes en lui montrant du doigt la maison. Ils le rejoignirent.

— Vous n'avez pas été tendre avec Dorothea, Chip, commenta Williams.

— J'estimais qu'elle le méritait, rétorqua sèchement l'agent du FBI.

— Cette matinée a été très traumatisante, pour elle – de même que ces derniers jours, d'ailleurs.

— Si c'est elle qui est à l'origine de tout ça, je ne vois pas pourquoi je devrais la plaindre.

— Vous pensez qu'elle a drogué son mari avant de se faufiler jusqu'à l'écurie pour tuer Sally ? demanda King.

— Je pense tout à fait possible qu'elle ait drogué Eddie, et que quelqu'un d'autre en ait profité pour assassiner Sally. L'écurie est assez proche de l'ancienne remise pour qu'Eddie entende Sally crier et vienne la secourir en cas de lutte. Mais s'il était K-O, ça ne pouvait pas arriver, c'est sûr.

— Qui serait le complice de Dorothea, dans cette histoire ?

— Si je le connaissais, nous pourrions tous rentrer chez nous.

— Et quel serait son mobile ?

— Sally en savait plus qu'elle n'en a dit, y compris à vous. Elle s'est présentée comme l'alibi de Junior pour le soir du cambriolage. Le problème, c'est qu'on a eu seulement sa version à elle, parce qu'elle ne s'est manifestée qu'après la mort de Junior. Il ne pouvait donc corroborer cette déclaration. Alors, supposons qu'elle n'était *pas* avec lui ce soir-là. Supposons qu'elle aidait en fait quelqu'un à s'introduire dans la demeure ou y pénétrait elle-même par effraction...

— Si c'était le cas, pourquoi serait-elle venue raconter à King qu'elle avait passé la nuit avec Junior ? demanda Williams.

Ce fut King qui répondit :

— Parce que ça lui fournit un alibi à elle.

— Exact, confirma Bailey en lançant un regard triomphant à Williams.

— Bravo, excellente hypothèse, Chip, le félicita King.

— Merci. J'ai mes bons moments, répondit-il avant de monter dans sa voiture et de démarrer.

73

Eddie reprit enfin connaissance aux alentours de quinze heures.

Williams, Bailey, King et Michelle s'étaient rassemblés dans la chambre d'hôpital. Blafard, tremblant et les cheveux ébouriffés, il levait les yeux vers eux depuis son lit. Assise à son chevet, Remmy lui serrait fort la main et lui passait un tissu humide sur le front.

— Pour l'amour du Ciel, Eddie, ne me fais jamais plus une frayeur pareille !

— L'idée ne venait pas de moi, répondit-il d'une voix lasse.

— De quoi vous rappelez-vous hier soir ? questionna King.

— Dorothea et moi avons dîné, et pendant le repas nous avons discuté de... comment dire ? des récents événements. Avant ça, j'avais passé un long moment chez notre avocat.

— Pourquoi Dorothea ne vous a-t-elle pas accompagné ? s'enquit Michelle d'un ton brusque.

— Je voulais qu'elle vienne, mais elle a refusé. Même si ça peut paraître insensé, elle doit penser qu'en faisant comme si de rien n'était, les ennuis disparaîtront tout seuls. Bref, après manger je suis allé travailler à mon atelier, histoire de me vider la tête.

Il lança un bref regard à Michelle avant de poursuivre :

— Vers minuit, à peu près, je suis rentré me coucher. Dorothea était encore éveillée... En fait, elle était même très éveillée, si vous voyez ce que je veux dire, ajouta-t-il, de toute évidence gêné.

Remmy ricana.

450

— Ça me dépasse, vu les circonstances, lâcha-t-elle. Mais, bon, ça fait des années que j'ai cessé de chercher à comprendre ta femme.

— Je te signale que j'ai participé autant qu'elle, rétorqua-t-il.

Son regard resta néanmoins sur Michelle.

— C'était sans doute une façon de faire face à l'adversité, même si j'admets que le moment était bizarrement choisi.

— Que s'est-il passé ensuite ? le relança King.

— Je me suis endormi – pour de bon, cette fois-ci. Ensuite, je me suis réveillé à l'hôpital. Qu'est-ce qu'on m'a donné, nom d'un chien ?

— D'après les médecins, un médicament qu'on connaît sous le nom de Moscontin et qui contient du sulfate de morphine, lui expliqua Williams. Idéal pour vous assommer huit, neuf heures ou plus.

— Mais pourquoi ? À quoi ça a servi ?

King regarda Williams.

— Vous ne lui avez rien dit ?

— Dit quoi ? fit Eddie.

— Sally Wainwright a été assassinée ce matin aux environs de cinq heures et demie.

Eddie se redressa si brusquement qu'il manqua arracher le tube de sa perfusion.

— Quoi ! Sally ?

— Eddie ! cria sa mère en le poussant à se rallonger. Tu vas te blesser.

Eddie eut soudain un regard affolé et bondit une nouvelle fois.

— Bon sang ! Dorothea ! Elle va bien ?

— Elle va bien, s'empressa de le rassurer Williams. Elle se porte comme un charme.

— Pour l'instant, bougonna Bailey.

Eddie se renfonça dans ses oreillers, mais s'agrippa au bras de sa mère.

— Quelqu'un a tué Sally pendant son sommeil ?

— Non, on s'en est pris à elle à l'écurie, répondit King.

— Mais enfin, pourquoi elle ?

Williams regarda King, qui expliqua :

— Elle nous a fourni des renseignements importants qui innocentent Junior pour le cambriolage.

Surprise, Remmy répliqua :

— J'avais déjà conclu qu'il n'y était pour rien, mais comment Sally pouvait-elle en détenir la preuve ?

— Nous ne pouvons vous en dévoiler davantage, répondit Williams.

— Ce qu'elle vous a dit met-il quelqu'un d'autre en cause ? voulut savoir Eddie.

— Non, admit King.

— Alors, pourquoi la tuer ?

— Je ne connais pas la réponse à cette question – comme à beaucoup d'autres, hélas !

— Ce dont nous sommes sûrs, en revanche, Eddie, intervint Bailey, c'est qu'on t'a drogué la nuit dernière et que, pendant que tu étais K-O, Sally a été assassinée. Par quelqu'un connaissant ses habitudes, et donc certain de la trouver à l'écurie à cette heure-là.

Le silence s'installa assez longtemps pour devenir gênant, jusqu'à ce qu'Eddie s'exclame :

— Est-ce que vous insinuez que ma femme… ?

Ce fut Williams qui répondit :

— Moi, je n'insinue rien. Je ne fais jamais qu'énoncer des faits tangibles… Quoi qu'il en soit, Dorothea est bien considérée comme suspecte.

Eddie secoua la tête.

— C'est une femme d'affaires respectée ! protesta-t-il.

— Qui a des problèmes de drogue et est soupçonnée de meurtre, fit remarquer Remmy d'un ton tranchant.

— La ferme ! hurla Eddie.

Cette explosion les désarçonna tous. Remmy lâcha lentement la main de son fils.

Eddie pointa un doigt accusateur vers Williams.

— Si vous pensez une seule seconde que Dorothea m'a drogué avant de tuer Sally, vous faites perdre du temps à tout le monde pendant que le véritable assassin s'en tire à bon compte.

— Il est de notre devoir d'explorer toutes les pistes, Eddie, déclara Bailey avec calme.

— Même quand elles sont ridicules ?

— Vous feriez mieux de vous reposer, lui conseilla King d'un ton doux. La nuit a été rude, pour vous.

— Très bien. J'aimerais qu'on me laisse tranquille, de toute façon.

Eddie détourna le regard et se cacha le visage derrière son avant-bras.

Remmy se dirigea vers la porte.

— Je passerai te voir tout à l'heure, mon fils.

— Comme tu veux, répondit-il d'un ton brusque.

Se tournant vers Williams, elle remarqua :

— J'ai comme l'impression qu'on n'est pas beaucoup plus avancés que le premier jour. On a tout un tas de cadavres, mais l'enquête n'a pas progressé d'un pouce...

Elle lança un regard noir à Bailey et ajouta :

— Ça concerne aussi l'illustre FBI. Je me demande bien pourquoi je paie des impôts !

Sur quoi, elle quitta la pièce, et les hommes ne tardèrent pas à lui emboîter le pas.

Michelle, elle, s'arrêta un instant dans l'embrasure de la porte pour jeter un coup d'œil à Eddie. Le visage toujours couvert, il n'avait pas bougé. Elle sortit en silence.

74

Malgré l'avis de recherche, deux jours passèrent sans qu'on trouve la moindre trace de Roger Canney.

— À croire qu'il s'est terré dans un trou, se plaignit Bailey, frustré, lors d'une réunion de l'équipe d'enquêteurs.

Après huit meurtres et les tentatives d'assassinat perpétrées contre King et Michelle, Wrightsburg grouillait d'agents des forces de l'ordre se battant pour tirer la couverture à eux, découvrir des indices probants et le moyen adéquat pour rassasier les hordes de journalistes qui avaient envahi la bourgade. Rares étaient les habitants n'ayant pas été interrogés. On ne pouvait regarder les informations nationales ni lire le *Washington Post*, le *New York Times* ou *USA Today* sans tomber sur un article consacré aux crimes de Wrightsburg. Une pléthore d'experts proposa une pléthore de solutions, la plupart sans aucun rapport avec la réalité de l'affaire. Le nombre de maisons mises en vente augmentait à une cadence inquiétante et les affaires étaient en chute libre – il n'était pas exagéré de craindre que la ville périclite si l'on n'arrêtait pas très vite le ou les tueurs. Bien évidemment, chefs d'industrie et hommes politiques réclamaient la tête du commandant Williams, ainsi que celle de ses adjoints King et Maxwell, malgré leur nomination récente. Bailey, quant à lui, subissait la pression de ses supérieurs, mais il poursuivait son travail comme à son habitude, explorant avec méthode la moindre piste prometteuse, même si elle débouchait en général sur une impasse.

Durant cette période, donc, où Sylvia termina l'autopsie de Sally et Eddie sortit de l'hôpital, aucun élément nouveau n'apparut – mais au moins aucun autre assassinat ne fut commis.

Le troisième soir, Sean King sélectionna deux bouteilles dans sa cave à vins portative et partit dîner chez Harry Carrick en compagnie de Michelle.

Quand cette dernière monta dans la Lexus décapotable, King ouvrit de grands yeux.

— Tu es splendide, Michelle ! la complimenta-
t-il en admirant la robe moulante qui lui descen-
dait environ à mi-cuisses et dévoilait ses jambes
d'athlète.

Elle avait délaissé l'écharpe qui soutenait son
bras pour une élégante étole bleue, s'était maquillée
et lavé les cheveux, dont aucune mèche ne lui tombait sur le visage. Le contraste avec ses sempiter-
nels jeans, coupe-vent, grosses chaussures, tenue
de sport et chevelure rebelle était saisissant.

De son côté, King portait un costume-cravate,
et même une pochette à sa veste.

— C'est à Harry que je veux faire bonne
impression, s'empressa-t-elle de préciser. Je ne
m'attendais pas à tant de louanges de ta part,
dis-moi...

— Comment ça ?

— J'ai encore trouvé dans la poubelle le petit
déjeuner et le déjeuner que je t'ai préparés. Si tu
n'aimes pas ma cuisine, il suffit de me l'avouer.
Tu ne risques pas de me vexer.

De sa plus belle imitation de Bogart, King
répliqua :

— Nan, mon ange, tu devrais pas perdre de
temps aux fourneaux. Ça te va pas, tu sais.

Elle sourit.

— C'est toujours un plaisir de rendre service.

— En tout cas, le plat de thon que tu as cui-
siné l'autre soir était délicieux.

— Venant de toi, c'est un sacré compliment.

— Voilà ce que je te propose : notre prochain
repas, on le fera ensemble. Je te montrerai quelques trucs.

— Marché conclu.

— Ton bras, ça va ?

— C'est bien ce que j'avais dit : juste une égratignure.

Tandis qu'ils roulaient capote baissée, par cette tiède nuit étoilée, sur les routes de campagne sinueuses, Michelle lança à King un coup d'œil appréciateur.

— Toi aussi, tu es très classe.

— Comme Eddie Battle, je sais me mettre sur mon trente et un, de temps en temps.

Il lui sourit à son tour pour montrer qu'il la taquinait.

— Nous sommes les seuls invités ?

— Oui, vu que c'est moi qui ai lancé l'idée de ce dîner.

— Ah bon, pourquoi ?

— Il est temps de discuter sérieusement de cette affaire, et c'est toujours après une bonne bouteille ou deux que je suis le plus performant.

— Tu es sûr que ce n'est pas juste un moyen d'échapper à un repas chez moi ?

— Ça ne m'a jamais traversé l'esprit.

Grande et ancienne, la maison de Harry était magnifiquement décorée.

Il vint leur ouvrir et les invita à le suivre dans la bibliothèque où, malgré la température clémente, brûlait un bon feu. Le vieil avocat portait un costume trois-pièces à carreaux foncés très chic. Il avait piqué un œillet au revers de sa veste. Michelle et King s'installèrent devant la cheminée dans un sofa en cuir moelleux et craquelé qui semblait avoir accueilli les postérieurs d'au moins cinq générations. Harry servit à boire et leva son verre :

— À mes deux grands amis.

Ils burent à ces paroles et, après avoir contemplé Michelle, Harry ajouta en levant son verre une seconde fois :

— Je me dois de porter un autre toast... À l'une des femmes les plus ravissantes qu'il m'ait été donné de rencontrer. Michelle, vous êtes splendide, ce soir !

Michelle sourit et lança un bref regard à King.

— Si seulement je savais cuisiner.

King parut sur le point de répondre, mais il se ravisa et s'empressa de prendre une gorgée de son cocktail.

— Quel endroit fascinant ! reprit-elle en admirant les étagères en bois encastrées, rongées par les vers et chargées d'ouvrages apparemment très vieux.

Harry suivit son regard.

— Évidemment, cette demeure est hantée comme se doit de l'être un lieu qui a vu la lumière du XVIIIe siècle.

— Hantée ? répéta Michelle.

— Oh oui ! J'ai vu de nombreux fantômes au fil des ans. Il y en a même plusieurs que je considère comme des habitués. Depuis mon retour ici, je me suis senti le devoir de faire leur connaissance, sachant que je vais les rejoindre dans un avenir pas si lointain.

— Tu as encore de beaux jours devant toi, Harry, répliqua King.

— Que deviendrions-nous sans vous ? renchérit Michelle en choquant son verre de whisky contre celui de Carrick.

— Avant même que l'autre branche de la famille Lee construise sa forteresse de Stratford Hall, mes ancêtres posaient les briques et le mortier de cette demeure…

Harry consulta sa montre de gousset.

— Calpurnia sert le dîner à dix-neuf heures trente précises, ce qui nous laisse le temps de discuter un petit peu avant, même si je devine de quoi nous allons parler à table.

— Calpurnia ? répéta Michelle.

— C'est ma cuisinière et femme de ménage, une femme délicieuse qui travaille pour moi depuis des années. Je l'ai découverte quand je siégeais à la cour suprême de Richmond, et elle a eu la bonté d'accepter de revenir ici. Sans elle, je serais perdu.

Il but une gorgée de son bourbon, posa son verre et joignit les mains, l'air à présent très grave.

— Nous devons résoudre cette affaire, et vite. Les meurtres ne vont pas cesser juste parce que nous le souhaitons.

— Je sais, répondit King en se levant pour se poster face à eux, dos au feu. J'ai beaucoup réfléchi à tout ça, vu que je n'ai pas eu grand-chose d'autre à faire pendant ma convalescence. Pour l'instant, il y a eu huit morts… Pourtant, je ne veux discuter que de cinq d'entre eux – pour l'instant, en tout cas, précisa-t-il en indiquant d'une main le chiffre cinq. Et je commencerai par Rhonda Tyler.

— La danseuse, dit Harry.

— La prostituée.

— Tu en es sûr ? demanda Michelle.

— J'ai vérifié auprès de Lulu. Tyler faisait partie de celles qui avaient opté pour la formule « complément de revenus ».

— Qu'est-ce que c'est que ça ? s'enquit Harry, curieux.

King resta vague.

— Un service supplémentaire qu'offrait l'Aphrodisiac et qui n'est plus disponible depuis peu.

Harry hocha la tête d'un air entendu.

— J'ai toujours soupçonné l'existence de telles pratiques. On ne peut laisser des hommes reluquer des filles nues et les imbiber d'alcool, et s'attendre qu'aucun d'entre eux n'ait envie d'aller plus loin que le voyeurisme.

— Exact. Donc, Rhonda Tyler était une prostituée. Est-ce la raison pour laquelle on l'a tuée ?

Michelle hasarda une réponse :

— Les prostituées sont sans doute les proies favorites des tueurs en série.

— Exact, là encore. Mais n'avons-nous affaire qu'à un tueur en série « ordinaire » ayant choisi de commencer par une catégorie de victimes « classique », ou ce meurtre cache-t-il autre chose ?

— Comment ça ? demanda Harry.

— Par exemple, Tyler était-elle un symbole ou le tueur la visait-elle personnellement ?

— Comment répondre à cela avec le peu d'éléments en notre possession ? rétorqua Michelle.

— Permets-moi de le faire par une autre question. Se peut-il que Bobby Battle se soit offert les services de Rhonda Tyler ? Elle travaillait à l'Aphrodisiac avant qu'il subisse son attaque. On sait qu'il fréquentait l'établissement, même si Lulu est restée vague concernant la dernière fois qu'elle l'y a vu.

— Je n'avais pas songé à cette possibilité, avoua Harry d'un ton posé. Admettons qu'il ait couché avec elle. Pourquoi cela ferait-il d'elle une cible pour notre assassin, à l'instar d'au moins quatre autres victimes que rien ne semble lier entre elles ?

— Et si certaines étaient en fait liées d'une manière ou d'une autre à Bobby Battle ?

— Qu'as-tu en tête ?

Ce fut Michelle qui répondit :

— Sean pense que Steve Canney était le fils naturel de Battle. Sa mère avait travaillé pour lui, et il est possible que Roger Canney l'ait fait chanter. Nous croyons aussi possible que Bobby ait été impliqué dans la mort de Mme Canney, survenue il y a trois ans et demi, époque à laquelle aurait commencé le chantage.

— Nom d'un chien !

— D'un autre côté, Sean, poursuivit Michelle, moi aussi j'y ai réfléchi. Bobby ne cherchait pas à cacher ses aventures extraconjugales et il fréquentait des prostituées. Alors, pourquoi se serait-il inquiété qu'on apprenne l'existence d'un

461

fils illégitime ? Et pourquoi aurait-il cédé au chantage à cause d'une liaison ?

— Je crois connaître la réponse, intervint Harry. À l'époque de ces faits, Bobby se trouvait en pleins pourparlers pour la vente de son entreprise. De nombreux avocats de ma connaissance travaillaient sur la transaction pour son compte, alors j'ai suivi toute la bataille des négociations... Le repreneur était une grande multinationale d'excellente réputation, et Bobby représentait l'image de marque de sa société.

— Donc, si l'on avait découvert qu'il avait un fils illégitime, cela lui aurait vraiment porté préjudice, conclut King.

— Tout à fait. D'ailleurs, cet accord, qui a bien été signé, a rapporté à Bobby plus d'argent qu'il n'aurait pu en dépenser en plusieurs vies. Et il a été une bonne chose pour d'autres raisons encore.

— Lesquelles ? demanda King.

— Battle avait toujours été excentrique, mais depuis quelques années son comportement devenait de plus en plus étrange. Il avait de violentes sautes d'humeur et traversait des épisodes dépressifs suivis de moments d'incroyable euphorie. Et puis, il n'avait plus toute sa tête. Lui, un des plus brillants ingénieurs et hommes d'affaires de son temps, il oubliait des noms et des détails importants. Son attaque ne m'a pas tellement surpris. En fait, je le soupçonnais d'en avoir déjà eu quelques autres plus minimes qui avaient amoindri ses capacités intellectuelles. Enfin, nous nous égarons.

Harry se tourna vers King.

— Je m'excuse pour la digression.

— Inutile, nous avons besoin du maximum de renseignements. La période à laquelle Bobby a vendu son entreprise m'incite à penser que Roger Canney a mis sur pied le chantage tout seul. On peut supposer que Mme Canney savait qui était le père de Steve, ou du moins que Bobby Battle était susceptible de l'être. Or, quand il est mort, Steve Canney avait dix-sept ans. Si sa mère avait voulu extorquer de l'argent à Bobby, elle n'aurait pas attendu aussi longtemps pour le faire. Il y a dix-sept ans, Bobby était déjà riche.

Harry rebondit sur cette hypothèse :

— D'un autre côté, il est possible que Roger Canney ait toujours su ne pas être le père biologique de Steve, mais qu'il ait attendu la mort de sa femme pour extorquer de l'argent à Bobby – peut-être parce qu'elle ne l'aurait pas soutenu. Et puis, il savait sans doute que Bobby allait vendre son entreprise ; ce n'était pas un secret.

— Ou alors, intervint Michelle, Roger Canney n'a pas eu la patience d'attendre que sa femme meure de sa belle mort, et il a accéléré le processus en la poussant dans un ravin, ce qui lui permettait de donner libre cours à ses machinations.

— Pourtant, c'est la voiture de Bobby qui est revenue cabossée précisément à l'époque de sa mort, rétorqua King. Il semblerait donc beaucoup

463

plus plausible que Mme Canney ait été tuée par Bobby.

— Je voulais juste souligner que Roger Canney pouvait lui aussi avoir un mobile pour la supprimer, répondit Michelle.

King la regarda d'un air admiratif.

— Bien vu, Michelle. Je n'y avais jamais vraiment songé.

— Bon, à quoi tout ça nous mène ? s'enquit-elle.

Ils furent interrompus par le tintement de la cloche.

— J'ai dit à Calpurnia que je trouve l'emploi de cette cloche assez suranné, expliqua Harry, mais elle prétend que mon audition n'est plus ce qu'elle était et que c'est la seule façon d'obtenir mon attention sans avoir à cavaler partout dans la maison. Vous voulez bien passer à la salle à manger ?

75

Sean avait débouché ses deux bouteilles dès son arrivée, de façon que le vin puisse respirer comme il fallait avant le dîner. Une fois à table, il servit la première.

— Voici un La Croix de Peyrolie, qui vient de Lussac-Saint-Émilion.

— Je mettrais ma main à couper qu'il y a une chouette histoire à raconter à son sujet.

— Il est produit par la bien-nommée Carole Bouquet, un ancien mannequin célèbre qui a joué une James Bond *girl* dans *Rien que pour vos yeux*, je crois. L'autre bouteille, c'est un Ma Vérité de Gérard Depardieu, un haut-médoc.

— Laisse-moi deviner : fait par l'acteur du même nom, hasarda Harry.

— Oui. Ce sont des crus qui montent, et je les réserve pour les grandes occasions.

— C'est un immense honneur pour Harry et moi, dit Michelle avec un petit sourire narquois.

Ils trinquèrent et commencèrent le repas, servi par Calpurnia. Âgée d'une soixantaine d'années, dépassant le mètre quatre-vingts et dotée d'une carrure robuste, elle tirait son épaisse chevelure grise en un chignon grossier et évoquait l'employée de cantine comme la voit tout écolier dans ses cauchemars les plus noirs. Pourtant, la nourriture était succulente.

Lorsque Calpurnia les laissa, Harry reprit le fil de leur conversation précédente :

— Bon, Michelle voulait savoir à quoi nous menaient tes conjectures concernant la parenté de Steve Canney et de Bobby, et les éventuels rapports de ce dernier avec Rhonda Tyler...

— Ça nous mène au fait que deux des victimes sont peut-être liées à Bobby Battle. Doit-on en conclure que d'autres le sont aussi ?

— Janice Pembroke ? fit Michelle.

— Non. D'après moi, elle s'est juste trouvée au mauvais endroit au mauvais moment.

— Diane Hinson, alors ? Elle était avocate. Si ça se trouve, elle assistait Bobby pour des négociations, suggéra Michelle.

King secoua la tête.

— C'est peu probable. Elle n'était pas avocate d'affaires : elle plaidait surtout au pénal. Malgré de nombreuses recherches, je n'ai trouvé personne qui les aurait vus ensemble. Laissons Hinson de côté pour l'instant... Le suivant sur la liste, c'est Junior Deaver, et ses liens avec les Battle sont évidents.

— En effet. Il travaillait pour eux et était aussi accusé de les avoir volés.

— Pourtant, le cambriolage n'a eu lieu qu'après l'attaque de Bobby, intervint Harry.

— Je n'ai jamais soupçonné Bobby Battle d'avoir tué, dit King, à part peut-être Mme Canney. Mais nous avons là trois personnes liées d'une façon ou d'une autre à lui. Chacune a été assassinée selon le mode opératoire d'un tueur en série tristement célèbre : on leur a mis une montre au poignet, et après avoir sévi, le meurtrier a toujours envoyé une lettre.

Michelle n'avait pas l'air convaincue.

— Pour Pembroke, je suis d'accord avec ton hypothèse. Mais Hinson, elle, a été tuée à la façon du Night Stalker. Pourtant, tu viens de dire que rien ne la liait à Battle...

— Sa montre était arrêtée sur quatre heures une..., répondit King. Souviens-toi, celle de Pembroke indiquait deux heures une. Les autres, elles, étaient réglées sur l'heure exacte.

— Donc, Hinson et Pembroke avaient un cran de décalage, commenta Michelle lentement.

— Tout à fait, approuva Harry.

King regarda son associée d'un air intrigué.

— « Un cran de décalage » ? Cette expression m'évoque quelque chose, mais je ne me rappelle pas quoi...

— Donc, lança Michelle, le tueur nous indique de façon délibérée, par le biais des montres, que certaines victimes sont un peu différentes des autres, c'est ça ?

— À mon avis, il cherche à nous prévenir que Tyler, Canney et Junior ont été tués pour une raison précise, mais que Pembroke et Hinson n'étaient pas visées personnellement, parce que rien ne les liait à Bobby.

— D'accord, admettons que Pembroke a été assassinée parce qu'elle se trouvait avec Canney. Mais pourquoi le tueur s'en est-il pris à Hinson ? s'enquit Michelle.

— Pour qu'on s'égare en cherchant une cohérence qu'on ne trouvera jamais. Exécuter Pembroke en même temps que Canney n'a été qu'un bonus pour le tueur : ça lui a permis de brouiller les pistes un peu plus. Si Canney s'était trouvé seul, je vous parie qu'on aurait eu un autre meurtre de la catégorie de Hinson pour cacher le rapport à Bobby. Tout cela explique pourquoi le tueur ne parlait que d'une victime dans sa lettre. Un seul des adolescents était visé : Steve Canney.

— Mais s'il veut nous embrouiller, pourquoi régler certaines montres avec un cran de

467

décalage ? S'il les avait toutes arrêtées sur l'heure exacte, selon toute probabilité tu n'aurais jamais établi cette distinction entre les victimes.

— Pour une raison que j'ignore, je crois que ce type essaie de jouer le jeu en nous fournissant un indice tangible.

— Ou alors il nous fait tourner en bourriques, tout simplement.

— Possible, mais ça m'étonnerait.

Michelle paraissait toujours sceptique.

— Très bien, supposons que tu aies raison. Nous avons donc Bobby Battle comme dénominateur commun, mais tu penses qu'il n'a pas été assassiné par la même personne que les autres. Le fait qu'il soit lié à un autre tueur, ce n'est pas un peu gros, comme coïncidence ? Et puis, il reste Kyle et Sally. Comment ces deux morts-là s'imbriquent-elles dans l'affaire ?

— Malgré les découvertes de Sylvia, il se peut toujours que Kyle se soit suicidé. Quant à Sally, on a pu la liquider parce qu'elle n'avait pas fourni plus tôt l'alibi pour Junior.

— Je ne te suis pas, Sean, dit Harry.

— Si on a tué Junior pour la seule raison du cambriolage, quand l'assassin a découvert son innocence, il a compris qu'il l'avait supprimé pour rien. Il a voulu se venger, et dans son esprit perturbé il a peut-être pensé venger Junior par la même occasion. Dans le cas de Sally, il a dû renoncer à sa mise en scène de la montre et du détail rappelant un tueur en série célèbre, parce qu'il était dans une rage folle ou parce qu'il ne lui accordait pas assez d'importance. Et puis, il a manqué de temps pour mettre son coup au point. Sally m'a avoué la vérité à peine sept heures avant de trouver la mort.

— Le fait qu'on lui ait démoli le visage par des coups répétés semble coller avec la théorie de la vengeance – la vengeance d'un individu fou de colère.

— Exact. Un homme capable d'une violence inouïe et...

King se figea avant de s'exclamer :

— Sept heures !

— Qu'y a-t-il, Sean ? s'enquit Harry.

— Je ne sais pas trop, répondit King au bout d'un moment. Quand j'ai mentionné ce laps de temps de sept heures, ce détail m'a frappé, mais pas dans le sens que j'attendais.

Il réfléchit un instant puis secoua la tête.

— Désolé, c'est sans doute une absence due à ma sénilité précoce.

— Que penses-tu de l'hypothèse de Chip Bailey comme quoi Sally aurait menti au sujet de Junior parce qu'elle avait commis ou aidé à commettre le cambriolage ? demanda Michelle.

Harry haussa les sourcils.

— Tiens, en voilà une conjecture surprenante.

— Oui, et pour l'instant on ne peut l'écarter, même si d'instinct elle me semble erronée.

Ils poursuivirent leur repas et terminèrent la seconde bouteille ; puis, de retour dans la bibliothèque, prirent le café. Harry proposa un cognac à ses invités, mais tous deux refusèrent.

— Je conduis, après, expliqua King. Nous n'avons pas lésiné sur le vin.

— Et moi, je dois le surveiller pendant qu'il nous ramène, renchérit Michelle en souriant.

La pièce avait fraîchi, et la jeune femme avait rapproché ses longues jambes du feu en remarquant d'un air embarrassé :

— En robe, il est parfois difficile de se réchauffer.

Harry se tourna vers King.

— Quelle est ton opinion concernant Dorothea ?

— La drogue administrée à Eddie ne l'a pas été par le vin, et on n'a retrouvé chez eux aucun des médicaments achetés par Dorothea à Kyle. Je me suis quand même renseigné auprès de Sylvia. Elle possède bien du sulfate de morphine à son cabinet, c'est un médicament que Kyle aurait pu dérober. En outre, Dorothea n'a aucun alibi pour le meurtre de Kyle. Elle prétend qu'elle était chez elle, mais Eddie ne l'y a pas vue.

— En fait, il a passé la nuit dans son atelier à peindre un portrait de moi, expliqua Michelle, gênée.

King la scruta du regard, mais garda le silence.

Harry la dévisagea aussi d'un air curieux, puis dit :

— Résumons : elle achetait de la drogue à Kyle, et fait un suspect possible pour les meurtres de Battle et de Montgomery. C'est également elle qui a eu toute latitude pour droguer Eddie, et elle vit juste à côté de l'endroit où l'on a tué Sally. Tout cela reste anecdotique, mais c'est néanmoins frappant.

— Elle traversait de plus un passage dépressif dû à ses revers financiers et aux problèmes familiaux dont elle nous a parlé, remarqua Michelle. Bref, une femme tourmentée sur toute la ligne.

— Je suis d'accord avec toi, mais j'ai beaucoup de mal à lui trouver un mobile, dit King. D'après ses explications, Bobby devait modifier son testament à son bénéfice, mais il n'a pas tenu sa promesse. Dès lors, les raisons de le tuer disparaissent.

— À moins qu'en découvrant son mensonge elle ait vu rouge et voulu se venger, rétorqua Michelle.

Harry se leva et vint se mettre à côté de Michelle.

— Quand on a plus de soixante-dix ans, c'est toujours dur de se réchauffer, quel que soit le nombre d'épaisseurs de vêtements que l'on porte ou la chaleur relative de la pièce, expliqua-t-il. Cependant, il existe peut-être une troisième possibilité. Nous nous sommes concentrés sur ce qui a disparu du tiroir secret de Remmy, mais qu'a-t-on volé dans celui de Bobby ?

King et Michelle le fixèrent du regard en silence.

Harry poursuivit.

— Le testament par lequel Bobby léguait tout à Remmy est celui dont se servent les avocats. Il a été rédigé il y a des années.

— Comment le savez-vous ? s'enquit Michelle.

— L'avocat qui en a réalisé l'ébauche est un de mes anciens clercs, aujourd'hui associé dans un cabinet de Charlottesville. Ils avaient l'original, et c'est celui qu'ils utilisent aujourd'hui.

— Quelqu'un en a-t-il cherché un autre plus récent ? demanda King.

— C'est là le hic. Je ne pense pas… Et si c'était justement ce qu'on avait volé dans la cachette de Bobby ?

— S'il se trouvait dans ce fameux tiroir, dont Remmy affirme qu'elle ne connaissait pas l'existence, elle n'aurait pas eu l'occasion de le détruire, commenta King.

— Ce n'est pas à Remmy que je pensais. Bobby venait d'avoir une attaque. À ce qu'il paraît, il délirait et baragouinait, à l'hôpital…

— Et, au cours de ses divagations, il a peut-être mentionné un autre testament, conclut King en claquant des doigts.

— Alors, quiconque l'ayant entendu a pu commettre le cambriolage.

— Pourtant, si Dorothea l'avait en sa possession, elle en aurait signalé l'existence, non ?

— Le problème, c'est qu'elle aurait dû alors expliquer sa provenance. Je ne pense pas qu'elle serait prête à avouer le vol.

King paraissait perplexe.

— D'un autre côté, nous négligeons un détail, Harry. On a parlé partout de la mort de Bobby. S'il y avait un autre testament, celui ou celle qui l'a rédigé se serait signalé.

— Bobby n'a pas forcément fait appel à un cabinet.

— S'il s'en est chargé lui-même, il lui fallait quand même des témoins.

— Il n'en faut pas pour un testament olographe, écrit de sa seule main.

— Mais s'il existe un tel document, qui le détient, et pourquoi cette personne ne se manifeste-t-elle pas ?

— Voilà une question dont j'aimerais fort connaître la réponse, lâcha Harry avant de finir son verre de cognac.

76

Quand King et Michelle s'en allèrent, le temps restait assez clément pour garder la capote baissée, mais Michelle serra tout de même un peu plus son étole autour de ses épaules.

— Je peux fermer, si tu veux, lui proposa King, qui avait remarqué son geste.

— Non, la brise est très agréable, et j'adore l'odeur de la nature.

— Le printemps dans la campagne de Virginie, il n'y a rien de tel.

— J'ai l'impression qu'on a avancé, ce soir.

— En tout cas, nous avons pris le temps de confronter nos points de vue. C'est toujours bénéfique.

Elle lui lança un regard soupçonneux.

— Une fois de plus, tu en dis moins que tu n'en sais.

Il fit mine d'être vexé par sa remarque, mais son petit sourire le trahit.

— Je ne te cache aucun renseignement, mais j'ai en effet quelques soupçons que je peux avoir omis de mentionner.

— Par exemple, cher *associé* ?

— Par exemple, j'ai passé une soirée formidable autour de deux fabuleuses bouteilles de vin en compagnie d'une exquise jeune femme, le tout en ne parlant que de tueries horribles.

— Tu cherches à gagner du temps. Et parler du vin avant moi, ça veut tout dire.

— Vois-tu, je connais ces bouteilles depuis bien plus longtemps que je ne te connais toi.

— Ça me touche beaucoup, mais tu continues de te dérober.

Le 4 × 4 les heurta par-derrière avec une telle violence que, s'ils n'avaient pas attaché leur ceinture de sécurité, tous deux auraient été projetés à travers le pare-brise.

— Putain, qu'est-ce que... ? cria King en regardant dans son rétroviseur. D'où il sort, celui-là ?

À peine eut-il prononcé ces mots qu'on les cogna à nouveau. King lutta avec le volant pour ne pas quitter la route.

Michelle chassa du pied ses chaussures à talons et prit un meilleur appui contre le plancher. Presque d'un seul mouvement très fluide, elle sortit de son sac à main son pistolet, l'arma et en ôta le cran de sûreté.

— Tu vois le conducteur ? demanda King.

— Non, ses phares m'éblouissent, mais ça ne peut être que le tueur.

King s'empara de son portable.

— Cette fois, on va le coincer, cet enfoiré !

— Attention, il revient ! hurla Michelle.

La collision avec l'autre voiture, bien plus lourde, faillit soulever les roues arrière de la Lexus. Le téléphone de King lui échappa de la main, rebondit contre le pare-brise et fut projeté vers l'arrière. Il heurta le capot du 4 × 4, tomba sur le bitume et se brisa en mille morceaux.

King donna de nouveau de grands coups de volant et parvint à reprendre le contrôle de son véhicule lorsque les deux pare-chocs se séparèrent. L'utilitaire sport de leur agresseur pesait au moins une tonne de plus que sa décapotable. Mais celle-ci, bien plus maniable, possédait en outre un moteur de trois cents chevaux. Lorsqu'ils arrivèrent sur une ligne droite, King les mobilisa tous en mettant le pied au plancher, et la Lexus partit comme une fusée, laissant leur poursuivant loin derrière.

Michelle détacha sa ceinture de sécurité.

— Qu'est-ce que tu fous ? cria King.

— Tu ne pourras pas le semer, avec tous ces virages, et moi je n'arrive pas à tirer comme il faut si je suis attachée. Garde juste un peu d'avance sur lui.

— Attends, appelle les secours, d'abord.

— Impossible. Je n'ai pas pris mon portable. Mon pistolet prenait déjà toute la place dans mon sac.

King lui jeta un bref regard ébahi.

— Tu n'as pas emporté ton téléphone par manque de place, mais ton flingue si ?

— J'ai mes priorités, répondit-elle d'un ton vif. Que veux-tu que je fasse d'un portable : tuer notre homme à coups de sonnerie ?

Elle se retourna, se pencha par-dessus son siège, et appuya les coudes sur l'appuie-tête de la banquette arrière.

— Garde un peu d'avance sur lui, répéta-t-elle.

— Et toi, évite de te faire tuer, bon sang ! rétorqua-t-il.

Le tout-terrain lancé à plein régime revint à l'attaque, mais avant qu'il ait pu les atteindre King vira brusquement sur l'autre voie et donna un coup de volant pour reprendre sa trajectoire, dérapant un peu sur les gravillons du bas-côté avant de retrouver l'asphalte. Il rétrograda et, dans un crissement de pneus, prit le virage en épingle à cheveux à quatre-vingts kilomètres/heure. Comme les roues de droite décollaient, il se pencha dans le même temps de tout son poids de ce côté, saisissant Michelle par la taille afin de la pousser contre la portière passager.

— Pardonne-moi cette liberté, mais c'est juste pour faire balancier. Reste là un instant.

Il ralentit un peu et eut un soupir de soulagement quand la gomme retrouva le contact avec le bitume.

Ils débouchèrent sur une nouvelle ligne droite ; sachant qu'elle s'étendait sur quatre cents mètres avant de laisser place à une série de zigzags, King enfonça l'accélérateur tellement fort qu'il crut ses mocassins à deux doigts de frotter contre le goudron. L'aiguille du compteur partit dans les nombres à trois chiffres. Les arbres se mirent à défiler à une vitesse qui lui aurait donné la nausée s'il avait pris la peine de regarder.

Derrière lui, le 4 × 4 dépassa les cent soixante et se maintint à une distance dangereuse. King atteignit les deux cent dix et chercha une autre vitesse à passer, mais la Lexus donnait déjà tout ce qu'elle avait dans le ventre. La seule pensée qui lui vint à l'esprit fut : « Combien d'Airbags y a-t-il dans cette bagnole ? » Il espérait qu'elle en comptait au moins une dizaine – ils auraient sans doute besoin de chacun d'eux, car la série de virages se rapprochait à grands pas. S'il ralentissait, ils mouraient ; s'il restait à cette vitesse, ils mouraient aussi.

Michelle observa les phares qui fonçaient toujours vers eux, puis la silhouette du conducteur. Elle se pencha un peu plus en avant, posa le coude droit sur le haut du coffre et visa en tenant son arme à deux mains.

Quand ils atteignirent la partie sinueuse, King redescendit à cent ; les panneaux affichaient cinquante, mais les ingénieurs de la prévention routière n'avaient sans doute pas pris en compte dans leurs calculs les assassins en 4 × 4. L'utilitaire sport gagna beaucoup sur eux.

— Il nous rattrape, constata King. Je ne peux pas aller plus vite, sinon on va quitter la route.

— Garde la même vitesse. S'il ne freine pas, je crève un de ses pneus avant.

Leur poursuivant remonta à moins de quinze mètres, à cinq… Il voyait forcément qu'elle le tenait en joue, se dit Michelle, et pourtant il ne

477

cédait pas un pouce de terrain. Au contraire, il appuya soudain sur le champignon, faisant faire un spectaculaire bond en avant au 4 × 4.

Aussitôt, King se voûta et enfonça l'accélérateur des deux pieds, comme s'il espérait obtenir ainsi une poussée supplémentaire. La Lexus accéléra en flèche.

Mais ce qu'il n'avait pas prévu, c'était la famille de cerfs qui choisit ce moment précis pour traverser la route d'un pas tranquille.

— Attention ! hurla King.

Il donna un grand coup de volant à gauche, puis à droite. Leur véhicule quitta la route pour aller rebondir contre le garde-fou tandis que les cervidés s'enfuyaient. La rambarde mordit l'aile de la décapotable autrefois magnifique. Lorsqu'elle retrouva l'asphalte, King jeta un coup d'œil derrière lui : leur poursuivant avait violemment freiné pour éviter les animaux, mais son véhicule n'avait pas dévié de sa trajectoire et fonçait encore vers eux.

Lui n'avait pas le temps de retrouver sa vitesse de croisière. L'aiguille du compteur était redescendue sous les cent quarante et ne remontait plus. De plus, il se demandait si le choc n'avait occasionné que des dégâts esthétiques, vu le gémissement bizarre du moteur.

— Accroche-toi ! cria alors Michelle. Il arrive.

Elle tira deux fois, juste au moment où le 4 × 4 mordait dans la Lexus, déchirant la tôle et arrachant le peu qu'il restait du pare-chocs moulé pour le catapulter dans les bois. La collision projeta Michelle vers l'arrière, mais King lui attrapa la cheville au passage et la serra sous son bras de toutes ses forces. De plus, lorsqu'ils atteignirent une autre ligne droite, il réussit tant bien que mal à soutirer un peu plus de vitesse à la voiture et à reprendre de l'avance.

— Et merde ! tonna Michelle.

— Tu es blessée ?

— Non, mais j'ai perdu mon pistolet. Fait chier ! Je l'avais depuis cinq ans, ce Sig.

— Oublie-le donc, ce type est en train d'essayer de nous tuer.

— Si j'avais mon flingue, justement, je pourrais le descendre avant. Il nous est rentré dedans pile quand j'ai fait feu... Eh, attends un peu !

— Quoi ?

— Il est là ! Mon pistolet s'est coincé sous le spoiler...

— Ah non, pas question – n'y pense même pas !

— Tiens-moi bien. Je peux presque l'attraper.

— Nom de Dieu, Michelle, tu vas me filer une crise cardiaque ! Je suis déjà à deux doigts de m'en taper une...

King était si concentré sur elle qu'il ne vit le 4×4 se mettre à leur hauteur qu'au dernier moment.

— Cramponne-toi ! hurla-t-il en rétrogradant sur-le-champ d'une façon qui annulait sans le moindre doute toutes les garanties proposées par Lexus.

Le moteur l'implora presque d'arrêter, et il s'attendit à voir sa boîte de vitesses recrachée sur la route. L'aiguille du compteur plongea jusqu'à vingt, puis la Lexus s'arrêta d'un coup, les roues fumantes.

Michelle s'était agrippée comme une forcenée à l'appuie-tête arrière, crochetant avec les pieds le siège du conducteur.

King passa immédiatement la marche arrière et mit le pied au plancher, tout en songeant qu'il aurait de la chance s'il s'en tirait avec une simple crise cardiaque, finalement.

De son côté, le 4×4 avait freiné si brusquement que ses pneus fumaient. Son conducteur ne lui en fit pas moins faire demi-tour afin de revenir à la charge, gagnant du terrain à chaque tour de roue.

Michelle abandonna ses efforts pour attraper son arme et dévisagea son coéquipier, qui conduisait en regardant derrière lui.

— Tu ne peux pas aller plus vite que lui en marche arrière, Sean.

— Merci pour le tuyau.

Il serrait le volant si fort que les articulations de ses doigts tournaient au violet.

— Accroche-toi à tout ce que tu peux. À cinq, je claque un J.

— T'es cinglé !

— Sans doute.

« Claquer un J » signifiait exécuter à partir d'une vitesse élevée en marche arrière, un demi-tour complet, sans doute sur deux roues, puis repasser en marche avant, mettre le turbo et partir en flèche dans la direction opposée. Le tout d'un seul trait – et de préférence sans tuer les occupants du véhicule...

480

La sueur se mit à ruisseler sur le front de King. Il pria le Ciel pour que son expérience acquise au sein du Secret Service lui revienne malgré les années. S'agrippant à la portière pour faire contrepoids, il pressa le pied contre le plancher afin de prendre appui, donna au moment opportun un grand coup de volant, et le laissa revenir en place avant de s'y cramponner. Tout fonctionna à merveille. King sauta ensuite les deux premières vitesses, enfonça la pédale d'accélération à fond et repartit en trombe. Malgré cela, cinq secondes plus tard, le 4 × 4 les rattrapait une fois de plus.

De la fumée s'échappait à présent du capot de la Lexus, et son compteur augurait l'inévitable : leur vitesse retomba à cent kilomètres/heure, puis à quatre-vingts. C'était la fin.

— Sean, il arrive !

— J'y peux rien du tout, bordel ! cria-t-il en retour, tandis que son sentiment d'impuissance se muait en rage.

Le tout-terrain vrombissant parvint à leur hauteur et envoya ses deux tonnes et demie contre leur flanc. King garda une main sur le volant, mais de l'autre agrippa à nouveau la cheville de Michelle, qui tentait encore d'attraper son arme. Les doigts de King s'enfoncèrent si profondément dans sa peau qu'il eut conscience de la faire saigner. Son propre bras subissait quant à lui une tension à la limite du supportable.

— Ça va ? lui demanda-t-il en serrant les dents, pour lutter contre la douleur alors que tout le poids de Michelle tirait sur ses tendons.

— Maintenant, oui. J'ai récupéré mon pistolet.

— Tant mieux, parce que cet enfoiré revient. Accroche-toi !

Il tendit le cou et vit le 4 × 4 faire une embardée dans leur direction. Au même instant, la cheville de Michelle pivota dans sa main.

— Qu'est-ce que tu f...

Il n'eut pas le temps de terminer sa phrase. Le 4 × 4 heurta l'arrière de la Lexus, et celle-ci exécuta un tour complet sur elle-même.

— Tiens bon ! cria King d'une voix rauque pendant que toute la bile de son estomac semblait lui remonter dans l'œsophage pour venir lui calciner la gorge. Au Secret Service, il avait subi un entraînement intensif destiné à savoir garder le contrôle d'un véhicule dans les situations les plus extrêmes. Galvanisé par la réussite de son virage en J, il laissa son instinct le guider. Au lieu de chercher à contrer les mouvements de la voiture, il les accompagna, tournant le volant dans le sens de la révolution et non à l'opposé, sans céder au réflexe naturel qui consiste à vouloir écraser la pédale de freins. Ce qu'il craignait le plus, c'était les tonneaux. Si la voiture se retournait, Michelle y passait et lui aussi – ou dans le meilleur des cas ils finissaient tétraplégiques. King ne sut combien de tours ils accomplirent, mais la Lexus basse et compacte d'une tonne et demie tint le choc, les dégâts se limitant à une perte importante de caoutchouc sur ses pneus et à quelques entrailles métalliques en moins.

Elle finit par s'arrêter, dans le bon sens en plus. Le 4 × 4 noir se trouvait devant eux et, apparemment, son conducteur avait décidé d'abandonner le combat puisqu'il s'éloignait à toute vitesse.

C'est alors que Michelle fit feu, et que les pneus arrière du tout-terrain se désintégrèrent. Il se mit lui aussi à chasser, puis à accomplir un tour complet sur lui-même. Toutefois, il fit aussi ce que la Lexus avait réussi à éviter : trois tonneaux impressionnants. Puis il s'immobilisa roues en l'air sur l'accotement de droite, laissant dans son sillage une traînée de métal, de verre et de gomme.

King repartit – le plus vite qu'il le put dans son épave – pendant que Michelle regagnait son siège.

— Sean ?

— Quoi ?

— Tu peux me lâcher la jambe.

— Hein ? Ah oui...

— Je sais : moi aussi, j'ai eu peur.

Ils eurent ensemble un immense soupir de soulagement, et elle lui étreignit la main.

— Chapeau pour la conduite, agent King, le félicita-t-elle, reconnaissante.

— J'espère du fond du cœur n'avoir jamais à recommencer.

Ils s'arrêtèrent près de la carcasse du 4 × 4, descendirent de voiture et s'approchèrent. Michelle tenait son arme au poing, tandis que King s'employait à décoincer la portière conducteur.

Sitôt ouverte, l'homme se jeta sur eux, et Michelle fut à deux doigts de tirer. Mais elle ne tarda pas à relâcher la pression sur la détente. En effet, leur agresseur, retenu par sa ceinture de sécurité, avait la tête en bas. En fait, il avait simplement glissé par l'ouverture quand la portière avait cédé. De plus, sa tête était si ensanglantée et mutilée qu'il n'y avait désormais pas davantage à chercher son pouls qu'à craindre de lui une quelconque attaque.

— Qui est-ce ? demanda Michelle.

— Je n'en sais rien, il fait beaucoup trop sombre, ici... Attends une seconde.

King courut à la Lexus et la déplaça de façon que ses phares illuminent le cadavre.

C'était Roger Canney.

77

À dix heures le lendemain matin, le mobile home des Deaver était vide. Les enfants étaient retournés à l'école, et Lulu travaillait. Priscilla Oxley s'était rendue dans un petit commerce pour acheter des cigarettes et une bouteille de tonic afin de faire glisser sa vodka adorée. Une camionnette était garée derrière un rideau d'arbres bordant la route goudronnée qui menait au chemin gravillonné sur lequel était stationnée la caravane. Son conducteur venait de voir Priscilla s'en aller – en maîtrisant le volant de sa LTD avec les genoux, car elle tenait une cigarette dans une main et un téléphone dans l'autre.

Il descendit aussitôt après et traversa le sous-bois jusqu'à la clairière derrière le mobile home. Luther sortit de la remise d'un pas indolent, inclina la tête en direction de l'inconnu lorsqu'il capta son odeur, lui adressa un aboiement de vieux chien fatigué et repartit se coucher. Une minute plus tard, l'homme avait crocheté la serrure toute simple de la porte de devant et gagnait rapidement la petite chambre-bureau située à l'autre bout.

Junior Deaver n'avait jamais été très doué pour les affaires, et encore moins pour l'organisation. Par chance, sa femme excellait dans les deux domaines. Les archives de ses travaux étaient classées et aisément accessibles. Tout en tendant l'oreille au cas où quelqu'un arriverait, l'homme parcourut les dossiers rangés par ordre chronologique. Lorsqu'il eut terminé, il s'aperçut qu'il avait dressé une assez longue liste. L'une de ces personnes devait être celle qu'il cherchait.

Il plia sa feuille de papier, la rangea dans sa poche, remit les dossiers à leur place, puis repartit. Alors qu'il regagnait sa camionnette, il vit Priscilla Oxley revenir. « Quelle petite veinarde ! se dit-il. Cinq minutes plus tôt, et elle était morte. »

Il prit la route sans cesser de réfléchir au cambriolage dont on avait à tort accusé Junior, tentant de se rappeler chaque détail qu'il avait entendu concernant cette affaire. Quelque chose lui échappait forcément. Dans la foulée, il pensa aux circonstances de la mort de Bobby. Qui, parmi ceux auxquels personne n'avait songé, aurait pu vouloir la mort de cet enfoiré ? Il existait de nombreux suspects, mais il lui paraissait fort peu probable que l'un d'eux ait tué le vieillard. Un tel acte avait requis courage et savoir-faire, deux qualités que lui-même possédait en abondance et respectait chez les autres. Il rêvait du jour où il pourrait témoigner son admiration à l'imposteur – juste avant de lui trancher la gorge.

Il aurait peut-être dû faire parler Sally avant de la supprimer. D'un autre côté, de quoi aurait-elle bien pu être au courant ? Elle se trouvait avec Junior au moment du cambriolage ; ils avaient eu ensemble des rapports sexuels. Sally n'était qu'une imbécile qui préférait passer ses journées avec des quadrupèdes et ses nuits avec des bipèdes. Elle avait obtenu la mort rapide qu'elle méritait. « Une Sally Wainwright de moins sur la planète, qu'est-ce que ça change ? » se demanda-t-il.

Jusqu'à présent, il avait tué six personnes, dont une à tort – erreur pour laquelle il s'était racheté, du moins à sa façon. Impossible pour lui de réciter son chapelet ou d'aller confesser ses fautes, bien trop graves. Il n'avait pas réussi à éliminer King et Maxwell. À n'en pas douter, ces deux-là étaient en train d'élaborer de nouvelles hypothèses. Un jour ou l'autre, ils risquaient de trouver la bonne et de tout gâcher.

Alors, même si c'était risqué, il devait réitérer sa tentative, en usant cette fois d'un moyen infaillible. Cependant, mettre sur pied un vrai scénario exigeait du temps. En attendant de l'avoir mis au point, il prêterait une attention accrue aux renseignements que lui fournissaient ses mouchards afin de toujours conserver sur les deux associés une longueur d'avance. Il allait falloir jouer serré ; mais s'il gardait la tête froide et appliquait son plan à la lettre, tout se déroulerait sans heurt.

Il sortirait vainqueur de cette confrontation, il le savait, car il possédait un avantage inestimable : être prêt à sacrifier sa vie pour obtenir la victoire finale. Ses adversaires ne pouvaient sans doute pas se targuer d'une telle indifférence face à la mort.

Il lui restait toutefois un autre point de son plan à échafauder, une sortie de scène réussie.

78

— Vous ne croyez quand même pas que notre tueur, c'est Canney ! s'emporta King.

Ils se trouvaient au poste de police, autour de la grande table de réunion. Williams et Bailey le fixaient d'un regard dubitatif pendant que Michelle l'écoutait tout en griffonnant sur un bloc-notes.

— Il a essayé de vous tuer, tous les deux, lui fit remarquer Bailey.

— Parce que nous avons découvert qu'il avait fait chanter Bobby Battle. Nous l'en avons presque accusé ouvertement. Alors, s'il a bien tué sa femme, il a dû être terrifié à l'idée qu'on puisse le découvrir aussi. Après, nous avons cru qu'il était en cavale. En fait, il est resté dans la région et a tenté de nous éliminer... Mais ça ne signifie pas qu'il ait commis tous les autres meurtres.

— Il devait savoir, ou du moins croire, que vous nous aviez fait part de vos soupçons. En tout cas, la manière dont il a essayé de vous liquider était idiote, quelqu'un aurait pu croiser votre route et assister à la scène. En plus, il s'est servi de son propre véhicule.

— À l'évidence, ce n'était pas un as du crime et, franchement, je pense qu'il a perdu la tête. Il se la coulait douce depuis des années en se croyant à l'abri, et puis soudain son fils est assassiné et cette affaire de chantage déterrée. Il est possible qu'il ait juste pété les plombs... Si on effectue des tests de paternité sur Canney et Bobby, à mon avis on saura qui était le véritable père de Steve, ajouta King.

— Dans ce cas, il se peut que Canney ait tué Steve, sa petite amie et Bobby Battle, puis qu'il s'en soit pris à la prostituée et à Diane Hinson pour brouiller les pistes.

— Et Junior Deaver ? rétorqua King. Qu'est-ce qu'il vient faire là-dedans ?

— Canney a pu l'embaucher pour cambrioler les Battle.

— Mais pour quelle raison ?

— Si Battle et Mme Canney avaient bien une liaison, Battle possédait peut-être un objet, appartenant à sa maîtresse, que Roger Canney a voulu récupérer. Ou alors Canney craignait que Battle détienne des renseignements compromettants sur lui. Le hic, c'est que Junior vole aussi Remmy, ce qui chagrine Canney. De plus, celui-ci craint que Junior le dénonce, alors il le tue. En cherchant à vous supprimer, il a démontré qu'il n'hésitait pas à assassiner ceux qui lui mettaient des bâtons dans les roues.

— Mais la mort de Sally ? lança Michelle. Comment l'expliquez-vous ?

— Sans vouloir dire de mal d'une morte, d'après ce que vous nous avez expliqué, cette fille avait le feu aux fesses, répondit Bailey d'un air suffisant. Il se peut que Junior lui ait parlé de Canney, que ce dernier l'ait découvert et se soit senti obligé de la liquider aussi.

King se cala dans son siège en secouant la tête.

— C'est plausible, Sean, concéda Williams.

— Non, c'est inexact, Todd, rétorqua King avec une grande fermeté. Vous vous trompez sur toute la ligne.

— Dans ce cas, donnez-moi une explication qui colle avec les faits, le défia Bailey.

— Pour l'heure, je ne le peux pas. En revanche, je peux vous affirmer que si vous cessez de

489

chercher le véritable tueur – ou plus vraisemblablement *les* tueurs –, d'autres vont mourir.

— Nous ne comptons pas nous arrêter là,
Sean, affirma Williams, mais si nous ne retrou-
vons pas d'autres victimes, cela prouvera que
c'est Canney le bon.

— Vous ne croyez pas un mot de ce que vous
dites, Todd, malgré tous vos efforts pour vous
en persuader, rétorqua King. Viens, Michelle.
J'ai besoin de prendre l'air.

Une fois dehors, il s'appuya contre le véhicule
de son associée, fourra les mains dans les
poches et, de colère, donna un coup de pied
dans une petite motte de gravier.

— Tu sais, soit Chip Bailey est le pire imbécile
que j'aie jamais rencontré, soit...

— ... soit il a raison, ce que tu ne peux te
résoudre à admettre, termina Michelle pour lui.

— Ah bon, tu crois ? Bon sang, ma propre
coéquipière qui conspire contre moi ! pesta-
t-il... Enfin, il est possible que je me trompe.

Michelle haussa les épaules.

— Je suis d'avis que tout coller sur le dos de
Canney est un peu tiré par les cheveux. Mais,
comme l'a souligné Bailey, nous n'avons pas
vraiment d'autre hypothèse.

— Je suis sûr que nous avons sous le nez des
éléments que nous ne voyons pas... Si seulement je pouvais les saisir, je sais qu'ils nous
mettraient sur la bonne piste. Ça me rend
dingue !

— Je crois connaître un remède...

Il lui jeta un regard dubitatif.

— Je te préviens, il est pour moi hors de question d'aller courir un marathon ou de faire du saut à l'élastique pour me décrasser le cerveau.

— Ce que j'ai en tête ne demande aucun effort physique.

— Venant de toi, c'est une déclaration stupéfiante.

Michelle leva la tête vers le ciel d'un bleu magnifique et remarqua :

— C'est l'heure d'aller se promener sur le lac. Rien de tel qu'un petit tour sur l'eau pour relancer la machine, surtout par une aussi belle journée.

— On n'a pas le temps de...

King laissa sa phrase en suspens et son visage se radoucit.

— Bon, d'accord. Après avoir échappé deux fois à la mort, une petite pause ne nous fera pas de mal.

— Je savais que tu suivrais mon raisonnement. Scooter des mers ou bateau ?

— Bateau. J'en ai marre que tu me tannes toujours pour faire la course.

— Ça, c'est parce que je te bats à chaque fois.

79

King pilotait le bateau à turbine Bombardier qui les emmenait à une vitesse de trente nœuds sur les eaux calmes du lac. La saison estivale ne commençant que beaucoup plus tard, ils étaient presque seuls.

— Tu le connais bien, le lac Cardinal ? demanda King.

— Pas mal. Tu sais que j'ai la bougeotte.

King expliqua sur un ton pédant :

— Après qu'on a endigué deux rivières et laissé l'eau s'accumuler pendant dix ans, il s'est formé ce lac très profond, long d'une cinquantaine de kilomètres, qui offre d'excellentes conditions pour la pêche et les sports nautiques, et où l'on recense environ deux cents criques.

— Ouah, j'ai l'impression d'entendre l'agent immobilier qui m'a vendu ma maison. Tu proposes aussi des emprunts sur hypothèque ?

Ils partirent vers le barrage hydroélectrique, qui en fait en comptait deux, un supérieur et un inférieur, puis ils atteignirent le chenal principal et tournèrent vers l'ouest. Au confluent des deux rivières, King prit vers le nord jusqu'à un chenal plus petit qui bifurquait à l'est de façon abrupte. Ils poursuivirent dans cette direction, remontant vers l'amont en suivant les balises rouges marquées de nombres pairs. Là, King réduisit l'arrivée des gaz et dirigea le bateau droit dans une petite anse inhabitée. Quelques minutes plus tard, ils avaient jeté l'ancre dans six mètres d'eau limpide, et King sortait un panier à pique-nique ainsi qu'une glacière remplie de boissons fraîches.

— Je vais nager un peu avant de manger, annonça Michelle.

— Comment va ton bras ?

— Tu me lâches avec ça ? Ce n'était qu'une égratignure, je te répète.

— Je ne sais pas pourquoi, je suis persuadé que si tu recevais une décharge de calibre trente-trente dans le ventre, tu ne demanderais qu'un pansement – et un petit, encore...

Elle se mit en maillot de bain et plongea.

— Viens, elle est super, l'invita-t-elle après avoir regagné la surface.

King jeta un coup d'œil à son tableau de bord.

— L'eau est à vingt-quatre degrés, encore un peu trop fraîche à mon goût. Moi, je suis plus à l'aise à vingt-sept vingt-huit.

— Dis plutôt que tu es une mauviette.

— C'est une autre façon de voir les choses, oui.

Après le déjeuner, King leva l'ancre et ils repartirent. Soudain, Michelle montra du doigt une vaste pointe droit devant eux. Le spectacle était impressionnant : un embarcadère de six cales doté d'un kiosque, d'un bar, d'un salon d'extérieur et de remises à équipement. À côté se trouvait une terrasse de planches de six cents mètres carrés, ceinte d'une rambarde en cèdre et couverte d'une toiture de bardeaux. L'ensemble ne demandait qu'à figurer en double page dans un magazine d'architecture.

— Ça en jette. À qui est-ce ?

— Eh ben alors, tu perds le sens de l'orientation, sur l'eau ? C'est la Casa Battle.

— Ah bon ? Je ne savais même pas qu'ils habitaient au bord du lac.

— À Wrightsburg, on ne bâtit pas un manoir sans un accès au Cardinal. Les Battle possèdent toute la pointe, plus dix hectares de terrain. Le ponton est très loin de la demeure principale ; en fait, on ne la voit même pas depuis la rive. À mon avis, ç'a été conçu exprès pour éviter d'attirer les curieux. Ils se servent de voiturettes de golf pour circuler.

— Tu parles d'une vie.

Le soleil éblouissant lui fit plisser les yeux.

— C'est qui, sur ce petit voilier ?

King s'empara de ses jumelles et zooma sur le skipper de l'autre bateau.

— C'est Savannah.

Il réfléchit un instant, puis poussa l'accélérateur et se dirigea vers l'embarcation.

— Qu'est-ce que tu fais ? s'enquit Michelle.

— Je vais pêcher un peu.

Ils s'approchèrent du voilier, guère plus grand qu'un dériveur Sunfish. Savannah avait une main sur la barre et dans l'autre une canette de Coca-Cola. Quand elle les reconnut, elle leur adressa un signe de la main.

— Les grands esprits se rencontrent, lui cria King.

Portant un long chemisier sans manches pardessus son bikini, les cheveux mouillés et attachés en queue-de-cheval, Savannah avait déjà pris des couleurs sur le visage et les épaules.

— L'eau est délicieuse, annonça-t-elle.

— Sean refuse de se baigner tant qu'il n'a pas l'impression d'être dans sa baignoire, se moqua Michelle.

— Vous ne savez pas ce que vous manquez, M. King.

— Je pourrais me laisser tenter si vous vous joigniez toutes les deux à moi.

Ils prirent une minute pour jeter l'ancre, ensuite Savannah plongea la première, suivie de près par Michelle. Lorsqu'elles remontèrent à la surface, King était toujours assis sur sa plate-forme de plongée.

— Qu'est-ce que tu attends, Sean ? demanda Michelle.

— J'ai dit que je pourrais me laisser tenter, pas que je le ferais.

Michelle et Savannah échangèrent un regard, semblant communiquer par télépathie ; toutes deux plongèrent de nouveau et allèrent lui saisir chacune une cheville.

— Ah non, je vous…, commença-t-il.

Sans lui laisser le temps de terminer sa phrase, elles le tirèrent dans le lac. Lorsqu'il émergea la tête, il cracha de l'eau et se mit à jurer.

— Je ne suis pas en maillot de bain ! protesta-t-il.

— Maintenant si, répondit Savannah, l'air très contente d'elle.

Après une demi-heure de nage, ils menèrent leurs embarcations jusqu'au ponton, s'installè-rent dans le kiosque et burent des bières que Savannah sortit du réfrigérateur du bar.

Michelle contempla le panorama qu'offraient les collines et le lac.

— Quelle vue !

— C'est mon endroit préféré dans tout le domaine, déclara Savannah.

King examina la collection de bateaux des Battle.

— J'ai déjà fait un tour sur le gros yacht *Sea-Ray*, mais je ne me souviens pas de ce Formula 353 FasTech. C'est une merveille.

— Papa l'a acheté l'hiver dernier. Les types de la marina sont venus le préparer pour l'été, mais il n'a pas encore servi. C'est Eddie, le vrai plaisancier de la famille. Moi j'aime bien me balader un peu sur l'eau, bronzer et boire une bière à bord. Eddie a prévu de le sortir bientôt pour le roder. Il paraît que c'est un bolide, qu'il a des moteurs monstrueux.

— Je dirais deux EFI Merc de cinq cents chevaux. Il doit dépasser les cent vingt kilomètres/heure en vitesse de pointe et taper dans les quatre-vingts en vitesse de croisière. Dites à Eddie que je serais ravi de l'aider à le roder.

— Ben ça alors..., dit Savannah avec un accent du Sud exagéré. Et moi qui croyais m'éclater sur mon petit dériveur !

— C'est un truc de mecs, Savannah, commenta Michelle avant de lancer un regard amusé à son associé. Mais, dis-moi, j'ignorais que tu étais calé à ce point en bateaux de course.

— Il faut bien se raccrocher à quelque chose quand on n'a pas les moyens de se les offrir.

Le silence s'installa puis King posa lentement sa bière et dévisagea la jeune Battle d'un air grave.

— Vous n'êtes pas venus ici pour m'admirer en bikini et reluquer nos bateaux, pas vrai ? demanda-t-elle avec l'air d'espérer le contraire.

— En effet, nous avons quelques questions à vous poser.

Savannah détourna le regard, et sa mine se rembrunit.

— À propos de Sally ?

— Entre autres.

— C'est un peu pour me changer les idées que je suis partie faire de la voile... Je n'arriverai jamais à me sortir ça de la tête, reprit-elle en secouant la tête. Jamais, vous comprenez ? C'était atroce, Sean, vraiment atroce !

Il mit la main sur la sienne et l'étreignit quelques instants avant de la relâcher.

— Les choses ne feront qu'empirer si nous n'arrêtons pas le coupable.

— J'ai déjà tout raconté à Todd et à l'agent Bailey. Je ne savais même pas que Sally se trouvait aux écuries avant de...

— Ensuite, vous vous êtes précipitée chez votre frère et c'est Dorothea qui vous a ouvert, n'est-ce pas ? fit Michelle. Comment vous a-t-elle semblé ?

— Je ne m'en souviens pas bien. J'étais au bord de la crise de nerfs. Je me rappelle qu'elle est montée chercher Eddie, mais qu'elle n'a pas réussi à le réveiller. Là, ç'a été la panique totale. Je suis restée près de la porte pendant tout ce temps. Quand ils sont venus chercher Eddie, je suis retournée dans ma chambre en courant et je me suis cachée sous les couvertures.

Elle posa son verre et alla s'asseoir sur le ponton, les pieds dans l'eau.

King la fixa du regard, l'air songeur. Quelque chose le titillait dans le récit de Savannah, mais il n'arrivait pas à savoir quoi... Il finit par secouer la tête de frustration. Ça ne voulait pas venir.

— Votre mère est-elle chez elle ? s'enquit-il.

— Non, elle est sortie. Une histoire de notaire et d'homologation.

— Verriez-vous un inconvénient à ce que nous jetions un coup d'œil aux penderies de vos parents ?

Elle pivota pour le regarder.

— Je croyais que c'était fait.

— Un second examen n'est jamais de trop. Ça pourrait nous aider.

Ils montèrent dans la voiturette de golf qu'avait utilisée Savannah pour venir et prirent le chemin de la demeure. La jeune femme les fit entrer par-derrière et les accompagna au deuxième étage.

— Je n'arrête pas de tanner Maman pour qu'elle fasse installer un ascenseur.

— Monter les marches, c'est un bon exercice, dit Michelle.

— Ne l'écoutez pas, répliqua King. Restez sur l'idée de l'ascenseur.

Savannah ouvrit la porte de la chambre de Remmy et se figea sur place.

— Oh ! s'exclama-t-elle. Qu'est-ce que vous fabriquez ici ?

King passa devant elle et dévisagea Mason d'un air soupçonneux.

Le majordome les regarda sans se démonter.

— Je rangeais la chambre de votre mère, rien de plus. Les femmes de ménage négligent toujours quelque chose.

Il observa à son tour King et Michelle avec suspicion.

— Puis-je vous aider ?

— Euh…, fit Savannah, en se mordant la lèvre inférieure.

— Vous dégoulinez sur le tapis, constata Mason.

— Nous venons de nous baigner dans le lac, expliqua Michelle.

— Le temps s'y prête bien, admit-il tout en continuant de les fixer d'un air inquisiteur.

— Nous venons réexaminer la penderie de Remmy, Mason, intervint King. Pour l'enquête.

— Je croyais l'affaire close, suite à la mort de M. Deaver.

— On pourrait le penser, mais ce n'est pas le cas.

— En avez-vous parlé à votre mère ? lança Mason en se tournant vers Savannah.

Ce fut King qui répondit :

— Elle nous a permis de venir ici une fois, Mason. Je ne vois pas en quoi procéder à une seconde inspection pourrait lui poser problème.

— Je tiens à toujours m'assurer de ce genre de détails, Sean.

— Voyez-vous, maintenant que Junior est mort et que Remmy est amie avec sa veuve, c'est à nous de découvrir le véritable auteur du vol. Vous en conviendrez, il est dans l'intérêt de Remmy que nous y parvenions. Mais si vous tenez à l'appeler et à la déranger pendant son rendez-vous avec les notaires, faites-le. Nous attendrons ici.

Mason pesa le pour et le contre et finit par hausser les épaules.

— Je ne pense pas qu'elle y verrait d'inconvénient... Tâchez juste de ne rien déranger ; Mme Battle a des exigences bien à elle.

— En effet.

Dès que Mason fut parti, ils traversèrent la chambre pour s'approcher du compartiment secret et l'examiner avec minutie. Sans rien trouver, malheureusement.

— Vous aurez peut-être plus de chance dans la chambre de mon père, déclara Savannah.

Cependant, comme ils se dirigeaient vers la porte, King s'arrêta pour regarder des photos exposées sur l'étagère en face du lit de Remmy.

— Ça, c'est moi à douze ans, lui expliqua Savannah. Quand j'étais grosse et moche. Je sens encore cet appareil de malheur sur mes dents.

King saisit un autre cliché, plus vieux, où l'on voyait deux bébés.

— C'est Eddie et Bobby Jr. Lui, je ne l'ai jamais connu, bien sûr ; il est mort avant ma naissance. Ah non, excusez-moi, c'est Bobby Jr, à gauche, et Eddie, à droite.

Mais elle semblait toujours hésitante et ajouta :

— C'est gênant de ne pas reconnaître ses frères.

— Ils étaient jumeaux, d'un autre côté, dit King en reposant le cadre.

Dans la chambre de Bobby, ils n'obtinrent d'abord guère plus de succès. Mais alors qu'il examinait le tiroir avec méticulosité, King se raidit soudain.

— Vous auriez une lampe de poche ? demanda-t-il à Savannah.

— Maman en garde une dans sa table de nuit, en cas de coupure de courant.

Elle s'empressa d'aller la chercher, et King éclaira le tiroir.

— Regardez ça...

— On dirait des lettres, observa Michelle.

— Il y a un *k*, c'est sûr, et ensuite un *c* ou un *o*, dit King.

Michelle regarda de plus près.

— Après, je vois un blanc, puis un *p*, suivi par ce qui ressemble à un *a* ou un *o*.

L'air songeur, King se redressa.

— Il semblerait qu'on ait posé quelque chose au fond de ce tiroir, et que, d'une manière ou d'une autre, ces lettres se soient imprimées sur le bois.

— Ç'a peut-être été mouillé, suggéra Savannah.

King se pencha, renifla longuement le compartiment secret, puis se tourna vers Savannah.

— Bobby buvait, dans sa chambre ?

— Mon père, s'il buvait ? répliqua-t-elle avec un rire. Il y a tout un bar dans ce meuble en face du lit, là, qui ressemble à un buffet... Pourquoi ?

— Parce que ça sent le whisky, là-dedans.

— Ce qui pourrait expliquer l'humidité, constata Michelle, en humant à son tour le tiroir. Il a dû renverser son verre alors qu'il regardait ce document mystérieux, et les lettres ont fait décalcomanie sur le tiroir.

King alla prendre de quoi écrire dans le bureau de Bobby. Puis il recopia les lettres en essayant de respecter les espaces qui les séparaient.

Kc pa, Ko pa, Ko po

— Kc-pa, Ko-pa ou Ko-po, articula-t-il lentement. Ça vous évoque quelque chose ?

Savannah secoua la tête.

— À l'évidence, il manque des lettres. Si nous jouions à « La Roue de la fortune », je demanderais quelques voyelles, dit Michelle. Que penses-tu de tout ça, Sean ?

Il attendit un peu avant de répondre.

— Ça pourrait être la clé de toute cette affaire, mais reste encore à découvrir la signification de telles inscriptions.

Michelle eut une illumination. Pendant que Savannah restait concentrée sur les notes de King, elle chuchota à l'oreille de son coéquipier :

— Ça vient peut-être du testament manuscrit qu'a évoqué Harry ?

Aucun d'entre eux n'entendit la porte de la chambre se fermer tout doucement derrière la personne qui épiait leur conversation. Ils n'entendirent pas non plus les pas légers s'éloigner dans le couloir en direction de l'escalier.

80

Sean King se redressa d'un mouvement brusque dans son lit comme si on l'avait aiguillonné.

« Sept heures ! Bon sang, sept heures ! » Enfin, pas vraiment sept, sans doute un peu plus... Sally était morte sept heures à peine après lui avoir raconté son aventure avec Junior et grâce à ce laps de temps il venait de saisir une pièce de puzzle autour de laquelle d'autres pièces allaient s'imbriquer.

Il tâtonna sur la table de chevet et trouva sa montre : une heure du matin. Il sortit du lit d'un pas vacillant, trébucha sur un objet que Michelle avait laissé traîner par terre et tomba en se faisant mal au gros orteil. Après avoir exploré les environs à l'aveuglette, il découvrit ce dans quoi il s'était cogné : un haltère de dix kilos.

— Putain ! hurla-t-il dans le vide.

Il se releva en se massant le pied et se dirigea en boitant vers la chambre de Michelle. Il s'apprêtait à y entrer dans la foulée, mais se ravisa. Surprendre Michelle Maxwell de la sorte pourrait lui valoir un aller simple pour la morgue.

Il tapota à la porte.

— Tu es présentable ?

Une voix ensommeillée filtra à travers les quelques centimètres de bois.

— Quoi ?

— Si tu gardes toujours ta mitraillette sous ton oreiller, inutile de la sortir. Mes intentions sont pacifiques.

Il entra et alluma la lumière. Assise dans son lit, Michelle se frottait les yeux.

— J'adore tes goûts en lingerie, plaisanta-t-il en observant son immense sweat-shirt gris marqué du sigle WIFLE, qui signifiait Women in Federal Law Enforcement[1]. Mets ça pour ta lune de miel, et ton petit mari ne te laissera jamais quitter le lit.

Elle lui lança un regard agacé.

— C'est juste pour critiquer mon pyjama que tu m'as réveillée ?

Il s'assit à côté d'elle.

— Non, je voudrais que tu fasses quelque chose pour moi en mon absence.

— En ton absence ? Où vas-tu ?

— Je voudrais procéder à quelques recherches.

— Je t'accompagne.

— Non, j'ai besoin que tu restes ici, pour tenir les Battle à l'œil.

— Les Battle ? Lesquels ?

— Tous.

— Tu veux bien m'expliquer comment je dois m'y prendre ?

— Je vais appeler Remmy et la prévenir que tu as d'autres questions à lui poser. Elle rassem-

_____

1. Femmes des forces de l'ordre fédérales (*N.d.T.*).

blera tout le monde chez elle, ce qui te facilitera la tâche.

— Qu'est-ce que je suis censée leur demander, au juste ?

— Tu trouveras bien, va, ne t'en fais pas.

Elle croisa les bras sur sa poitrine et le regarda d'un air buté.

— Qu'est-ce qui se passe, bon sang ?

— J'ai vraiment besoin que tu me rendes ce service, Michelle...

— Tu me caches encore des trucs. Tu sais bien que j'ai horreur de ça !

— Pour l'instant, je n'ai aucune certitude ; mais dès que ce sera le cas, tu seras la première informée, je te le jure.

— Tu voudrais bien me dire au moins ce que tu pars chercher ?

— OK. Je vais demander à un ami d'examiner les résultats de l'autopsie de Bobby.

— Pourquoi ?

— Ensuite, fit-il, ignorant sa question, je file à l'université de Virginie pour me renseigner sur certains narcotiques. Après, j'irai chiner chez les antiquaires.

Elle haussa les sourcils.

— Les antiquaires ?

— Je veux aussi rendre visite au médecin de famille de Bobby Battle. Les questions que je souhaite lui poser sont susceptibles d'éclaircir beaucoup de zones d'ombre. Pour terminer, direction Washington pour me procurer un appareil qui risque de nous être d'une grande utilité.

— Tu ne m'en diras pas plus ?

— Non.

— Eh ben, quelle confiance, ça fait plaisir !

Il se leva.

— Écoute, Michelle. Si je te livrais mes pensées dans le détail alors que je me trompe sur toute la ligne, ça pourrait te pousser à accorder ta confiance à la mauvaise personne. Tant que je ne saurai pas si j'ai raison ou pas, mets-toi bien ça dans la tête : tu ne dois te fier à personne avant qu'on ait arrêté le tueur. Personne, tu m'entends ?

Elle le fixa du regard.

— Tu cherches à me faire flipper, ou quoi ?

— Non, je cherche à ce qu'on reste tous les deux en vie. On l'a échappé belle à deux reprises déjà. Je n'ai pas envie que la prochaine fois on y passe.

81

Au même moment, un homme décidé à tuer s'était introduit chez Jean et Harold Robinson. Portant une cagoule noire, il avait ouvert la porte du sous-sol et s'était glissé à l'intérieur. Rien de plus facile quand on possède une clé – ce qui était son cas, puisqu'il en avait fabriqué une grâce aux moulages réalisés sur le parking du centre commercial. Avant d'entrer, il avait coupé les lignes de téléphone. Familier de la maison – il avait déjà effectué plusieurs visites de reconnaissance, après avoir consulté le plan schématique des lieux que le constructeur avait eu la bonne idée de mettre en ligne –, il gravit rapidement les marches. Il connaissait avec précision l'endroit où se trouvait chaque personne.

Comme il l'avait déduit lorsqu'il avait repéré Jean Robinson, la petite famille disposait d'un système d'alarme, mais ne s'en servait pas. Les trois enfants – le nourrisson à qui il avait adressé un petit signe dans le monospace et deux garçons plus âgés – dormaient à l'étage. La femme et son mari avaient leur chambre au rez-de-chaussée. Harold Robinson cependant était absent, raison pour laquelle lui-même était là cette nuit.

La chaudière s'alluma dans un vrombissement, inondant la demeure d'air chauffé au gaz. Il profita du bruit pour traverser l'entrée en vitesse et gagner la chambre de la mère. Il écouta à la porte le temps de compter jusqu'à trois. Seuls lui parvinrent les légers ronflements de Mme Robinson, qui l'attendait sans le savoir. Il pénétra dans la pièce à pas feutrés, et sans difficulté. Ses yeux s'étaient depuis longtemps accoutumés à l'obscurité. Jean Robinson formait une petite bosse sur le côté gauche du grand lit California King. Elle portait une nuisette blanche très fine, il le savait : quand elle l'avait enfilée, il l'épiait par la fenêtre. Elle avait pour habitude de ne pas fermer les volets et de laisser la lumière allumée pour se déshabiller. La chambre donnant sur le jardin de derrière, elle devait se croire à l'abri des regards indiscrets. Elle se trompait, bien sûr – comme tous ceux qui s'imaginent jouir d'une quelconque intimité dans la vie quotidienne. Il y a toujours quelqu'un pour vous guetter. Toujours.

Après son troisième accouchement, Mme Robinson avait vite retrouvé la ligne. Le ventre de nouveau plat, elle avait les jambes fines et des fesses rebondies aussi séduisantes que ses seins, restés volumineux après l'allaitement. Son mari l'aimait, aucun doute là-dessus, et ils menaient une vie sexuelle épanouie. Enfin bref, peu importait, il n'était pas venu la violer, mais la tuer.

En un éclair, il lui fourra le bâillon dans la bouche, pour parer au moindre bruit qu'elle aurait pu produire. Après une seconde d'hébétude, elle réagit par une contraction générale de ses muscles. Il la plaqua alors contre le lit par-derrière. Mais, plus forte qu'il ne l'aurait crue, elle se débattit et, passant la main par-dessus la nuque, parvint à lui arracher sa cagoule.

Sous l'effet de la panique, il la saisit par les cheveux et la cogna contre la tête du lit, une, deux, trois fois, jusqu'à sentir ses muscles se relâcher. Un dernier coup dans le chêne massif, et il crut entendre son crâne se fracturer – mais un tel bruit était-il audible ? Lui pressant la nuque d'une main, il chercha sa cagoule de l'autre avec des gestes fébriles. Il la trouva coincée dans le poing de sa victime, l'en retira d'un coup sec et l'enfila de nouveau. Ensuite, il passa un bras sous

508

la fine taille de la jeune femme, lui releva le buste et lui heurta une dernière fois la tête contre le bois.

Ensuite, il la retourna d'un coup sec. Ses yeux, ouverts et sans vie, regardaient dans le vague. Le sang coulait de son crâne fêlé et souillait ses seins à présent dénudés. Le tueur lui ôta sa nuisette et la jeta de l'autre côté de la pièce. Puis il la prit sur l'épaule, l'étendit par terre, sortit le couteau à viande qu'il avait trouvé dans la cuisine en arrivant, et se mit à lui graver des motifs très élaborés sur la peau. La police n'aurait aucun mal à les reconnaître, songea-t-il ce faisant. Il prit enfin le risque d'allumer la petite lampe de chevet et, du bout de sa lame, gratta sous les ongles de sa victime pour en retirer les fibres de sa cagoule, qu'il fourra dans sa poche.

Il saisit la montre de sa victime posée sur la table de nuit, la régla sur six heures, en tira le remontoir et la lui passa au poignet.

Lorsqu'il eut terminé, il chercha son pouls, juste pour être sûr. Rien. Jean Robinson n'était plus. Prochain arrêt pour elle, la bouchère en titre, le Dr Sylvia Diaz. Harold Robinson était désormais veuf avec à charge trois garçons en bas âge. La Terre continuerait néanmoins de tourner, ce qui corroborait bien sa théorie que rien de tout cela ne comptait vraiment. « Personne n'est irremplaçable. »

Il s'empara de la nuisette, sur laquelle on risquait de retrouver des traces de lui, et la fourra aussi dans sa poche. À cause des autres occupants de la maison, il ne pouvait s'offrir le luxe de passer l'aspirateur – c'était déjà une chance que les bruits de lutte n'aient pas réveillé les petits.

Il examina son œuvre une dernière fois. Quelle belle mise en scène – du premier choix, en fait !

« Here's to you, Mrs. Robinson[1]. »

Après quoi, il se rendit à la cuisine, où se trouvait le sac à main de sa victime, en sortit son portable, alla dans le menu répertoire, obtint le numéro voulu, et appela son cher mari, qui se trouvait sur la route, pas très loin de là. Il ne prononça que ces quelques mots : « Ta femme est morte », avant de raccrocher et d'éteindre l'appareil. Il passa aussi la main au-dessus du placard pour retirer le mouchard qu'il y avait posé lors d'une de ses premières visites. Il ne lui serait plus d'aucune utilité.

Restait une dernière tâche à accomplir, et il aurait terminé, du moins pour cette nuit. Il se dirigea vers l'escalier de derrière, qui menait au sous-sol.

— Maman ?

Il se figea en plein milieu de l'entrée lorsque la lumière s'alluma dans le couloir du haut. Il entendit des bruits de pas approcher – l'enfant marchait à courtes enjambées hésitantes, traînant ses pieds nus sur le parquet.

---

1. « Bien à vous, Mme Robinson ». Paroles de la chanson de Simon & Garfunkel *(N.d.T)*.

— Maman ?

Le petit garçon, qui portait un bas de pyjama blanc et un T-shirt Spiderman, apparut au sommet des marches et regarda en bas. Dans une main, il tenait un chien en peluche.

— Maman ? répéta-t-il en se frottant les yeux de son petit poing potelé.

Il finit par distinguer l'ombre de la cagoule et ajouta :

— Papa ?

Le tueur resta immobile au bas de l'escalier, à fixer l'enfant. Puis sa main gantée glissa dans sa poche et il saisit son couteau. Ce serait terminé en un rien de temps. Un doublé au lieu d'une seule victime, quelle importance ? « La mère et le fils, qu'est-ce que ça peut bien foutre ? » songea-t-il, prêt à passer à l'acte. Pourtant, il ne bougea pas d'un pouce. Il se contenta d'observer la petite silhouette dans la lumière blafarde – un témoin potentiel.

— Papa, c'est toi ? demanda le gamin, la peur à présent perceptible dans la voix.

Le tueur réagit juste à temps.

— C'est papa, fiston, retourne te coucher.

— Je croyais que tu devais partir, papa.

— J'ai oublié quelque chose, Tommy, c'est tout. Retourne au lit avant de réveiller tes frères. Tu sais que si ton petit frère se met à pleurer, il ne s'arrête plus... Fais un bisou à Bucky de ma part, continua-t-il, en parlant du chien en peluche.

Il n'imitait sans doute pas très bien la voix du père, mais le garçonnet serait rassuré en

511

l'entendant prononcer son prénom et parler de choses familières.

Il s'était renseigné sur les Robinson jusque dans les moindres détails. Il connaissait les petits noms qu'ils se donnaient, leur numéro de sécurité sociale, leurs restaurants favoris et les sports que pratiquaient les aînés, Tommy et Jeff : le base-ball pour le premier et le foot pour le second. Il savait que Harold Robinson avait quitté la maison peu avant minuit pour se rendre à Washington, que leur mère les adorait... comme il savait qu'il venait de leur voler cet être à jamais, pour la seule raison qu'elle avait eu la malchance de passer devant son radar en allant faire ses courses. Ç'aurait pu être une autre maman. N'importe laquelle. C'était juste tombé sur celle de Tommy. Et de Jeff, âgé de douze ans. Et du petit Andy, qui avait un an à peine et avait souffert de coliques les six premiers mois de sa vie. Il n'en revenait pas des détails que les gens pouvaient livrer sur eux si on y prêtait quelque peu attention. Pourtant, plus personne ne le faisait, à présent, sauf peut-être les prêtres. Et les tueurs de son espèce.

Il laissa son couteau dans sa poche. Tommy aurait la chance de grandir. Un seul Robinson suffisait bien pour cette nuit.

— Allez, va te coucher, fiston, répéta-t-il avec plus de fermeté.

— Oui. Je t'aime, papa.

Le petit garçon repartit dans sa chambre.

L'homme à la cagoule noire resta immobile bien trop longtemps à regarder l'endroit désormais vide où s'était tenu Tommy, où il avait dit : « Je t'aime, papa. » Il lui fallait s'en aller, accomplir sa dernière tâche… « Je t'aime, papa. »

Il se sentit soudain honteux de se trouver dans la même maison que l'enfant qui lui avait adressé ces paroles, même par erreur. Il s'en voulut. « Allez, fuis, maintenant. Le père est sans doute en train d'appeler la police. Déguerpis, imbécile ! »

Dans le sous-sol encore en travaux, il éclaira de sa lampe électrique la canalisation qui marquait l'endroit où se trouveraient plus tard de nouvelles toilettes. Il en dévissa le capuchon, sortit le grand sachet plastique rempli de divers articles, l'enfonça dans le tuyau, et le reboucha de façon approximative. Pour paraître dissimuler des preuves compromettantes chez quelqu'un, mieux valait qu'elles ne soient ni trop visibles ni trop bien cachées.

Il sortit discrètement, traversa le jardin et regagna sa Volkswagen, qu'il avait laissée quelques rues plus loin. Une fois en voiture, il retira sa cagoule. Puis il fit ce qu'il n'avait encore jamais osé faire : il retourna droit à la maison où il venait de commettre son crime le plus atroce. La mère assassinée gisait dans sa chambre. Tommy dormait dans la sienne – la troisième lucarne en partant de la gauche. Les enfants se levaient à sept heures pour aller à l'école. Si leur mère n'était pas debout, ils iraient la réveiller. Il consulta sa montre : une heure. Il restait encore à Tommy environ six heures d'existence normale à vivre.

— Profites-en, petit, marmonna-t-il à l'intention de la fenêtre noire.

« Profites-en bien... je suis désolé. »

Il repartit en léchant les larmes qui roulaient sur ses joues.

82

Quand Todd Williams appela Michelle pour lui apprendre la mort de Jean Robinson, King était déjà parti dans une voiture de location. Elle trouva la maison de la victime encerclée par des véhicules de la police et des secours. Les voisins horrifiés observaient la scène depuis leurs fenêtres et leurs vérandas. On ne voyait d'enfant nulle part. Les trois petits Robinson étaient allés avec leur père chez un parent vivant dans le voisinage.

Michelle rejoignit Williams, Sylvia et Bailey dans la chambre des parents et eut un petit mouvement de recul à la vue de ce qu'on avait infligé à la morte.

Sylvia leva les yeux vers elle et, d'un air compréhensif, lui adressa un signe de tête.

— Des stigmates.

On avait mutilé les paumes et les pieds de Jean Robinson pour que ses blessures ressemblent à celle du Christ crucifié. Pour parfaire le tableau, on lui avait placé les bras en croix.

D'un ton las, Bailey déclara :

— Bobby Joe Lucas. Il a fait la même chose à quatorze femmes du Kansas et du Missouri au début des années 1970, après les avoir violées.

— Je suis presque sûre qu'il n'y a pas eu viol, ici, annonça Sylvia.

— Ce n'est pas ce que je voulais dire. De toute façon, Lucas est mort d'une crise cardiaque en prison, en 1987... Mais, d'après M. Robinson, la nuisette de sa femme a disparu, ce qui collerait avec le mode opératoire de notre tueur.

— Où est Sean ? demanda Williams.

— Parti chercher les réponses à quelques questions.

Bailey la dévisagea d'un air soupçonneux.

— Où ça ?

— Je ne sais pas trop.

— Je n'aurais jamais cru que Batman pouvait se passer de Robin, railla l'agent du FBI.

Avant que Michelle ait pu répliquer, Williams intervint :

— Vous ne pouvez pas l'appeler ? Il faut qu'on le mette au courant.

— Son portable s'est cassé pendant la course-poursuite avec Roger Canney. Il ne l'a pas encore remplacé.

— Ne vous inquiétez pas, il l'apprendra bien assez tôt, fit Sylvia. Les mauvaises nouvelles circulent toujours plus vite que les bonnes.

— Où est le mari ?

— Avec les gamins, répondit Williams. Il était sur la route quand c'est arrivé. Il est représentant en matériel de haute technologie. Il dit avoir reçu un coup de fil passé depuis le téléphone de sa femme vers une heure du matin. La voix lui a annoncé qu'elle était morte. Il a essayé de rappeler, mais ça n'a pas répondu. Ensuite, il a tenté de téléphoner chez lui, mais ça sonnait occupé. Nous avons découvert que les câbles avaient été coupés. Du coup, il a appelé le 911.

— À quelle heure est-il arrivé ici ?

— Environ une heure après mes hommes. Il se rendait à Washington pour une réunion de force de vente.

— Un peu tard pour ce genre de déplacement, non ?

— Il dit qu'il a voulu coucher ses enfants et passer un peu de temps avec sa femme avant de partir, expliqua Bailey.

— Des raisons de le soupçonner ? s'enquit Michelle.

— Mis à part qu'il n'y a pas eu effraction, pas pour l'instant, répondit Williams.

— Personne n'a rien vu ?

— Il n'y avait que les enfants, ici. Évidemment, le nourrisson ne peut nous être d'aucune aide. L'aîné...

Une adjointe entra en trombe dans la chambre.

— Commandant, je viens de finir d'interroger Tommy, le petit deuxième. D'après lui, il a vu son père chez eux tard dans la nuit, à un moment où il s'est réveillé. Il ignore quelle heure il était. Son père aurait oublié quelque chose et lui aurait ordonné de retourner au lit.

À cet instant, un autre adjoint fit irruption dans la pièce.

— On a trouvé un truc dans une canalisation, au sous-sol.

Ils posèrent le sachet sur la table du salon et en examinèrent le contenu à travers le plastique.

— Une médaille de saint Christophe, un anneau de nombril, un bracelet de cheville en or, une boucle de ceinture et une bague d'améthyste, énuméra Williams.

— Tout ce qui a été pris aux cinq premières victimes, constata Bailey.

Williams se tourna vers un de ses adjoints.

— Qu'on arrête Harold Robinson sur-le-champ.

83

Pour sa première étape, King était passé voir un ami médecin travaillant à Lynchburg, qui était aussi un légiste réputé. Ensemble, ils avaient examiné de près les résultats de l'autopsie de Battle. Sylvia avait préparé un compte rendu détaillé, auquel elle avait inclus des analyses toxicologiques et l'examen au microscope des tissus cérébraux.

— Étant donné la présence évidente de ridules inhabituelles sur la paroi de l'aorte thoracique et les lésions microscopiques du cerveau, je ne peux certainement pas invalider ton hypothèse, Sean, lui expliqua son savant ami. Ce sont des symptômes flagrants de la maladie.

— Une dernière question : est-ce qu'elle peut affecter un fœtus ?

— Tu me demandes si elle est susceptible de traverser le placenta, c'est ça ? Tout à fait.

King se rendit ensuite à l'université de Virginie, où il s'entretint avec un professeur de l'UFR de pharmacologie du détail sur lequel était bâti tout son raisonnement.

Il obtint vite confirmation de ses soupçons.

Le professeur lui expliqua qu'une personne abusant de narcotiques puissants finit par développer une tolérance à ces drogues. Au fil du temps, l'effet recherché s'atténue, et des doses plus fortes sont nécessaires pour l'obtenir.

Après l'avoir remercié, King regagna sa voiture en songeant : « J'en connais justement une qui en a consommé pas mal, Dorothea. »

Sa destination suivante fut un antiquaire du quartier commerçant de Charlottesville, chez qui il était déjà allé plusieurs fois et qui l'aida à trouver l'objet de sa recherche.

— C'est un disque de décodage, lui expliqua l'homme en lui montrant du doigt le morceau de métal rond constitué de deux plaques superposées et frappées à une extrémité des lettres de l'alphabet. Ça permet de déchiffrer des messages codés. On déplace les plaques pour trouver la correspondance entre les deux lignes de lettres : par exemple le *a* pour le *e*, le *s* pour le *w,* etc.

— Donc, si l'on décale tout d'une lettre, ou d'un *cran*, le sens du message est modifié... Rien qu'avec un cran de décalage ?

— Oui, c'est une bonne formulation : un cran de décalage, et tout change.

— Vous ne pouvez pas savoir à quel point vous me faites plaisir !

King acheta le disque et s'en alla sous le regard intrigué de l'antiquaire.

Un peu plus tard, il conversait avec le généraliste de Bobby Battle, médecin réputé qu'il connaissait bien, des résultats de son autopsie. Après avoir lu avec attention le compte rendu établi par Sylvia, ce monsieur respectable ôta ses lunettes à monture très fine et dit :

— Vous savez, je ne l'ai suivi que ces vingt dernières années.

— Vous avez peut-être quand même remarqué des changements chez lui ?

— Dans sa personnalité, oui, je crois. D'un autre côté, il vieillissait. À cet âge, la moitié de mes patients rencontrent ce genre de soucis.

— Dans le cas de Bobby, avez-vous pensé que ça pouvait en être la cause ?

— Pas forcément. En général, il s'agit plutôt d'un cas de démence légère ou d'un début d'Alzheimer. Mais, évidemment, je n'ai pas eu l'occasion de pratiquer un examen post mortem.

— Avez-vous procédé à des analyses à l'époque où il vous consultait ?

— Les symptômes n'avaient rien d'inquiétant, et vous connaissez son tempérament : s'il ne voulait pas passer d'examens, personne ne pouvait l'y forcer... Ces résultats d'autopsie indiquent qu'il était peut-être atteint à un stade avancé. J'insiste sur le mot *peut-être*.

— En avez-vous parlé à Remmy ?

— Ce n'était pas à moi de m'en charger, et je ne possédais aucune preuve tangible... Je la soupçonnais de se douter de quelque chose, en revanche, s'empressa-t-il d'ajouter.

— Pourtant, ils ont eu Savannah.

— Comme d'habitude, la pénicilline a été très efficace. La preuve : Savannah est en excellente santé.

— Si Bobby l'a contractée, combien de temps la maladie a-t-elle pu rester dans son organisme ?

— Des décennies. C'est une affection chronique. Si on ne la traite pas, elle se développe parfois sur une très longue période.

— Donc, il a pu être infecté après la naissance de Savannah ?

— Ou bien avant. Au dernier stade, ce n'est plus sexuellement transmissible. Alors même s'il en souffrait quand Savannah a été conçue, il n'y aurait eu aucun risque pour le fœtus.

— Mais Remmy aurait néanmoins risqué de l'attraper.

— Je ne connais pas son médecin. Cependant, si cela lui est arrivé, j'imagine qu'elle s'est soignée.

King resta avec le généraliste encore quelques minutes, puis le remercia et s'en alla.

Il lui restait une dernière emplette à faire. Il passa un coup de téléphone pour s'assurer que la boutique était ouverte. Après un trajet de deux heures, il se garait dans un parking souterrain du centre de Washington. Quelques minutes plus tard, il pénétrait dans un magasin très particulier, où une brève discussion avec l'un des employés lui permit d'acquérir un appareil qu'il brandit en demandant :

— Ça va marcher ?

— Sans l'ombre d'un doute.

King revint à son *house boat* le sourire aux lèvres. Comme il l'avait appris au fil des ans, le renseignement était la base de tout.

À peine arrivé, il entendit des pas dehors. Un coup d'œil par la fenêtre lui apprit que Michelle se dirigeait en hâte vers le ponton. Il alla au-devant d'elle, et elle courut jusqu'à lui.

— Je t'ai cherché partout !

— Qu'est-ce qui se passe ?

— Ils pensent avoir coincé le tueur.

King la regarda d'un air stupéfait.

— Quoi ? Qui est-ce ?

Elle prit la direction de sa Toyota.

— Viens vite, que je te mette au courant de tout ce que tu as loupé.

84

— Le garçon est absolument certain que c'était son père ? demanda King pour la troisième fois.

Ils s'étaient tous retrouvés au poste de police pour éplucher les événements survenus chez les Robinson la veille au soir.

— C'est ce qu'il affirme, lui expliqua Williams. Je ne vois pas pourquoi il nous mentirait.

— Pourtant, il vous a dit qu'il se trouvait en haut de l'escalier, et qu'en bas il faisait noir...

— Son père lui a parlé. Il connaissait son prénom, celui de son frère ; il a mentionné le nourrisson à l'étage, et savait même le nom de la peluche de Tommy. Qui ça pourrait être d'autre ?

King ne répondit rien ; il se cala dans son siège et se mit à triturer son stylo.

Williams reprit :

— Et puis, nous avons retrouvé chez Robinson tous les objets pris sur les cinq victimes.

— Il y a des empreintes, dessus ? rétorqua King d'un ton sec.

— Aucune. D'un autre côté, ça ne me surprend qu'à moitié : nous n'en avons pas relevé une seule sur les autres scènes de crime.

— C'est quand même bizarre qu'il ait laissé ce tas de preuves chez lui.

— En fait, on a eu un fion dingue de tomber dessus. Si mon adjoint a découvert le sachet, c'est parce que le capuchon du tuyau était vissé de travers alors que tous les autres étaient bien droits. Il l'a repéré en cherchant comment le type avait pu entrer.

— Et Robinson, quelle est sa version ?

— Il a quitté la maison à minuit et se trouvait à mi-chemin de Washington quand il a reçu le coup de téléphone.

— Il ne s'est arrêté nulle part ?

— Non, mais on l'a bien appelé du portable de sa femme à ce moment-là. Nous avons vérifié. Cela dit, il a très bien pu passer le coup de fil lui-même depuis son domicile.

— Pourtant, il n'est arrivé que plus d'une heure après vous, répliqua King, entêté.

— C'est qu'il a dû faire un tour en voiture pendant tout ce temps pour s'offrir un alibi. En plus, il n'avait pas l'air d'avoir plus les boules que ça de perdre sa femme. Il a juste pris les gosses et les a emmenés chez un parent.

— Quel serait son mobile pour tous ces meurtres ?

— Oh, on a déjà vu ça, un tueur en série qui se planque derrière son masque de bon père de famille banlieusard pour choisir ses victimes et les zigouiller...

— Quel rapport entre Deaver, Canney et Battle ?

— Simple coïncidence, ou alors on s'est plantés de lien.

— Mais pourquoi Robinson aurait-il assassiné sa femme ? insista King.

— Peut-être qu'elle avait des soupçons, suggéra Bailey, et qu'il a dû s'en débarrasser avant que ces soupçons représentent un danger pour lui. Ce type roule beaucoup seul la nuit, c'est idéal pour un tueur en série. Nous sommes en train de vérifier où il se trouvait au moment de chacun des meurtres. Il courait un sacré risque, à frapper dans sa propre maison, mais il a dû estimer ne pas avoir le choix... En tout cas, si son gamin ne l'avait pas vu, on ne l'aurait jamais soupçonné.

— Ouaip, mon instinct me dit qu'on tient notre type, déclara Williams.

— Son fils lui a parlé et il est pourtant toujours en vie ? rétorqua King.

— Même une bête sauvage comme lui peut avoir ses limites, répondit Bailey. Ou alors il a pensé qu'étant à moitié endormi, Tommy ne se souviendrait pas de leur conversation, ou encore que personne ne le croirait. Vous qui connaissez bien le droit, vous savez qu'un avocat de la défense s'en donnerait à cœur joie avec un gamin aussi jeune.

King se renversa dans son siège, exaspéré ; mais Bailey poursuivit tout en le scrutant :

— Votre associée nous a expliqué que vous meniez des investigations de votre côté. Du nouveau ?

King perçut assez d'ironie dans cette question pour avoir envie d'étrangler l'agent du FBI. Comme si elle l'avait pressenti, Michelle, une fois n'est pas coutume, posa la main sur son épaule pour le calmer.

— Laisse couler, chuchota-t-elle.

— C'est là que je suis censé te répondre : « Va te faire voir, Michelle » ? marmonna-t-il.

Il se leva et lança à la cantonade :

— Bon, si c'est bien notre type, félicitations. Tenez-nous quand même au courant.

Puis il sortit son insigne d'adjoint et le tendit à Williams :

— Vous voulez le récupérer, *patron* ?

— Non. L'affaire ne sera pas *officiellement* close tant qu'on n'aura pas d'aveux ou de preuves supplémentaires.

— Tant mieux, parce que ça me botte d'être adjoint, répliqua-t-il avant de se diriger vers la porte. En fait, ça pourrait même se révéler bien commode...

— Mauvais joueur, commenta Bailey dans son dos.

Michelle s'empressa de prendre la défense de son associé :

— Nous ne sommes pas sûrs que Robinson soit le bon.

— Nous ne tarderons pas à l'être.

Michelle emboîta aussitôt le pas à King.

— Au fait, Michelle, l'interpella Bailey, pensez bien à nous tenir au courant de vos nouvelles découvertes. Je suis sûr que l'apport de votre duo de choc se révélera inestimable pour l'enquête.

— Chip, c'est la phrase la plus intelligente que je vous aie jamais entendu prononcer.

Elle rejoignit King sur le parking.

— Alors, verdict ? lui demanda-t-elle.

— On va les laisser mettre Robinson en garde à vue. Il sera sans doute plus en sécurité en taule.

— Ce n'est pas lui le coupable, tu penses ?

— Non, je le *sais*.

— Et tu sais aussi qui c'est, alors ?

— Je vais y venir... Tu as pu parler aux Battle ?

— Avec tout ce qui s'est passé, non. Tu veux toujours que j'y aille ?

King réfléchit un instant en pianotant sur le dessus de la Sequoia.

— Non, passons directement au plat de résistance. Le temps nous manque.

— Tu crois qu'il va encore frapper ?

— Il s'est arrangé pour que la police croie le tueur en prison. C'est sa porte de sortie, même s'il y a de fortes probabilités que Robinson ait un alibi pour au moins un des meurtres... Quoi qu'il en soit, plus nous tardons, plus il nous sera difficile de coincer le véritable assassin.

— S'il ne compte pas tuer de nouveau, pourquoi vaut-il mieux que Robinson soit derrière les barreaux ?

— Parce que, s'il sort, je te parie qu'on le retrouvera dans une ruelle avec une balle dans la cervelle, et dans sa main froide un petit mot où il y aura écrit : « C'est moi le coupable. »

— Et maintenant, qu'est-ce qu'on fait ?

King ouvrit la portière de la voiture.

— Il est temps de décocher notre plus beau crochet. Prions le Ciel pour qu'on obtienne le K-O.

85

Il avait examiné la moitié de la liste dérobée dans la caravane de Junior Deaver. Éplucher le reste lui prendrait du temps, mais il venait de s'offrir de quoi souffler : la police avait arrêté Harold Robinson. En fait, ç'avait été un coup de chance que Tommy se soit réveillé et ait affirmé, d'après les journaux, que son père se trouvait dans la maison. Ajouté à la découverte des objets appartenant aux cinq victimes, cet élément semblait confirmer la culpabilité de Robinson dans la vague de crimes. Le stratagème qu'il avait mis au point dès le début avait donc réussi. Toutefois, il ignorait s'il tiendrait la route longtemps. Que Robinson possède un alibi pour un seul des meurtres, et tout l'édifice pouvait s'écrouler...

En attendant, il jouissait d'une grande liberté d'action. Qui plus est, la femme de Robinson, la première à pouvoir indiquer où se trouvait son mari, était morte. Voilà qui compliquerait la tâche aux enquêteurs. À présent, il avait une dernière personne à supprimer, mais il ne craignait pas que la police fasse le lien avec les autres crimes et innocente Robinson. Elle ne découvrirait jamais le corps de sa prochaine victime, pour la simple et bonne raison qu'il n'en resterait rien.

Très récemment, il avait glané un renseignement des plus intéressants. En écoutant la bande du mouchard placé dans le téléphone de l'agence King & Maxwell, il avait en effet entendu la conversation entre Michelle et Billy Edwards. Ainsi, un peu plus de trois ans et demi auparavant, une violente dispute avait opposé le grand Bobby Battle et son épouse tyrannique dans la grange à voitures. Et la Rolls-Royce avait été endommagée, un peu plus de trois ans et demi auparavant – la veille du renvoi d'Edwards, en fait...

Il tourna et retourna ce détail dans sa tête. Quelque chose refusait de lui revenir... Si seulement il pouvait se souvenir de quoi il s'agissait ! Au bout d'un moment, il reprit sa liste, sur laquelle figuraient tous les derniers clients de Junior. Si ce dernier avait bien été piégé, c'était par quelqu'un qui avait dû avoir accès à sa caravane et à ses affaires personnelles. Et ce quelqu'un, le véritable auteur du cambriolage en fait, avait sans doute aussi tué Bobby Battle... Un acte qui, songea-t-il, avait gâché ses propres efforts, en plus de le spolier de sa gloire, et ne pouvait être puni que par le châtiment ultime.

Michelle et King avaient regagné leur agence.

— Bon, Sean, plus de réponses évasives, fini les bobards. J'en ai marre que tu me caches tout ! Tu m'as dit que tu voulais envoyer à ce type notre plus beau crochet en espérant le mettre K-O. Je veux savoir tout ce que tu sais, et tout de suite !

— Michelle...

— Tout, tout de suite, Sean, sinon tu peux te chercher une autre associée !

King se cala dans son siège et poussa un profond soupir.

528

— Très bien. Je sais qui a tué Bobby Battle. J'ai discuté avec deux ou trois médecins, fait mes emplettes dans une boutique d'antiquités, et procédé à d'autres recherches grâce auxquelles j'ai pu assembler les pièces du puzzle. Tout se tient.

— Dis-moi qui c'est !

— Je dois d'abord te prévenir que tu ne me croiras pas.

— Ça marche.

King se mit à tripoter un trombone.

— C'est Harry Carrick.

— Tu as perdu la tête ? Quel mobile Harry aurait-il bien pu...

— Le plus vieux du monde : il est amoureux de Remmy, et ce depuis des décennies.

— Donc, tu es en train de me dire que c'est aussi lui le cambrioleur des Battle ?

— Oui. Souviens-toi, c'est un de leurs plus vieux amis. Ç'a dû lui être assez facile de se procurer une clé de la maison et le code du système d'alarme. Ensuite, il n'a plus eu qu'à casser la fenêtre pour faire croire à une effraction. Et puis, Harry nous a dit que Junior avait travaillé pour lui, et tu as vu la camionnette de ce dernier, qui était pleine d'outils et de vêtements. Harry a pu y prendre ce qu'il lui fallait pour l'incriminer. Pour couronner le tout, il a été procureur et juge pendant des années, alors les histoires d'empreintes digitales, ça le connaît. Il a pu en relever une de Junior et la transférer chez les Battle.

— Mais pourquoi les aurait-il volés ?

— À mon avis, Bobby possédait des preuves compromettantes de leur liaison. Si c'est le cas, Harry a probablement voulu faire croire que la véritable cible, c'était le compartiment secret de Remmy.

— Quel genre de preuve pouvait bien posséder Bobby ?

En guise de réponse, King sortit de son tiroir une photo. Il la retourna et en montra le dos du doigt.

— « Kc-pa » ? « Ko-pa » ? Que penses-tu de « Kodak paper » ?

D'un geste lent, Michelle s'empara de la photo, et passa le doigt sur l'inscription *Kodak paper* qui y figurait.

— Alors, ça se serait imprimé en partie sur le fond du tiroir ?

King hocha la tête.

— Autrement dit, Bobby avait un cliché où l'on voyait Harry et Remmy dans une situation compromettante ?

— Sans doute… Harry a inventé cette hypothèse d'un testament volé dans la cachette de Bobby afin de nous induire en erreur. À mon avis, Remmy et lui sont complices dans cette histoire. Il leur fallait récupérer la photo, mais en faisant croire à un cambriolage au cours duquel on n'aurait volé que Remmy. Si l'on s'en tient à cette hypothèse, Remmy a dû donner à Harry la clé et le code secret. Hélas pour eux, l'alarme est dotée d'un système d'historique, que j'ai consulté dans le dos de Remmy et auquel ils n'avaient pas pensé. À une heure du matin, la nuit des faits, quelqu'un a désactivé le dispositif. Personne n'a jamais vérifié ça parce qu'on croyait à un cambriolage.

— Donc, ils récupèrent la photo...

— ... et il ne leur reste plus qu'une dernière tâche à accomplir...

— ... tuer Battle, conclut Michelle d'une voix cassée. Je n'en reviens pas, Sean. C'est impossible, pas Harry !

— Mets-toi à sa place : la femme qu'il aime est mariée à un monstre. Souviens-toi, il était à l'hôpital le lendemain de la mort de Bobby. Il nous a déclaré que la direction l'avait appelé parce qu'il était leur avocat...

— Tu veux dire qu'en fait il ne l'est pas ?

— Si, mais ils ne l'ont jamais appelé. Harry est venu de lui-même et s'est arrangé pour nous croiser en partant. Il nous a dit être un vieil ami de Bobby, et nous a demandé si on avait vu Remmy. Tout ça juste pour tuer dans l'œuf nos éventuels soupçons le concernant.

— La nuit de la mort de Battle, comment ça s'est déroulé, d'après toi ?

— Remmy quitte l'hôpital sur les coups de dix heures. Elle fait signe à Harry, qui attend sur le parking, sans doute vêtu d'une tenue stérile. Comme il est l'avocat de l'hôpital, il connaît les horaires des changements d'équipe. Il entre, déplace la caméra, injecte le produit dans la perfusion, place les faux indices et repart.

— Pourtant, la présence de Remmy juste avant le meurtre fait d'elle un coupable idéal. Pourquoi

531

auraient-ils choisi d'agir de la sorte ? Pourquoi à ce moment précis ?

— C'est pour ça qu'ils ont tenté de faire porter le chapeau au tueur en série. J'ai vérifié : Remmy était riche avant l'héritage. L'argent n'est donc pas un mobile valable pour elle. En outre, sachant qu'elle était là juste avant, certains vont croire qu'on l'a piégée. Au début, ils vont la soupçonner, puis ils vont suivre le même raisonnement que toi. Si elle était coupable, elle aurait choisi une autre heure pour rendre visite à Bobby.

— Que comptaient-ils faire, Harry et elle ? Attendre un peu et se marier ?

— Non, je pense qu'après un certain laps de temps, histoire que tout se tasse, Remmy aurait déménagé. Ensuite, ç'aurait été au tour de Harry. Étape suivante, pourquoi pas une île privée en Grèce ?

Michelle prit une profonde inspiration et souffla lentement.

— Bon, qu'est-ce qu'on fait, alors ?

— Nous allons dîner avec Harry et Remmy.

— Quoi ! Tu te moques de moi ?

— Non, nous sommes invités chez Harry.

King se pencha en avant pour ajouter :

— Michelle, ils ont commis une erreur – très minime, mais suffisante. Grâce à un petit appareil de surveillance que j'ai acheté à Washington, je possède toutes les preuves nécessaires.

— Todd et Bailey sont au courant ?

— Non, personne d'autre que toi et moi ne sait. Je ne cautionnerai jamais leur acte, mais j'estime qu'ils ont droit au plus de discrétion et de dignité possible.

— Quand mangeons-nous ensemble ? demanda-t-elle.

— Demain soir à sept heures – Harry est absent jusqu'à demain après-midi. Il n'y aura que nous quatre. Quand ils comprendront que nous connaissons la vérité et possédons des preuves, je suis convaincu qu'ils reconnaîtront les faits et nous suivront sans protester. Là, nous les remettrons à Todd.

— Ça ne me dit rien qui vaille, Sean. J'ai un très mauvais pressentiment.

— Et moi, tu crois que ça me plaît ? Harry a été juge de la cour suprême de Virginie, et nous sommes amis depuis des années.

— Je sais, mais...

— Peu importe combien tu apprécies Harry, tu dois mettre tes sentiments de côté. Bobby Battle était un monstre sous bien des aspects. J'ai aussi appris qu'il souffrait sans doute d'une maladie grave et l'a sans doute transmise volontairement à Remmy...

— Quelle horreur !

— ... quoi qu'il en soit, il ne méritait pas qu'on l'assassine.

King regarda son associée et conclut :

— Voilà, tu sais tout... Je peux compter sur toi, Michelle ?

— Oui, répondit-elle d'un ton posé.

86

King avait demandé à Harry de donner congé à Calpurnia pour la soirée de façon à pouvoir préparer lui-même le repas :

— Ta cuisine est magnifique, Harry, déclarat-il en apportant le plat à table, et merci de m'avoir laissé venir plus tôt m'occuper de tout.

Harry contempla le mets sophistiqué.

— Crois-moi, Sean, je pense avoir gagné au change.

Il portait un de ses plus beaux costumes, même s'il y semblait un peu engoncé.

— En quarante ans, mon poids n'a pas bougé, mais son emplacement oui, ajouta-t-il en feignant d'être affligé.

— En effet, fit Remmy, elle aussi fort élégante.

Dans la vaste salle à manger, Harry et elle étaient assis côte à côte en face de Michelle et Sean.

— J'espère que votre trajet de retour sera plus paisible qu'après notre dernier dîner ensemble, dit Harry.

— En fait, je pense que cette soirée se révélera à sa façon fort intéressante, elle aussi, répondit d'un ton neutre King en commençant à servir.

L'air distraite, Michelle regardait dans le vague.

— Michelle, ma chère, qu'est-ce qui ne va pas ? s'enquit Harry.

Elle leva vivement les yeux vers lui.

— Rien, je ne suis pas dans mon assiette, c'est tout. Sans doute un rhume.

Le repas se déroula paisiblement. Après le dessert, tous quatre passèrent dans la bibliothèque pour prendre le café. La température avait fraîchi, et un feu brûlait dans la cheminée. King alla jusqu'à un énorme paravent en bois et en étain poinçonné, disposé en diagonale dans un angle de la pièce.

— Quel magnifique objet ! commenta-t-il.

— Il date du XVIIIe siècle, répondit Harry. Il a été fabriqué à la main ici même.

Ensuite, King se posta devant le foyer et, après avoir jeté un coup d'œil nerveux à Michelle, lança brusquement :

— Je regrette, mais je vous ai trompés sur mes intentions, ce soir...

Harry et Remmy cessèrent de discuter et le regardèrent d'un air surpris.

— Pardon ? lâcha Remmy.

— Ce n'était pas un simple dîner entre amis.

Harry posa son café et jeta un coup d'œil à Remmy, puis à Michelle, qui avait la tête baissée et une main enfoncée dans la poche de son blouson.

— Je ne comprends pas, Sean, déclara Harry. Tu veux qu'on reparle de l'affaire, c'est ça ?

— Non, ce n'est plus nécessaire, à présent. Je crois savoir tout ce qu'il me faut.

Ils continuèrent de le fixer du regard.

— Allez, Sean, explique-leur, lâcha Michelle au bout d'un moment.

— Nous expliquer quoi ? voulut savoir Harry.

La main dans laquelle Remmy tenait sa tasse se mit alors à trembler, l'homme à la cagoule noire venait d'entrer dans la pièce, pistolet à la main, le point rouge de la visée laser dirigé en plein sur le cœur de Harry.

— C'est terminé, maintenant, lui lança King avec calme. Fini les meurtres.

— Dégage ou tu meurs le premier !

Remmy se leva. L'arme pivota brusquement vers elle.

— Assise ! lui ordonna l'homme.

King fit un pas en avant, mais s'arrêta net quand le pistolet pointa dans sa direction.

— Michelle, dit l'homme cagoulé, sortez votre arme et posez-la sur la table. Tout de suite ! On ne joue pas les héros, cette fois.

Tenant le revolver par le canon, elle obtempéra.

— Vous n'allez quand même pas nous tuer tous ? demanda King.

— Croyez-moi, j'y songe, rétorqua l'homme, dont le regard s'attarda sur Remmy.

— Dans ce cas, lança King, il est temps de rectifier vos conclusions erronées. Remmy et Harry n'ont rien à voir dans la mort de Bobby. C'était juste un piège, un stratagème pour vous faire venir.

Après une courte pause, il précisa :

— J'ai trouvé le mouchard.

Le tueur recula d'un pas et son pistolet s'abaissa d'un cran.

— Quoi ?

— La conversation que vous avez entendue entre Michelle et moi était bidon... C'est bon ! ajouta King d'une voix forte en claquant des doigts.

Aussitôt, la bibliothèque fut investie par des policiers et agents du FBI lourdement armés. Ils apparurent à la porte, mais sortirent aussi de derrière le volumineux paravent, le gros placard situé dans un autre coin de la pièce, et les épais rideaux. Devant la dizaine de canons braqués sur lui, l'homme recula contre le mur.

— Lâche ton arme, ordonna Todd Williams, qui pointait la sienne sur le centre du réticule cousu sur la cagoule.

Michelle avait repris son pistolet et visait exactement le même endroit. L'homme cagoulé sembla hésiter à tenter sa chance, son corps se tendit.

— Lâche-la ! rugit Williams, qui l'avait senti.

— Il serait préférable que vous obéissiez, dit King. Ainsi, vous pourriez au moins nous éclairer sur quelques derniers points. Vous nous devez bien ça.

— Ah, vous croyez ?

Malgré ce sarcasme, le tueur laissa tomber son pistolet à terre. Il fut immédiatement plaqué au sol et menotté.

— La maison est encerclée depuis ce matin, expliqua King tandis qu'on le relevait. Nous avons suivi tous vos faits et gestes. Quand je suis allé admirer ce paravent, on m'a confirmé que vous étiez bien ici, et j'ai pu commencer mon petit numéro. Auparavant, Harry et Remmy

avaient été placés en lieu sûr pour vous empêcher de prendre une longueur d'avance sur
nous... C'est *nous* qui avons mené la barque,
cette fois. Je dois avouer que c'est agréable.

King marcha alors jusqu'au prisonnier.

— Vous permettez ? fit-il en regardant ses
mains entravées. Comme vous n'êtes pas en
mesure de l'ôter vous-même...

— Ça n'a plus grande importance, maintenant, pas vrai ?

King jeta un coup d'œil à Remmy.

— J'imagine que vous avez déjà reconnu sa
voix, Remmy... Harry, tu devrais la tenir.

Ce dernier entoura d'un bras protecteur les
épaules tremblantes de Remmy, qui porta la
main à sa bouche pour réprimer un sanglot.

King souleva la cagoule. L'homme tressaillit
un peu lorsque le tissu glissa sur son visage.

— C'est terminé, Eddie, déclara King.

Encerclé par des hommes en armes, menotté
et pris en flagrant délit, Eddie eut quand même
l'audace de sourire et de répliquer :

— Tu crois, Sean ?

— Et comment !

— On parie, mon pote ?

87

— Je ne comprends toujours pas comment
vous avez tout élucidé, Sean, avoua Williams,

qui était venu avec Sylvia et Chip Bailey à l'agence de King et Maxwell.

King plia un trombone en triangle avant de lâcher :

— « Sept heures »... Oui, « sept heures », voilà ce qui m'a mis la puce à l'oreille.

— Ça, vous nous l'avez déjà dit.

— Ce n'était pas un indice direct, mais cet élément m'a poussé à réfléchir à la drogue qu'on avait administrée à Eddie, ou plutôt qu'il avait ingurgitée lui-même.

— Du sulfate de morphine, commenta Michelle.

— Exact. J'ai discuté avec un expert en narcotiques. Il m'a expliqué qu'une dose moyenne de ce médicament vous assomme pendant *huit* à *neuf* heures – à moins d'être un consommateur de stupéfiants puissants, auquel cas l'effet est atténué. C'était justement la situation de Dorothea. À mon avis, Eddie lui a fait prendre la drogue aux environs de deux heures du matin, après leur rapport sexuel. Mais, comme elle a développé une résistance à ce type de produit, il lui a fallu moins de six heures pour recouvrer ses esprits – il n'était même pas huit heures quand Savannah l'a tirée du lit après avoir découvert le corps de Sally.

— Dorothea a déclaré qu'elle était dans le coaltar, intervint Bailey.

— Ce qui était vrai, mais nous avons cru qu'elle nous mentait, qu'elle nous cachait quelque chose. Eddie, en revanche, n'a pu prendre la morphine qu'après avoir tué Sally, disons vers six heures. Il a commencé à se réveiller aux environs de quinze heures, à peu près neuf heures plus tard, soit la durée normale des effets... Si cette histoire me taraudait, c'est que Sally a été tuée seulement sept heures après m'avoir raconté son aventure avec Junior. Du coup, j'ai réfléchi au temps qu'Eddie est resté inconscient, et ça ne collait pas. Surtout si on considérait que Dorothea avait été droguée aussi, puisqu'ils ont émergé à des moments très différents. Même en tenant compte de la tolérance aux médicaments concernant Dorothea, le décalage entre les deux réveils était trop important.

Williams se donna une claque sur la cuisse.

— Nom d'un chien, je n'ai pas pensé à ça une seule seconde ! Et vous non plus, Bailey, asséna-t-il en pointant un gros doigt sur ce dernier.

— Si le tueur n'avait pas été Eddie, dit King, reprenant ses explications, il aurait été logique qu'il le drogue, mais bien avant d'assassiner Sally, pour qu'Eddie ne soit pas en mesure d'intervenir. Quel intérêt aurait-il eu à le faire après avoir commis son crime ? Un meurtrier pense alors plus à s'enfuir qu'à administrer des drogues sans raison.

— C'est crédible, admit Bailey.

— Cet intervalle de temps m'a aussi conduit sur une autre piste : si Sally avait été tuée à cause de ce qu'elle m'avait raconté à peine sept heures plus tôt, c'est que mon bateau était sur écoutes. Sinon, comment Eddie aurait-il pu tout savoir aussi vite ? Il avait dû suivre Sally jusque chez moi et écouter notre conversation depuis sa voiture. Bref, il fallait que je vérifie. Alors, j'ai acheté ça.

Il leur montra le petit appareil.

— C'est un détecteur de transmetteur, qui dépiste les fréquences allant de un à trois mégahertz. Il est également pourvu d'un indicateur de niveau de radiofréquence qui peut indiquer l'emplacement exact du mouchard.

— Vous avez trouvé le micro, mais vous ne l'avez pas désinstallé ? demanda Bailey.

— Non. Tant qu'Eddie croyait ses renseignements fiables, je pouvais m'en servir pour le piéger.

— Ç'a été courageux de la part de Harry et Remmy de jouer le jeu, dit Michelle.

— Ni l'un ni l'autre ne savait qu'il s'agissait d'Eddie, jusqu'à ce que celui-ci parle... Je regrette d'avoir dû imposer un tel choc à Remmy. Mais l'accabler à l'avance en lui apprenant la culpabilité de son fils aurait été encore pire, je pense.

— Moi, je n'étais pas rassuré, avoua Williams. Même si on encerclait la maison, il aurait pu tirer sur quelqu'un.

— J'étais sûr que non... pas après avoir entendu que Harry n'était pour rien dans la mort de Bobby. Eddie a été réglo, il faut le reconnaître. S'il a tué, c'était pour des raisons bien précises. Enfin, au cas où, Harry portait un gilet pare-balles – son costume paraissait bien un peu étriqué, mais ça en valait la peine. Et puis, il y avait dix hommes en armes dans la pièce et autour, ce qui n'était pas superflu.

King ouvrit le tiroir de son bureau et en sortit un autre objet.

— Qu'est-ce que c'est ? demanda Sylvia en l'observant d'un air curieux.

— Un disque de déchiffrage, qui sert à lire les messages codés. C'est un modèle qu'utilisait l'armée confédérée pendant la guerre de Sécession. Eddie en a un dans son atelier.

Il fit pivoter une des plaques.

— Si on le décale d'un cran – comme une minute de plus, sur le cadran d'une montre –, tout le sens du message change. Rien qu'un cran. À mon avis, c'est ce qui a donné à Eddie l'idée de modifier l'heure des montres selon la victime. Cela satisfaisait à la fois son côté créatif et son amour pour l'époque de la guerre de Sécession.

— Ce que je ne pige pas, protesta Bailey, c'est qu'il avait des alibis pour ses meurtres ! Nous avons vérifié. Par exemple, quand Canney, Pembroke et Hinson ont été assassinés, il jouait dans des reconstitutions.

— C'est juste, mais les participants passent la nuit dans leur véhicule ou leur tente. Eddie a pu facilement s'éclipser sans que personne ne remarque son absence. J'ai procédé à quelques calculs à l'aide d'une carte. À chacun des meurtres, il se trouvait au maximum à deux heures de route, et a pu sans mal revenir de façon à pouvoir combattre le lendemain.

— Attendez un peu, le contra Bailey. Nous avons des témoins qui s'y trouvaient, et affirment que la camionnette d'Eddie est restée là-bas quasiment tout le temps. Ce sont des témoignages solides.

— Je ne doute pas que sa camionnette s'y trouvait, mais elle est équipée d'une boule de remorquage. J'ai vérifié. Lors des deux reconstitutions dont vous parlez, Eddie n'a en effet pas bougé son fourgon. En revanche, il y est sans nul doute venu en tractant une autre voiture et l'a cachée dans les bois à proximité, de façon à pouvoir s'en servir pour aller tuer alors que tout le monde le croyait sur place.

— Bon sang ! s'exclama Sylvia. Comment avons-nous pu être aussi aveugles ?

— Très bien, Sean, constata Williams. Vous nous avez raconté comment vous avez tout découvert, mais il reste la question du mobile. Pourquoi Eddie a-t-il tué toutes ces personnes ?

— La version simplifiée, si possible, renchérit Sylvia, reprenant avec un sourire la formule qu'avait employée King quand elle s'apprêtait à leur expliquer ce qui avait causé la mort de Rhonda Tyler.

King conserva un air grave.

— Eddie Battle est quelqu'un de très complexe. Son plan s'échafaudait dans sa tête depuis très longtemps. Tout a commencé à la mort de son frère jumeau, à mon avis.

— Bobby Jr, celui qui souffrait d'un lourd handicap mental, dit Bailey.

— En fait, Bobby Jr n'était pas handicapé de naissance. C'est de la syphilis qu'il était atteint, et les séquelles de cette maladie sont apparues bien plus tard.

— La syphilis ? s'exclama Bailey.

King prit deux photos dans son tiroir.

— Quand Michelle et moi avons réexaminé la chambre de Remmy avec Savannah, celle-ci nous a montré ce cliché des jumeaux quand ils étaient nourrissons, et n'a pas su les distinguer l'un de l'autre...

Il leur présenta la seconde.

— Voici maintenant une photo de Bobby Jr peu avant sa mort, ainsi que nous l'a dit Mason. L'altération de ses traits, les signes d'hydrocéphalie, et les problèmes de dents et d'yeux sont flagrants. C'est sa mère qui lui a transmis la maladie pendant sa grossesse.

— Dystrophie dentaire de Hutchinson, déformation des molaires en bourse, atrophie du nerf optique..., commenta Sylvia. Comment Remmy a-t-elle été infectée ?

— Par son mari. Bobby a dû la contaminer en la mettant enceinte des jumeaux, ou bien pendant le premier ou le deuxième trimestre de sa grossesse...

— ... et la syphilis peut se transmettre à travers le placenta, termina Sylvia d'une voix étouffée.

— Exact. Bobby Jr a fini par souffrir de lésions cérébrales et d'autres maux parce qu'on ne l'a pas soigné. Même s'il est mort plus tard d'un cancer, je suis sûr que la syphilis avait considérablement affaibli son organisme.

— Mais pourquoi n'a-t-il pas reçu de soins ? s'enquit Sylvia.

— J'ai eu une conversation très délicate à ce sujet avec Remmy. D'après elle, quand son fils a commencé à montrer d'étranges symptômes, Bobby a refusé de l'emmener chez le médecin, et même d'admettre qu'il était souffrant. Bobby ne voulait sans doute pas reconnaître qu'il était lui-même syphilitique, parce qu'apparemment il ne s'est jamais fait traiter non plus... Bref, le temps que Remmy se décide à faire consulter son fils en passant outre l'interdiction de son mari, il était déjà trop tard : la maladie avait provoqué des dégâts irréversibles. Ça se passait il y a plus de trente ans, et les connaissances médicales n'étaient pas aussi pointues qu'aujourd'hui. Remmy a ruminé sa culpabilité pendant des années.

— C'est incroyable qu'une femme de sa trempe n'ait pas osé emmener son fils chez le médecin tout de suite ! commenta Michelle.

— C'est exactement ce que j'étais en train de penser, renchérit Sylvia.

— Nous ignorons beaucoup de choses de Remmy et de sa relation avec Bobby, je pense, répondit King. Une femme qui parle avec adoration et fierté de son mari, mais ne porte pas son alliance et se fiche qu'on la retrouve ou pas, c'est curieux. Il existe certains abysses qui resteront insondables.

— Pourtant, ils ont eu Savannah des années plus tard, et elle se porte comme un charme, fit remarquer Bailey.

— Bobby n'était plus contagieux, à ce moment-là, et Remmy avait été soignée des années plus tôt.

King rangea les photos et poursuivit :

— Sinon, il est bien connu que la façon dont se propage le plus la syphilis, c'est par les rapports sexuels avec les prostituées. Comme nous le savons tous, Bobby avait la réputation de fréquenter cette catégorie de la population. Il a été contaminé par l'une d'elles et a transmis la maladie à Remmy, qui à son insu l'a à son tour transmise à Bobby Jr. Eddie et lui étant de faux jumeaux, ils ne partageaient pas le même liquide amniotique ; c'est sans doute pourquoi Eddie n'a pas été infecté.

— Et ensuite, il a tout découvert ? s'enquit Bailey.

— Oui, même si j'ignore comment. En tout cas, je pense qu'il est au courant depuis longtemps. Un vrai baril de poudre prêt à exploser. À mon avis, Eddie ressentait lui aussi une immense culpabilité. Il savait ne devoir sa survie qu'à la chance et, au dire de tous, il adorait son frère.

— Donc, Rhonda Tyler, c'était..., commença Williams.

— ... la façon symbolique qu'a trouvée Eddie pour punir la prostituée qui avait contaminé son père, et ainsi condamné son frère. Tyler a eu la grande malchance de croiser la route d'Eddie à un moment ou un autre.

— Les ridules inhabituelles sur l'aorte et les lésions cérébrales... Tous ces éléments indiquent la syphilis, dit Sylvia d'un air dépité, en se passant la main sur les yeux.

— Tu ne cherchais pas dans cette direction, Sylvia, la réconforta King. Et puis, ces symptômes pouvaient être dus à d'autres maladies.

Michelle reprit l'énumération en cours :

— Steve Canney, lui, devait mourir parce que sa mère avait eu avec Bobby une liaison, de laquelle il était né. Mme Canney étant morte, il a été sacrifié à sa place.

— Eddie est très dévoué à Remmy, affirma King. Je suis sûr qu'il a vu cet enfant naturel comme une atteinte à sa dignité... Janice Pembroke, quant à elle, s'est juste trouvée au mauvais endroit au mauvais moment.

— D'où le « cran de décalage », commenta Bailey.

— Exact. Tout comme Diane Hinson : un cran de décalage, pour brouiller les pistes en cassant un peu plus le lien entre les victimes.

— Et Junior Deaver, alors ?

— Eddie croyait que Deaver avait volé sa mère, voilà tout. Quand il a découvert son erreur, il s'est vengé sur Sally – par souci d'équité et de fair-play, aussi tordu que soit son raisonnement. Les traces de boue dans l'entrée de sa maison auraient dû me mettre la puce à l'oreille. Savannah raconte qu'elle n'a pas quitté le pas de la porte, et pourtant il y avait des empreintes de terre un peu partout. Elles provenaient en fait des bottes d'Eddie, non de celles de Savannah. Son temps était compté, car il ignorait quand Dorothea se réveillerait, et

547

il lui fallait prendre la morphine à son tour. Dans sa hâte, il n'a sans doute pas remarqué la boue. Et puis, comme le prouve la façon dont il a massacré Sally, il avait un peu pété les plombs.

— Un peu ! se récria Williams.

— Ensuite, Eddie a tué Jean Robinson pour faire porter le chapeau à son mari. Pourquoi il l'a choisi lui, je n'en sais rien.

— Attends une seconde. L'homme qu'a vu le petit Robinson, c'était Eddie ? demanda Michelle.

— Oui.

— Alors, pourquoi Eddie ne l'a-t-il pas tué aussi ?

— Il a dû penser que si le petit le prenait pour son père, cela refermerait encore plus le piège sur Robinson. C'est ce qui est arrivé, d'ailleurs. Ou alors, malgré ses meurtres précédents, il n'a pas pu se résoudre à assassiner un enfant. Comme je l'ai déjà dit, Eddie est quelqu'un de très complexe.

— C'est un monstre, oui ! rétorqua Williams.

— Dorothea est au courant ? demanda Sylvia.

Bailey hocha la tête.

— Je le lui ai annoncé. Remmy et Savannah m'ont accompagné. Inutile de vous dire que c'est une famille traumatisée.

— Pourquoi Eddie a-t-il imité tous ces tueurs en série célèbres ? s'enquit Williams.

King désigna Bailey d'un signe de tête.

— Je crois que ça vous était destiné, Chip.

— À moi ?

— C'est logique, il voulait démontrer sa supériorité, vous battre sur votre propre terrain.

— Mais pourquoi ? Nous étions amis. Je lui avais sauvé la vie...

— Non, vous aviez fichu à l'eau son stratagème d'enlèvement.

Bailey se leva d'un bond.

— Quoi ?

— Je suis convaincu qu'Eddie a organisé lui-même son kidnapping. C'est lui qui a engagé l'homme que vous avez tué. Il voulait infliger une punition à son père pour la mort de son frère, survenue deux ans plus tôt. Et la seule façon qu'a trouvée cet étudiant de vingt ans, ç'a été de taper directement dans le portefeuille, à hauteur de cinq millions de dollars. Je mettrais ma main à couper que c'est lui qui a brûlé l'argent sur les lieux de l'enlèvement. Il ne voulait pas que son père le récupère, mais il a manqué de temps pour finir. Il a dû s'attacher lui-même en vitesse, pour jouer la pauvre victime à votre arrivée. Je vous ai dit qu'il ruminait sa haine envers son père depuis très longtemps.

— Incroyable, fit Bailey en se rasseyant doucement. Je n'en reviens pas. Pendant toutes ces années, il a feint l'amitié alors qu'il ne pouvait pas me sentir ?

— Eddie est un acteur et un menteur accompli. Et dites-vous bien une chose : vous avez eu de la chance qu'on ne vous retrouve pas avec une montre autour du poignet.

— Nom de Dieu ! s'exclama l'agent du FBI.

— Mais, Sean, intervint Williams, il s'est écoulé vingt ans entre l'enlèvement et les meurtres. Qu'est-ce qui a tout déclenché ?

— Sans doute l'attaque de son père. Eddie a dû sentir que Bobby risquait de mourir avant qu'il ait pu lui montrer sa conception de la justice. Rien ne me permet de l'affirmer, mais d'après la chronologie des faits il ne peut s'agir d'une coïncidence.

— Et maintenant, comment ça va se passer ? demanda Michelle.

— Eddie sera mis en accusation demain au tribunal, répondit Williams.

— À tous les coups, le lieu du procès va changer, déclara King. Si on en arrive à ce stade...

— Quoi, vous voulez dire que son avocat plaidera la folie ? Aucune chance : cet enfoiré avait tout à fait conscience de ce qu'il faisait !

— D'une certaine manière, Eddie exorcisait les démons qui le hantaient depuis presque toujours. Je ne lui cherche pas d'excuse, et s'il est condamné à mort, soit. Pourtant, je crois que rien de tout cela ne serait arrivé s'il n'avait pas eu Bobby Battle pour père.

Tous se regardèrent en silence.

— La vie se joue parfois sur un coup de dés, dit Sylvia d'une voix très basse.

88

Lorsque l'on conduisit Eddie Battle au palais de justice, le lendemain matin, dans une voiture spéciale escortée par la police de l'État et des agents du FBI en uniforme, la foule des badauds et des journalistes était si dense que le convoi ne put passer. En raison du retentissement national qu'avait connu l'affaire, on avait l'impression que tous les habitants de cette région à la croisée de cinq États avaient fait le déplacement. De plus, la multitude semblait en colère.

— Et merde ! beugla le commandant Williams, assis dans le van de tête. C'est bien ce que je craignais. On a reçu des lettres de menace contre les Battle dès l'annonce de son arrestation... Je vous raconte pas s'il y en a un qui a un flingue, là-dedans, ajouta-t-il en observant la masse humaine qui leur barrait la route.

Un groupe de gros durs se tenaient près de camionnettes dont les plates-formes étaient encombrées de matériel de construction.

— Sans doute des potes de Junior, poursuivit Williams. Ils n'ont pas l'air d'être là pour taper dans le dos d'Eddie.

— Il n'existe pas d'entrée souterraine ? demanda Bailey, assis derrière lui.

— Vous croyez qu'on serait ici, s'il y en avait une ? On devrait peut-être le ramener à la prison et attendre que ça se tasse.

— Que ça se tasse ! Ça va mettre des mois à retomber. Mieux vaut s'en débarrasser pendant qu'on a pas mal d'effectifs sous nos ordres.

Williams examina la foule une nouvelle fois, puis aboya dans son walkie-talkie :

— Bon, on coupe à travers champ. Allez-y mollo, je veux pas récolter de procès parce qu'on a renversé quelqu'un. On s'arrêtera sur la pelouse juste devant les marches. Sécurisez la zone. Bouclez-la avec un cordon d'hommes en gilet pare-balles, compris ? Ensuite, on ouvre les portes et on fonce à l'intérieur. Avant qu'il ressorte, je vous garantis qu'on aura dispersé tous ces enfoirés et viré les camionnettes de la télé.

— Ils vont vous balancer le premier amendement en pleine face, Todd, dit Bailey.

— Rien à foutre du premier amendement ! J'ai un détenu à protéger, même si c'est pour qu'on puisse l'exécuter ensuite.

Les instructions de Williams ayant été suivies, on fit entrer Eddie Battle en quatrième vitesse sous une pluie de cris, d'insultes et de projectiles de toutes sortes – pierres, bouteilles, canettes, mais par chance pas de balles.

Deux avocats désignés par la cour vinrent à sa rencontre devant la salle d'audience et, après une courte discussion, y pénétrèrent avec lui. Eddie plaida non coupable. La défense ne demanda pas qu'on fixe une caution, car personne n'envisageait sérieusement qu'il puisse être libéré. Ses avocats eux-mêmes devaient avoir peur qu'une fois dehors Eddie leur rende visite au beau milieu de la nuit.

— Nous vous contacterons, lui déclara son avocate principale, une grande femme corpulente à la coupe de cheveux affreuse.

— Je n'en doute pas, répondit Eddie, son corps musculeux faisant presque craquer les coutures de sa combinaison orange de détenu. Vous croyez que vous pourrez obtenir ma libération pour bonne conduite ?

Ses gardes du corps l'entraînèrent vers la sortie, mais Williams et Bailey les arrêtèrent.

— On est à deux doigts de l'émeute, dehors, annonça Williams. Avant de pouvoir l'évacuer, il faut qu'on règle ça. J'ai demandé du gaz lacrymogène s'ils refusent de se disperser par eux-mêmes.

Eddie sourit.

— J'ai comme l'impression que grâce à moi Wrightsburg a retrouvé un peu de dynamisme, Todd.

— La ferme ! cria Williams, mais le sourire d'Eddie s'élargit.

— Vous savez quoi, mon cher Todd ? Vous devez me protéger. S'ils me tuent, les médias l'auront mauvaise ; vous ne pouvez quand même pas les priver du spectacle. Pensez un peu à l'audimat – et au fric qu'ils vont récolter grâce à la pub.

— La ferme, j'ai dit !

Williams s'avança vers lui, mais Bailey s'interposa.

— Ça ne sert à rien, Todd, n'y songez même pas.

— Hé, merci, mon petit Chippy. Mon ami de toujours, railla Eddie.

Bailey fit volte-face, et sa main se porta vers son arme.

Ce fut au tour de Williams de l'arrêter.

— C'est bon, Chip, on ne va pas se laisser avoir.

Il appela deux de ses adjoints.

— Collez-le dans la cellule de détention du premier étage. On passera le prendre quand on aura maîtrisé la situation.

— Bonne chance ! leur cria Eddie alors qu'on l'emmenait. Ce n'est pas le moment de me laisser tomber.

89

L'un des adjoints était posté à côté de la porte de la salle, l'autre regardait par la fenêtre.

— Ça ressemble pour de bon à une émeute, putain ! remarqua ce dernier ; aussi grand qu'Eddie, avec une belle carrure et les cheveux bouclés. Ça y est, ils balancent les gaz lacrymogènes.

— Les lacrymo ! s'exclama l'autre, un policier de petite taille à la poitrine massive, et aux hanches si proéminentes que tout l'équipement accroché à son ceinturon saillait vers les côtés.

J'aimerais bien être dehors à leur en balancer dans la tronche, à ces enfoirés.

— Eh ben, vas-y, moi je reste ici.

— Impossible. Le patron a dit de pas bouger.

Il jeta un coup d'œil en direction de la cellule d'où Eddie Battle les observait en silence.

— Ce fils de pute a vraiment tué un paquet de gens. Il est cinglé, ce gars-là.

— Ils ne font pas d'émeute pour les types qui traversent en dehors des clous, mon pote, rétorqua Eddie.

Les deux policiers le regardèrent.

— Ah, elle est bonne, celle-là ! « Ils ne font pas d'émeute pour ceux qui traversent en dehors des clous », répéta ensuite le plus petit en se tournant vers son coéquipier.

— Vas-y, dit le grand. T'inquiète, il ira nulle part.

— Bon. Si le patron rapplique, tu me préviens par radio. Je serai revenu en moins de deux.

— Ça marche.

Une fois le petit policier parti, Eddie se leva et s'approcha de la porte de la cellule.

— T'as une cigarette ?

— Ouais, c'est ça, genre je vais me faire avoir, rétorqua le grand flic. Ma mère a pas élevé des imbéciles. Toi tu restes là-bas, et moi je reste ici.

— Allez, ils ont fouillé les moindres replis de mon corps, jusqu'à certains dont je ne soupçonnais même pas l'existence. Tu crains rien et il me faut vraiment une clope…

— Ouais ouais.

Le flic jetait de temps à autre un coup d'œil à Eddie, mais était de plus en plus concentré sur ce qui se passait dehors.

Eddie Battle avait des avant-bras massifs aux veines épaisses et gonflées. L'une d'elles était plus proéminente que les autres. Si les policiers chargés de la fouille l'avaient remarqué, cela n'avait pas pour autant éveillé leurs soupçons. Il ne s'agissait que d'une veine, après tout. Avec quelqu'un d'aussi doué qu'Eddie, cependant, les apparences pouvaient être trompeuses. Car, au fil des reconstitutions, il avait développé un véritable talent pour le maquillage, les déguisements, les costumes et la création de fausses blessures et cicatrices. Constituée de plastique, de résine et de caoutchouc, cette veine était en fait complètement creuse...

S'asseyant un instant dans la pénombre au fond de la cellule, Eddie entreprit de la triturer. Au bout d'un moment, elle se rompit et il en sortit l'ustensile tout fin qu'il y avait caché : un crochet.

Sans quitter des yeux son gardien, il se rapprocha de la porte en silence et passa ses mains menottées derrière les barreaux de façon à cacher la serrure. Puis il y inséra son instrument et fit jouer le mécanisme, tout doucement. Lorsqu'un bruit très sonore retentit à l'extérieur il en profita pour couvrir le cliquetis au moment de l'ouverture. Ensuite, Eddie glissa le crochet entre son poignet et la menotte, agrippa les barreaux et lança :

— Hé, trou du cul ! Oh, je te parle, crétin...

Le flic se retourna et le dévisagea.

— Ta gueule ! C'est pas moi qui vais me retrouver sur la chaise électrique.

— On fait ça par injection mortelle, ici, connard.

— Ouais, du pareil au même... Alors, c'est qui le trou du cul ?

— Vu d'ici, c'est toi.

« Allez, mon grand, approche un peu. »

— Vas-y, cause toujours.

— Quoi, les mots ne t'atteignent pas, c'est ça ? Comment un bouffon dans ton genre a pu devenir flic ? Enfin, pas un vrai flic, juste un gros péquenaud...

« Viens donc flicard, je sais que tu veux m'en coller une. Amène-toi ! »

— C'est bien nous, les péquenauds qui t'avons coffré, non ?

— Non, c'est un ancien agent du Secret Service, sac à merde. Ton commandant, j'aurais pu le bouffer au petit déj, si j'avais voulu.

Eddie jeta un coup d'œil à la main de l'homme, et vit qu'il portait une alliance.

— Enfin, juste après avoir baisé ta greluche. Putain, je peux te dire qu'elle est bonne !

— Ouais, c'est ça.

La sueur s'était mise à perler sur le cou épais du policier. Il avait serré et desserré le poing comme s'il avait envie de dégainer son arme.

« On y est presque. »

— Et tes gosses, ils sont aussi repoussants que toi, ou bien ta grosse vache et toi vous les avez adoptés pour pas voir de petits monstres courir partout dans la baraque ?

Le policier fit volte-face et s'avança vers la cellule à grands pas, ses grosses chaussures réglementaires produisant un bruit sourd.

— Putain, t'as du bol d'être enfermé...

Quand Eddie donna un grand coup de pied dans la lourde porte métallique, l'agent s'écroula, heurté de plein fouet. Eddie se jeta sur lui, lui passa la chaîne de ses menottes autour du cou et tira de toutes ses forces. En moins de trente secondes, le grand policier avait rendu l'âme. Puis Eddie fouilla le corps, trouva les clés et se libéra. Il fonça jusqu'à la porte de la salle et la verrouilla avant de revenir tirer le cadavre dans la cellule, pour procéder à un échange de vêtements. Enfin, il assit le policier sur la couchette en le calant contre le mur.

Les lunettes de soleil sur le nez, la casquette à large bord sur la tête, il entrouvrit la porte et jeta un coup d'œil dans le couloir. Deux autres policiers montaient la garde.

Pas grave, il y avait la fenêtre. Eddie s'en approcha et regarda dehors. Par chance, la police avait repoussé la foule de l'autre côté du bâtiment. Il jeta un coup d'œil en contrebas. Ça n'allait pas être facile, mais rester l'emballait encore moins. Et puis il avait un boulot à terminer. Il ouvrit la fenêtre, passa de l'autre côté, chercha la saillie en tâtonnant du pied et y prit un appui solide. Ensuite, il s'accroupit, s'accrocha à l'étroit rebord et se pendit dans le vide. Après un bref regard à droite et à gauche, il donna une première impulsion sur le côté pour se balancer, une deuxième pour gagner de l'amplitude, une autre afin que son corps soit presque parallèle à la bordure. À la quatrième oscillation, il lâcha prise tel un trapéziste, se réceptionna sur la saillie du toit du rez-de-chaussée, reprit son équilibre et descendit à terre.

Au lieu de s'enfuir en courant, il gagna l'autre côté du bâtiment d'un pas décidé et s'enfonça dans la foule, où il se fraya un chemin en faisant mine d'aider à contenir l'agitation. Il atteignit une rangée de voitures de patrouille vides et regarda à l'intérieur de chacune jusqu'à repérer les clés sur le contact d'une Ford Mercury massive. Il monta dans le véhicule, sortit en marche arrière et partit. L'émeute se poursuivait, et les cameramen filmaient la scène avec jubilation pour la montrer à tout le pays. Ils venaient cependant de manquer le plus gros scoop de la journée : l'évasion réussie d'Eddie Lee Battle.

Il trouva dans le cendrier un paquet de chewing-gums acidulés parfum tutti frutti, en fourra un dans sa bouche, et alluma la radio de la police à fort volume afin d'être prévenu dès qu'ils découvriraient sa disparition. Puis il descendit la vitre pour prendre une grande bouffée d'air frais, et adressa un signe de la main à un garçon qui marchait à côté de son vélo sur le bord de la route.

— Alors, fiston, tu vas devenir un bon citoyen respectueux des lois ?

— Oui, monsieur le policier. Je veux être comme vous.

Eddie jeta une plaquette de chewing-gums au gamin.

— Vaudrait mieux pas, mon petit.

« Je ne te le souhaite pas. Je suis condamné : je n'ai plus que quelques jours à vivre. »

Tout en accélérant, il vit néanmoins le bon côté des choses : il était libre, reprenait du service, et il ne lui en restait plus qu'un à liquider. Un seul...

Le pied !

90

— Alors, qui a tué Bobby Battle et Kyle Montgomery ? demanda Michelle.

Après une escapade matinale en scooter des mers, ils prenaient le soleil sur le ponton de King.

— Pour l'instant, je n'ai pas eu de déclic là-dessus. J'ai dû brûler tous mes neurones pour attraper Eddie.

— Dorothea avait plein de raisons de vouloir la mort de Kyle, en tout cas.

— Elle a eu l'occasion d'assassiner Bobby, aussi – et peut-être le mobile, s'il n'a pas respecté sa part du marché en lui léguant une plus grande part de ses biens.

Michelle parut ennuyée.

— Je sais que tu as inventé toute cette histoire sur Remmy et Harry, mais tu ne crois pas que...

— Harry a un alibi en béton : quand Bobby Battle est mort, il donnait un discours au barreau de Virginie, à Charlottesville.

Michelle eut l'air soulagée.

— Et Remmy ?

Ce fut au tour de King de paraître ennuyé.

— Je n'en sais rien, Michelle, rien du tout. Ce qui est sûr, c'est qu'elle avait de bons motifs pour désirer sa mort.

— Ou alors, le coupable est quelqu'un qui voulait être le prochain seigneur du manoir.

Il la regarda d'un drôle d'air et s'apprêtait à répondre lorsque son portable sonna.

La communication fut brève et la rendit blême.

— Ça sent la cata, non ? lança Michelle, aussitôt alertée.

— Eddie s'est échappé.

On cloîtra tous les Battle chez eux pour leur offrir une surveillance permanente. Harry Carrick, King et Michelle les rejoignirent, puisque eux aussi couraient un grand danger. Le FBI et la police lancèrent une chasse à l'homme d'envergure dans une zone regroupant trois États. Deux jours plus tard, on n'avait toujours aucune piste concernant Eddie.

King et Michelle prenaient le café dans le salon en compagnie de Sylvia, Bailey et Williams, et discutaient de l'affaire.

— Eddie sait très bien se débrouiller dans la nature, et il connaît la région comme sa poche, souligna Bailey. Il a passé presque toute sa vie à l'explorer et à y chasser. En plus, il peut vivre de trois fois rien pendant des semaines.

— Merci, Chip, c'est très encourageant, répliqua Williams avec amertume. Nous le retrouverons, cet enfoiré, mais je ne peux vous promettre de le prendre vivant.

— À mon avis, il s'arrangera pour que ça n'arrive pas, déclara King.

— Vous ne croyez pas qu'il aura fui la région dare-dare ? demanda Michelle.

King secoua la tête.

— Il y a trop de barrages routiers, et la police patrouille dans toutes les gares ferroviaires et routières, dans tous les aéroports. On a retrouvé sur une route secondaire la voiture qu'il a volée. Je pense qu'il se cache dans les collines.

Williams acquiesça.

— Sa meilleure chance, c'est de s'y planquer, de modifier son apparence au maximum, et, quand tout se sera tassé, de se faire la malle... Vous n'êtes pas d'accord ? ajouta-t-il en remarquant que King ne paraissait pas convaincu.

— D'après moi, il compte rester dans les parages, mais pas pour les raisons que vous invoquez.

— Pour quoi, alors ?

— Quelqu'un a assassiné son père.

— Et donc ?

— Eddie voulait s'en charger. Bobby devait être sa dernière victime, si son attaque ne le tuait pas avant.

King lança un regard à Michelle.

— Quand Eddie est venu nous voir en prétendant qu'il ne supportait pas qu'on accuse sa mère d'avoir fait supprimer Junior et Bobby, il savait qu'elle était innocente, et voulait en fait que nous démasquions le coupable. Tu te rappelles le soir où nous avons bu un verre avec lui au Sage Gentleman ? Il a dit qu'il fallait que son père s'en sorte, que ce n'était pas possible autrement...

— ... de façon à pouvoir le tuer, conclut Michelle.

— Qu'est-ce qu'il va faire, à votre avis ? s'enquit Williams. S'en prendre à l'assassin de Bobby ? Nous ne savons même pas qui c'est, Sean.

— Si nous le découvrons, nous aurons de fortes chances de coincer Eddie.

— Je vous serais reconnaissante de ne pas organiser l'arrestation et l'exécution de mon dernier fils sous mon toit !

Tous se tournèrent vers la porte, où Remmy était apparue. Elle venait rarement dans les espaces communs de la demeure ; et lorsque c'était le cas, elle ne parlait à personne, pas même à Harry. On lui servait ses repas dans sa chambre.

King se porta à sa rencontre.

— Je suis navré, Remmy, nous ne nous attendions pas à vous voir.

— Où serais-je censée être ? C'est encore ma maison, mon salon. Et ces tasses dans lesquelles vous buvez m'appartiennent aussi, au cas où vous l'auriez oublié.

— Je sais bien que cet arrangement n'est pas des plus commodes…, commença King.

— C'est le moins qu'on puisse dire ! le coupa-t-elle.

— Il est bien plus facile de tous vous regrouper au même endroit, Remmy, argumenta Williams.

— Eh bien, je suis ravie que ça facilite la vie à d'autres, parce qu'il n'en va pas de même pour moi.

— Nous pouvons aller à l'hôtel, suggéra Michelle, mais Remmy écarta sa proposition d'un geste autoritaire.

— Jamais on ne me reprochera de manquer à mon devoir de citoyenne, même si pour cela je dois perdre mon fils.

Elle quitta la pièce à grands pas.

Tous échangèrent un regard nerveux.

— C'est une situation insupportable, pour elle, remarqua Sylvia.

— Vous croyez que ça nous plait, à nous ? rétorqua Michelle. Mais Eddie est un tueur en série. Il faudra bien qu'elle l'accepte un jour.

L'air songeur, King ajouta du sucre dans son café.

— À ce propos, j'espère que vous vous en rendez tous compte : nous n'avons pas de preuves en béton contre Eddie.

— Vous délirez ou quoi ? protesta Williams. Il s'est pointé chez Harry avec une cagoule du Zodiaque, prêt à tous vous massacrer. Et voilà qu'il vient de s'échapper en tuant un policier.

— Peut-être, mais comme nous ne savons pas ce qui s'est passé entre cet adjoint et lui, on pourrait invoquer la légitime défense ou l'homicide involontaire. La porte de la cellule était ouverte, alors un avocat pourrait prétendre que l'agent a voulu précipiter la marche de la justice, et qu'Eddie n'a fait que répliquer... Je suis convaincu qu'il a commis tous ces meurtres comme si je l'avais vu de mes propres yeux. Mais ce n'est pas moi qu'il faut persuader, c'est un jury neutre, qui viendra peut-être d'une autre partie de la Virginie, voire d'un autre État. Quelles preuves tangibles avez-vous qu'Eddie est l'auteur de ces crimes ?

— Mais tout ce que vous avez mentionné ! se récria Williams qui bouillait. Son mobile, le disque de déchiffrage, la drogue qu'il a fait prendre à Dorothea...

— Ce ne sont qu'hypothèses et conjectures, Todd, répondit King avec fermeté. Il nous faut des preuves indiscutables l'impliquant dans ces meurtres – les possédons-nous ?

Sylvia prit la parole.

— Si tu m'avais posé la question avant le meurtre de Jean Robinson, je t'aurais sans doute répondu non. Cependant, j'ai trouvé, par terre près de son lit, un cheveu pourvu de sa racine qui d'après sa couleur et sa texture n'appartient ni à elle ni à son mari. Je l'ai envoyé au labo pour qu'on le compare à un échantillon d'ADN d'Eddie. S'il y a similitude, nous le tenons – du moins pour ce meurtre-là.

— Qu'on me le mette entre les mains, dit Williams, et nous aurons des aveux en moins de deux.

— Si on parvient à l'attraper, rétorqua Michelle.

— Même s'il réussit à se cacher un temps, on finira par le choper, affirma le commandant d'un ton confiant.

— Je vous la répète, celui qu'il cherche, insista King, est la clé de tout. Si on le trouve, on trouvera Eddie.

— Vous le pensez vraiment ? fit Bailey.

— Non, répondit King, je le sais avec certitude. Il lui reste une personne à tuer – plus qu'une. Et il faut qu'on arrive avant lui.

91

Dans sa grotte, Eddie s'assit sur son petit lit de camp. Après s'être reposé, il avait mangé et préparé son plan. Grâce à un appareil fonctionnant sur batterie qui combinait TV, radio et CB réglée sur la fréquence de la police, il s'était tenu au courant des recherches le concernant – rien de bien compliqué à cela, étant donné que les enquêteurs faisaient du surplace. Hélas, il était limité dans ses mouvements. Il ne pouvait sortir que la nuit, et le chemin jusqu'à la vieille camionnette qu'il avait cachée dans un bosquet dans cette seule éventualité était long.

Après toutes ces années passées à rebondir d'une activité à l'autre sans jamais se forger une véritable identité, il venait enfin de trouver son créneau, songea-t-il : assassin fugitif. Il s'esclaffa à cette idée, se leva, s'étira, puis fit une centaine de pompes et autant d'abdominaux. Il avait coincé une barre métallique entre deux saillies de roche, vers au fond de la cavité. Après vingt-cinq tractions rapides, suivies de cinq avec chaque bras, il en redescendit, haletant. Il n'avait plus vingt ans, mais pour son âge il s'en sortait pas mal. Le grand flic n'aurait sans doute pas dit le contraire.

Il sortit de son holster son pistolet, et le chargea avec des balles capables de transpercer les gilets pare-balles, qu'il avait achetées au marché noir en trois clics. C'était dingue ce qu'on pouvait se procurer sur le Web – flingues, munitions, femmes, enfants, mariage, divorce, bonheur, mort –, dès lors qu'on savait où chercher. Toutefois, une seule arme contre un millier constituait un rapport de forces bien plus inégal encore qu'à fort Alamo.

« Mais un homme que rien ne raccroche à la vie est quelqu'un de très puissant, peut-être même d'invincible. » Avait-il lu cette maxime quelque part ou venait-il de l'inventer ? Quoi qu'il en soit, ce serait désormais son credo.

Ils finiraient par le débusquer et le tuer, il en était certain. Mais ça n'avait aucune importance s'il avait auparavant retrouvé l'assassin de son père. Rien d'autre ne comptait plus. Ça, on pouvait dire qu'il avait drôlement redéfini ses priorités ! Il s'esclaffa de nouveau.

Il sortit de sa poche la liste. Elle s'était réduite, mais il doutait de pouvoir se renseigner sur tous ceux qui restaient. Enfin bon, après y avoir mûrement réfléchi, il espérait avoir trouvé un raccourci. Il tenterait sa chance cette nuit... Allons, plus que deux morts : celle de sa proie et la sienne. La vie à Wrightsburg pourrait ensuite revenir à la normale. Enfin débarrassée de leur monstre de patriarche, sa famille pourrait repartir de zéro.

Eddie s'allongea, une oreille sur la radio, l'autre attentive aux bruits en provenance de l'extérieur. Grâce à l'emplacement reculé de la grotte et à son entrée bien cachée, il était fort peu probable qu'on la découvre. Néanmoins, si quelqu'un en avait la malchance, il le tuerait mais lui offrirait un enterrement dans les règles. Car il n'était pas un monstre – dans son cas, le bon grain avait été séparé de l'ivraie.

« Je ne tiens pas de mon père, Dieu merci. Pourtant, on va bientôt se retrouver, Papa, qui sait ? le diable nous collera peut-être dans la même piaule, pour l'éternité. On a bien des comptes à régler, toi et moi. »

Alors que l'après-midi laissait place au soir, Eddie fit craquer ses doigts en rêvant de telles retrouvailles. Cette nuit, il passerait à l'action. Il emprunterait le raccourci qui le mènerait à sa dernière cible. Ensuite, le rideau tomberait sur le Eddie Lee Battle Show. Il n'y aurait pas de rappel, il commençait à fatiguer.

« Adieu, vous tous, nous avons passé de bons moments ensemble, mais le spectacle est terminé. Enfin, plus qu'un... ou peut-être davantage ? Oui, pourquoi pas ? Quelle importance, de toute façon ? »

92

À cette heure de la nuit, le petit bâtiment qui abritait les locaux de la *Wrightsburg Gazette* était vide et plongé dans l'obscurité. Aucune alarme ni vigile ne les protégeaient, car qu'y avait-il à voler là hormis du papier ? Le vénérable quotidien était déficitaire et son directeur préférait ne pas perdre davantage d'argent encore en sécurisant ce qui, même à ses yeux, n'en valait pas la peine.

La serrure de la porte de derrière céda dans un cliquetis. Sitôt entré, Eddie traversa d'un pas vif la pièce exiguë située derrière l'imprimerie, puis pénétra dans une zone dépourvue de fenêtres, où il éclaira de sa lampe les classeurs empilés les uns sur les autres pour en lire les étiquettes.

Ayant trouvé celui qu'il voulait, il en sortit la bobine de microfiches obsolètes, et se rendit à l'un des passe-vues alignés à une extrémité de la pièce. Il s'installa, inséra la bobine dans le lecteur, alluma la lampe derrière l'écran et mit la machine en marche. Sachant quelle date chercher, il repéra vite l'article qui l'intéressait... et les différentes pièces du puzzle s'imbriquèrent enfin. Tout ce qu'il avait entendu au cours des dernières années, les indices disséminés çà et là – et ce « quelque chose » dont lui avait parlé Chip Bailey, aussi, et qui était arrivé des années plus tôt, dans un autre pays.

« Eh oui, tout colle. Pourtant, qui y croirait ? »

Il retira la bobine et la remit en place. Alors qu'il s'apprêtait à partir, il s'interrompit net, frappé par une idée, et se fendit brusquement d'un sourire. « Pourquoi pas ? » Il prit un marqueur dans un pot à crayons sur une des tables et traça les quatre lettres en grand sur le mur en béton. Impossible de passer à côté, pour le coup ! Enfin, c'était juste un petit coup de pouce ; il tenait quand même à garder une longueur d'avance sur eux. Une fois que tout serait fini, ils auraient largement le temps d'assembler à leur tour les pièces du puzzle.

Eddy admira son œuvre un instant, puis s'en alla. Il avait garé sa camionnette à presque deux kilomètres de là, sur un chemin de terre où il ne risquait guère de tomber sur un barrage de police. Pour le regagner, il ne quitta pas l'orée des bois.

Dans sa petite chambre de motel, Chip Bailey se redressa dans son lit, un peu hébété, puis identifia le bruit. C'était la sonnerie de son portable. Il tâtonna sur sa table de chevet, trouva l'interrupteur et décrocha. C'était le commandant Williams. Son message, bien que laconique, lui fit passer l'envie de se rendormir.

Quelqu'un venait d'entrer par effraction dans les locaux de la *Wrightsburg Gazette*. Le signalement de l'intrus correspondait à Eddie Battle. On était en train de boucler tout le secteur. Bailey s'habilla en un éclair, mit son ceinturon et y glissa son pistolet. Il courut jusqu'à sa voiture et bondit au volant.

Le couteau le frappa à la poitrine avec une telle violence que le manche vint cogner contre son sternum. L'agent du FBI tenta bien de se retourner pour voir son assassin ; mais la lame avait presque sectionné son cœur en deux. Il s'affala contre le siège, la tête penchée sur le côté, avant d'y être parvenu.

Sur la banquette arrière, Eddie lâcha le couteau. En passant devant le motel, il avait reconnu la voiture de Bailey et trouvé de bon ton de payer sa dette à ce vieil ami qui l'avait jadis « sauvé ». L'occasion ne se présenterait sans doute pas deux fois. D'une cabine, il avait appelé sur son cellulaire Bailey, dont il connaissait bien le numéro. Son imitation de Williams s'était révélée assez réussie pour que l'agent du FBI, somnolent, ne se doute de rien.

Une erreur d'inattention qu'il avait chèrement payée.

« Navré, Chip : tu t'endors, t'es mort. Tu n'étais pas si bon que ça, comme agent – plutôt incompétent et prétentieux, en fait. Et puis, tu crevais d'envie de devenir mon beau-père. Tout ce pognon, ça en motiverait plus d'un, pas vrai, Chip, vieille branche ? »

Eddie quitta la voiture et mit une demi-heure à regagner sa camionnette. Il lui fallait à présent se reposer. Ensuite, il passerait à l'action en se fondant sur les renseignements obtenus un peu plus tôt.

Son raccourci pour découvrir l'assassin de son père l'avait mené droit à lui. Tout ce qu'il espérait, c'est que son « exécution » serait aussi parfaite quand il lui rendrait la monnaie de sa pièce.

— Il s'est servi de son couteau à lui, dit Williams à King et Michelle, chez les Battle. On a retrouvé ses empreintes dessus. Eddie n'essaie pas de cacher sa culpabilité. Je vous parie même qu'il en est fier.

C'était un de ses hommes qui avait découvert le corps de Chip Bailey le lendemain matin. La mort de cet agent chevronné avait assommé tout le monde.

— C'est drôlement gonflé de la part d'Eddie de quitter sa cachette pour s'attaquer à Chip de cette façon, commenta King.

— Je ne suis pas sûr qu'il soit sorti seulement pour ça, répondit le commandant. Vous feriez bien de venir avec moi, tous les deux.

Il les emmena au bâtiment de la *Gazette* et leur montra le mot qu'avait inscrit Eddie sur le mur.

Teat

King le contempla un instant, puis lança un regard à Williams.

— *Teat* ? Comme la tette d'une vache ? Vous êtes sûr que ce n'est pas juste une mauvaise blague de gamin ?

— Je ne suis sûr de rien. Ça ressemble en effet à une farce, mais la *Gazette* ne se trouve pas loin du motel où Chip a été tué.

King parcourut des yeux la pièce.

— Qu'est-ce qu'il aurait bien pu vouloir prendre, ici ?

Michelle indiqua les nombreux dossiers contenant des microfiches.

— Il cherchait peut-être quelque chose là-dedans.

— Ça fait beaucoup à fouiller quand on ne sait pas ce qu'on vise, constata King avant de se tourner vers Williams, l'air inquiet. À votre place, je surveillerais mes arrières, Todd.

— Je n'ai pas l'intention de me retrouver avec un couteau dans la poitrine. Je bénéficie d'une protection rapprochée vingt-quatre heures sur vingt-quatre. Dommage que Chip ne m'ait pas imité.

— Il devait penser que ça ne lui arriverait jamais, dit Michelle. Ou bien il était trop orgueilleux.

— Ou alors il prenait vraiment Eddie pour son ami, supposa Williams.

— Tu parles d'un ami ! Et les recherches, ça avance ? demanda King.

— Il y a bien trop de routes secondaires et de zones boisées. De plus, il semblerait que tout le monde dans un secteur de quatre États ait vu Eddie. Il mesure trois mètres de haut, et des morceaux de corps humains pendent de sa bouche ensanglantée... Je vous jure ! Je me demande bien comment on parvient à coffrer quelqu'un dans ce pays.

— Il suffit d'une seule bonne piste, lui rappela Michelle.

— Je risque de mourir de vieillesse avant qu'il en apparaisse une, répliqua sèchement Williams.

Michelle regarda son associé.

— Qu'en penses-tu, Sean ?

Ce dernier secoua la tête d'un air las.

— Je me dis que, malgré tous nos efforts, Eddie a repris les rênes, et que nous sommes revenus à la case départ.

93

Ce soir là, King avait quitté le camp retranché de la Casa Battle pour répondre à l'invitation de Sylvia. On avait tout de même posté un policier au bout de l'allée afin de s'assurer que personne ne viendrait interrompre leur repas.

— Où est-il, à ton avis ? lança Sylvia en triturant le bracelet à son poignet gauche.

King haussa les épaules et répondit d'un ton neutre :

— À des milliers de kilomètres ou à dix mètres d'ici, c'est difficile à dire.

— Il a carrément défoncé le crâne de Jean Robinson et écrasé la trachée de son garde au tribunal, répliqua-t-elle avec véhémence. Il a poignardé Chip Bailey avec une telle force que la lame a atteint la colonne vertébrale ! Sans parler de ce qu'il a fait à Sally Wainwright et à tous les autres, et je te rappelle qu'il a bien failli te tuer aussi.

— Pourtant, il ne s'en est pas pris à Tommy Robinson.

— Ça excuse ses crimes, peut-être ? fit-elle d'un ton brusque.

— Non, admit-il après l'avoir regardée par-dessus son verre de vin..

Puis il se leva et s'empara de la bouteille qu'il avait apportée.

— On appréciera mieux ce vieux cru dehors.

Il en avait assez de parler d'Eddie. Il en avait sa claque, même !

Tous deux descendirent les quelques marches qui menaient au petit ponton de Sylvia.

— Quand as-tu installé le kiosque ? s'enquit-il.

— L'année dernière. J'aime venir ici contempler le paysage.

— C'est un bel endroit pour ça, même si tu devrais songer à aménager une cale.

— Je n'ai pas le pied marin et je ne suis pas très bonne nageuse non plus.

— Ce serait un plaisir de t'apprendre.

Ils s'assirent et burent le vin.

— Je t'emmènerai sur mon bateau. C'est un lac sans danger, tu sais, dit King au bout d'un moment.

— Tu en es sûr ?

— Certain.

Eddie alternait nage sous l'eau sur cinq mètres et brasses pendant lesquelles il ne sortait que la tête pour prendre sa respiration avant de replonger. Il fit surface une dernière fois, en battant doucement des pieds, afin d'examiner les environs. Comme il s'en doutait, le ponton n'était pas surveillé. Pourquoi y auraient-ils pensé ? Ce n'était que la police, après tout.

Par mouvements mécaniques, il parcourut la courte distance qui le séparait de l'embarcadère. Sa combinaison noire le rendait presque invisible. Il atteignit l'échelle, sortit le buste de l'eau et s'interrompit un instant pour tendre l'oreille. Il examina les alentours en détail avant de monter sur le ponton, puis saisit le petit sac étanche attaché à son pied, en sortit son pistolet et y consulta sa montre. Un départ discret n'étant pas de mise même si le tonnerre grondait au loin, il lui faudrait agir vite. Il avait entendu à la radio qu'un violent orage approchait : vents puissants, pluie et beaucoup de foudre. Il n'aurait pu rêver meilleures conditions.

Les éléments semblaient toujours se ranger de son côté. Tant mieux, parce qu'ils seraient bien les seuls.

Il gagna la remise, crocheta le cadenas et entra. S'étant emparé du matériel dont il avait besoin, il actionna l'interrupteur de l'élévateur électrique, en saisit la télécommande et ressortit très vite.

Le Formula FasTech se mit à descendre. Avant d'être arrêté, Eddie avait eu la prévoyance de s'assurer qu'il serait prêt à foncer. D'après le vendeur à qui l'avait acheté son père, il s'agissait d'un des bateaux les plus rapides, si ce n'était *le plus* rapide, du lac. Parfait : selon la tournure que prendraient les événements, il pouvait avoir besoin de toute sa puissance.

Il monta à bord. Quand l'embarcation fut à l'eau, il enfonça le bouton « Arrêt » de la télécommande. Le silence se fit de nouveau. Il n'allumerait pas ses phares avant d'être très loin de la rive, et encore... Quelle chance il avait d'être le seul amateur de plaisance au sein de sa famille ! Personne ne viendrait au ponton ce soir. Heureusement pour eux – famille ou pas, il était d'humeur assassine. Ça devenait plus fort que lui.

Il attendit, et attendit encore. Enfin, le puissant coup de tonnerre qui marqua le début de l'orage retentit. Eddie en profita pour démarrer les moteurs presque en même temps. Les machines de mille chevaux se mirent alors en branle au quart de tour. Il enclencha le système Captain's Call, grâce auquel l'eau noyait le plus gros du bruit de l'échappement. Il mit les gaz en douceur pour dégager le bateau de sa cale, le dirigea vers la sortie de la crique, accéléra un peu et s'éloigna de la maison à une vitesse d'environ dix nœuds. Il sentait la coque vibrer, comme si le double Mercruiser râlait parce qu'on ne le mobilisait pas à fond – le bateau demandait à planer, à donner tout ce qu'il avait dans le ventre. Eddie tapota le tableau de bord. « Patience, ça va venir. »

Dès qu'il atteignit un chenal, il poussa la manette d'accélération à mi-puissance. Le Fas-Tech grimpa en une fraction de seconde à trente-cinq nœuds, les Merc pas encore tout à fait comblés mais en voie de l'être. Eddie jeta un coup d'œil à son écran GPS coloré et prit un virage à cent cinquante degrés en direction du sud-est. Aucune autre embarcation ne naviguait sur le lac, qu'il connaissait comme sa poche. Les chenaux étaient bien indiqués : bouées clignotantes rouges marquées de nombres pairs pour l'amont, vertes et frappées de nombres impairs pour l'aval. Des lumières blanches éclatantes signalaient les bancs de sable, mais de toute façon, il avait déjà repéré leurs emplacements. Les seuls vrais soucis que l'on pouvait rencontrer étaient les hauts-fonds dans les criques, où la terre s'avançait dans l'eau de façon anarchique. Cependant, comme son père avait équipé le FasTech d'un radar complémentaire, il ne craignait pas de s'y échouer. « Merci, Papa, je te dois une fière chandelle, espèce d'enfoiré ! »

Phares toujours éteints, Eddie accéléra jusqu'à cinquante nœuds. Son regard ne cessait d'aller et venir entre le lac et le GPS. Les Mercruiser étaient enfin satisfaits – la coque ne tremblait plus. Le bateau planait et avançait sans heurts, même si l'orage se déchaînait pour de bon, à présent. Eddie alluma sa radio VHF et écouta le bulletin météo. Toutes les embarcations de petite taille devaient quitter l'eau, et tout le monde devait fermer les écoutilles. Ça allait secouer dur.

« Merci, Seigneur. » Il avait toute la scène rien que pour lui... Quand il atteignit le chenal principal, il prit la direction du sud-ouest, à deux cent vingt degrés sur la boussole. Par le lac, c'était vraiment la porte à côté. Le trajet aurait été bien plus long en voiture. Qui plus est, les flics surveillaient toutes les routes. Ici, un seul bateau patrouillait, et juste le week-end, moment d'affluence. Ce soir, personne ne viendrait lui chercher des crosses.

Il se mit debout, laissant le vent lui fouetter le visage et lui ébouriffer les cheveux. La houle devenait plus forte à mesure que la brise s'intensifiait : des crêtes d'écume blanche couronnaient les vagues noires, à présent, mais le FasTech fendait sans mal ces moutons de soixante centimètres. Eddie observa le ciel menaçant. Il avait toujours aimé vivre dehors – monter à cheval, jouer au soldat, camper sous la vaste voûte étoilée, peindre des levers de soleil époustouflants, chasser et pêcher, comprendre comment les éléments s'agençaient, se nourrissaient...

Tout serait bientôt terminé, pourtant. Il avait conscience de vivre sa dernière équipée. C'était arrivé à une vitesse incroyable. Malgré sa robustesse et sa santé de fer, son espérance de vie venait de se bloquer à quarante ans. Quand ce serait la fin, cependant, il aurait atteint la totalité de ses objectifs. Combien pouvaient s'en targuer ? Il avait vécu selon ses propres directives et non selon celles de son père ou de sa mère. Ni de quiconque, d'ailleurs. Les siennes, et aucune autre.

C'était là un mensonge qu'il se répétait chaque jour.

Il ouvrit la glacière et en sortit la bière qu'il y avait mise avant son arrestation, toujours dans l'éventualité que ce bateau lui soit utile à un moment donné.

La bière était tiède, bien sûr, car la glace avait fondu depuis longtemps, mais elle lui parut délicieuse. Il en prit une bonne goulée, en tenant la canette à la verticale, et poussa la manette des gaz au maximum. Les Merc émergèrent de leur vitesse de croisière mollassonne, et le FasTech monta en rugissant jusqu'à soixante-dix nœuds et au-delà. Les hauteurs qui s'élevaient en bordure du lac artificiel filaient à toute allure – les milliers d'arbres qui les parsemaient étaient les spectateurs silencieux de son dernier tour de piste. « La charge d'Eddie Battle et de sa fidèle brigade légère. » Bon sang, oui, quel pied !

— Sus à l'ennemi ! cria-t-il en direction des cieux obscurs et zébrés d'éclairs, tandis que la pluie commençait à tomber.

Il lécha une goutte sur sa lèvre supérieure.

— « La plus grande vertu est le courage de celui qui se dresse contre tous. Quand tout semblera en proie aux ténèbres, alors la lumière surgira, ne serait-ce que des battements d'un seul cœur », déclama-t-il, citant la prose fleurie d'un écrivain de l'époque de la guerre de Sécession qui n'avait sans doute jamais épaulé un fusil de son existence.

Comme en contrepoint à ses paroles, le tonnerre rugit et le ciel fut soudain déchiré par un éclair d'une puissance équivalant à un milliard de candelas.

Le hurlement des moteurs rendait à la nature décibel pour décibel. Le bateau laissait un sillage immense, mais il planait tellement que ça ne secouait même pas. Presque les trois quarts des dix mètres de coque sortaient de l'eau pour transpercer des vagues à présent hautes d'un mètre. Eddie était devenu un vrai missile. Personne ne pouvait l'attraper.

Personne !

94

Dans sa chambre de la Casa Battle, Michelle tournait en rond comme un lion en cage cherchant la moindre ouverture pour s'échapper. King était parti dîner chez Sylvia. Pourquoi est-ce que cela la contrariait autant ? Elle n'aurait su le dire. Quoique... On ne l'avait pas invitée. Ça n'avait pourtant rien de bien surprenant.

Elle finit par sortir en trombe, descendit l'escalier principal quatre à quatre et alla dans la pièce commune. Elle n'avait pas vu Remmy de la journée. Dorothea devait être couchée – elle dormait beaucoup. Comment le lui reprocher ? En plus d'être ruinée et d'avoir un problème de drogue, on la soupçonnait toujours du meurtre de Kyle Montgomery. Et son mari, un tueur psychopathe, était en cavale. À sa place, songea Michelle, elle dormirait sans doute pour le restant de ses jours.

Savannah apparut à cet instant dans le couloir, Michelle s'arrêta. La jeune femme ne s'habillait plus comme sa mère. L'invincibilité de Remmy Battle commençait peut-être à s'effriter. Pieds nus, les ongles des orteils vernis couleur rouge vif, elle portait un jean taille basse qui laissait apparaître le haut de son string noir, et un chemisier qui lui dénudait les épaules.

Savannah leva la tête d'un air surpris quand elle aperçut Michelle, comme si elle n'avait même pas remarqué qu'elle logeait là depuis quelque temps déjà.

— Comment ça va, Savannah ?

— Super, répondit la jeune femme en se rembrunissant. Mon père est mort, ma belle-sœur est un légume, ma mère pète un plomb, mon frère est un tueur en série. Et vous, ça roule ?

— Excusez-moi, j'aurais pu mieux choisir mes mots.

— Laissez tomber. On ne peut pas dire que vous vous la soyez coulé douce.

— Comparé à votre famille, tout le monde se la coule douce, je pense.

Michelle se tut un instant, se demandant si elle devait retourner se morfondre dans sa chambre. Elle décida que non et proposa :

— J'allais préparer du café, ça vous tente ?

— Pourquoi pas ? répondit Savannah après une hésitation. Je n'ai pas grand-chose de prévu.

Les deux femmes s'installèrent dans un canapé du salon. Michelle regarda par la fenêtre, sur laquelle les gouttes commençaient à cliqueter, et remarqua :

— J'ai l'impression qu'on va avoir droit à un orage. J'espère que Sean ne va pas tarder.

— Il est chez Sylvia ?

— Exact. Il est allé y dîner.

— Vous couchez ensemble ?

L'indiscrétion de la question désarçonna Michelle.

— Qui ça, Sylvia et moi ? plaisanta-t-elle.

— Vous savez de qui je veux parler.

— Non, nous ne couchons pas ensemble. Et puis, ça ne vous regarde pas.

— Si je travaillais avec Sean, je me l'enverrais.

— Tant mieux pour vous, mais ce n'est pas l'idéal pour une relation professionnelle radieuse.

— Vous l'aimez bien, pas vrai ?

— Oui, et je le respecte. Je suis contente que nous soyons associés.

— C'est tout ?

— Je vous trouve bien curieuse...

— Sans doute parce que je ne connaîtrai jamais rien de tel. Avoir quelqu'un dans ma vie, j'entends.

— Ça ne va pas la tête ? Vous êtes jeune, belle et riche. Vous n'aurez que l'embarras du choix. C'est ainsi que ça marche.

Savannah la dévisagea.

— Non, je n'aurai pas cette chance.

— Mais bien sûr que si. Pourquoi pensez-vous ça ?

Savannah se mit à se ronger les ongles.

Michelle lui ôta la main de la bouche d'un coup sec.

— Ce sont les petites filles qui se rongent les ongles, Savannah. Pendant que nous sommes dans les questions un peu crues, pourquoi vous ne vous faites pas enlever votre prénom de la fesse ? Ça augmenterait vos chances de trouver un mari, si ça vous inquiète à ce point.

— Ça ne changerait rien.

Michelle l'observa d'un air circonspect.

— C'est quoi, cet apitoiement sur votre sort ?

Savannah explosa :

— Et si j'étais aussi folle que le reste de ma famille ? Mon père était un vrai cinglé. Mon frère est un assassin. Je viens d'apprendre que mon autre frère souffrait de la syphilis. Ma mère est peut-être la plus tarée de tous. Même ma belle-sœur est complètement larguée. C'est une malédiction ! Si on entre en contact avec les Battle, on est condamné. Alors, comment voulez-vous que je m'en sorte ? Je n'ai aucune chance – aucune, vous m'entendez ?

Elle laissa tomber sa tasse par terre, se recroquevilla et se mit à pleurer.

Michelle la fixa du regard un moment en se demandant si elle était prête à s'impliquer dans cette histoire. Enfin, elle prit la jeune femme dans ses bras et lui dit des mots apaisants sans même savoir d'où ils lui venaient. Alors que le tonnerre rugissait, les sanglots de Savannah s'atténuèrent peu à peu, mais elle s'accrochait à Michelle comme si c'était la seule amie qu'elle ait jamais eue.

Michelle, elle, n'avait qu'une envie : fuir cet endroit le plus vite possible. Même une confrontation directe avec Eddie le meurtrier ne lui faisait pas peur, tant que ça se passait loin de la Casa Battle. Pourtant, elle resta là à réconforter Savannah ; elle la tint comme elle aurait tenu sa propre fille, tout en remerciant le Ciel que ce ne soit pas le cas. Qui sait si Savannah ne voyait pas juste ? Les Battle étaient peut-être maudits.

95

— J'ai passé une soirée formidable, Sean.

De retour à l'intérieur, Sylvia et King regardaient l'orage approcher depuis un canapé, dans la petite véranda vitrée au bout de la cuisine.

— J'adore contempler les orages lorsqu'ils s'abattent sur le lac, lui confia-t-elle. C'est encore plus beau de jour, quand on les voit arriver par-dessus le sommet de la montagne.

Elle se tourna vers lui et constata qu'il la fixait.

— Qu'y a-t-il ?

— J'étais en train de me dire qu'il existe quelque chose de bien plus magnifique qu'un orage, et qu'elle est assise juste à côté de moi.

Sylvia sourit.

— C'est une technique de drague qui te reste de tes années d'étudiant ?

— Oui, mais la différence, c'est que là je suis sincère.

Ils s'approchèrent l'un de l'autre – King prit Sylvia par l'épaule, et elle posa la tête contre son torse.

— Je me répète, mais c'est très agréable de pouvoir se reposer sur quelqu'un...

— Ce que vous êtes mignons, tous les deux !

La voix les fit sursauter, et Sylvia poussa un cri. King commença à se lever, mais se ravisa à la vue de l'arme braquée dans leur direction.

Toujours en tenue de plongée, appuyé contre le cadre de la porte, Eddie pointa son pistolet tour à tour sur Sean et sur Sylvia. Le point de visée laser dansait sur leurs poitrines comme une braise incandescente accrochée aux ficelles d'un marionnettiste.

— Vous êtes si touchants que si j'avais un appareil je vous prendrais en photo.

— Vous voulez quoi, Eddie ?

— Je veux quoi ? Je veux quoi, à ton avis, Sean ?

King se posta devant Sylvia dès qu'Eddie entra dans la pièce.

— C'est bien ce que je viens de vous demander.

— Tu sais quoi ? Tu m'es sympathique. Je t'assure, je ne t'en veux pas du tout de m'avoir coffré. Ç'a été une belle compétition, entre nous... En fait, je me doutais que ce serait toi qui m'aurais. C'est pour ça que j'ai essayé de vous zigouiller, Michelle et toi, sur ton *house boat*.

— Pourquoi ne pas faciliter la tâche à tout le monde en vous rendant ? Il y a un policier juste devant la maison.

— Eh non, pas juste devant, Sean. Il est au bout de l'allée dans sa voiture de patrouille. J'ai vérifié. Alors, avec l'orage qui se déchaîne, je pourrais vous abattre tous les deux et organiser une surboum sans qu'il s'en aperçoive.

— Quel est le programme donc ?

— Vous allez me suivre. On va faire une petite balade sur le lac.

Avec une grande discrétion, King glissa la main jusque sur la poche de sa veste qui renfermait son nouveau portable.

— Sur le lac ! Mais on est en plein orage ! s'écria Sylvia.

King palpa le pavé numérique de son téléphone. « Continue à l'occuper, Sylvia. »

Comme si elle lisait dans ses pensées, elle ajouta :

— Et puis, de toute façon, vous ne pouvez pas vous échapper par là.

587

— Je ne cherche pas à m'échapper. J'ai tiré un trait sur cette possibilité il y a belle lurette.

King trouva le chiffre de raccourci qu'il voulait, l'enfonça, puis pressa la touche d'appel. Il lui faudrait agir à la seconde près.

Dès qu'il entendit la communication s'établir et la voix répondre : « Allô », il cria :

— Bon sang, Eddie, c'est de la folie ! Vous vous mettez au kidnapping, maintenant ?

— Ouais, j'en avais marre de me limiter aux meurtres. En route.

— Nous ne monterons pas dans votre bateau, un point c'est tout !

Eddie pointa son laser sur le front de Sylvia.

— Dans ce cas, je la descends ici même. À toi de voir, Sean. Moi, je m'en fous.

— Emmenez-moi sans elle, alors.

— Ce n'est pas dans le programme, ça, mon pote. Vous venez tous les deux.

— Où nous emmenez-vous ?

— Surprise.

Lors d'un instant terrifiant, ils furent confrontés à l'aplomb d'un homme responsable de neuf assassinats.

— Allez, Sean. Tout de suite !

Sans trop savoir pourquoi, après avoir laissé Savannah, Michelle s'était rendue à l'atelier d'Eddie pour examiner les lieux. Elle ne pensa pas une seule seconde qu'il y était peut-être tapi, car la propriété grouillait de policiers en armes, et Eddie n'était pas idiot. Pourtant, en contemplant les tableaux, elle ne put s'empêcher de se demander comment un homme aussi meurtrier avait réussi à produire d'aussi belles peintures. Il semblait impossible que la même enveloppe corporelle abrite à la fois un tel artiste et un tel monstre. Elle frissonna et serra les bras contre sa poitrine. Dire qu'elle avait éprouvé des sentiments pour lui ! Cela remettait-il en cause sa capacité de jugement ? sa façon de percevoir les autres ? Pourrait-elle encore se fier à son instinct ? Ces terribles pensées lui donnèrent des aigreurs d'estomac. Soudain nauséeuse et prise de vertige, elle se plia en deux et dut appuyer les avant-bras contre ses cuisses pour lutter contre l'envie irrépressible de s'écrouler.

« Bon Dieu, comment as-tu pu être aussi aveugle ? » Mais elle se rappela brusquement ce qu'on disait de certains des tueurs les plus célèbres de l'Histoire : ils n'avaient rien d'assassins notoires et ne se comportaient pas comme tels. Ils se montraient charmants, plaisants et attiraient la sympathie. C'était là l'aspect le plus effrayant de tous. « Ils ressemblent au citoyen *lambda*. »

Elle se redressait quand son portable sonna. Elle répondit, mais personne ne s'adressa vraiment à elle. La voix de King cria quelques phrases dont elle ne saisit qu'un seul mot. Pourtant, cela lui suffit.

— Eddie !

Tout en cherchant à comprendre ce qui se passait à l'autre bout de la ligne, elle parcourut des yeux la pièce, repéra un poste fixe posé sur une table près d'un des chevalets et appela Todd Williams.

— Ils sont chez Sylvia – enfin, je pense.

— Bon Dieu de merde ! Pourtant il y a un policier, avec Sean.

— Si ça se trouve, il est déjà mort.

— J'y fonce.

— Moi aussi.

Michelle garda le cellulaire à son oreille tandis qu'elle revenait en courant à la maison des Battle. Elle fonça dans sa chambre, prit ses clés de voiture et ressortit. Mais, sur le point de sauter au volant de sa Toyota, elle s'arrêta et se précipita à l'intérieur de la Casa Battle. Elle gagna la chambre de Savannah et ouvrit brusquement la porte. Sur son lit, Savannah sursauta à cette irruption. Michelle couvrit le micro de son téléphone pour qu'aucun bruit ne parvienne jusqu'à Eddie.

— Bon sang, qu'est-ce qui se passe, encore ? demanda Savannah.

— J'ai besoin de votre téléphone.

— Quoi ?

— Filez-moi votre portable, merde !

Quelques secondes plus tard, Michelle montait dans sa Sequoia, le GSM toujours collé à l'oreille, fournissant un gros effort pour tenter d'entendre un indice qui l'aiderait à découvrir où se trouvait Sean.

« Deux secondes. » Elle discerna un bout de phrase. De quoi s'agissait-il ?

— Un bateau !

Sean demandait à Eddie où il comptait les emmener sur son bateau. Ces paroles avaient été claires comme de l'eau de roche.

Elle composa un numéro sur le téléphone de Savannah.

— Todd, ils sont en bateau sur le lac.

— En bateau ! Où Eddie en a-t-il dégoté un, bordel ?

— Il y en a quelques-uns ici, amarrés à l'embarcadère des Battle. Y compris un vrai bolide.

— Et merde !

— Todd, vous disposez d'un bateau, vous ? demanda-t-elle d'un ton impatient.

— Non. La brigade de la chasse et de la pêche en a un, mais je ne sais pas bien où.

— Génial !

Michelle réfléchit à toute allure. « Mais bien sûr, quelle idiote ! »

— En combien de temps pouvez-vous être ici ?

— Hein ? Euh... dix minutes, répondit Williams.

— Vous en avez cinq. Rejoignez-moi sur le ponton des Battle. Ça fait une trotte, mais vous n'aurez qu'à emprunter la voiturette de golf. Le chemin est éclairé et indiqué par des pancartes.

— Et vous, alors ?

— Quoi, et moi ?

— Vous n'avez pas besoin de la voiturette ?

— Ça me ralentirait plus qu'autre chose... Bon, écoutez-moi bien. En chemin, passez un coup de bigo à ces gardes champêtres, trouvez

591

ce fameux bateau, et dites-leur d'envoyer des hommes armés. Qu'on boucle toutes les routes ayant un accès au lac. Appelez le FBI et la police de l'État, il nous faut fissa un hélico équipé d'un gros projecteur. Qu'ils fassent venir les forces d'intervention spéciale ou la brigade de sauvetage des otages. On va avoir besoin de tireurs d'élite.

— Tout ça, ça va exiger du temps, Michelle.

— On n'en a pas, justement, alors grouillez-vous !

— Le lac est immense : dix-huit mille hectares ! Et il y a plus de sept cents kilomètres de rivage, ça fait plus que l'État de Rhodes Island...

— Merci, vous savez vous montrer très encourageant, quand vous voulez ! Ramenez-vous, on verra après.

Elle raccrocha, bondit hors de sa voiture, contourna la maison et courut le plus vite possible jusqu'au ponton. Elle écoutait toujours le téléphone, mais n'entendait plus qu'un grondement. S'ils se tenaient à bord du bateau, le bruit des moteurs couvrirait tout le reste.

Arrivée à l'embarcadère, elle enfonça un interrupteur, et toute la zone s'illumina. Au même moment, un énorme éclair horizontal fendit le ciel et fut suivi par un coup de tonnerre si puissant qu'elle porta les mains à ses oreilles.

Elle repéra tout de suite la cale vide.

— Et merde, il a pris le FasTech !

Elle rappela Williams.

— Todd, il est sur un Formula FasTech. C'est un modèle d'une dizaine de mètres, blanc avec du rouge sur...

— Je connais cette marque. Vous savez de quels moteurs il est équipé ?

— Ouais, un double Mercruiser de deux fois cinq cents chevaux avec des hélices Bravo qui dépotent. Si vous n'êtes pas là dans trois minutes, j'y vais sans vous.

Elle raccrocha.

« Bon, qu'est-ce qu'on a de beau, ici ? » se demanda-t-elle en examinant les autres embarcations. Les scooters des mers étaient maniables et rapides, mais ils ne disposaient pas de phares. Et puis, elle n'imaginait pas le gros Todd s'agripper à elle, et encore moins en piloter un. En outre, depuis son duel inégal avec Roger Canney sur la route, elle voulait avoir un peu plus de pêche sous le capot au cas où la poursuite tournerait à la bataille nautique.

Elle s'arrêta devant le grand yacht *Sea-Ray*. Aucune chance qu'il puisse rivaliser avec le Fas-Tech question vitesse, mais c'était un bateau massif et puissant – tout ce qu'il lui fallait. Elle brisa d'une balle le cadenas de l'appentis, trouva les clés du *Sea-Ray* et la télécommande de l'élévateur qui le portait.

Todd Williams arriva au volant de la voiturette quelques minutes plus tard, attrapa un gilet de sauvetage et monta à bord.

— J'ai réussi à joindre tout le monde. Les gardes champêtres partent avec leur bateau de Haley Point Bridge, à quinze milles en amont.

Le FBI et la police de l'État envoient hélicos et snipers aussi vite que possible. J'ai fait boucler tous les accès au lac.

— Parfait. Bon, prenez ça et écoutez très attentivement. Sean va sans doute nous donner des indices concernant l'endroit où ils se trouvent.

Le commandant colla à son tour le téléphone contre son oreille. Michelle démarra en marche arrière, mais le bateau sortit de la cale si vite que Williams tomba contre le plat-bord et manqua finir dans l'eau. Il se redressa et s'exclama :

— Bon sang, Michelle, vous savez piloter ce machin ? Ça n'a rien à voir avec l'aviron !

— J'apprends vite. La maison de Sylvia... expliquez-moi dans quelle direction elle est, à peu près, et à quelle distance.

Todd fit de son mieux pour lui donner une estimation. Michelle calcula en une fraction de seconde le temps nécessaire et l'itinéraire à prendre. Au cours de ses années au Secret Service, elle était devenue navigatrice chevronnée et avait appris à maîtriser toutes sortes d'embarcations – hors-bord pour escorter d'anciens présidents amateurs de vitesses époustouflantes, jusqu'aux barques dociles pour protéger les petits enfants desdits anciens présidents.

— Bon, cramponnez-vous.

Elle prit la direction du chenal et enfonça la manette des gaz à fond. Comme s'il se réveillait, le *Sea-Ray* ronchonna un peu au début, puis ses hélices se mirent à battre l'eau avec violence et à la recracher dans toutes les directions. La proue se dressa comme un cheval sauvage récalcitrant décidé à se débarrasser de son dresseur. Le bateau plana en un rien de temps et dépassa les quarante nœuds, dirigé tout droit dans la gueule de l'orage par Michelle.

96

— Vous nous emmenez où, Eddie, bon sang ? cria King pour se faire entendre malgré le bruit des moteurs mêlé au vacarme de l'orage.

Pieds et mains liés avec du fil de pêche, il était couché sur le flanc près du siège du capitaine. Sylvia, elle aussi ligotée, était assise sur la banquette de proue, tandis qu'Eddie pilotait debout, son épaisse chevelure fouettée par le vent.

— Qu'est-ce que ça peut te foutre ? C'est un aller simple, de toute façon.

— Pourquoi nous tuer ? Vous avez fait carton plein : vous avez supprimé tous ceux qui figuraient sur votre liste.

— Pas tous, mon pote... Au fait, j'ai gagné le pari.

— Quel pari ?

— Quand tu m'as arrêté, tu as dit que tout était terminé, et moi je t'ai répondu que non.

— Bravo.

Eddie fit cap vers l'est, heurtant de plein fouet une grosse vague qui secoua le FasTech avec force. King se cogna la tête contre la paroi en fibre de verre moulée.

— Si vous ne ralentissez pas, on sera morts avant d'avoir atteint notre destination.

En guise de réponse, Eddie poussa encore un peu plus les gaz.

— Eddie, je vous en prie ! l'implora Sylvia.

— Ta gueule !

— Eddie..., fit-elle de nouveau.

Eddie se retourna et tira une balle à quelques centimètres à peine de l'oreille gauche de Sylvia. Elle poussa un cri et se jeta sur le pont.

Avec une déflagration assourdissante, un éclair fit exploser un chêne sur une île à côté de laquelle ils passaient, et des morceaux de bois calcinés furent projetés dans l'eau. Le coup de tonnerre fut encore plus puissant que le gronde-ment des moteurs.

King rampa un peu vers l'avant. Attaché de la sorte, il n'aurait aucune chance contre quelqu'un d'aussi fort qu'Eddie – même dans un combat à la loyale, il n'aurait d'ailleurs sans doute pas fait le poids. Il jeta un coup d'œil à Sylvia, toujours étendue sur le pont. Malgré tous les autres bruits, il l'entendait sangloter. Au prix d'un grand effort, il parvint à se redresser, à glisser son dos contre la paroi et par se hisser sur un siège à côté d'Eddie.

Celui-ci se tourna vers lui en souriant.

— La vue te plaît, d'ici ?

King observa les environs. Tout plaisancier chevronné sait que la nuit tout paraît différent. Pourtant, ils passèrent juste à cet instant devant un point de repère qu'il reconnut – un immeuble de quatre étages bâti sur une pointe argileuse qui s'avançait dans un des principaux chenaux.

— On se dirige vers l'est, en direction du barrage, c'est ça ? cria-t-il.

Il priait le Ciel pour être encore en communication avec Michelle. Dans le cas contraire, si elle essayait de le rappeler, il ne pourrait enfoncer le bouton de réponse, et la sonnerie les trahirait.

— Vers l'est, en direction du barrage ? répéta-t-il, encore plus fort.

— Le lac n'a pas de secrets pour toi, commenta Eddie, en buvant une autre gorgée de la bière tiède dont il semblait savourer chaque goutte.

— Je sais pourquoi vous avez tué tous ces gens, Eddie.

— Ça m'étonnerait.

— J'ai tout compris. Tyler, Canney, Junior, Sally… et puis Hinson et Pembroke, pour brouiller les pistes. Un cran de décalage, hein ? Rien qu'un cran.

— Tu sais que dalle.

— Votre père était un monstre, Eddie. Je sais qu'il est à l'origine de tout ça. Si vous avez tué, c'est à cause de lui, à cause de ce qu'il a infligé à votre mère et à votre frère.

Eddie braqua son pistolet sur la tête de King.

— Je te dis que tu sais que dalle de mes raisons.

King se mordit la lèvre, s'efforçant de garder son sang-froid, ce qui dans une telle situation se révélait assez difficile.

— D'accord. Expliquez-les-moi, dans ce cas.

— Quelle importance, Sean ? Je suis cinglé. Si on ne me fait pas cramer sur la chaise, on m'enfermera dans une cellule dont on jettera la clé. Après, on laissera quelqu'un venir me suriner pendant mon sommeil. Là, tout le monde pourra enfin souffler. Plus d'Eddie. Ce sera génial, le monde reprendra sa marche, bien pépère.

Il jeta un coup d'œil à King.

— Toi, il y aura des tas de gens pour te pleurer. Moi, je n'ai personne.

— Et Dorothea ?

— Tu parles !

— Remmy, c'est sûr.

— Tu crois ?

— Pas vous ?

Eddie secoua la tête.

— Évitons d'aborder ce sujet.

— Parlez-moi de Steve Canney.

— Il n'y a pas grand-chose à raconter.

— Vous êtes un homme d'honneur, Eddie. Vous auriez dû naître cent cinquante ans plus tôt. Accordez donc sa dernière volonté à un condamné : expliquez-moi.

Eddie se fendit d'un sourire.

— Ouais, bon, voilà toute l'histoire : je venais de rentrer de la fac. Mes parents s'étaient encore engueulés. Savannah devait avoir environ deux ans, et mon père se lassait déjà d'elle. Je savais que cet enfoiré s'était remis à baiser à droite à gauche. Je l'ai suivi et je l'ai vu avec cette Canney. Quand elle a accouché, je me suis introduit dans l'hôpital pour vérifier le groupe sanguin du petit. Ce n'était pas le bébé de Roger Canney – et moi je connaissais l'identité du père.

— Savannah est bien l'enfant de Bobby et Remmy ?

— Ça oui. À mon avis, mon père soupçonnait ma mère de vouloir divorcer. Et voilà qu'elle se retrouve en cloque. Pour savoir si elle était consentante concernant le rapport sexuel, il faudra le lui demander.

— Pourquoi ne se sont-ils pas contentés de divorcer, bon sang ?

— Bobby Battle, quitter sa femme ? Intolérable pour ce tyran. Ç'aurait été un signe d'échec. Or, le grand Bobby Battle n'échouait pas. Jamais !

— Remmy aurait pu divorcer, si elle y avait tenu.

— Il faut croire qu'elle ne le souhaitait pas.

King hésita à poser sa question suivante, mais songea que l'occasion risquait de ne jamais se représenter. En outre, plus Eddie parlerait, plus Sylvia et lui resteraient en vie. Qui sait ? il parviendrait peut-être à le persuader de les épargner.

— Pourquoi n'avez-vous pas tué le garçon, Eddie ? Le petit Tommy Robinson ?

— Je me suis dit qu'il enfoncerait son père, et donc me faciliterait la tâche.

— Allons donc, vous ne pouviez pas en être sûr.

— Je n'avais aucune raison de le tuer. Et alors ? Tu crois qu'avoir épargné un mioche ça fait de moi un enfant de chœur ? Tu as vu comment j'ai massacré Sally. Tu peux me dire en quoi elle avait mérité ça, elle ? Pourtant, je lui ai défoncé la face jusqu'à l'os.

Il baissa les yeux et ralentit un peu.

L'orage s'intensifiait à chaque seconde, même le FasTech peinait à fendre les vagues devenues énormes. Formula fabriquait des bateaux qui comptaient parmi les meilleurs au monde, et King priait pour que la fibre de verre du leur encaisse les assauts des eaux déchaînées. Mais quand bien même l'embarcation tiendrait le choc, ils pouvaient finir brûlés vifs dans l'explosion du réservoir, si un éclair venait à les frapper.

— Et Junior ?

— Lui, ça m'a vraiment fait chier de le tuer... Quelle conne, cette Sally ! Pourquoi est-ce qu'elle n'a pas craché le morceau plus tôt ? Je l'aimais bien, Junior.

— Il refusait qu'elle avoue la vérité. Il voulait épargner sa femme.

— Et voilà, on y revient : il faut toujours dire la vérité. Tous les deux seraient encore vivants s'ils avaient respecté cette règle.

Eddie termina sa bière et jeta la canette sur le pont. Il fit rouler sa tête sur ses épaules pour détendre les muscles épais de son cou.

— Tu as déjà tué, Sean...

— Seulement pour me défendre.

600

— Je le sais bien, je n'essayais pas de nous mettre sur le même plan. Qu'est-ce que tu as ressenti, juste avant de les voir mourir ?

King crut tout d'abord qu'Eddie prenait la discussion à la légère, mais quand il le vit fixer du regard les ténèbres qui se déroulaient devant eux, il comprit ce qu'Eddie lui demandait vraiment.

— J'ai eu l'impression qu'une part de moi mourait avec eux.

— C'est là que nous sommes différents, je crois.

— Ça vous a plu, c'est ça ?

— Non, ce que je veux dire, c'est que j'étais déjà mort quand j'ai commencé à tuer.

Il fléchit les bras et secoua la tête comme pour s'éclaircir les idées.

— Je n'ai pas toujours été ainsi. Je n'aurais jamais fait de mal à une mouche, avant. Je ne suis pas de ceux qui ont commencé par torturer des animaux avant de passer aux êtres humains. Le genre de conneries que Chip Bailey n'arrêtait pas de ressasser.

— Je ne vous ai jamais pris pour un tueur en série ordinaire.

— Ah ouais ?

Eddie sourit.

— Je voulais devenir footballeur en NFL. Je me défendais pas mal, à la fac. J'aurais pu passer pro – enfin, peut-être, peut-être pas. J'étais fort comme un bœuf, je courais vite et j'avais horreur de perdre – ce que je détestais ça, bordel... Mais la vie en a voulu autrement. Tu sais quoi ? T'as raison : je suis né trop tard. Le XIXe siècle m'aurait mieux convenu. Je suis paumé, dans celui-ci.

— Quand avez-vous appris la vérité sur votre frère ?

Eddie porta le regard sur King, puis jeta un coup d'œil vers l'arrière, où Sylvia était remontée sur le bord de la banquette.

— Pourquoi tu me demandes ça ?

— Parce que d'après moi c'est ce qui a tout déclenché.

— Ce serait ma grande excuse ?

— Dans votre situation, la plupart chercheraient à se justifier à tout prix, à se défendre, expliquer qu'ils avaient de bonnes raisons...

— Alors, je ne dois pas être comme tout le monde.

— La syphilis. Quand avez-vous su d'où venaient les problèmes de votre frère ?

Eddie abaissa un peu plus les gaz, et le Fas-Tech descendit à trente nœuds. Cette vitesse restait rapide, mais au moins les hélices ne sortaient plus de l'eau tous les deux cents mètres.

— L'année de mes dix-neuf ans, répondit-il lentement, les yeux toujours braqués au loin comme s'il avançait à l'estime. Ils n'ont jamais su que j'avais compris. Ils m'abreuvaient de mensonges sur les raisons de sa mort. Mais moi, j'ai tout découvert – ça oui... Ils n'allaient pas me faire gober toutes ces conneries. Pas question !

— Vous l'avez su juste avant votre faux enlèvement.

— C'est dingue que j'aie réussi à garder ce secret aussi longtemps. Chip n'a pas dû en revenir.

— C'est le moins qu'on puisse dire.

King jeta un coup d'œil à Sylvia, qui scrutait les eaux noires et tressaillait à chaque éclair et coup de tonnerre. Lui-même sentait son dîner prêt à remonter tant le lac était agité, mais il réprima son envie de vomir.

— En avez-vous discuté avec votre père ?

— Qu'est-ce que tu voulais discuter avec Bobby Battle l'infaillible ? Cet enfoiré ne commettait jamais d'erreur, tu penses bien ! Jamais il n'a admis ce qu'il avait infligé à son fils. Il se tapait toutes les putes qui passaient. Du coup, il a ramené cette merde à la maison, il a tué Bobby, et ça ne lui a fait ni chaud ni froid. Ça ne m'a pas surpris ; il se foutait d'avoir assassiné la chair de sa chair, qui avait le cerveau décomposé, les dents pourries, et les yeux sortant des orbites. Les dernières années de sa vie n'ont été que souffrances – sans aucune période de répit. Comme si on avait barbouillé de térébenthine un beau tableau. Je savais que Bobby habitait toujours ce corps, mais je ne l'y voyais plus.

Eddie cligna des paupières.

— Sa santé se dégradait chaque jour un peu plus. Quand il a commencé à être très malade, je leur ai dit : « Emmenez-le chez le médecin... Bordel, Papa, aide-le ! Je t'en prie ! » Ils n'ont jamais voulu. Ils me répondaient que je n'étais qu'un môme, que je ne comprenais pas. Je peux

603

t'assurer qu'ils se gouraient : un peu que je comprenais ! Mais c'était trop tard pour Bobby...

— Il paraît que votre frère était quelqu'un de formidable, malgré toute la souffrance qu'il a endurée.

Le visage d'Eddie s'illumina.

— T'aurais dû le voir, Sean. C'était le mec le plus gentil que j'aie jamais connu ! Avant que son cerveau se mette à fondre, il en avait dans le crâne, c'était une tête. Il m'apprenait plein de trucs, il m'aidait et s'occupait de moi. C'était mon grand frère, quoi. On aurait fait n'importe quoi l'un pour l'autre. Ce qu'on a pu se marrer, tous les deux !

King vit des larmes couler sur les joues d'Eddie et se mêler à la pluie.

— Ensuite, il est tombé de plus en plus malade. Maman s'est enfin décidée à l'emmener chez des spécialistes – elle ne m'a jamais parlé du diagnostic des médecins, mais l'état de Bobby Jr n'a cessé d'empirer. Il est mort quatre jours après notre dix-huitième anniversaire. Papa était encore parti pour affaires ; Maman a refusé de mettre les pieds dans sa chambre. J'ai tenu mon frère contre moi jusqu'à ce qu'il parte, et je ne l'ai lâché que quand on m'y a forcé.

Après un court silence, il ajouta :

— Bobby, c'est le seul véritable ami que j'aie jamais eu. Le seul dont je suis sûr de l'amour qu'il me portait.

— Vous avez dit que la réaction de votre père ne vous a pas surpris. Quelque chose d'autre vous a étonné ? demanda King, curieux.

— Tu tiens à savoir quoi ? Tu veux vraiment le savoir ?

Aux yeux de King, Battle ressemblait à un petit garçon impatient de partager un secret gardé depuis une éternité.

— Oui, vraiment.

— Que ma mère, malgré sa poigne de fer, n'ait pas levé le petit doigt pour sauver mon frère. Son propre fils, nom de Dieu ! Tu veux bien m'expliquer ça ?

— J'en suis incapable, Eddie. J'ignore ses raisons.

Eddie prit une grande inspiration.

— Bienvenu au club.

Il abaissa un peu plus la manette des gaz.

— Voilà, on est arrivés.

Alors que le FasTech ralentissait, King regarda autour de lui pour tenter de reconnaître les lieux. À cause de l'obscurité il était déboussolé, mais les environs lui paraissaient très familiers.

Eddie sortit de son sac étanche un couteau et le pointa vers King qui, paniqué, eut un mouvement de recul.

— Eddie, c'est une très mauvaise idée. Nous pouvons vous obtenir de l'aide.

— Je suis irrécupérable, Sean, mais c'est gentil quand même.

— Pitié, Eddie, laissez-le ! cria Sylvia du fond du bateau.

Eddie la fixa du regard, se fendit soudain d'un sourire carnassier et lui fit signe d'approcher. Voyant qu'elle ne bougeait pas, il la menaça de son pistolet.

— La prochaine, tu te la prends en pleine tête, toubib. Ramène-toi par ici.

Tremblante de peur, elle avança d'un pas hésitant. Il coupa ses liens, la poussa dans l'escalier de la cabine avant et l'enferma. Puis il glissa sa lame sous le fil qui entravait les chevilles de King et le trancha d'un coup sec.

— Retourne à l'arrière, Sean.

Il lui enfonça son pistolet dans le dos pour le faire obéir.

— Qu'est-ce que vous fabriquez, Eddie ?

— Je reviens au point de départ, mon pote, au point de départ. Allez, grimpe sur le plat-bord et retourne-toi.

— Vous allez m'abattre ici ou dans l'eau ?

En guise de réponse, Eddie lui libéra les mains. King le regarda d'un air méfiant.

— Je ne vous suis pas, Eddie.

— Non, en effet, vous n'allez me suivre nulle part.

D'un mouvement brusque, Eddie lui donna un grand coup d'avant-bras dans la poitrine. King tomba à la renverse et s'enfonça dans l'eau tête la première. Eddie regagna le cockpit à toute vitesse, mit les gaz à fond, et le FasTech repartit en trombe avant que King ait eu le temps de remonter à la surface.

Lorsqu'il la regagna, le bateau opérait un demi-tour dans sa direction.

King tenta de fuir. Pourquoi cet enfoiré ne s'était-il pas contenté de le descendre ? Pourquoi lancer le FasTech contre lui ? Alors que la machine lui fonçait dessus, King sentait presque les immenses hélices s'enfoncer dans sa chair et rougir de son sang l'eau du lac.

Au dernier moment, le bateau vira et le dépassa. Eddie lui cria :

— Merci de m'avoir interrogé sur mon frère, Sean. Ça t'a sauvé la vie. Tâche de bien en profiter.

L'embarcation s'éloigna en rugissant, se transformant vite en petite tache avant de disparaître dans la nuit.

King hurla : « Sylvia ! Sylvia ! », mais c'était peine perdue.

Il se retourna, parcourut du regard les environs, et il comprit pourquoi les lieux lui paraissaient si familiers. Le ponton qu'il avait devant les yeux était le sien. Il se trouvait dans sa crique à lui ! Son bateau était amarré juste là, dans sa cale.

Hélas, le FasTech était déjà loin. Comment pourrait-il les retrouver à temps ?

Puis il eut un déclic. « Le point de départ. Il revient au point de départ ! »

King nagea de toutes ses forces jusqu'à son embarcadère.

97

À bord du *Sea-Ray*, Michelle fendait l'obscurité en direction de chez Sylvia. Williams vint auprès d'elle.

— La communication a été coupée, annonça-t-il d'un air abattu.

— Sans doute à cause de l'orage.

— Sans doute, oui.

Elle regarda le ciel.

— Je ne vois aucun hélico.

— Bon sang, Michelle, avec ce temps-là ? Qu'est-ce que vous croyez ? On ne peut pas risquer des vies comme ça.

— Et pourquoi pas ? J'ai bien passé neuf ans de mon existence à le faire au sein du Secret Service !

— Allons, nous faisons déjà le maxi...

— C'était quoi ? l'interrompit-elle soudain.

— De quoi ?

— Le téléphone ! s'écria-t-elle. Mon téléphone, où est-il ?

— À l'arrière, sur la banquette.

— Prenez la barre !

Elle s'empara du portable d'un coup sec et décrocha. Son cœur fit un bond quand sa voix lui parvint :

— Michelle, tu as réussi à entendre ce qui se passait ?

— Oui, Todd et moi avons trouvé un bateau, nous nous dirigeons vers la maison de Sylvia. Nous avons prévenu tout le monde.

— Écoute-moi : Eddie la retient toujours. Il se rend à la crique où on a découvert le premier corps. Tu sais où c'est ?

— Oui.

— Je prends mon bateau et j'y fonce.

Le portable collé à l'oreille, Michelle retourna au cockpit en courant, puis elle saisit le gouvernail à pleines mains et fit prendre au *Sea-Ray* un virage si étourdissant que le pont se retrouva presque perpendiculaire à la surface. Williams chuta de nouveau.

— Je suis en route. Donne-moi dix minutes. Nous allons envoyer tous les autres là-bas. Ah, au fait, Sean...

— Ouais ?

— ... merci d'être en vie.

Eddie se dirigea droit vers la frange d'argile rouge qui émergeait de l'anse, coupa les gaz et fit échouer le FasTech. Il ouvrit la porte de la cabine.

— Allez, toubib, en avant.

C'est alors qu'il reçut de plein fouet un jet de mousse carbonique. Il recula en titubant et prit un coup d'extincteur sur la tête. Aveuglé, il porta les mains à sa figure et tomba à genoux. Néanmoins, lorsque Sylvia passa à côté de lui en courant, il n'eut qu'à tendre le bras pour la faire trébucher.

— Lâche-moi, espèce d'enfoiré, lâche-moi, je te dis ! hurla-t-elle.

Eddie s'essuya le visage d'une main – ses yeux le brûlaient comme si on l'avait aspergé de vitriol. Il attrapa Sylvia par le col de son chemisier, la souleva du sol et la projeta sur l'argile compacte, où elle atterrit en produisant un bruit sourd avant de demeurer immobile.

Il ouvrit ensuite un petit coffre et en sortit une hache à manche court, puis sauta à terre. Il s'éloigna un peu du rivage et plongea la tête sous l'eau pour se débarrasser de la saloperie dont elle l'avait arrosé. Après quoi, il se redressa, observa le lac et l'éclair qui s'abattait au loin, respira à fond et retourna près de Sylvia.

— Debout.

Elle ne réagit pas.

— Debout, j'ai dit !

Il appuya son ordre en lui enfonçant le pied dans les côtes.

— Je crois que j'ai le bras cassé, gémit-elle.

— Lequel ?

— Le gauche.

Il se baissa et l'attrapa par ce même bras pour la relever, lui arrachant un hurlement de douleur.

— Putain, tu veux me tuer ou quoi ?

— Eh oui, justement.

Il l'entraîna vers les bois.

Sur son bateau à turbine, King filait à toute allure. Il jeta un coup d'œil derrière lui et aperçut des phares qui scintillaient à cinq cents

610

mètres environ. Il enfonça la touche « Appel »
de son portable – lequel, par miracle, avait sur-
vécu à son plongeon.

— C'est vous, derrière moi ? s'enquit-il.

— On te rattrape à fond les manettes,
répondit Michelle.

King ralentit pour mieux manœuvrer dans
l'anse étroite. Dès qu'il vit le FasTech, il éteignit
ses feux.

— On dirait qu'ils ont quitté le bateau,
annonça-t-il dans le téléphone.

Le yacht de Michelle apparut à l'entrée de la
crique. À son tour, elle coupa moteur et lumières,
puis accosta dans les eaux peu profondes à côté
du bateau à turbine.

— Tu es armé ?

Il lui montra son pistolet.

— Je suis passé chez moi avant de repartir.

Michelle et Todd prirent des torches électriques dans la cabine du *Sea-Ray*, et tous trois
gagnèrent le rivage, armes braquées sur le Fas-
Tech au cas où Eddie s'y serait embusqué.

En se couvrant les uns les autres, ils fouillèrent
le bateau, mais ne trouvèrent rien d'autre qu'un
extincteur usagé.

Ils pénétrèrent dans les bois.

— Séparons-nous, dit King, mais restons en
contact visuel. Pas de lampes, pour l'instant. On
offrirait de trop belles cibles.

Un éclair s'abattit sur la colline voisine avec
une telle violence que la terre parut trembler.

— Si l'orage ne nous fauche pas en premier...,
bougonna Williams.

Ils se frayèrent un chemin jusqu'au faîte du mamelon et examinèrent les environs.

— À deux cents mètres à droite, c'est là qu'on a découvert le premier corps, si mes souvenirs sont exacts, chuchota King.

— C'est à peu près ça, confirma Michelle.

— Allons-y en douceur, recommanda Williams. Ce cinglé est complètement imprévisible. Je n'ai pas envie de finir comme Chip...

Le hurlement de Sylvia leur fit l'effet d'un uppercut au ventre.

King dévala la pente en courant, suivi de près par Michelle, alors que Williams peinait derrière eux en râlant.

98

— Pitié, ne faites pas ça !

Eddie enfonçait son genou dans le dos de Sylvia pour la maintenir agenouillée, la tête plaquée sur une souche pourrie.

— Je vous en prie, gémit-elle encore une fois. Pour l'amour du Ciel !

— Ta gueule !

— Pourquoi faites-vous ça ? Hein, pourquoi ?

Il fourra son pistolet dans la ceinture à outils qu'il avait passée sur le bateau, sortit de sa combinaison une cagoule noire et l'enfila. Il ne s'agissait pas de celle frappée d'un réticule – la police la lui avait confisquée lors de son arres-

612

tation –, mais celle-ci ferait tout de même l'affaire pour cette exécution au débotté.

Il brandit sa hache d'une seule main.

— Une dernière parole ?

Sous l'effet de la douleur et de la peur, Sylvia était à deux doigts de perdre connaissance. Elle se mit à murmurer.

Eddie s'esclaffa.

— T'es en train de prier ? Putain ! Bon, ton temps de parole est écoulé.

Il leva la hache au-dessus de sa tête. Avant qu'il ait eu l'occasion de l'abattre, le manche vola en éclats.

— En plein dans le mille, Maxwell, grommela Williams alors qu'ils fonçaient vers eux.

S'ils s'imaginaient qu'Eddie jetterait l'éponge sans combattre, ils s'aperçurent vite que ce ne serait pas le cas.

Il bondit sur le côté, assez loin pour atteindre une pente très inclinée qu'il dévala en roulant puis en glissant. Arrivé en bas, il se releva en un rien de temps et s'enfuit.

King se précipita vers Sylvia et la prit dans ses bras.

— Ça va, murmura-t-il. Tout va bien.

Du coin de l'œil, il décela un mouvement rapide.

— Michelle ! cria-t-il aussitôt. N'y va pas !

Mais elle passa la crête et roula à son tour jusqu'au pied de la butte. Tout aussi vite qu'Eddie, elle se remit debout et le prit en chasse.

— Et merde ! s'exclama King.

Il confia Sylvia à Williams et se lança aux trousses de son associée. Cependant, il ne savait où aller que lorsqu'un éclair illuminait l'obscurité absolue, ou que des bruits de pas lui parvenaient devant lui.

— Qu'est-ce qui te prend ? lança-t-il à Michelle, tout en sachant qu'elle ne l'entendrait pas.

Après une heure en compagnie d'Eddie Battle, il n'avait aucune envie de l'approcher de nouveau, à moins qu'il ne soit derrière des barreaux, entouré par une douzaine de gardiens – et encore...

Il s'arrêta soudain, car devant lui on avait cessé de courir.

— Michelle ? fit-il d'une voix étouffée. Michelle, tu es là ?

Il empoigna son pistolet et balaya les environs de son bras armé, tout en jetant régulièrement des coups d'œil derrière lui, au cas où Eddie l'aurait contourné pour le surprendre.

Un peu plus en avant, Michelle fixait des broussailles avec intensité. De temps à autre, elle baissait les yeux pour voir si le minuscule point rouge dansait sur elle. Elle glissa le canon de son arme par un petit jour dans le buisson de houx sauvage derrière lequel elle se cachait, et en écarta les branches en douceur. Il y eut un léger mouvement sur sa droite, mais ce n'était qu'un écureuil.

Un bruit dans son dos lui fit faire volte-face.

— Michelle ?

C'était King, qui se trouvait à cinq mètres environ. Il avait pris un chemin différent, et un mur de ronces le séparait d'elle.

— Reste où tu es, dit-elle entre ses dents. Il s'est arrêté juste un peu plus loin.

Elle reprit position et attendit. Un seul éclair – c'est tout ce qu'il lui fallait. Elle contourna le buisson, revint un peu sur ses pas, puis décrivit un demi-cercle dans l'espoir de prendre Eddie par surprise.

Enfin la foudre ! Lorsqu'elle entendit le bruit sur sa droite, elle pivota et fit feu dans un seul mouvement. Il y eut une explosion juste devant elle, une fulguration incandescente, pendant une fraction de seconde.

Elle ne pouvait le savoir, mais Eddie, qui avait lui aussi décidé de la contourner, avait tiré au même instant qu'elle. Ce qui n'avait sans doute qu'une chance sur un milliard de se produire était arrivé : les deux balles s'étaient percutées, d'où la gigantesque étincelle.

Eddie se jeta à la taille de Michelle avec une telle violence qu'elle cracha tout l'air de ses poumons avant d'atteindre le sol presque tête la première. Un plaquage exemplaire. Boue, feuilles mortes et brindilles s'enfoncèrent si loin dans sa bouche qu'elle parvenait à peine à respirer. Elle se contorsionna et tenta de lui donner un coup de pied, mais il la maintenait collée à terre. Il possédait vraiment une force incroyable et pesait plus de cent kilos. Elle n'avait pas plus de chance de se libérer de sa poigne de fer qu'un enfant d'échapper à celle de son père.

« Quelle merde ! » Elle rejeta ce qu'elle avait dans la bouche. Si seulement elle parvenait à le repousser un peu, elle lui assenerait des coups destructeurs qui lui donneraient peut-être une chance... Hélas, il était trop fort, point final.

Elle le sentit passer une main sous sa gorge alors que de l'autre il lui bloquait toujours les bras. Elle tenta une dernière fois de se débattre, en vain. Elle voulut crier, mais n'y parvint pas davantage. Sa vue se troubla. Sa tête lui paraissait lourde, ses membres se mirent à convulser.

« Alors ça y est, cette fois c'est la fin ? »

Mais soudain la pression se relâcha. Le poids qui pesait sur elle disparut. Elle était libre... Michelle eut alors la certitude qu'elle venait de mourir. Elle se retourna dans l'idée de voir le visage d'Eddie baissé vers elle, un sourire de satisfaction aux lèvres.

Pourtant, ce n'était pas elle qu'il regardait. Elle se redressa, s'éloigna de lui en rampant, puis aperçut ce qui captait son attention.

King était là – les vêtements en lambeaux, le visage et les mains ensanglantés, pour s'être frayé un chemin à travers les ronces –, mais braquant son pistolet droit sur Eddie, qui reculait un peu.

— Je ne l'aurais pas tuée, Sean.

King tremblait de fureur.

— Ouais, mon cul !

Les paumes en avant, Eddie continuait de reculer.

— Un pas de plus, et je t'en colle une entre les deux yeux, Eddie.

Eddie s'arrêta, mais commença à baisser les mains.

— Laisse-les là-haut, Eddie.

Michelle se remit debout et chercha son arme.

— Allez, Sean, bute-moi, qu'on n'en parle plus, lança Eddie d'un ton las. Ça économisera de l'argent à l'État, ils n'auront pas à m'entretenir dans le couloir de la mort.

— Ce n'est pas comme ça qu'on procède.

— Vas-y, Sean. J'ai perdu, mon pote. Il me reste plus rien.

— Tu t'en sortiras. N'aie crainte.

— Tu crois ?

— En fait, je te parie que...

— Laisse tomber, t'es...

Au lieu de terminer sa phrase, Eddie bondit tout en passant la main dans son dos pour dégainer son pistolet.

Michelle cria.

Le coup de feu partit.

King s'avança jusqu'à Eddie, qui gisait à terre. D'un coup de pied, il chassa son pistolet. Puis il observa le sang qui coulait de l'épaule transpercée par la balle qu'il venait de tirer.

— C'est moi qui ai gagné le pari, ce coup-ci, Eddie.

Ce dernier se fendit d'un sourire blafard.

— Un cran de décalage, mon pote. Rien qu'un cran.

99

Eddie Battle plaida coupable pour chacun des meurtres. Comme il s'était montré très coopératif en répondant à toutes les questions des enquêteurs, et parce que des doutes subsistaient quant à sa santé mentale, ses avocats réussirent à négocier un arrangement selon lequel il échapperait à l'injection mortelle mais écoperait de la prison à perpétuité sans possibilité de sursis. Cette décision provoqua aussitôt l'indignation de toutes parts. Les partisans de la peine capitale défilèrent dans les rues de Wrightsburg. On exigea la destitution du gouverneur, ainsi que des procureurs et du juge chargés de l'affaire. La famille Battle – du moins ce qu'il en restait – croulait sous les menaces de mort. On prédisait qu'Eddie, quel que soit le quartier haute sécurité où on l'incarcérerait, ne survivrait pas un mois.

King n'avait pas suivi grand-chose de ces événements. Après avoir ouvert le feu, il avait aidé à porter Eddie et Sylvia jusqu'aux bateaux, sur lesquels on les avait ensuite emmenés à l'hôpital. Tous les deux s'étaient parfaitement rétablis, même si King doutait que Sylvia se remette un jour de cette expérience traumatisante.

« Bon sang, ce n'est même pas sûr que moi je m'en remette », songea-t-il.

Il avait ensuite passé beaucoup de temps sur le lac, répétant en plein jour le trajet qu'il avait parcouru lors de cette terrible nuit. Même s'ils en avaient reparlé, Michelle et lui évitaient en général d'aborder le sujet. Cette aventure s'était déjà révélée assez éprouvante comme ça. Néanmoins, Michelle n'avait pas tari de remerciements envers King, qui lui avait sauvé la vie.

Chaque fois qu'elle repensait à sa lutte contre Battle, l'incrédulité la gagnait.

— Je ne m'étais jamais sentie aussi impuissante, Sean, lui avait-elle avoué. Je n'avais jamais été confrontée à un homme aussi fort. On l'aurait cru possédé par une puissance surnaturelle.

— Je pense que c'était le cas, avait-il répondu.

Quelques jours plus tard, assis à son bureau, King s'interrogeait sur le sens des dernières paroles qu'Eddie avait prononcées cette nuit-là : « Un cran de décalage, mon pote. »

Ces six mots tambourinaient dans sa tête, et il ne parvenait pas à les en chasser. Il finit par se lever et se rendit chez les Battle. Remmy était là, lui annonça Mason.

— Quelqu'un part en voyage ? demanda King en remarquant plusieurs bagages empilés dans le vestibule.

— Savannah a trouvé un travail à l'étranger. Elle prend l'avion aujourd'hui.

« Quelle chance pour elle ! » pensa King alors que Mason le précédait dans le couloir.

Remmy n'était plus que l'ombre d'elle-même. Elle sirotait une tasse de café. King aurait mis sa main à couper qu'elle contenait neuf dixièmes de bourbon.

— J'ai appris que Savannah quitte la maison, déclara-t-il une fois Mason parti.

— Oui, mais elle m'a dit qu'elle reviendrait peut-être pour Noël, répondit Remmy d'un ton plein d'espoir.

« Pas sûr », pensa King.

— Dorothea est sortie de cure de désintoxication ?

— Oui. Elle est rentrée chez elle. Je vais l'aider à résoudre ses problèmes financiers.

— Tant mieux. Il n'y a pas de raison de ne pas partager sa richesse. Et puis, elle fait partie de la famille... La police ne la considère plus comme suspecte dans le meurtre de Kyle ?

— Je ne pense pas. D'un autre côté, je doute qu'ils réussissent à résoudre un jour ce meurtre.

— On ne sait jamais.

Ni l'un ni l'autre ne mentionna Eddie. À quoi bon ?

Pressé de s'en aller, King décida d'en venir au fait.

— Remmy, si je suis ici, c'est pour vous poser une question... à propos d'un de vos anciens employés, Billy Edwards.

Elle le dévisagea.

— Le mécanicien ?

— Voilà.

— Que voulez-vous savoir ?

— La date exacte de son départ.

— Ce sera marqué sur les doubles des fiches de paie.

— C'est bien ce que j'espérais entendre, répondit-il en la regardant avec l'air d'attendre.

— Vous les voulez maintenant ?

— Tout de suite, oui.

Lorsqu'il les eut en main, il fit quelques pas vers la porte mais s'arrêta. Se retournant, il fixa du regard Remington Battle, tirée à quatre épingles, assise dans un magnifique fauteuil ancien, véritable incarnation de la grande aristocrate du Sud.

Elle releva la tête vers lui.

— Autre chose ? s'enquit-elle d'un ton froid.

— Est-ce que ça en valait la peine ?

— De quoi parlez-vous ?

— D'être la femme de Bobby Battle ? Est-ce que ça valait la perte de vos deux fils ?

— Comment osez-vous ! Vous rendez-vous compte de l'enfer que j'ai connu ?

— C'est vrai que pour moi ç'a été une promenade de santé. Et si vous essayiez de me répondre ?

— Pourquoi le ferais-je ?

— Considérez cela comme un geste courtois de la part d'une dame digne et raffinée.

— Vos sarcasmes ne m'atteignent pas.

— Dans ce cas, je vais me montrer plus direct : Bobby Jr était votre enfant, comment avez-vous pu le laisser mourir ?

— Ça n'a rien à voir ! répondit-elle en haussant le ton. Vous croyez que c'était un choix binaire ? Vous croyez que je n'aimais pas mon fils ?

— Parler, c'est facile ; c'est agir qui est difficile, Remmy. Comme tenir tête à votre mari, par exemple. Lui dire que vous vous foutiez de savoir comment il avait attrapé la syphilis, mais que votre fils allait être soigné quoi qu'il en soit. Même à l'époque, cette maladie était facile à diagnostiquer. Un simple traitement de pénicilline et il y a fort à parier que vos fils feraient encore tous les deux partie de votre vie. N'y avez-vous jamais songé ?

Remmy parut vouloir répondre, mais elle se tut. Elle posa sa tasse et serra les mains sur ses genoux.

— Je n'étais peut-être pas aussi forte à l'époque qu'aujourd'hui, articula-t-elle, les larmes aux yeux. Mais j'ai fini par prendre la bonne décision : j'ai emmené Bobby Jr chez toutes sortes de spécialistes.

— Trop tard, hélas.

— Oui, fit Remmy à voix basse. Ensuite, il y a eu le cancer. Il n'avait pas la force de le combattre.

Elle essuya ses larmes, fit mine de reprendre sa tasse, mais s'arrêta et planta son regard dans le sien.

— Tout le monde doit faire des choix, dans la vie, Sean.

— ... et beaucoup font les mauvais.

Remmy sembla sur le point de décocher une réplique acerbe, mais King l'arrêta net en brandissant une photo qu'il avait prise sur l'étagère. On y voyait Eddie et Bobby Jr enfants. Elle plaqua soudain la main sur sa bouche, comme pour étouffer un sanglot, mais les larmes se remirent à couler sur ses joues.

— Bobby était très différent, quand nous nous sommes mariés. Peut-être est-ce à cet homme-là que je m'accrochais, en espérant qu'il reviendrait.

King reposa la photo.

— À mon avis, un homme qui laisse son fils mourir sans lever le petit doigt ne mérite pas qu'on l'attende.

Il s'en alla sans se retourner.

Dehors, un chauffeur chargeait les bagages de Savannah dans le coffre d'une berline noire. La jeune femme, déjà assise à l'intérieur, descendit de la voiture pour venir à la rencontre de King.

— Je voulais vous voir avant de partir, déclara-t-elle. J'ai entendu une partie de votre discussion avec ma mère... Je n'écoutais pas aux portes, je ne faisais que passer par là.

— Honnêtement, je ne sais si je dois ressentir de la pitié ou du mépris pour elle.

Elle fixa du regard la demeure.

— Maman a toujours voulu être à la tête de cette grande famille du Sud. Fonder une sorte de dynastie, quoi.

— Plutôt raté.

Savannah le dévisagea.

— C'est là tout le problème... À mon avis, elle s'était persuadée qu'elle avait réussi. Elle détestait mon père en secret, mais l'idolâtrait en public. Elle adorait ses fils, mais a préféré les sacrifier pour sauver son mariage. C'est absurde. Quoi qu'il en soit, je me tire. Je vais passer les dix prochaines années à essayer de comprendre, mais au moins je le ferai de loin.

Ils se donnèrent une accolade, puis King lui ouvrit la portière.

— Bonne chance, Savannah.

— Au fait, Sean, remerciez Michelle de ma part pour toute son aide.

— Je n'y manquerai pas.

— Dites-lui aussi que j'ai suivi son conseil... pour le tatouage.

King la regarda d'un air intrigué, mais ne posa pas de questions. Alors que la voiture s'éloignait, il lui fit un signe de la main.

Il se rendit ensuite aux locaux de la *Wrightsburg Gazette* et s'installa sans le savoir au même passe-vues qu'Eddie.

Il parcourut en vitesse la bobine de vieux numéros jusqu'à la date voulue, celle à laquelle on avait renvoyé Edwards. Il ne trouva pas ce qu'il cherchait. Puis il songea que l'événement avait pu survenir trop tard dans la journée pour figurer dans l'édition du lendemain. Il avança donc au jour suivant et n'eut pas à chercher beaucoup : la nouvelle apparaissait en première page. Il lut l'article attentivement, se renversa dans son siège et finit par poser la tête sur la table lorsque son esprit se mit à vagabonder dans les sphères de l'inconcevable.

En se redressant, ses yeux se posèrent sur le mur où Eddie avait laissé une inscription. On avait eu beau le lessiver, il subsistait des traces.

Quelques jours plus tôt, il avait tenté diverses variations sur ces lettres : *tent, test, text...* Rien ne semblait fonctionner. Pourtant, il était convaincu qu'Eddie n'aurait pas inscrit ce mot s'il n'était pas important.

King sortit de sa poche le disque de codage et se mit à le manipuler. Sans trop savoir pourquoi, il avait pris l'habitude de l'emporter partout avec lui. On avait jadis constaté que l'analyse de fréquence pouvait permettre de déchiffrer un message codé à condition qu'il soit assez long. Certaines lettres de l'alphabet apparaissent plus fréquemment que d'autres, et celle que l'on retrouve de loin le plus souvent est le *e*. Cette découverte avait permis à ceux qui brisaient les codes de l'emporter pendant longtemps sur leurs concepteurs, jusqu'à ce que ces derniers reprennent la main des siècles plus tard.

King fit pivoter la plaque la plus large du disque pour que le *e* s'aligne sur le *a*. Un cran de décalage. Il regarda le mur, et remplaça dans sa tête le *a* par le *e*.

Ça ne correspondait à rien non plus. Un *teet*, qu'est-ce que c'était ? Sans trop y croire, il retourna à son bureau de l'agence King et Maxwell, se connecta à un moteur de recherche sur Internet, tapa le mot *teet* et, tant qu'il y était, le mot *crime*. Alors qu'il s'attendait à n'obtenir aucun résultat, une longue liste s'afficha. « Sans doute rien de pertinent », se dit-il. Pourtant, en regardant le premier lien proposé, il se redressa d'un coup.

— Oh, bordel !

Il lut toute la page Web puis se renversa dans son fauteuil en se passant la main sur le front – humide de sueur, comme le reste de son corps.

— Bordel de merde !

Il se mit lentement debout. Par chance, Michelle était sortie. Il n'aurait pu la regarder en face, à cet instant.

Il lui fallait procéder à quelques vérifications, afin d'en avoir la certitude. Mais ensuite, il ne pourrait plus reculer. Et ce serait une des choses les plus pénibles qui lui auraient jamais été donné de faire.

100

Deux jours plus tard, King se gara sur le parking et descendit de voiture. Il pénétra dans le bâtiment, demanda Sylvia, et on lui indiqua l'entrée de son cabinet.

À sa vue, elle sourit puis vint lui donner une accolade malgré son bras en écharpe.

— Alors, tu recommences à te sentir un peu humain ? demanda-t-elle.

— Ça revient, répondit-il d'un ton posé. Ton bras, ça va ?

— Presque comme neuf.

Elle se percha sur le coin de son bureau, et lui s'assit en face d'elle.

— Ça fait un bout de temps que je n'ai pas eu de tes nouvelles.

— J'ai été comme qui dirait plutôt occupé.

— J'ai des billets pour aller voir une pièce à Washington, samedi prochain. Tu me trouverais effrontée si je te proposais de m'accompagner ? Chambres d'hôtel séparées, bien sûr. Tu n'auras rien à craindre.

King fixa des yeux le portemanteau près de la porte. La veste et le chandail Sylvia y étaient suspendus de façon méticuleuse, et ses chaussures rangées à son pied.

— Ça ne va pas, Sean ?

Il reporta son regard sur elle.

— Pourquoi Eddie s'en est-il pris à nous, d'après toi ?

L'attitude de Sylvia changea sur-le-champ.

— C'est un fou ! On l'avait arrêté grâce à nous – enfin, grâce à toi, plutôt. Du coup, il te haïssait.

— Pourtant, il m'a relâché, alors que toi il t'a gardée. Il t'a plaqué la tête sur une souche et s'apprêtait à te la trancher. Comme un bourreau.

Elle fit une grimace de colère.

— Sean, ce type avait déjà tué neuf personnes, pour la plupart choisies au hasard.

Il sortit de sa poche un morceau de papier et le lui tendit. Elle reprit place dans son fauteuil et le lut lentement.

— C'est l'article sur la mort de mon mari.

— Il a été victime d'un chauffard qui a pris la fuite. L'affaire n'a jamais été résolue.

— Tu crois que je ne suis pas au courant ? répliqua-t-elle d'un ton froid en faisant glisser le document sur la table pour le lui rendre. Où veux-tu en venir ?

— Le soir où George Diaz a trouvé la mort, la Rolls-Royce de Bobby Battle a subi des dégâts. Le lendemain, cette voiture avait disparu, ainsi que le mécanicien qui s'occupait de la collection de Battle.

— C'est ce mécanicien qui aurait assassiné mon mari, d'après toi ?

— Non, c'est Bobby Battle.

Elle le regarda, abasourdie.

— Hein ? Pourquoi aurait-il fait ça ?

— Pour te venger. Pour venger la femme qu'il aimait.

Plantant les doigts dans son bureau, Sylvia se redressa brusquement.

— Qu'est-ce que tu racontes, Sean ?

King changea d'attitude. Il se pencha vers elle.

— Rassieds-toi, Sylvia. Je suis loin d'avoir terminé.

— Je...

— Assieds-toi !

Sans le quitter du regard une seconde, elle obtempéra.

— Tu m'as dit un jour que tu avais croisé Lulu Oxley chez le gynécologue. Tu as aussi insinué qu'elle avait changé de médecin, mais ça n'a jamais été le cas. C'est toi qui en as changé.

— Et alors ? C'est un crime ?

— J'y viens. Ton ancienne gynéco m'a donné le nom de la nouvelle, à qui j'ai rendu visite. Elle a son cabinet à Washington. Pourquoi vas-tu aussi loin, Sylvia ?

— Ce ne sont pas tes oignons.

— Quand tu as été opérée, il y a trois ans et demi, c'est ton mari qui a pratiqué l'intervention. Il était le meilleur, d'après toi. Le problème, c'est qu'en t'incisant il avait d'autres projets. J'ai découvert en discutant avec un ami chirurgien que l'opération pour soigner une rupture de diverticule est une des seules qui permettent au médecin d'effectuer un petit « extra » dans la zone pelvienne sans grand risque qu'un de ses assistants s'en aperçoive.

— Viens-en au fait, s'il te plaît ! s'exclama-t-elle.

— Je sais tout, Sylvia.

— Tout quoi ? rétorqua-t-elle d'un ton hargneux.

— Que tu as subi une ligature des trompes à ton insu.

Il y eut un long silence.

— Tu racontes n'importe...

King lui coupa la parole.

— George Diaz est bien intervenu pour soigner ton côlon, mais en même temps il t'a occlus les trompes de Fallope. Et ce n'était pas un accident. Tu ne pouvais plus retourner chez ta gynécologue habituelle : comment lui expliquer la présence de ces agrafes ? Tu en as donc consulté une nouvelle, sans doute en lui présentant un dossier médical falsifié, et elle te les a retirées. Je lui ai sorti une histoire bidon sur les problèmes de trompes de Fallope de ma femme imaginaire. J'ai prétendu que tu nous l'avais recommandée, car tu étais très satisfaite de son travail. À cause du devoir de confidentialité, elle n'a pas pu m'en dire très long, mais m'en a appris suffisamment pour confirmer mes soupçons. Les dégâts étaient irrémédiables, n'est-ce pas ? Tu es devenue stérile.

— Espèce de salaud, comment oses-tu...

King l'interrompit de nouveau.

— Ton mari avait découvert ta liaison avec Bobby. Comme des centaines d'autres avant toi, tu t'es laissé séduire par ce vieil homme, et George s'est vengé de ton infidélité. Mais, ensuite, tu as pris ta revanche.

Il saisit la photo de George Diaz posée sur le bureau et la coucha.

— Ce n'est plus la peine de jouer la pauvre veuve éplorée devant moi.

— J'étais clouée dans un lit d'hôpital, quand George est mort !

— C'est juste, mais je parie que ton mari t'a mise au courant de son acte. Il voulait que tu saches comment il t'avait fait payer ta trahison. Alors, tu as appelé Bobby pour tout lui raconter. Il a pris sa Rolls, s'est rendu chez toi, a vu Diaz sortir, et tu connais la suite. Au début, je croyais que c'était à la femme de Roger Canney que Bobby avait fait quitter la route, car elle est morte à peu près au même moment que George. Mais elle s'est tuée dans un véritable accident... Ton mari, en revanche, a été assassiné.

— Ce ne sont que des conjectures. Et même si tout s'est déroulé comme tu le dis, moi je n'ai rien fait de mal. Rien du tout !

— Tu t'y es mise plus tard : quand tu as tué Bobby en injectant une dose mortelle de chlorure de potassium dans sa poche de perfusion.

— Sors de mon bureau !

— Je m'en irai quand j'aurai terminé, répliqua-t-il d'un ton sec.

— Tu prétends d'abord que j'étais sa maîtresse, et ensuite son assassin. Qu'est-ce qui aurait pu me pousser à le tuer ?

— La peur qu'on découvre votre liaison, répondit simplement King. Le jour même de sa mort, nous t'avons croisée chez Diane Hinson. Michelle t'a dit que Bobby était conscient mais qu'il divaguait : il criait des noms, lançait des phrases incohérentes. Tu as eu la trouille qu'il prononce ton prénom et parle de votre relation. Si ça se trouve, il t'avait déjà délaissée. Tu ne lui devais peut-être plus rien, je n'en sais trop rien... En revanche, ce dont je suis convaincu, c'est que tu l'as supprimé. Rien de plus facile, pour un médecin : tu connaissais bien le fonctionnement de l'hôpital. Tu as piqué le sac et pas le tube, et laissé la montre et la plume pour qu'on mette le meurtre sur le dos de l'autre assassin. Tu t'es empressée d'appuyer mon hypothèse selon laquelle le meurtrier de Bobby était un des Battle... Pourtant, tu as commis une erreur : tu n'as rien emporté avec toi en repartant de la chambre. Les vols commis sur les autres victimes, comme la médaille de saint Christophe par

631

exemple, n'ont été révélés ni au public ni à toi. Tu ignorais donc qu'il fallait reproduire ce détail aussi.

Sylvia afficha un air navré.

— Tu es fou... Aussi cinglé qu'Eddie, tu sais ? Dire que j'avais hâte qu'on reprenne notre relation, tous les deux !

— Ouais, moi aussi. Il faut croire que j'ai une sacrée chance.

Le visage de Sylvia se tordit soudain en une grimace hideuse.

— Bon, tu as dit ce que tu avais à dire ; alors dégage, maintenant. Et si tu répètes un seul mot de tout ça, je te colle un procès pour diffamation.

— Je n'ai pas encore fini, Sylvia.

— Ah bon, je vais devoir entendre d'autres inepties ?

— Beaucoup d'autres : c'est aussi toi qui as cambriolé les Battle...

— Tu n'en as pas marre ?

— Bobby t'avait sans doute donné le code d'accès et une clé. Junior avait travaillé pour toi, tu nous l'as dit. Tu n'as eu aucun mal à te procurer de quoi lui faire porter le chapeau. Et qui est mieux placé qu'une légiste pour fabriquer des empreintes ? J'ignore comment tu t'y es prise, mais je sais que pour quelqu'un de très expérimenté c'est possible.

— Pourquoi les aurais-je cambriolés ? Que veux-tu que je fasse de l'alliance de Remmy ?

— La bague, tu t'en fichais ! C'est autre chose qui t'intéressait. Battle était dans le coma et tu craignais que Remmy connaisse l'existence de son compartiment secret. Alors, même si tu n'étais pas sûre d'y trouver ce que tu cherchais, il fallait que tu essaies. Par ailleurs, tu savais où était dissimulé le tiroir, mais tu ignorais comment l'ouvrir, tu as donc dû le forcer ; et comme on allait à tous les coups s'en apercevoir, tu as également forcé celui de Remmy pour faire croire à un cambriolage classique. Enfin, si tu avais dû apprendre de la bouche de Bobby que Remmy possédait elle aussi un compartiment secret, tu as dû tout mettre sens dessus dessous parce qu'il n'en connaissait pas l'emplacement exact.

— Et qu'est-ce que je suis censée avoir volé ?

— Une photo de Bobby et toi – une partie de l'inscription sur le papier Kodak a déteint sur le fond du tiroir. Bobby t'avait sans doute dit qu'il la gardait là... Bref, il fallait que tu la récupères, parce que s'il mourait et qu'on découvrait le cliché, ça jetterait une lumière nouvelle sur la mort de ton mari. Tu n'en étais pas responsable, mais personne ne le croirait. Et puis, ça t'a peut-être amusée de récupérer l'alliance de Remmy. Ça t'est arrivé de la porter, chez toi, à l'abri des regards ?

— Bon, ça suffit ! Dehors ! Tout de suite !

King ne bougea pas d'un pouce.

— Tu étais obligée de tuer Kyle ? Il essayait de te faire chanter ou quoi ?

— Je ne l'ai pas tué. C'est lui qui me volait !

King jeta un coup d'œil en direction du porte-manteau.

— Le soir où on a assassiné Battle, tu pratiquais l'autopsie de Hinson. Tu m'as raconté que Kyle était passé à la morgue, mais sans mentionner l'avoir vu ou lui avoir parlé ; tu as juste déclaré que le système de sécurité avait enregistré son passage...

— Je ne l'ai vu à aucun moment. Je m'occupais de Hinson, à l'autre bout des locaux.

— Non, pas vers dix heures – même si c'est sans doute ce qu'a vu ou, pour être plus précis, ce que n'a pas vu Kyle.

Il montra du doigt le portemanteau.

— Ta veste, tes chaussures et le reste sont toujours là quand tu travailles. En outre, il est plutôt bizarre de pratiquer une autopsie le soir sans aucune aide ni témoin. Toi qui avais tant reproché à Todd d'avoir esquivé les autres, tu ne voulais pas qu'il assiste à celle-là, parce que tu avais d'autres projets – à savoir aller tuer Bobby au moment du changement d'équipe à l'hôpital. Quand Todd t'a appelée plus tard dans la soirée, tu as feint d'être souffrante afin de pouvoir terminer l'examen du corps de Hinson qui avait pris du retard. Ou bien tu ne pouvais te résoudre à voir le cadavre de Battle sitôt après l'avoir assassiné.

— Tu délires complètement ! Je voulais pratiquer l'autopsie le plus tôt possible. Si l'on attend trop, les indices commencent à disparaître...

— Épargne-moi ton baratin. Je mettrais ma main à couper que Kyle t'avait percée à jour et qu'il essayait de te faire chanter. Donc, tu es venue me raconter qu'il volait des médicaments

634

afin de les revendre, et je t'ai assuré que je lui enverrais Todd dès le lendemain. Seulement, à ce moment-là, tu l'avais déjà tué. Si ça se trouve, tu lui as rendu ta petite visite juste après notre dîner. Ensuite, tu as de façon fort commode découvert des indices prouvant qu'il s'agissait d'un meurtre. Bien sûr, Dorothea offrait la suspecte idéale, ce sur quoi tu comptais. Je parie que tu l'avais reconnue à l'Aphrodisiac.

Il la dévisagea. Elle le fixait d'un regard vide, à présent.

— Est-ce qu'un monstre tel que Battle valait tout ça ? Hein, Sylvia ? Tu n'étais qu'une femme parmi cent autres, pour lui ! Il ne t'aimait pas. Il n'aimait personne...

Elle décrocha le téléphone.

— Si tu ne pars pas tout de suite, j'appelle la police.

King se leva.

— Ah, au fait, pour ta gouverne, c'est Eddie qui m'a mis sur la piste. Il savait que tu avais tué son père, c'est pour ça qu'il voulait te supprimer.

— Alors, comme ça tu écoutes les meurtriers, maintenant ?

— Tu as déjà entendu parler d'un type dénommé Teet Haerm ?

— Non.

— Il vivait en Suède. Il y vit peut-être toujours, d'ailleurs. Dans les années 1980, on l'a accusé de plusieurs meurtres. On l'a arrêté et condamné, mais plus tard le jugement a été annulé, et on l'a remis en liberté.

— Quel rapport avec moi, au juste ? demanda-t-elle d'un ton glacial.

— Teet Haerm était le légiste de la police à Stockholm. À ce qu'on raconte, il aurait accompli l'autopsie de certaines de ses victimes. C'est peut-être la seule fois qu'une chose pareille s'est produite – du moins jusqu'à aujourd'hui. Eddie nous a donné son nom en indice pour nous conduire à toi ; mais il l'a mal orthographié exprès, car il voulait quand même t'attraper le premier.

Il marqua une pause, puis ajouta :

— J'ignore si Teet était coupable, mais je sais que toi tu l'es.

— Tu ne peux pas prouver un seul mot de tout ça.

— C'est exact, reconnut King. Pas pour l'instant, du moins. Mais sache bien que je vais chercher des preuves sans relâche, et j'espère qu'avant de les avoir trouvées la culpabilité t'aura empoisonné la vie.

101

Le petit avion emmena King et Michelle en Caroline du Sud. De là, ils parcoururent en voiture le trajet d'une heure jusqu'à la prison très haute sécurité où Eddie Battle passerait le restant de ses jours. Michelle préféra attendre dehors.

636

On amena Eddie pieds et poings liés, entouré par quatre gardiens qui ne le quittaient jamais des yeux. On lui avait rasé le crâne à blanc, et il portait au visage des cicatrices et des blessures que King savait ultérieures à son transfert dans cet établissement. Il se demanda combien d'autres en masquait sa combinaison. Il s'assit en face de lui. Une vitre de Plexiglas épaisse de plus de trois centimètres les séparait. On lui avait déjà expliqué toutes les consignes à respecter, la plus importante étant de ne faire aucun geste brusque et de ne pas chercher le contact physique avec le détenu. King était tout à fait disposé à suivre ces règles.

— Je vous aurais bien demandé comment ça va, mais je peux en juger par moi-même, déclara-t-il d'entrée.

Eddie haussa les épaules.

— Ce n'est pas si terrible. Rien de bien extraordinaire... Tuer ou être tué, tout était-là pour moi ; pourtant je suis toujours là.

Il lança un regard intrigué à King.

— Je ne m'attendais pas à te revoir un jour.

— Il me reste quelques questions à vous poser. Ensuite, j'ai quelque chose à vous dire. Par quoi voulez-vous commencer ?

— Va pour les questions. On ne m'en pose pas beaucoup, ici. Je passe le plus clair de mon temps à la bibliothèque. Je fais de la muscu, on joue à la balle au mur ; j'essaie de monter une équipe, d'ailleurs. Ils refusent de me laisser peindre, en revanche ; ils ont peur que je noie un mec dans un pot, faut croire... Je t'écoute.

— D'abord, est-ce l'attaque de votre père qui a tout déclenché ?

Eddie hocha la tête.

— J'y songeais depuis un petit bout de temps, mais j'étais pas sûr d'avoir les couilles pour passer à l'acte. Quand mon vieux a morflé, j'ai eu le déclic. Je me suis dit : « C'est maintenant ou jamais. »

— Question suivante : pourquoi vous en êtes-vous pris à Steve Canney ? Je croyais que vous aviez agi pour venger votre mère, mais maintenant je sais que ce n'est pas le cas.

Eddie remua sur sa chaise. Le cliquetis de ses chaînes attira l'attention d'un des gardiens. Eddie lui sourit et lui adressa un signe de la main avant de répondre :

— Mes parents avaient laissé mon frère mourir, et voilà que mon paternel saute une pétasse et la met en cloque. Moi, je voulais pas d'autre frère. Ce Canney a grandi en pleine santé, il est devenu costaud. Ç'aurait dû être Bobby, tu m'entends ? Ç'aurait dû être Bobby, et personne d'autre !

Il avait élevé la voix. Cette fois, ce furent les quatre gardiens qui jetèrent un coup d'œil dans le parloir. King n'aurait su dire qui d'eux ou d'Eddie lui faisaient le plus peur.

— Troisième question : qu'est-ce qui vous a poussé à tuer Junior ? Au début, je pensais que c'était parce qu'il avait volé votre mère, mais vous vous en fichiez. Alors, pourquoi ?

— Le cambrioleur avait abîmé un dessin représentant mon frère.

— Votre mère me l'a montré.

— C'est un portrait de Bobby avant qu'il ne tombe très malade...

Eddie marqua une pause et posa les mains sur la planchette de bois devant lui.

— C'est moi qui l'ai dessiné. J'adorais ce dessin. Et puis, je voulais que ma mère le garde dans sa chambre pour qu'elle n'oublie jamais son crime. Quand j'ai vu le verre du cadre brisé, j'ai su que je liquiderais le coupable. Et comme j'étais persuadé que c'était Junior, à mes yeux il avait signé là son arrêt de mort.

Face à un tel raisonnement, King réprima un frisson.

— Au cas où ça vous intéresserait, toute cette histoire a beaucoup ébranlé Remmy, même si elle s'efforce de le cacher.

— Elle a du fion que j'aie pas eu les tripes de lui régler son compte, celle-là !

— L'idée d'imiter des tueurs en série célèbres, c'était à cause de Chip Bailey ?

Eddie se fendit d'un sourire carnassier.

— Ce bon vieux Chippy ! Sans cesse à se vanter d'être plus malin que les autres, de tout savoir des tueurs en série et de leur mode opératoire... Du coup, j'ai relevé le défi. Le résultat parle de lui-même, il me semble.

— Si on n'avait pas assassiné votre père, qu'auriez-vous fait ?

— Je m'en serais chargé, en lui énumérant juste avant la liste de tous ceux que j'avais tués et en lui expliquant pourquoi. Je voulais qu'il sache de quoi il était responsable. Qu'il prenne ses responsabilités au moins une fois dans sa vie.

— Dernière question : pourquoi avez-vous pris un objet sur chacune de vos victimes ?

— Pour les planquer chez Robinson, afin de lui faire porter le chapeau.

Les sourcils froncés, Eddie se tut un instant, puis reprit à voix basse :

— Il faut croire que mon père et moi, on est pareils.

Pour Eddie, il s'agissait vraiment là de l'insulte la plus blessante, comprit King, et il venait de se l'adresser...

— Alors, qu'est-ce que tu es venu me dire ?

King répondit d'une voix encore plus basse que celle d'Eddie :

— Que vous aviez raison, au sujet de Sylvia. Je l'ai mise devant le fait accompli, mais je ne peux rien prouver...

— Mon petit indice, « Teet », vous avez pigé ?

— Ouais.

— J'en ai entendu parler en allant rendre visite à Chip au siège du FBI, à Quantico.

— Sylvia a quitté Wrightsburg, sans doute pour recommencer sa vie sous une autre identité.

— La petite chanceuse !

— Je n'en ai parlé à personne, pas même à Michelle.

— Ça n'a pas grande importance, de toute façon.

— Bien sûr que si, Eddie. C'est juste que pour l'instant je ne peux rien faire. Je n'ai aucune preuve, elle a très bien couvert ses arrières. Mais je vais continuer de creuser…

Sur ces mots, il se redressa, et après un silence conclut en annonçant :

— Je ne reviendrai pas.

— Je sais.

Eddie se leva à son tour et l'interpella :

— Eh, Sean, tu pourras dire à Michelle que je ne lui aurais pas vraiment fait de mal, ce soir-là ? Et aussi que j'ai beaucoup aimé danser avec elle ?

Puis il s'éloigna en traînant les pieds, entouré par les gardiens – ce fut la dernière image que King eut de lui. Eddie Battle disparut – à jamais, espérait-il.

Alors que King retraversait l'accueil des visiteurs afin de quitter la prison, on l'appela pour lui remettre un paquet. On lui expliqua seulement qu'il était arrivé par la poste et qu'ils avaient pour instruction de le lui délivrer. En fait, il était destiné à Michelle. King retourna à la voiture avec.

— Qu'est-ce que c'est ? demanda-t-elle quand il le lui tendit.

— C'est pour toi. On va s'arrêter déjeuner au resto routier devant lequel on est passés tout à l'heure. Tu n'auras qu'à l'ouvrir là-bas.

C'était un véritable boui-boui plein de camionneurs, mais la nourriture était bonne et le café bien chaud. Ils trouvèrent une table dans le fond.

— Tu n'as pas envie de savoir comment il va ?

— Non. Pourquoi ? Il t'a demandé de mes nouvelles ?

King hésita.

— Non, il n'a pas parlé de toi.

Michelle avala sa bouchée et la fit glisser à l'aide d'une gorgée de café.

— Il y a un truc qui me turlupine toujours, dit-elle.

— Un seulement ? répliqua King en tentant un sourire.

— Qu'y avait-il dans ce tiroir que Remmy tenait tant à récupérer ?

— À mon avis, sa correspondance avec un certain monsieur de sa connaissance.

— Donc, elle avait bien une liaison, au bout du compte ?

— Non, il s'agit d'un cas d'amour non réciproque. De plus, le monsieur en question n'aurait jamais eu de liaison avec une femme mariée... Quoi qu'il en soit, elle voulait retrouver ses lettres.

— Je me demande qui ça pouvait bien..., commença Michelle avant d'écarquiller les yeux. Quand même pas...

— Et si, répondit tout de suite King. Mais ça remonte à très longtemps, et il n'a rien à se reprocher. C'est juste qu'il éprouvait des sentiments pour une femme qui ne les méritait pas.

— Mince alors, ce que c'est triste !

King aida ensuite Michelle à déchirer l'emballage du paquet. Tous deux restèrent un instant à fixer du regard l'objet.

C'était le portrait de Michelle en robe de bal.

King considéra Michelle un instant, mais ne dit rien. Ils réglèrent l'addition et s'en allèrent. Avant de monter en voiture, Michelle jeta le tableau dans la benne à ordures du restaurant.

— On amorce le retour ? demanda King, alors qu'elle s'installait au volant.

— Et comment !

Elle enfonça l'accélérateur, et ils partirent en soulevant un tourbillon de poussière.

Remerciements

À Michelle, c'est incroyable, dixième roman, et ce n'est pas fini. Pour rien au monde je n'aurais voulu partager cette aventure avec quelqu'un d'autre.

À Rick Horgan, pour m'aider à voir la forêt *et* les arbres quand il le faut.

À Maureen, Jamie et Larry, des amis de première, pour tout.

À Tina Andreadis, une amie très chère, une de celles sans qui le public ne connaîtrait pas mon nom.

À tout le reste de l'équipe de Warner Books, pour votre immense travail et votre soutien. Je sais bien que les livres ne se vendent pas tout seuls.

À Aaron Priest, pour être toujours à mes côtés.

À Lucy Childs et Lisa Erbach Vance, pour tout.

À Maria Rejt, pour ses conseils éditoriaux avisés.

Au Dr Monica Smiddy, pour son génie dans le domaine médico-légal. Vous feriez un professeur formidable.

Au Dr Marcella Fierro, pour avoir eu la patience de répondre à toutes mes questions, et

645

m'avoir permis de découvrir les coulisses de l'institut médico-légal de Richmond.

Au Dr Catherine Broome, grâce à qui l'auteur de ce livre paraît bien plus calé en médecine qu'il ne l'est en réalité.

À Bob Schule, mon œnologue attitré, brillant correcteur et grand ami.

Au Dr Alli Guleria et à son mari, le Dr Anshu Guleria, tous deux des amis extraordinaires, pour leur aide concernant les questions médicales, et pour m'avoir prêté leurs voitures d'enfer. Un consultant, c'est toujours génial, pas vrai ?

À Jennifer Steinberg, pour tes excellentes recherches. Je n'ai pas encore réussi à te coller, mais je ne baisse pas les bras.

À Lynette et Deborah, qui fournissez des efforts quotidiens pour éviter que je m'égare. Je sais que ce n'est pas du gâteau.

Achevé d'imprimer par GGP Media GmbH, Pößneck
en octobre 2005
pour le compte de France Loisirs
Paris

Nº d'éditeur: 43888
Dépôt légal: octobre 2005
Imprimé en Allemagne